문학이란 무엇인가

Qu'est-ce que la littérature?

Qu'est-ce que la littérature?
by Jean-Paul Sartre

Korean translation edition is published by arrangement with
Éditions Gallimard through Imprima Korea Agency.

세계문학전집 9

문학이란 무엇인가

Qu'est-ce que la littérature?

장폴 사르트르

정명환 옮김

민음사

일러두기

1. 이 책은 사르트르의 *Qu'est-ce que la littérature?*를 번역한 것이다.
2. 이 책의 원문에는 네 가지 판본이 있다. 사르트르가 창간한 잡지《현대(Les Temps modernes)》통권 17호로부터 22호에 걸쳐(1947년 2월호~같은 해 7월호) 실린 것이 애초의 텍스트이다. 두 번째 텍스트는 이듬해인 1948년에 나온 그의 평론집『상황(Situations)』제2권에 수록된 것이다. 이때 저자는 원래의 글에 부분적인 수정을 가하고 주석을 보충하였는데, 역자가 대본으로 삼은 것은 바로 이 책이다. 세 번째와 네 번째의 텍스트는 각각 Collection Idées의 문고판(1964)과 Folio 문고판(1985)으로 나왔다. 이 두 판본은 두 번째 텍스트를 따르고, 특히 Folio 판은 몇 군데 오식을 바로잡았으나, 결코 결정적인 텍스트라고 말할 수는 없다. 역자는 이상 네 텍스트를 서로 견주면서 해석해 나가려고 애썼다.
3. 저자가 붙인 주(註)는 원서에서와 마찬가지로 각 장(章)의 끝에 기재해 놓았다. 한편 독자의 이해를 돕기 위해서 역자가 마련한 간단한 주는 각주의 형식으로 실려 있다. 원주 번호는 1, 2, 3……, 역주 번호는 1), 2), 3)……으로 표시했다.
4. 사르트르의 문장은 많은 경우에 매우 긴 단락들로 이루어져 있다. 역자는 이 책의 영어 번역에서 시도된 바를 참고로 삼아, 그것을 더 짧은 몇 개의 단락으로 세분하고, 저자가 설정한 원래의 단락은 한 줄의 빈칸으로 표시했다. 그것이 책의 취지를 크게 손상함이 없이 더 읽기 쉽게 만들 것이라고 생각했기 때문이다.

차례

돌로레스*에게

* 사르트르가 1945년 미국에 갔을 때부터 사귀게 된 여성 돌로레스 바네티(Dolores Vanetti). 시몬 드 보부아르의 『사물의 힘(La Force des Choses)』에는 M이라는 익명으로 나온다.

「당신이 참여할 의향이 있다면 왜 지금 바로 공산당에 들어가지 않는 것이오?」 어느 천치 같은 젊은이가 이렇게 썼다. 과거에 자주 참여했다가는 더 자주 물러서곤 했던 한 대작가(大作家)는 자신의 그런 행적을 잊어버리고는 내게 말했다. 「가장 나쁜 예술가는 가장 적극적으로 참여한 예술가요. 소련의 화가들을 보시오」[1] 어느 늙은 비평가는 점잖게 투덜거렸다. 「당신은 문학을 죽이려는구려. 당신의 잡지에는 문예(文藝)에 대한 뻔뻔스런 경멸이 도처에 깔려 있소」 한 소견 좁은 작자는 나를 고집불통이라고 불렀는데, 필경 제딴에는 그 말이 가장 혹독한 욕설이었나 보다. 두 세계대전에 걸쳐서 간신히 연명해 오고, 그

1) 《현대 *Les Temps modernes*》지(誌)가 1945년 10월에 창간되고, 거기에 실린 사르트르의 창간사가 정치적 참여의 이념을 내걸자, 좌우익에서 일제히 비판의 소리가 터져 나왔다. 그중의 하나로 여기에서 말하는 〈대작가〉 앙드레 지드는 그 창간사를 〈야만을 향한 길〉이라고 혹평하고 소련의 어용 예술이 상기된다고 했다.

이름이 때로는 노인들의 따분한 추억을 다시 불러일으키는 한 작가는 내가 사후의 영예에 무관심하다고 비난했다. 자기 자신은 다행히도 사후의 영예를 가장 큰 희망으로 삼고 있는 많은 인사(人士)들을 알고 있다는 것이다. 미국의 어느 얼간이 기자가 보기에는, 내 잘못은 베르그송도 프로이트도 읽지 않은 점에 있으며, 참여하지 않은 플로베르로 말하자면 그 작가는 마치 회한(悔恨)처럼 나를 사로잡고 있다는 것이다. 능글맞은 작자들은 눈을 껌벅거리며 중얼댄다. 「그러면 시는? 음악은? 그림은? 당신은 그런 것도 참여시키려는 것이오?」 그리고 호전적인 작자들은 이렇게 덤벼든다. 「도대체 무슨 말이오? 참여문학이라구? 그렇다면 구식의 사회주의 리얼리즘이겠군. 혹은 민중주의(民衆主義)[2]를 재탕해서 좀더 당돌하게 만든 것인지도 모르지만」

얼마나 어리석은 객담들인가! 조급하게 읽고 잘못 읽고 또 미처 이해하기도 전에 판단하려 하기 때문이다. 그러니 이야기를 처음부터 다시 시작하자. 이런 일은 당신들에게도 내게도 즐거운 일은 아니다. 그러나 되새길 수밖에는 없다. 그리고 비평가들이 문학이라는 말을 무슨 뜻으로 쓰는지 전혀 밝히지도 않고 문학의 이름으로 나를 단죄(斷罪)하는 이상, 그들에 대한 최상의 대답은 글쓰기의 예술을 편견 없이 검토해 보는 것이다. 쓴다는 것은 무엇인가? 왜 쓰는가? 누구를 위하여 쓰는가? 사실, 아무도 이런 물음을 스스로 제기해 본 일이 없었던 것 같다.

---

2) populisme: 1929년에 시작되었던 문학운동. 자연주의적 수법으로 생활의 추악한 모습을 그리거나 또는 프롤레타리아 혁명의 이념에 입각하지 않고, 서민들의 삶의 애환을 진솔하게 그리는 것을 목표로 삼았다. 다비 Eugène Dabit의 『북 호텔 *Hôtel du nord*』은 그 유파의 대표작의 하나이다.

1 쓴다는 것은 무엇인가

아니다. 우리는 회화와 조각과 음악도 〈역시 참여시키려는〉 것이 아니다. 적어도 같은 방법으로 참여시키려는 것은 아니다. 도대체 우리가 왜 그러기를 바라겠는가? 지난 여러 세기에 걸쳐서, 한 작가가 자기의 직업에 관해서 어떤 의견을 표명했을 때, 사람들은 그가 다른 예술 분야에도 그 생각을 적용하기를 요구한 일이 있었던가? 그러나 오늘날에는 음악가나 문학자의 특수 용어로 〈회화를 이야기하고〉, 또 화가의 특수 용어로 〈문학을 이야기〉하는 것이 멋있는 일로 되어 있다. 그런 이야기를 들으면, 스피노자적(的)인 실체(實體)가 어느 한 속성에 의해서도 완전하게 반영될 수 있듯이, 세상에는 결국 단 한 가지 예술밖에 없어서, 어떤 분야의 언어로도 두루 표현될 수 있는 것 같은 느낌이 든다. 하기야 모든 예술적 지향(志向)의 근원에는 어떤 미분화(未分化)된 선택이 있고, 그것은 상황이나 교육이나 세상과의 접촉으로 말미암아 후일에 가서야 특정화(特定化)될

지도 모른다. 또한 같은 시대의 예술은 서로 영향을 주고받으며, 같은 사회적 요인들을 조건으로 삼고 있다는 것도 사실이리라. 그러나 가령 음악에 적용될 수 없는 문학이론은 잘못된 문학이론이라고 주장하는 사람이 있다면, 그는 우선 모든 예술이 동류적(同類的)이라는 것을 증명해야 할 것이다.

한데, 그런 동류성은 존재하지 않는다. 다른 모든 영역에서와 마찬가지로, 형식만이 아니라 소재 역시 서로 다른 것이다. 색채와 소리를 가지고 작업하는 것과 말로 표현하는 것은 전혀 다른 일이다. 음조(音調)와 색채와 형태는 기호가 아니어서, 외부에 있는 그 어떤 것도 지향(指向)하지 않는다. 물론 그것들을 엄밀히 그 자체로만 환원해서 생각한다는 것은 전혀 불가능한 일이며, 가령 순수한 소리라는 개념은 하나의 추상(抽象)에 불과하다. 메를로퐁티가 『지각의 현상학』에서 잘 지적하고 있는 것처럼, 의미가 전혀 배어 있지 않을 정도로 완전히 순수한 성질이나 감각이란 없다. 그러나 어떤 성질이나 감각에 깃들여 있는 어렴풋한 작은 의미, 가령 가벼운 기쁨이나 수줍은 슬픔 따위는 그것에 내재(內在)해 있거나 또는 그 주위에서 마치 아지랑이처럼 바르르 떨고 있는 것이다. 그 작은 의미가 바로 색채나 소리 〈그 자체〉인 것이다. 누가 풋사과의 빛과 그 새콤한 기쁨을 구별할 수 있겠는가? 〈풋사과 빛의 새콤한 기쁨〉이라고 이름 붙인다면, 그것이 벌써 지나친 표현이 아니겠는가? 오직 초록색이 있고 붉은색이 있을 뿐이며, 그것이 전부이다. 그것들은 사물(事物)이며, 그 자체로서 존재한다.

하기야 약정(約定)에 의해서 그것에 기호로서의 가치를 부여할 수는 있다. 가령 꽃말이 그런 경우이다. 그러나 내가 약정에 따라서 흰 장미를 〈충실성〉의 뜻으로 새긴다면, 그것은 이미 그

흰 장미를 꽃으로 보지 않게 되었기 때문이다. 내 시선은 흰 장미를 가로질러 그 너머에 있는 그 추상적 덕목(德目)을 겨냥한 것이다. 나는 흰 장미를 잊고 만다. 거품처럼 부풀어오른 꽃송이도 삭은 듯이 달콤한 향기도 지나치고 만다. 나는 그것을 지각(知覺)조차 못 한 것이다. 다시 말해서 나는 예술가로서 행동하지 않은 것이다. 예술가에게는 색채도 꽃다발도 찻잔 받침에 부딪히는 스푼의 소리도 최고도로 〈사물〉이다. 그는 소리나 형태의 질(質)에 주목하고 끊임없이 그것으로 되돌아오고 그것에 홀린다. 그리고 그가 캔버스에 옮겨놓는 것은 바로 이러한 물체로서의 색채인데, 그가 거기에 가하는 유일한 수정은 그것을 〈상상적〉 물체로 변형한다는 것뿐이다. 따라서 예술가가 색채와 소리를 〈언어〉로 생각한다는 것은 당치도 않은 것이다.[1]

지금까지 우리가 예술적 창조의 요소(要素)들 자체를 두고 한 이야기는 그 요소들의 결합에 관해서도 똑같이 할 수 있다. 화가는 그의 캔버스에 기호를 그으려 하는 것이 아니라 하나의 사물을 창조하려는 것이다.[2] 그가 붉은색과 노란색과 초록색을 함께 칠할 때, 그 집합체가 어떤 분명한 의미를 지녀야 할 이유, 다시 말해서 어떤 다른 물체를 또렷이 지시해야 할 이유는 전혀 없다. 하기야 그 집합체에도 어떤 영혼이 깃들여 있기는 할 것이다. 그리고 화가가 보라색이 아니라 노란색을 택한 데에는, 비록 감추어진 것일망정 어떤 동기가 있을 테니까, 이렇게 창조된 물체는 그 화가의 가장 깊은 경향을 반영하고 있다고도 주장할 수 있을 것이다. 그러나 그 물체들이 화가의 분노나 고뇌나 기쁨을, 말이나 얼굴의 표정처럼 나타내는 것은 결코 아니다. 거기에는 도리어 그런 감정들이 배어들어 가 있는 것이다. 그리고 원래 그 자체로서 무슨 뜻과도 같은 그 무엇이 깃들여 있는 색조(色調) 속으로 감정이 녹아들어 갔기 때문에, 그 감정들은 뒤섞이고 흐려져서 이미 아무도 그것을 알아낼 수 없게 된다.

가령 틴토레토[1]는 골고다의 상공에 노랗게 찢긴 자리를 만들어 놓았는데, 그가 그렇게 한 것은 고뇌를 〈의미하기〉 위해서도 고뇌를 〈환기하기〉 위해서도 아니다. 그 찢긴 자리는 그 〈자체가〉 고뇌이며 또 동시에 노란 하늘이다. 그것은 고뇌를 나타내는 하늘도 고뇌에 싸인 하늘도 아니다. 그것은 사물화(事物化)된 고뇌, 하늘의 노랗게 찢긴 자리로 되어버린 고뇌이다. 그래서 사물의 고유한 성질에 의해서, 즉 사물의 불침투성(不浸透性)과 그 연장(延長)과 그 맹목적인 영속성(永續性)과 외면성(外面性)에 의해서, 그리고 사물이 다른 사물들과 맺는 무한한 관계에 의해서, 짓눌리고 끈적끈적하게 반죽된 고뇌이다. 달리 말하자면 그 고뇌는 이미 전혀 해독할 수 없는 것이 되어버린 것이다. 그것은 사물의 성질상 표현할 수 없는 것을 표현하려고 하다가 항상 하늘과 땅 사이에서 정지되는 엄청나고도 헛된 노력과 같다.

이와 마찬가지로 한 선율(旋律)의 의미 역시——여기서도 여전히 의미라는 말을 쓸 수 있다면—— 선율 그 자체를 떠나서는 존재하지 않으며, 이 점에서 여러 방법으로 적절하게 표현할 수 있는 상념(想念)들과는 다르다. 어떤 선율이 즐겁다거나 우울하다고 아무리 말해 보아도, 선율은 우리가 말할 수 있는 것을 항상 넘어서거나 또는 그것에 못 미친다. 그것은 음악가가

1) Tintoretto(1518-1594): 이 유명한 이탈리아의 화가에 대한 사르트르의 관심은 매우 크다. 『집안의 바보』에도 바로 이 〈찢겨진 하늘〉에 대한 다른 각도에서의 언급이 있으며(제3권, 1982쪽), *Situations IV*에 수록된 「베네치아의 감금자들 Les Séquestrés de Venise」에서는 티치아노 Tiziano와 대조하면서 이 화가의 모습에 실존적 조명을 가하고 있다.

우리보다 한결 풍부하고 다양한 정념(情念)을 품고 있기 때문이 아니라, 창조된 테마의 근원을 이루었을 그의 정념이 음조(音調)에 녹아들어서 그만 변질되고 흐려졌기 때문이다. 고통의 외침은 그 외침을 자아내는 고통의 기호이다. 그러나 고통의 노래는 고통 그 자체인 동시에 고통과는 다른 어떤 것이다. 실존주의적 용어를 빌려 쓰자면 그것은 이미 〈존재하는〉 고통이 아니라, 〈있는〉[2] 고통이다. 그러나 화가가 집을 만들어보이는 경우에는 어떻게 되는 것일까 하고 여러분은 물을지도 모른다. 아닌게아니라, 화가는 집을 〈만든다〉. 다시 말해서 그는 캔버스에 상상적인 집을 창조하는 것이며 집의 기호를 그리는 것이 아니다. 한데, 이렇게 해서 출현한 집은 실제의 집들의 애매모호한 점을 그대로 지니고 있다.

작가라면 독자를 인도(引導)할 수 있다. 작가는 오막살이 한 채를 묘사함으로써, 독자로 하여금 거기에서 사회적 부정의 상징을 보게 하고 독자의 분노를 자아낼 수 있을 것이다. 그러나 화가는 말이 없다. 화가는 다만 〈하나의〉 오막살이를 보여줄 따름이다. 그것이 전부이다. 그것을 어떻게 생각하느냐 하는 것은 보는 사람의 자유이다. 다만 그 고미다락은 결코 가난의 상징이 아니다. 그러려면 그것은 기호라야 할 텐데, 사실은 사물인 것이다. 졸렬한 화가는 전형(典型)을 추구하고, 전형적인 아랍 사람을, 어린아이를, 또는 여자를 그린다. 한편 훌륭한 화가는 전형적인 아랍 사람이나 전형적인 프롤레타리아는 현실계에도

---

2) exister를 편의상 〈존재하다〉로, être를 〈있다〉로 번역했다. 전자는 초월과 생성의 가능성을 지니고 있고, 후자는 그것 자체로서 고정되어 있는 존재의 양태를 가리킨다. 달리 말하면, 각각 대자적(對自的), 즉자적(卽自的) 양상을 뜻한다.

또 캔버스상에도 존재하지 않는다는 것을 알고 있다. 그는 오직 한 노동자를, 어떤 한 노동자를 제시할 따름이다. 그렇다면 〈한〉 노동자에 대해서 무슨 생각을 할 수 있는 것인가? 서로 모순되는 수없이 많은 생각이 있을 수 있다. 그리고 그 모든 생각과 모든 느낌이 캔버스상에 엉겨붙어서 깊은 미분화 상태를 이루고 있는 것이다. 그중의 어떤 것을 선택하느냐는 각자의 자유이다. 마음씨 착한 화가들은 가끔 우리를 감동시키려고 시도했다. 그들은 눈 속에서 일자리를 기다리는 노동자들의 긴 행렬이나 실업자들의 초췌한 얼굴이나 전쟁터를 그리곤 했다. 그러나 그뢰즈[3]의 『탕아』가 감동을 못 주듯이 그런 그림들도 감동을 주지 못한다. 그리고 『게르니카의 학살』[4]이라는 걸작이 과연 단 한 사람이라도 스페인의 대의(大義)를 위해서 나서는 계기를 마련했다고 생각하는가? 그렇지만 그 그림은 우리가 결코 완전히는 알아들을 수 없는 그 무엇을, 우리가 아무리 많은 말을 해도 못다 표현할 그 무엇을 말하고 있는 것이다. 피카소의 기다란 어릿광대들, 아리송하고 영원하고, 해독할 수 없는 뜻이 배어 있고, 구부정한 그 체구와도 또 그 운동복의 색 바랜 마름모꼴과도 떼어놓을 수 없는 그 모습은, 육체화된 감정, 압지가 잉크를 빨아먹듯이 육체가 빨아먹은 감정이다. 그것은 이제 알아볼 수 없게 되고 행방불명이 되고 스스로 낯설게 되고 사방으로 찢겨 있으면서도 여전히 거기에 현존(現存)하고 있는 감정이다. 화가의 자비심이나 분노는 다른 대상들을 만들어낼 수도 있으리라는 것을 나는 의심치 않는다. 그러나 그 경우에도 감정은

---

3) Greuze(1725–1805): 초상화로 유명한 프랑스의 화가. 그림에 도덕적, 종교적 교훈을 담아넣은 것으로 알려져 있다.

4) 물론 피카소의 그림을 두고 하는 말이다.

여전히 대상 속으로 녹아들어 이름없는 것이 되고 말 것이며, 우리 눈앞에 남는 것은 오직 정체불명의 영혼이 깃들인 사물들뿐일 것이다. 우리는 의미를 그림으로 그릴 수도, 음악으로 꾸밀 수도 없는 것이다. 그런 이상 누가 감히 화가나 음악가에게 참여하기를 요구할 수 있단 말인가?

이와 반대로 작가가 다루는 것은 의미이다. 그러나 구별이 필요하다. 왜냐하면 기호의 왕국은 산문이며, 시(詩)는 회화, 조각, 음악과 같은 편이기 때문이다. 사람들은 내가 시를 싫어한다고 비난한다. 《현대》지에 시를 거의 싣지 않는 것이 바로 그 증거라고들 말하고 있다. 그러나 시를 싣지 않는 것은 도리어 우리가 시를 사랑한다는 증거이다. 오늘날 발표되는 글들을 언뜻 살펴보기만 해도 내 말을 믿게 될 것이다. 다른 한편으로 비평가들은 의기양양하게 이렇게 말한다. 「적어도 당신은 시를 참여시킬 생각은 꿈에도 하지 못할 것이다」 과연 그렇다. 도대체 내가 왜 그런 생각을 하겠는가? 시 역시 산문과 같이 말을 사용한다고 해서 그런 생각을 하겠는가? 그러나 시는 산문과 똑같은 방식으로 말을 사용하는 것이 아니다. 심지어 시는 말을 〈사용하는〉 것이 결코 아니라고까지 말할 수 있다. 그보다는 차라리 시는 말을 섬긴다고 하고 싶다. 시인은 언어를 〈이용하기를〉 거부하는 사람들이다. 진리의 탐구가 이루어지는 것은 일종의 도구로 생각된 언어 속에서이며 또 그런 언어를 통해서이지만, 그렇다고 해서 시인들 역시 진실을 가려내고 그것을 피력하는 것을 목적으로 삼는다고 생각해서는 안 된다. 시인은 또한 세계를 〈명명(命名)〉하려고도 생각하지 않으며, 사실, 전혀 아무런 명명도 하지 않는다. 왜냐하면 명명한다는 행위는 명명된 대상에 이름을 영원히 제물(祭物)로 가져다 바친다는 것을 의미하기 때문이다. 헤겔식(式)으로 말하면, 그 경우 본질적인 것이 된 사물 앞에서 이름은 비본질적인 것이 되어버리기 때문이다. 시인은 말하는 사람이 아니다. 그렇지만 침묵하는 것도 아니다. 그것은 문제가 다르다. 시인은 말들을 괴상하게 결합해서 언어를 파괴하려고 해왔다고들 하지만, 그것은 사실이 아니다. 만일 그렇다면, 시인은 실용적(實用的)인 언어 한복판에 이미 끼여 있어야 하고, 거기에서 말들을 끌어내서 야릇한 작은 어군(語群)을 이루도록 애써야 할 것이다. 가령 〈말〔馬〕〉과 〈버터〉라는 낱말을 끌어내서 〈버터의 말〉이라고 쓰는 경우가 그럴 것이다.[3]

한데, 이런 일을 하려면 무한한 시간이 필요하리라는 것은 차치하고라도, 어떤 사람이 실용적 기도(企圖)의 입장에 서서 말을 도구로 생각하는 동시에, 또한 말로부터 그 도구성을 박탈하려고 한다는 것은 상상할 수 없는 노릇이다. 사실을 말하자면, 시인은 단번에 도구로서의 언어와 인연을 끊은 사람이다. 시인은 말을 기호로서가 아니라 사물로서 본다는 시적 태도(詩的態度)를 단호하게 선택한 사람이다. 말[5]에는 양면성이 있어서, 우리는 마치 유리를 투시하듯 우리의 마음대로 말을 가로질러 의미되는 사물을 좇아갈 수 있고, 또 다른 한편으로는 우리의 시선을 말의 〈실체〉로 돌려서 그것을 대상으로 볼 수도 있는 것이다. 언어를 사용하는 사람은 말의 저쪽에, 대상 가까이에 있고, 시인은 말의 이쪽에 있다. 전자(前者)에게는 말은 길들여진 것이고, 후자에게는 그것은 야생(野生) 그대로이다. 전자에

---

5) 원문에는 〈l'ambiguïté du signe〉라고 되어 있다. 그러나 문맥상 signe(기호)는 mot(말)로 대치되어야 할 것 같다. 감히 바로잡아 번역했다.

게는 말은 유용한 관례이며 차츰 소모되는 도구, 쓸모없게 될 때는 내던져버리는 그런 도구이다. 이에 반해서 후자로서는 그것은 풀이나 나무처럼 이 땅 위에서 자생(自生)하는 자연물이다.

그러나 화가가 색채에, 음악가가 소리에 주목하듯, 시인이 말에 주목한다고 해서, 그가 보기에 말의 모든 의미가 사라져버린 것은 아니다. 사실, 말에 언어적 통일성을 줄 수 있는 것은 오직 의미밖에 없다. 의미가 없어지면 말들은 소리와 펜의 흔적으로 산산이 흩어지고 말 것이다. 다만 시에서는 의미도 역시 자연적인 것이 된다. 그것은 언제나 포착할 수 없으면서도 언제나 인간의 초월성(超越性)[6]이 겨냥하는 그런 목표가 아니다. 그것은 얼굴의 표정처럼, 소리와 색깔의 어쩐지 슬프거나 기쁜 느낌처럼, 말 하나하나가 지니는 고유의 속성이다. 말 속으로 흘러들고 말의 음색이나 모습에 의해서 흡수되어 어두워지고 흐려진 의미는 그것 역시 자생적(自生的)이며 영원한 사물이다.

시인에게는 언어는 외적(外的) 세계의 구조이다. 이에 반해서 말을 사용하는 사람은 언어적 상황 속에 처해 있고 말에 의해서 포위되어 있다. 말은 그의 감각 기관의 연장이어서, 말하자면 그의 집게, 안테나, 안경과 같은 것이다. 그는 그런 것들을 내부로부터 조종하고 제 몸의 일부처럼 느낀다. 그를 둘러싸고 있는 이 언어라는 신체에 대해서 그는 거의 의식하지도 않는데, 그것이 그의 행동을 세계로 펼쳐나가게 한다. 그러나 시인은 언어

6) transcendance: 대상을 지향하는 의식의 움직임을 뜻한다. 여기에서는 인간이 어떤 본질적, 절대적 의미를 상정하고, 그것을 포착하려 한다는 것을 가리킨다.

밖에 있다. 그는 말을 거꾸로 본다. 마치 자기는 인간 조건에 속하지 않는 존재인데, 인간 세계로 다가오니 우선 말이라는 장애물에 마주쳤다는 듯이 말이다. 시인은 먼저 이름을 통해서 사물을 인식하는 대신에, 우선 사물들과 무언의 접촉을 하고, 그 다음으로 말이라는 또 하나의 사물 쪽으로 돌아서서는 그 말들을 건드리고 더듬고 만져보는 것 같다. 그리고 거기에서 어떤 고유의 작은 광채(光彩)를 찾아내고, 또 땅과 하늘과 물과 창조된 모든 것과의 독특한 유사성을 발견하기도 한다.

이렇듯 말을 세계의 모습의 〈기호〉로 사용할 줄 모르는 시인은 말에서 그런 모습 중의 하나의 〈이미지〉를 찾아보는 것이다. 그리고 가령 버드나무나 물푸레나무와 닮았다고 해서 시인이 선택한 언어적 이미지는 반드시 우리가 그런 대상을 지칭하는데 사용하는 말은 아니다. 시인은 애초부터 기호로서의 말의 외부에 자리잡고 있는 사람이다. 그렇기 때문에 시인이 생각하는 말은 사물의 한복판으로 그를 나서게 하는 그런 안내자가 아니라, 달아나는 현실을 포착하기 위한 덫이다. 요컨대 시인에게는 언어가 온통 세계의 거울인 것이다. 그러자 말의 내적 구조에 있어서 중요한 변화가 생긴다. 말의 음색, 장단, 남녀성(男女性)을 가리는 어미(語尾), 그 시각적인 양상 따위가 말의 육안(肉顔)을 이루고, 이 육안은 의미를 표현한다기보다도 〈표상(表象)〉하는 것이다. 뒤집어 말하자면, 의미가 〈실체로서 나타나기〉 때문에 말의 유형적인 모습은 그 의미 속에 반영되고, 한편으로 의미는 말이라는 신체의 상(像)으로서 작용한다. 의미는 또한 언어체의 기호가 되기도 한다. 왜냐하면 그것은 이미 의미로서의 우월성을 상실했기 때문이다. 그리고 말들은 사물들과 마찬가지로 자생적인 것이기 때문에, 말들이 사물들을 위해서 존재하는 것인지, 아니면 반대로 사물들이 말들을 위해서 존재하는 것인지, 시인으로서는 그 판정이 불가능하다.

이리하여 말과 그 말이 뜻하는 사물 사이에는 마술적인 유사성과 의미라는 이중의 상호 관계가 성립된다. 그리고 시인은 말을 〈사용하는〉 사람이 아니기 때문에, 말의 여러 가지 어의(語義) 중에서 어떤 어의 하나를 특별히 선택하는 것이 아니다. 시인의 눈에는 각각의 어의는 자립적인 기능을 갖는 것이 아니라, 어떤 물질적인 특질을 띠고 바로 그의 목전에서 다른 어의들과 섞여서 용해한다.

이런 곡절로, 오직 시적 〈태도〉의 결과로서, 피카소가 꿈꾸었던 메타포——여전히 성냥갑이면서도 완전히 박쥐일 수 있는 그러한 성냥갑을 그리기를 바랐을 때 꿈꾸었던 메타포가 하나하나의 말에서 실현되는 것이다. Florence(플로랑스)[7]는 도시이며 꽃이며 여자이다. 그것은 동시에 〈도시-꽃〉이며 〈도시-여자〉이며 〈여자-꽃〉이다. 그리고 이렇게 나타나는 이 야릇한 대상은 fleuve(강)의 유동성과 or(금)의 보드러운 황갈색의 열기를 지니고, 결국에는 avec décence(얌전하게) 몸을 내맡기고, 무성(無聲) e의 살그머니 약해져 가는 소리를 통해서 그 꽃봉오리를 다소곳하게 그리고 한없이 피워올리는 것이다. 게다가 개인적 체험이 여기에 슬그머니 끼여들기도 한다. 나로서는 플로랑스

7) 이 부분을 이해하려면, 프랑스 말에 대한 다소의 지식이 필요할 것이다. Florence[flɔRɑ̃:s]는 피렌체 Firenze의 프랑스식 호칭이지만, 사르트르는 여기에서 그 말의 음성적 요소들이 상기시키는 다른 말들의 의미와 이미지를 중첩시키고 있는 것이다. 우선 그것은 흔히 여자의 이름이기도 하다. 그것은 또한 fleur(꽃)나 fleuve(강)와 동일한 초음(初音)을, or(금)와 동일한 중간음을, 그리고 décence와 같이 무음(無音) e로 끝나는 종음 [ɑ̃:s]를 공유하고 있다.

는 또한 어떤 여성이기도 하다. 그것은 내 어린 시절에 무성 영화에 나왔던 미국의 배우이다. 무도회에서 끼는 긴 장갑처럼 훌쭉하고 늘 나른한 기색이며 늘 정숙하고, 늘 기혼녀로 나오지만 남편의 이해를 못 받았고, 내가 좋아했고, 그 이름이 플로랑스라는 것을 제외하고는 달리 생각이 나지 않는 그런 여인이다.

이렇듯 말은 산문가를 자기 자신에서 떼어내고 세계의 한복판으로 내던지는 반면에, 시인에게는 마치 거울인 양 그 자체의 모습을 되비쳐보이는 것이다. 그렇기 때문에 레리스의 이중의 기도는 정당하다. 그는 한편으로는 그의 『어휘집 Glossaire』에서 어떤 낱말에 대해서 〈시적 정의〉를 주려고, 다시 말해서 소리라는 육체와 의미라는 영혼 사이의 맞물림의 종합이 될 만한 정의를 주려고 애쓴다.[8] 그리고 다른 한편으로는 미간(未刊)의 한 작품에서, 그에게 유달리 감동적인 몇몇 낱말들을 지표로 삼아 잃어버린 시간을 찾아 나서고 있다. 이리하여 시적 언어는 하나의 소우주를 이룬다.

금세기 초에 폭발한 언어의 위기는 시의 위기였다. 사회적, 역사적 요인이 어떤 것이었든 간에, 그 위기는 언어를 면대하여 작가가 일으킨 비인격화(非人格化)의 충격으로 나타났다.[9] 작가

---

8) Michel Leiris(1901-1990): 프랑스의 시인. 자아의 내면에 묻힌 진실을 밝히려는 언어의 모험이 두드러진다. 여기에서 사르트르가 언급하고 있는 시도(試圖), 즉 말들의 소리와 뜻과 형태를 긴밀히 연관시키는 언어적 유희를 통해서 새로운 시적(詩的) 정의를 하려는 시도의 한 예로서, 가령 rumeur가 있다. 〈소문〉이라는 뜻의 이 rumeur라는 말은 〈brume des bruits qui meurent au fond des rues〉라고 정의된다. 음성과 문자의 요소들의 동일성을 극도로 이용한 이 정의를 굳이 번역하자면 〈거리의 저 끝에 가서 죽는 소리의 안개〉가 될 것이다.

9) 이 언어의 위기에 관해서는 뒤에서(368-370쪽) 더 자세하게 언급되어 있다. 또한 『주네론(論) *Saint Genet, comédien ou martyr*』에서도, 부르주아

는 이미 언어를 어떻게 사용해야 할지를 모르게 되었고, 베르그송의 유명한 표현을 빌리자면, 언어를 그 반쪽밖에는 알아볼 수 없게 된 것이다. 이제 작가는 이화감(異化感)을 느끼면서(그것은 매우 풍요로운 이화감이었지만), 언어를 대했다. 언어는 이미 그의 소유물이 아니었고, 또한 그 자신의 본질도 아니었다. 그러나 이 야릇한 거울에는 하늘과 땅과 그 자신의 삶이 반영되어 있었다. 마침내 언어는 사물들 그 자체가 되었다. 아니, 차라리 사물들의 어두운 핵심이 되었다고 말하는 것이 더 옳다. 그리고 시인이 그러한 소우주의 몇몇을 함께 엮을 때, 그는 화폭 위에서 여러 색깔을 배합하는 화가와 똑같은 일을 하는 것이다. 그런 경우 시인은 하나의 문장을 만든다고 생각하는 사람이 있을지도 모르지만, 그것은 겉보기에 지나지 않고, 시인이 진실로 하는 일은 한 대상의 창조이다. 〈사물로서의 낱말들〉이 색깔이나 소리의 경우와 같이 균형과 불균형의 마술적인 배합에 의해서 서로 뭉치는 것이다. 그것들은 서로 끌어당기고 떠밀어내고 〈불태우며〉, 그 결합이 〈사물로서의 문장〉이라는 시적 단위(詩的單位)를 구성한다. 하기야 시인이 우선 문장의 도식을 머릿속에 먼저 그리고, 낱말이 그 뒤를 따라오는 일이 더 많기는 하다. 그러나 이 도식은 우리가 보통 언어 도식이라고 부르는 것과는 아무 관련이 없다. 그것은 의미의 구성을 좌지우지하는 것이 아니다. 피카소는 화필을 들기 전에, 앞으로 곡예사나 어릿광대로 형체화(形體化)될 어떤 〈사물〉을 허공에 미리 그려보곤 했는데, 이 도식은 말하자면 그런 경우의 창조적 기도와 가까운 것이다.

지가 순치한 언어의 의미를 타파하려는 시인들의 투쟁에 관해서 자세히 이야기하고 있다(311쪽 이하).

달아나리, 저 멀리 달아나리. 나는 느끼노라 새들의 도취를, 그러나 들어라, 오오 내 마음이여, 사공들의 노랫소리를.[10]

문장의 첫머리에 무슨 거석(巨石)처럼 우뚝 솟아 있는 이 〈그러나Mais〉라는 낱말은 마지막 시행을 그 앞의 시행과 연결시키고 있는 것이 아니다. 그것은 이 시행을 어떤 유보적(留保的)인 뉘앙스로 물들이고 있으며, 점잖게 물러선 그런 태도가 시행 전체에 배어 있는 것이다. 이와 마찬가지로 어떤 시는 〈그리고et〉[11]라는 말로부터 시작한다. 한데 이 접속사는 독자가 머릿속에서 무슨 연결 작업을 하도록 지시하는 것이 아니다. 그것은 시절(詩節) 전체에 퍼지면서 〈계속〉을 절대적 성격의 것으로 만들어 주는 것이다. 시인에게는 문장이 음조와 맛을 지니고 있다. 그는 문장을 통해서, 반대와 유보와 분리(分離)의 짜릿한 맛을 그것 자체를 위해서 맛보는 것이다. 그는 그런 맛을 절대화하며, 그것을 문장의 현실적인 속성으로 삼는다. 가령 한 문장이 그 어떤 또렷한 것에 대한 반대가 아닌데도, 완전한 반대가 된다. 여기에서 우리는 방금 전에 지적한 바 있는 시적 언어와 그 뜻 사이의 맞물림의 관계를 다시 보게 되는 것이다. 가령 선택된 낱말들의 총체(總體)가 의문이나 한정(限定)의 뉘앙스를 띤 〈이미지〉로서 기능하고, 또 역(逆)으로 그 의문은 그것이 한정하는

---

10) 말라르메의 「해풍Brise marine」에 나오는 시구. 이 인용에는 잘못이 있다. 사르트르는 시의 제2행과 끝줄인 제16행을 맞붙여 놓은 것이다. 그러나 그가 여기에서 말하려는 취지에 완전히 어긋날 만한 근본적인 잘못은 아니라고 생각된다.

11) 〈et〉로 시작하는 시의 예로서 가령 랭보의 「일곱 살의 시인들Les Poètes de sept ans」의 첫 줄이 있다. 〈Et la Mère, fermant le livre du devoir ……(그리고 어머니는 숙제장을 덮고는……).〉

언어적 총체의 이미지가 된다.

예컨대 다음의 희한한 시구(詩句)를 보라.

오오 계절이여! 오오 성(城)이여!
흠없는 영혼이 어디 있으랴?[12]

여기에서는 누가 질문을 받는 것도 질문을 하는 것도 아니다. 시인은 그 자리에 없는 것이다. 그리고 물음은 대답을 가져오는 것이 아니다. 아니 차라리 물음이 그 자체의 대답이라고 해야 할 것이다. 그렇다면 그것은 가짜 물음일까? 그러나 랭보가 누구에게나 결함이 있다는 것을 〈말하려 했다〉고 생각하는 것은 터무니없는 일이다. 브르통이 생폴 루[13]에 대해서 언급했다시피 〈만일 그가 그런 말을 하고 싶었다면 그렇게 말했을 것이다〉. 그렇다고 랭보가 다른 것을 〈말하려고 한〉 것은 아니다. 그는 오직 절대적 질문을 던진 것이다. 그는 영혼이라는 아름다운 말에 의문적인 존재성(存在性)을 부여했다. 이리하여 틴토레토의 고뇌가 노란 하늘로 되었듯이 물음이 사물화한 것이다. 그것은 이미 의미가 아니라 실체(實體)이다. 그것은 외부로부터 보여지는 것이며, 랭보는 우리도 그 자신과 함께 외부로부터

12) 랭보의 『지옥의 한 계절 *Une Saison en enfer*』에 나오는 시구이다.
13) André Breton(1896-1966): 초현실주의 운동의 주역. 그에 대한 사르트르의 신랄한 비판은 이 책의 여러 군데에 나오며, 특히 390쪽 원주 **6**에 집중적으로 전개되어 있다.
Saint-Pol Roux(1861-1940): 초이성적(超理性的)인 이미지를 통한 정신의 해방을 겨냥한 점에서 초현실주의의 선구자라고 할 수 있는 시인이다.

그것을 보도록 종용하고 있는 것이다. 그리고 그것이 야릇한 것은, 우리가 그것을 바라보기 위해서 인간 조건의 피안에, 다시 말해서 신(神)의 편에 자리잡기 때문이다.

사정이 그런 이상, 시의 참여를 요구하는 것이 얼마나 어리석은 짓인지 쉽사리 이해가 갈 것이다. 하기야 시의 근원에는 어떤 감동이나 심지어 정열이, 그리고 분노나 사회적 의분(義憤)이나 정치적 원한 역시 깔려 있을 것이다. 그러나 그런 감정들은 시에서는 논쟁이나 고백(告白)에서처럼 〈표현〉되는 것이 아니다. 산문가는 감정을 드러냄에 따라 그것을 밝혀나가지만, 시인은 반대로 시 속으로 정념을 흘러들게 하고 그 정념을 확인하기를 멈춘다. 말들이 정념을 사로잡고 그것을 흡수하고 변모시킨다. 시인 자신이 보기에도 말들은 정념을 〈의미〉하지 않는다. 감동은 사물이 되었고, 이제는 사물과 같은 불투명성(不透明性)을 지닌다. 감동은 그것을 가두어놓은 말들의 애매한 특질 때문에 흐려지고 마는 것이다. 그리고 특히, 골고다의 노란 상공에 단순한 고뇌 이상의 것이 있듯이, 각각의 문장이나 시행(詩行)에는 그 감동보다 한결 많은 것이 들어 있다. 말과 사물화된 문장은 사물들처럼 무궁무진해서, 그런 말이나 문장을 가져오게 한 감정을 도처에서 넘치게 하는 것이다. 이렇듯 시인은 독자를 인간 조건의 피안으로 옮겨놓고, 말하자면 신의 입장에서 언어를 거꾸로 보도록 종용하는 이상, 어떻게 독자의 분노나 정치적 정열을 부추길 수 있겠는가? 나의 이런 말을 들으면, 「당신은 피에르 에마뉘엘[14]과 같은 저항시인(抵抗詩人)들을

14) Pierre Emmanuel(1916-1984): 저항시인으로 유명하지만, 또한 인간 조건에서 유래되는 고뇌를 기독교적 달관으로 해결해 나간 과정을 보여준

잊고 있다」고 항변할 사람이 있을 것이다. 천만의 말이다. 나는 내 주장의 근거로서 바로 저항시인들의 예를 인용하려는 참이었다.[4]

그러나 시인이 참여할 수 없다는 것이 과연 산문작가 역시 참여의 피안에 설 수 있다는 이유가 될 수 있는 것인가? 그들 사이에 무슨 공통점이 있는 것인가? 하기야 산문작가는 글을 쓰고 시인도 쓴다. 그러나 쓴다는 이 쌍방의 행위 사이에는 글씨를 쓰는 손의 움직임을 제외하고는 아무런 공통점도 없다. 그 이외의 것에 있어서는 그 두 세계는 전혀 상통하는 바가 없으며, 한쪽에 해당하는 이야기는 다른 쪽에는 해당하지 않는다. 산문은 본질적으로 실용적인 것이다.[15)] 산문가란 말을 〈사용하는〉 사람이라고 나는 규정하려고 한다. 주르댕 씨(氏)[16)]는 그의 실내화를 달라고 하기 위해서, 그리고 히틀러는 폴란드에 선전포고를 하기 위해서 산문을 썼다. 작가란 〈발언을 하는 사람 parleur〉이다. 그는 지시하고 설명하고 명령하고 거절하고 질문하고 탄원하고 모욕하고 설득하고 암시한다. 만일 그가 헛된 말

시인이다.

15) 이런 말은 시와 산문의 구별을 강조하기 위한 과장된 표현이다. 뒤에서 보다시피(가령 156-157쪽), 사르트르는 산문문학이 결코 기호로서의 언어의 사용에 한정되는 것이 아니라, 시와 마찬가지로 말의 물질성을 중시한다는 점에 독자의 주의를 환기시킨다. 그리고 이러한 산문의 문체에 대한 강조는 후일 더욱 부각되어 나간다. 이 점에 대해서는, 졸저 『문학을 찾아서』에 수록된 「사르트르론」을 참조.

16) Monsieur Jourdain: 몰리에르 Molière의 희극 『졸부의 귀족 행세 *Bourgeois gentilhomme*』에 나오는 인물. 여기에서 언급되고 있는 것은 제2막 제4장의 한 장면. 철학 선생으로부터 시와 산문의 구별을 처음으로 배운 이 무지한 졸부는 「니콜, 내 실내화를 가져오게!」라고 말하면 산문이 되는 것이냐고 선생에게 묻는다.

을 한다고 해도, 그렇다고 해서 시인이 되는 것은 아니다. 그는 아무 뜻도 없는 말을 한 산문가로 머무를 따름이다. 우리는 앞서 언어를 뒤집어서 고찰했는데, 이제는 그 앞면을 살펴보아야겠다.[5]

산문이라는 기술(技術)의 행사는 담론(談論)을 위한 것이기 때문에 그 소재는 당연히 의미적인 것이다. 다시 말하면, 말들은 애초에 대상이 아니라 대상의 지시자이다. 우선 문제가 되는 것은 말들이 그 자체로서 즐거움을 주는지 아닌지를 아는 것이 아니라, 이 세상의 어떤 사물이나 관념을 정확하게 지시할 수 있는지 아닌지를 아는 것이다. 그렇기 때문에 우리는 말들을 통해서 알게 된 어떤 관념을 간직하고 있으면서도, 그 관념을 전해 준 말 자체는 한마디도 상기하지 못하는 일이 자주 일어난다.

산문은 무엇보다도 정신의 한 가지 태도이다. 발레리 Valéry 식으로 말하자면, 햇빛이 유리를 거쳐 통과하듯이,[17] 말이 우리의 시선을 스쳐서 지나갈 때에 산문이 있는 것이다. 사람이 위험하거나 어려운 상황에 봉착할 때는 아무 연장이나 닥치는 대로 움켜쥐지만, 위험이 사라지면 그것이 망치였는지 장작개비였는지 생각이 나지 않는다. 도대체 처음부터 무엇인지도 모르고 움켜쥐었던 것이다. 다만 우리의 육체를 연장시켜 주는 것, 가령 가장 높은 나뭇가지까지 손을 뻗는 수단이 필요했을 따름이다. 그것은 말하자면 여섯째 손가락이며 셋째 다리이다. 요컨대 우리가 우리의 몸에 동화(同化)시킨 순수한 기능이다. 언어도

---

17) 원문에는 comme le verre (passe) au travers du soleil(유리가 햇빛을 통과하듯이)로 되어 있으나, comme le soleil (passe) au travers du verre(햇빛이 유리를 통과하듯이)라고 뒤집어서 이해해야 할 것 같다.

이와 같다. 그것은 우리의 껍질이며 촉각이다. 그것은 다른 존재에 대해서 우리를 보호하고 우리에게 정보를 준다. 그것은 우리의 감각의 연장이다. 우리는 우리의 신체 속에 있듯이 언어 속에 있다. 우리는 다른 목적을 향해서 언어를 지향(指向)시킬 때, 마치 우리의 손발을 느끼듯이 언어를 저절로 〈느끼게〉 된다. 그리고 남이 언어를 사용할 때는, 우리는 마치 남들의 팔다리를 지각하듯이 그 언어를 〈지각〉하게 된다. 이렇듯 체험된 말이 있고 만나게 된 말이 있다. 그러나 그 양자는 모두 나로부터 남으로, 혹은 남으로부터 나에게로 지향되는 기도의 과정에서 생기는 것이다. 말은 행동의 어떤 특수한 계기(契機)이며, 행동을 떠나서는 이해될 수 없는 것이다. 실어증(失語症) 환자들 중에는, 행동하고 상황을 이해하고 이성(異性)과 정상적인 관계를 갖는 가능성을 상실하는 사람들이 있다. 이러한 무능력증(無能力症)에 있어서 언어의 파괴는 다만 여러 기능 중의 하나의 파괴, 가장 미묘하고 가장 눈에 띄는 기능의 파괴로만 보일 따름이다.

이렇듯 산문이 어떤 기도를 위한 탁월한 도구 이외의 다른 것이 아니라면, 말을 초월적인 입장에서 관조(觀照)할 수 있는 것은 오직 시인의 경우뿐이라면, 우리는 산문가에 대해서 우선 다음과 같이 물을 권리가 있는 것이다. 「당신은 무슨 목적으로 글을 쓰는가? 당신은 어떤 기도로 나선 것인가? 그리고 그 기도는 어떤 이유에서 글쓰기라는 수단을 필요로 하는 것인가?」 한데, 이 기도는 어떠한 경우라도 순수한 관조를 목적으로 삼을 수는 없다. 왜냐하면 직관(直觀)은 침묵이며 언어의 목적은 전달에 있기 때문이다. 하기야 언어는 직관의 결과를 〈고정시켜〉 놓을 수는 있을 것이다. 그러나 그 경우에는 종잇장 위에 몇 마디를 얼른 적어놓기만 하면 충분할 것이다. 그것을 적은 사람은 언제나 그 몇 마디로 자기의 생각을 충분히 확인할 수 있을 터이다. 그러나 우리가 명확성(明確性)을 기하면서 낱말들을 문장으로 엮는 경우에는, 직관이나 발언(發言) 그 자체와도 상관없는 어떤 결의(決意)가 개입하는 것이다. 그것은 다름아니라 획득된 결과를 남들에게 피력하겠다는 결의이다. 한데 우리가 그때마다 따져야 하는 것은 그 결의의 정당성 여부이다. 사실 양식(良識)은——우리의 석학(碩學)들은 그 양식을 굳이 잊어버리려는 경향이 있지만——언제나 거듭거듭 그것을 요구하는 것이다. 그 증거로 우리는 글을 쓰겠다고 나서는 모든 젊은이에게 「당신은 무슨 할말이 있는가?」라는 원칙적인 질문을 버릇처럼 제기하는 것이 아니겠는가? 그 질문은 요컨대 「남에게 전달할 만한 그 무엇을 가지고 있느냐?」는 의미이다. 그러나 만일 어떤 초월적인 가치 체계에 의존하지 않는다면, 〈전달할 만한 가치가 있는 것〉이 과연 무엇인지를 어떻게 이해할 수 있겠는가?

더구나 기도(企圖)의 제2차적 기능인 〈언어적 계기〉만을 따로 생각해 볼 때, 문체(文體) 지상주의자들이 저지르는 중대한 과오는, 말이 사물들의 표면에서 살랑거리는 미풍과도 같아서, 사물들을 살며시 스칠 뿐, 결코 그것에 무슨 변화를 주지는 않는다고 생각하는 데 있다. 그리고 화자(話者)란 오직 자신의 무해(無害)한 관조를 말로써 요약하는 순수한 〈증인〉이라고 생각하는 데 있다. 그러나 말한다는 것은 행동하는 것이다. 모든 사물은 이름이 붙여지자마자 이미 그 이전의 것과는 완전히 똑같은 것이 아니며, 그 순결성을 상실하게 된다.

만일 당신이 어떤 사람의 행위에 대해서 무엇이라고 이름 붙인다면, 당신은 그에게 그의 행위를 드러내 보이는 것이다. 그러자 그는 자기 자신을 보게 된다. 그리고 당신은 다른 모든 사람들의 면전에서 그의 행위에 이름을 붙이기 때문에, 그는 자기 자신을 〈보는〉 동시에 남들에게 〈보여진다〉는 것을 안다. 이리하여 그가 무의식중에 했던 사소한 몸짓이 엄청난 의미를 띠며 존재하고 만인 앞에 존재하게 된다. 그것은 객관성을 띠고 새로운 규모로 발전하고 반성의 대상이 되는 것이다. 그렇게 된 이상, 그가 어떻게 이전과 똑같은 방식으로 행동할 수가 있겠는가? 그는 고집스럽게 그리고 의식적으로 그의 과거의 행위를 되풀이하거나 또는 그것을 포기하는 두 가지 중의 하나를 선택할 것이다. 이렇듯 나는 말을 함으로써, 상황을 바꾸려는 내 기도 그 자체를 통하여 상황을 드러낸다. 나는 상황을 바꾸기 〈위하여〉 나 자신과 남들에게 상황을 드러낸다. 나는 상황의 핵심을 찌르고 그것을 관통하고 만인의 안전(眼前)에 고정시켜 놓는다. 이제 나는 스스로 상황을 다룬다. 한마디 말을 할 때마다, 나는 좀더 깊이 세계 속으로 들어가고, 또 이와 동시에 조금씩 더 세계로부터 솟아오른다. 미래를 향해서 세계를 초월하기 때문이다.

이렇듯 산문가는 어떤 제2차적인 행동 방식――드러냄을 통한 행동이라고 명명(命名)할 수 있을 그런 행동 방식을 선택한 사람이다. 그렇다면 우리는 마땅히 그에게 또 하나의 질문을 제기해야 한다. 「당신은 세계의 어떤 모습을 드러내려는 것인가? 당신은 그 드러냄을 통해서 세계에 어떤 변화를 가져오기를 바라는가?」 〈참여한〉 작가는 말이 행동임을 알고 있다. 그는 드러낸다는 것은 바꾼다는 것이며, 드러냄은 오직 바꾸기를 꾀함으로써만 가능하다는 것을 알고 있다. 그는 사회와 인간 조건을 불편부당(不偏不黨)하게 그린다는 불가능한 꿈을 포기한 사람이다. 인간이란 그의 앞에서는 어떤 것도, 심지어 신(神)조차도 불편부당성을 지킬 수 없는 그러한 존재이다. 만일 신이 존재한다면, 어떤 신비주의자들이 잘 본 바와 같이, 신은 인간과의 관계에서 〈상황 속에〉 있기 때문이다. 인간이란 또한 상황을 바꾸지 않고서는 상황을 볼 수조차 없는 존재이다. 왜냐하면 그의 시선은 대상을 응결시키고 파괴하고 아로새기고 또는 영원한 시간이 그렇게 하듯이 대상을 그 자체로 변모시킨다.[18] 인간과 세계가 〈그 참된 모습으로〉 자신을 드러내는 것은 사랑, 증오, 노여움, 공포, 기쁨, 분개, 찬양, 희망, 실망을 통해서이다.

하기야 참여한 작가가 범용한 작가일 수도 있고 또 스스로 그 점을 자각할 수도 있을 것이다. 그러나 완전히 성공하겠다는 생각이 없으면 글을 쓸 수 없는 것이다. 따라서 작가가 자기의 작품에 대해서 겸손한 것은 좋지만, 작품을 써 나갈 때는 〈마치〉 그것이 엄청난 반향을 불러일으킬 듯이 작업을 해야 하는 것이다. 작가는 「쳇! 내 독자는 겨우 3천 명 정도겠지」라고 생각해서는 결코 안 되며, 반대로 「만일 모든 사람이 내가 쓴 것을 읽으면 무슨 일이 일어날 것인가?」라고 생각해야 한다. 모스카는 파브리스와 산세베리나를 싣고 가는 마차 앞에서 「만일 저들 사이에서 사랑이란 말이 솟아난다면 나는 파멸이다」라고 말했는데, 작가는 모스카의 이 말을 상기해 봄직하다.[19] 작가란 아직

18) 말라르메의 시 「에드거 포의 무덤 Le Tombeau d'Edgar Poe」의 첫 구절, 〈Tel qu'en Lui-même enfin l'éternité le change〉를 본따서 한 말. 포는 사후(死後)에야 비로소 재인식되어, 그 진가(眞價)가 불멸의 것이 되었다는 의미를 담고 있는 시구이다.

19) 스탕달의 소설 『파름의 승원 *La Chartreuse de Parme*』 제1부 제7장에 나오는 장면이다.

도 이름 지어지지 않은 것 혹은 감히 이름 지을 수 없는 것에 이름을 붙이는 사람이라는 것을 스스로 알고 있다. 작가란 사랑이라는 말과 미움이라는 말을 〈솟아나게 하는〉 사람, 그리고 그런 말들과 함께, 아직도 제 감정을 정리하지 못했던 사람들 사이에서 과연 사랑과 미움이 〈솟아나게〉 하는 사람이라는 것을 스스로 알고 있다. 그는 또한 브리스 파랭[20]이 말했듯이 말이란 〈탄약을 장전한 권총〉인 것을 알고 있다. 말을 한다는 것은 권총을 쏘는 것이다. 작가는 물론 침묵할 수도 있다. 그러나 일단 총을 쏘기로 작정한 바에야, 어른답게 과녁을 노리고 쏘아야지, 어린애처럼 오직 총소리를 듣는 재미로 눈을 감고 무턱대고 쏠 수는 없는 노릇이다.

우리는 뒤이어 문학의 목적이 무엇일 수 있을지 규정해 보려고 한다. 그러나 지금 당장이라도 이렇게 말해 둘 수는 있다. 즉, 작가란 세계와 특히 인간을 다른 사람들에게 드러내 보이기를 선택한 사람인데, 그 목적은 이렇게 드러낸 대상 앞에서 그들이 전적(全的)인 책임을 지도록 하기 위한 것이다. 법전(法典)이라는 것이 있고 법은 성문화된 것이니까 아무도 법을 모른다고는 간주되지 않는다. 그러니 법을 어기는 것은 당신의 자유이지만, 어기면 어떤 대가를 치르게 될지 알고 있을 것이다. 이와 마찬가지로 작가의 기능은 아무도 이 세계를 모를 수 없게 만들고, 아무도 이 세계에 대해서 「나는 책임이 없다」고 말할 수 없도록 만드는 데 있다. 그리고 일단 언어의 세계에 끼여든

20) Brice Parain(1897-1971): 언어철학자. 언어가 가지고 있는 도덕적, 지적 가치를 강조하는 동시에, 그 가치가 언어의 남용과 오용으로 말미암아 부단한 위험에 처해 있다는 것을 지적했다. 소설과 희곡 작품도 발표했다.

이상, 작가는 말할 줄 모르는 척할 수는 절대로 없는 것이다. 의미의 세계 속으로 들어서면 누구도 거기에서 벗어날 길이 없는 법이다. 설사 말들이 자유롭게 결합되게 내버려둔다 하더라도,[21] 그 말들은 역시 문장을 만들 것이며, 문장 하나하나는 언어 활동 전체를 내포하고 세계 전체로 지향(指向)할 것이다. 침묵조차도 말과의 관련하에서 그 뜻이 규정된다. 마치 음악의 경우에 휴지(休止)가 그것을 둘러싸고 있는 일군(一群)의 음부로부터 그 뜻을 얻듯이 말이다. 그러니까 이 침묵은 언어 활동의 한 계기(契機)이다. 입을 다문다는 것은 벙어리가 되는 것이 아니라 말하기를 거부하는 것이며, 따라서 여전히 말하는 것이다. 그러므로 만일 한 작가가 세계의 어떤 모습에 관해서 입을 다물기로 결심했다면, 흔히들 아주 적절하게 말하듯이 〈묵과(默過)해 버리기로〉 작정했다면, 우리는 그에게 다음과 같은 제3의 질문[22]을 던질 권리가 있는 것이다. 「당신은 왜 이 이야기보다 그 이야기를 한 것인가? 그리고 당신은 변화를 위해서 이야기한다고 하는데, 그렇다면 왜 이것보다도 그것을 변화시키려고 하는 것인가?」

그렇다고 하더라도 글을 쓰는 방법이 따로 없다는 것은 결코 아니다. 한 사람이 작가가 되는 것은 어떤 것을 말하기를 선택했기 때문이 아니라, 그것을 어떤 방법으로 말하기를 선택했기 때문이다. 이렇듯 문체(文體)는 물론 산문의 가치를 이루는 것이다. 그러나 문체는 눈에 띄지 말아야 한다. 말들은 투명하

21) 브르통이 내세운 이른바 자동기술법에 대한 비난이 담겨 있다.
22) 첫째 질문은 「당신은 무슨 할말이 있는가?」(30쪽). 둘째 질문은 「당신은 어떤 변화를 가져오기를 바라는가?」(31쪽).

고, 시선이 말들을 뚫고 지나간다고 해서 그 사이에 흐리터분한 유리를 끼워넣는 것은 어리석은 짓이 될 것이다. 산문에서 아름다움이라는 것은 부드럽고 거의 느낄 수 없을 정도의 힘일 따름이다. 화폭에서는 우선 아름다움이 눈에 튀어오른다. 그러나 책에서는 그것은 숨고, 목소리나 얼굴의 매력처럼 어떤 은연한 힘을 통해서 작용한다. 그것은 강요하는 것이 아니라, 모르는 사이에 끌리게 한다. 그래서 독자는 보이지 않는 매력에 유혹된 것이 사실인데도, 마치 글의 내용에 의해서 설복당한 것같이 생각하는 것이다. 미사의 의식(儀式) 자체는 신앙이 아니라 신앙으로의 도입이다. 마찬가지로 말의 조화와 그 아름다움과 문장의 균형은 독자가 모르는 사이에 그의 정념을 가다듬고, 미사나 음악이나 춤처럼 그것을 정서화(整序化)하는 것이다. 만일 독자가 글의 아름다움을 그 자체로서 대하려 한다면 의미가 상실되고 말 것이며, 남는 것은 다만 지루한 율동뿐이리라.

산문에 있어서는 미적 쾌감(美的快感)은 말하자면 덤으로 올 때에만 순수한 것이다. 이처럼 단순한 원리를 새삼스럽게 상기시켜야 한다니 쑥스러운 일이다. 그렇지만 사람들은 오늘날 그것을 망각하고 있는 것 같다. 그렇지 않고서야, 어찌 우리가 문학의 암살을 꾀하고 있다느니, 또는 더 단도직입적으로 참여가 글쓰기라는 예술에 해롭다느니 하는 말을 늘어놓을 수가 있겠는가? 그리고 어떤 종류의 산문이 시에 감염(感染)된 결과로 비평가들의 생각에 혼란이 생기지 않았던들, 오직 내용만을 두고 이야기한 우리에 대해서 왜 형식을 무시하느냐고 공격할 엄두를 감히 냈겠는가? 형식으로 말하자면, 미리 언급해야 할 것이 아무것도 없으며, 따라서 우리는 아무 말도 하지 않은 것이다.

작가는 저마다 자신의 형식을 창출하며, 우리는 그후에야 무슨 판단을 내릴 수 있을 것이다. 하기야 주제에 따라 어울리는 문체가 있다는 것은 사실이지만, 주제가 반드시 어떤 문체를 결정하는 것은 아니다. 문학의 기법을 넘어서서 선험적(先驗的)인 것으로 간주될 만한 문체란 존재하지 않는다. 가령 예수회(會)를 공격한 담론보다 더 참여적이며 더 따분한 일이 달리 어디 있겠는가? 그러나 파스칼의 『프로뱅시알』[23]은 그런 담론으로 이루어진 것이다. 요컨대 무엇에 대해서 쓰려는 것인지, 나비에 대해서인지 유태인의 조건에 대해서인지를 아는 것이 선결 문제이다. 그리고 그것을 알고 나면 그 다음으로는 어떻게 쓸 것이냐 하는 문제가 남는다.

그 두 가지 선택은 중첩되는 수가 많지만, 훌륭한 작가의 경우에는 둘째 것이 첫째 것보다 먼저 오는 일은 결코 없다. 나는 다음과 같은 지로두[24]의 말을 알고 있다. 「유일한 문제는 문체를 찾아내는 데 있다. 사상은 뒤따라온다」 그러나 지로두는 잘못이었다. 사상이 뒤따라오지 않았으니 말이다. 사람들이 주제를 항상 열려 있는 문제로, 소원으로, 기다림으로 생각한다면, 예술이 참여를 해도 잃을 것이 없다는 것을 이해할 수 있을 것이다. 잃기는커녕 도리어 그 반대이다. 물리학(物理學)이 수

23) *Provinciales*: 파스칼이 은총, 자유 의지, 원죄에 관한 제수이트파의 안이한 생각을 논박하기 위해서 발표해 온 18편의 서간체의 글을 엮은 책이다. 1657년 가명으로 출판되었으나 곧 교회에 의해서 금서(禁書)로 처분되었다.

24) Jean Giraudoux(1882-1944): 프랑스의 희곡 작가 및 소설가. 시적(詩的)이며 재치있는 문체로 현대 문명을 비판하고, 중용과 조화가 자리잡는 사회에 대한 희망을 표명했다. 그의 수법과 관점에 대한 사르트르의 비판으로는 "M. Jean Giraudoux et Aristote." (*Situations I*에 수록)이 있다.

학자들에게 새로운 문제를 떠맡기면, 수학자들은 새로운 기호 체계를 창출해야 하듯이, 사회적인 것과 형이상학적(形而上學的)인 것에서 유래하는 늘 새로운 요청은 예술가로 하여금 새로운 언어와 새로운 기법을 찾아내도록 하는 것이다. 오늘날 우리가 17세기에서와 같은 글을 쓰지 않는 것은, 라신이나 생테브르몽[25]의 언어로서는 기관차나 프롤레타리아의 이야기를 할 수 없기 때문이다. 이런 말을 들으면, 순수파의 사람들은 아마도 우리에게 기관차에 대한 이야기를 하지 말라고 응수해 올지도 모른다. 그러나 예술은 결코 순수파의 편에 선 일은 없었다.

이상 말한 것이 참여의 원칙인데, 어떤 점에서 그것에 반대하겠다는 것인가? 그리고 특히 지금까지 반대해 왔던 근거는 무엇이었던가? 내게 반대한 사람들은 자기들의 주장에 정성을 다했던 것 같지가 않다. 내 견해가 충격적이라고 긴 탄성을 지른 그들의 글은 두세 단 정도에 걸쳐 늘어놓은 신문 기사(新聞記事)에 불과하다. 나는 그들이 〈무슨 명목으로〉, 어떤 문학관의 이름으로 나를 단죄하는지를 알고 싶었지만, 그들은 아무 말이 없었다. 도대체 그들 자신도 그것을 모르고 있었던 것이다. 내 견해에 대한 반대의 논거(論據)로서는, 예술을 위한 예술이라는 낡아빠진 이론을 내세우는 것이 그나마 앞뒤가 맞는 짓이었으리라. 그러나 그들 자신조차 아무도 그 이론을 받아들이지는 못한다. 그 이론 역시 거북살스러운 것이다. 누구나 익히 알고 있듯이 순수 예술과 공허(空虛)한 예술은 동일한 것이며, 예술적

25) Saint-Evremond(1615~1703): 고전주의적인 질서에 동의하지 않는 이른바 자유사상가libertin의 입장에서 예술론을 위시하여 다방면에 걸쳐 많은 비판적인 문필 활동을 했다.

순수주의는 지난 세기의 부르주아들——착취자로 지목당하느니 차라리 속물(俗物)로 지목당하는 것이 낫겠다고 생각한 그런 부르주아들의 교묘한 호신술에 불과했기 때문이다.[26] 따라서 나의 반대자들 역시 작가란 그 무엇에 대해서 이야기해야 한다는 것을 인지(認知)하고 있는 터이다. 그러나 그 무엇이란 과연 무엇인가? 만일 페르낭데스가 제1차 세계대전 후에 그들을 위해서 메시지라는 개념을 마련해 주지 못했다면,[27] 그들은 이만저만 난처하지 않았을 것이다. 그들은 이렇게 말한다.

「오늘날의 작가는 결코 시대적인 문제에 관심을 가져서는 안 된다. 이와 동시에 작가는 뜻없는 말들을 늘어놓아서도 안 되고 또 오직 문장이나 이미지의 아름다움만을 추구해서도 안 된다. 그의 소임(所任)은 독자들에게 메시지를 전하는 데 있다」

그렇다면 도대체 메시지란 무엇인가?

우선 상기해 두어야 할 것이 있다. 그것은 대부분의 비평가는 별로 재수가 없었던 사람들, 그래서 절망하려던 순간에 용케 묘지기라는 조용하고 조촐한 일자리를 얻은 사람들이라는

---

26) 사르트르는 『집안의 바보』에서도, 부르주아를 속물로 혹독하게 매도한 플로베르를 부르주아가 받아들인 이유를 바로 이런 각도에서 설명하고 있다.

27) Ramon Fernandez(1894-1944): 프랑스의 작가 및 평론가. 그는 message라는 말을 자주 쓰고 또한 1926년에 나온 그의 평론집에 〈Messages〉라는 제목을 붙였다. 그리고 〈진리를 터득한 사람이 전하는 새롭고 중요한 말〉이라는 뜻을 지닌 이 단어는 1930년 전후에 여러 평론가들이 사용했다. 그러나 그 개념이 문학의 영역에 도입된 것이 과연 사르트르가 말하듯이 페르낭데스로부터 비롯된 것인지는 의심스럽다. 〈전언〉이나 〈계시〉와 같은 역어(譯語)가 마땅치 않아, 영어 발음을 따라 그대로 〈메시지〉라고 적어놓았다.

사실이다. 묘지가 정말 평화로운 곳인지 아닌지는 모를 일이지만, 서재(書齋)만큼 기분 좋은 묘지는 달리 없을 것이다. 거기에는 죽은 사람들이 있다. 그들은 평생 글만 썼고 이미 오래전부터 산다는 죄를 씻어냈으며, 더구나 그들의 인생은 다만 다른 사자(死者)들이 그들에 관해서 써놓은 다른 책들을 통해서만 알려져 있을 뿐이다. 랭보는 죽었다. 그리고 파테른 베리숑도 이자벨 랭보[28]도 죽었다. 다시 말해서 귀찮은 자들이 사라진 것이다. 그래서 이제 남은 것은 마치 납골당의 항아리들처럼 벽을 따라 널빤지 위에 늘어놓은 작은 관(棺)들뿐이다.

비평가는 생계(生計)가 어려운 족속이다. 그의 아내는 그를 제대로 존중해 주지 않고 자식들은 아비의 은혜를 모르고 월말이 되면 돈이 떨어진다. 그러나 그는 늘 서재에 들어가서, 책장에서 한 권의 책을 꺼내 펼쳐볼 수가 있다. 그 책에는 약간 퀴퀴한 냄새가 나는데, 그가 〈읽기〉라고 부르기로 결정한 야릇한 작업이 이제 시작된다. 그것은 어떤 면에서 보면 통령(通靈)이다. 사자들이 다시 살아날 수 있도록 제 육체를 빌려주는 것이다. 그리고 또 다른 면에서 보면, 그것은 저승과의 접촉이다. 책은 이미 대상도 행위도 또 심지어 사상조차도 아니다. 그것은 죽은 자가 죽은 자들에 대해서 쓴 것이니까 지상(地上)에서는 이미 제자리를 갖지 못하고, 우리와 직접 상관있는 이야기는 할 수가 없다. 그대로 가만히 내버려두면, 그것은 내려앉아 무

---

28) Isabelle Rimbaud, Paterne Berrichon: 이자벨은 시인 랭보의 누이동생이며 베리숑은 그녀의 남편이다. 그들이 이미 죽었으니까 랭보의 진실한 모습에 대해서 증언할 사람이 이제 없다는 것이다. 작가나 시인은 그를 친밀하게 알아온 사람이 사라지면 그 존재가 신화화된다는 것을 말하기 위한 한 예로 든 것이다. 참고로, 베리숑은 랭보의 작품과 편지를 편집했으나 오류와 왜곡이 많은 것으로 알려져 있다.

너져버리고, 곰팡 난 종이 위에 뿌려진 잉크 자국만이 남을 것이다. 그리고 비평가가 그 잉크 자국을 되살려서 다시 문자와 말로 만든다 해도, 그것이 이야기하는 것은 비평가 자신도 실감하지 못하는 정념이며 대상 없는 분노이며 이미 사멸(死滅)한 두려움이나 희망에 지나지 않는다. 그를 둘러싸고 있는 것은 구체성(具體性)을 상실한 세계인데, 그 세계에서는 인간의 감정은 이미 호소력을 지니지 못하기 때문에 모범적인 감정의 차원으로, 요컨대 이른바 〈가치〉의 차원으로 옮아가 버리는 것이다. 이리하여 비평가는 일상적 괴로움의 진실성과 그 괴로움의 존재 이유를 밝혀주는 듯한 예지(叡智)의 세계에 참여하고 있다고 자부한다. 플라톤의 경우에 감각적 세계가 원형(原型)의 세계를 모방하듯, 자연이 예술을 모방한다고 그는 생각한다. 그리고 책을 읽는 동안만큼은 그의 일상 생활은 가상(假象)에 지나지 않게 된다. 앙칼스런 아내도 꼽추로 태어난 자식도 모두 가상일 따름이다. 그리고 그들은 크세노폰이 그린 크산티페의 모습이나 셰익스피어가 그린 리처드 3세의 모습과 비교해 보면[29] 그나마 나은 편이라고 자위(自慰)한다.

만일 동시대의 작가들이 죽어준다면 그것은 비평가에게는 큰 경사이다. 너무나 자극적이고 생생하고 절실하던 그들의 책은 이제 피안으로 옮아가서, 점점 덜 감동적인 것으로, 점점 더 아름다운 것으로 변모하기 때문이다. 그 책들은 잠시 연옥(煉獄)에 머무른 후에 예지의 하늘로 올라가서 새로운 가치들을 보태줄 것이다. 가령, 베르고트, 스완, 시그프리드, 벨라, 테스트 씨(氏)가 그렇다.[30] 그런 것이 최근의 수확(收穫)이다. 그리고

29) 소크라테스의 아내인 크산티페 Xanthippe는 물론 악처(惡妻)의 대표적인 예로서, 리처드 3세는 사악한 꼽추로서 언급한 것이다.

이제는 나타나엘과 메날크를 기다리고 있다.[31] 끈질기게 살려고 하는 작가에 대해서는, 너무 수선을 떨지 말고 이미 죽은 사람처럼 처신하도록 하라고 요구한다. 벌써 25년 전부터 유작(遺作)을 발표한 발레리는 과연 그렇게 처신해 온 사람이라고 할 수 있다. 그렇기 때문에 그는 매우 예외적인 성인(聖人)들처럼 벌써 생존중에 성열(聖列)에 끼이게 되었던 것이다.[32] 그 반면에 말로 Malraux는 여전히 충격을 주고 있다.

우리 비평가들은 카타리파(派)[33]와 같다. 그들은 먹고 마시는 행위를 제외하고는 현실 세계와 아무런 관련을 가지려고 하지 않는다. 그러나 그들 역시 인간이란 동족(同族)과 섞여 살 수밖에는 없는 팔자이기 때문에, 그들은 차라리 죽은 사람들과 함께 살기를 선택했다. 그들의 흥미의 대상이 되는 것은, 오직 이미 결판이 난 사건이나 막이 내린 싸움이다. 그들은 결코 불확실한 문제에는 뛰어들지 않는다. 그리고 역사가 그들 대신 판정을 내려주었기 때문에, 그들이 읽고 있는 작가들에게 두려움이

---

30) Bergotte, Swann: 프루스트의 『잃어버린 시간을 찾아서』에 나오는 인물들.
Siegfried, Bella: 지로두의 동명(同名) 소설의 인물.
Monsieur Teste: 발레리가 지성의 상징으로서 내세운 가공의 인물.
이들 세 작가가 이제 모두 죽어서 그 작중 인물들이 지은이들의 실존과 분리되어 비평가들의 수중으로 넘어갔다는 것을 말하기 위한 예로 든 것이다.

31) Nathanaël, Ménalque: 지드가 『지상의 양식 *Nourritures terrestres*』에 등장시킨 인물. 비평가들은 지드 역시 얼른 죽기를 바라고 있다는 뜻에서 한 말. 『문학이란 무엇인가』가 나왔을 때 지드는 아직도 살아 있었다.

32) 발레리가 1925년 프랑스 한림원 Académie française 회원이 된 것을 빈정대는 말?

33) Cathares, Cathari: 중세기에 남유럽에 퍼졌던 마니교 계통의 이단 종파. 악(惡)이 지배하는 물질계를 벗어나서, 선이 군림하는 정신 세계에 들어설 것을 주장했다.

나 노여움을 안겨준 대상들은 이미 사라졌기 때문에, 또한 200년이란 거리를 두고 보면 피비린내 나는 다툼도 부질없는 것임이 분명하기 때문에, 그들은 시대의 요동(搖動)을 재미있게 생각할 수 있는 것이다. 그리하여 그들이 보기에는 문학이란 그 모두가 방대한 동어반복에 지나지 않고, 새로운 산문작가마다 새로운 말투를 만들어낸다 해도 거기에는 아무런 별다른 의미도 없는 것이다.

그렇다면 늘 원형이나 〈인간성〉에 대해서 말하는 것과 공연히 입을 놀리는 것은 과연 다른 것인가? 그들 비평가들의 모든 생각은 그중 한 가지로부터 다른 것으로 왔다갔다할 뿐이다. 그러나 물론 양쪽이 모두 틀린 것이다. 왜냐하면 위대한 작가들은 그 무엇을 파괴하고 건설하고 증명하려고 했기 때문이다. 그러나 우리는 그들이 증명하려고 했던 것에 대해서 이미 아무런 관심도 없는 까닭에 그들이 내세운 논거에 대해서 유념하지 않는다. 그들이 고발한 폐단은 이미 우리 시대의 것이 아니다. 그들이 미처 생각하지도 못했던 폐단이 오늘날 우리의 분노의 대상이 되어 있는 것이다. 역사는 그들의 예견(豫見)의 어떤 것에서 빗나갔다. 그리고 그들의 예견대로 되어나간 것이 있다고 해도, 그것은 하도 오래전부터 진실로 받아들여져 왔기 때문에, 우리는 그 예견이 애당초에는 천재적인 번득임이었다는 것을 잊고 말았다. 이리하여 그들의 사상 중의 어떤 것은 완전히 죽어버리고, 또 그중의 어떤 것은 인류 전체가 제것으로 삼았는데, 우리는 그것을 진부한 것으로 여기게 되었다. 그 결과로, 그들 작가들의 가장 훌륭한 논지(論旨)조차도 그 효력을 상실하고 말았다. 우리는 다만 그들이 전개한 논리의 질서와 엄밀성을 찬양할 따름이다. 우리의 눈에는 그 언술(言述)의 가장 치밀한 구성조차도 오직 하나의 장식물이나 우아한 구조물에 지나지 않는다. 바흐의 푸가나 알람브라[34]의 아라베스크와 같은 다른 구조물과 마찬가지로 실용성이 없는 것에 지나지 않는다.

이 정열적 기하학(幾何學) 중에서, 기하학 자체는 이미 납득할 수 없게 된 경우라도[35] 그 밑에 깔린 정열만큼은 아직도 우리를 감동시킨다. 아니 차라리, 정열의 표상(表象)이 우리를 감동시킨다고 말하는 것이 더욱 적절하리라. 수세기가 지나는 동안 사상은 이미 김이 빠져버렸지만, 그런 사상의 밑에는 한때 육신(肉身)을 지닌 한 인간의 독특한 고집이 맺혀 있기 때문이다. 시들어가는 이성(理性)의 조리(條理)의 배후에서 우리는 심정의 조리[36]를, 덕(德)과 악덕을, 인간이 겪어야 하는 그 커다란 고통을 살펴보려고 할 따름이다. 사드가 우리들 속으로 파고들려고 하지만, 그의 글을 읽고 새삼스레 충격을 느끼는 사람은 별로 없을 것이다. 사드는 이제 진주조개처럼 아름다운 악(惡)에 의해서 침식된 하나의 영혼으로만 생각될 따름이다. 오늘날 『연극에 관한 편지』를 읽고 극장에 가지 않겠다는 사람은 없겠지만, 루소가 그토록 연극을 증오했다는 점에 흥미를 느끼기는 할 것이다.[37] 게다가 정신 분석에 관한 지식이라도 다소 갖추고 있다면 우리는 기쁨을 만끽하게 될 것이다. 가령 『사회계약론』

34) 스페인 그라나다에 있는 무어 왕국의 왕성. 그 건축 양식과 장식의 아름다움으로 유명하다.

35) 여기에서 기하학이란 위에서 말한 〈옛 작가들의 논리의 질서와 엄밀성〉을 가리킨다.

36) 〈심정에도 그 자체의 이치가 있다〉는 파스칼의 말을 빗대서 한 말이다.

37) 이 글에서 루소는 연극에 나오는 부도덕한 장면들이 관객을 유혹하여 타락시킨다고 주장했다.

을 오이디푸스 콤플렉스로 설명하고,[38] 『법의 정신』을 열등 감정으로 설명하면서 말이다. 말을 바꾸면 우리는 이런 식으로 살아 있는 개가 죽은 사자에 대해서 갖게 되는 우월성(優越性)을 향유하려는 것이다. 이렇듯 한 책에 담긴 사상이 취기를 자아내고, 외견상 이성의 산물 같던 것이 안전(眼前)에서 용해되어 심장의 고동으로 환원될 때, 한 책에서 끌어내려는 교훈이 작가가 의도한 것과 근본적으로 다를 때, 우리는 그런 책을 〈메시지〉라고 부른다. 혁명의 아버지인 루소도 인종차별주의의 아버지인 고비노[39]도 저마다 메시지를 전한 사람이라는 것이다. 그래서 비평가는 두 사람에 대해서 똑같은 공감을 표시한다. 만일 그들이 살아 있다면, 한 사람을 선택하고 한 사람은 버려야 했을 것이며, 한 사람은 사랑하고 한 사람은 증오해야 했을 것이다. 그러나 그 두 사람을 서로 접근시킬 수 있는 것은 그들이 깊고도 달콤한 같은 잘못을, 즉 죽었다는 잘못을 저질렀기 때문이다.

이리하여 비평가가 현대 작가들에게 권고하는 것도 메시지를 전하라는 것이다. 다시 말해서 그들의 글이 본의(本意) 아닌 영혼의 표현이 되도록 그 내용을 의식적으로 한정하라는 것이다. 내가 여기에서 〈본의 아닌〉이라고 말한 데는 이유가 있다. 왜냐

---

38) 이 말에는 프로이트의 정신 분석에 대한 사르트르의 반대가 암시되어 있다.

39) Gobineau(1816-1882): 프랑스의 외교관 및 문필가. 『인종의 불평등에 관한 시론*Essai sur l'inégalité des races humaines*』에서 유럽 북방 민족, 특히 게르만 민족의 우월성을 주장했고, 이 주장은 당연히 나치즘에 의해서 이용되었다. 그러나 그는 *Les Pléiades*라는 괄목할 만할 소설의 작가이기도 하다.

하면 몽테뉴에서 랭보에 이르기까지 죽은 작가들이 자신의 내면을 온통 표출한 것은 사실이지만, 그 표출은 고의적인 것이 아니라 다만 부수적 결과였기 때문이다. 한데, 그들이 의도하지도 않고 우리에게 베풀어준 그런 여분(餘分)의 것이, 살아 있는 작가의 경우에는 공공연한 첫째 목적이 되어야 한다는 것이다. 그들에게 요구되는 것은 가식(假飾) 없는 고백도 아니고, 낭만파 시인들과 같은 너무나 노골적인 서정(抒情)도 아니다. 우리가 기쁨을 느끼는 것은 샤토브리앙이나 루소의 계략을 뒤집어보고, 그들이 공적(公的)인 인간으로서 행세하는 바로 그 현장에서 사적(私的)인 인간의 모습을 간파하며, 그들의 가장 보편적인 주장의 밑에 깔린 개인적인 동기를 파보는 것이기 때문에, 새로운 작가들에 대해서도 우리에게 애써 그런 기쁨을 베풀도록 요청한다. 따지고 주장하고 부정하고 반박하고 증명하는 행위를 그만두라는 것은 아니지만, 그들이 내세우는 그런 주의 주장은 다만 언술의 표면적 목적에만 머무르고, 더 깊은 목적은 슬그머니 자신의 내면을 털어놓는 데 있도록 글을 쓰라는 것이다.

비평가는 이렇게 요구한다. 고전적(古典的) 작가의 경우에는 세월이 그 논리를 무효화시켰지만, 새로운 작가들은 자신의 논리가 무효화되도록 애초부터 미리 조치를 강구해야 한다. 이미 아무의 관심도 끌 수 없는 주제(主題)에 대해서, 혹은 독자들이 벌써 신물나게 들은 너무나 일반적인 진실에 대해서만 이야기를 전개시켜 나가야 한다. 제 사상에 무슨 깊이가 있는 듯한 인상을 주면서도 사실은 속 빈 강정이 되도록 해야 한다. 그런 사상들이 유년 시절의 불행이나 계급적 증오나 근친상간(近親相姦)적인 사랑에 의해서 분명히 설명될 수 있도록 꾸며져야 한다. 진정코 생각하려고 하는 것은 금물(禁物)이다. 사상은 인간을 감추는데, 우리의 관심을 끄는 것은 오직 인간뿐이기 때문이다. 마구 쏟아놓는 흐느낌은 아름답지 않다. 그것은 기분을 해친다. 마찬가지로 스탕달이 간파했듯이 훌륭한 논리 역시 기분을 상하게 한다. 그러니까 흐느낌을 살짝 가려주는 논리야말로 우리가 소중히 여기는 것이다. 논리는 눈물의 추잡한 꼴을 제거해 준다. 다른 한편으로 눈물은 논리의 근원이 정념(情念)에 있다는 것을 밝혀줌으로써, 논리의 예봉(銳鋒)을 완화시켜 준다. 이리하여 우리는 지나치게 감동하지도 않고, 또 완전히 설득당하지도 않을 것이다. 그리고 이런 안전 지대에 몸을 두고서, 누구나 알다시피 예술 작품의 관조(觀照)에서 유래한다는 절제(節制)된 쾌락에 젖어들 수 있을 것이다. 과연 이런 것이 〈진실한〉 문학, 〈순수한〉 문학으로 알려져 온 것이다. 그것은 객관적인 것의 형태를 빌려 자신을 드러내는 주관성, 하도 기묘하게 꾸며져서 침묵과 같아진 언술, 자기 자신을 부정하는 사상, 광기의 가면에 불과한 이성(理性), 역사의 한순간에 지나지 않는다는 것을 스스로 말해 주는 영원, 그러나 그 이면에서는 느닷없이 영원한 인간과 맞물리려는 역사적 순간, 새로 가르치려는 사람들의 명백한 의도를 거역하면서 추출한 변함없는 교훈……, 그런 것으로 이루어져 있는 것이다.

메시지란 결국 대상화(對象化)된 영혼이다. 그렇다면 영혼을 가지고 어쩌자는 것인가? 그것을 멀리에서 경건하게 바라보겠다는 것이다. 우리는 어떤 불가피한 동기가 없는 이상, 자신의 영혼을 남들 앞에 드러내 보이지 않는 것이 일반적이다. 그러나 어떤 사람들은 몇몇 조건하에서 그들의 영혼을 상품처럼 거래

할 수 있도록 관례화(慣例化)되어 있고, 모든 성인(成人)은 그것을 구매할 수 있다. 오늘날 많은 사람들의 경우에, 정신의 작품이란 이렇게 헐값으로 살 수 있는 떠도는 작은 영혼들이다. 착한 영감 몽테뉴의 영혼, 사랑스런 라 퐁텐의 영혼, 장자크의 영혼, 장 파울의 영혼, 그리고 감미로운 제라르의 영혼이 있다.[40] 우리는 그 영혼을 모나지 않은 것으로 만드는 기술을 총칭하여 문학적 기술이라고 부른다. 갈고 닦고 화학적(化學的)으로 처리된 그 영혼들이 구매자에게 제공되어, 온통 외부 세계로 향했던 그 인생들 중의 몇몇 순간을 주관성의 함양(涵養)을 위한 기회로 삼게 하려고 한다.

한데, 그런 영혼의 이용(利用)에는 아무런 위험도 따르지 않는다. 흑사병이 보르도를 휩쓸었을 때 『수상록』의 저자 몽테뉴는 공포에 사로잡혀 있었으니, 누가 그의 회의주의(懷疑主義)를 곧이곧대로 받아들이겠는가? 루소는 제 자식들을 고아원에 넣은 위인이니, 누가 그의 휴머니즘을 믿겠는가? 그리고 제라르 드 네르발Nerval은 미친놈이었으니, 「실비 Sylvie」[41]의 야릇한 계시를 믿을 사람이 누가 있겠는가? 기껏해야 직업적인 비평가가 그 죽은 작가들 사이의 대화(對話)의 장을 마련하고, 프랑스 사상은 결국 파스칼과 몽테뉴 사이의 영원한 대담이라고 가르쳐줄 것이다. 한데, 이런 말은 파스칼과 몽테뉴를 재생(再生)시키기 위한 것이 결코 아니며, 도리어 말로나 지드와 같은 현대 작가를 죽이기 위한 것이다. 그러다가 마침내 인생과 작품의 내

---

40) 친근성을 나타내기 위해서 성(姓)이 아닌 이름으로 부른 것. 각각 Jean-Jacques Rousseau, Johann Paul Friedrich Richter(프랑스에서는 그의 펜네임을 따라 흔히 Jean Paul이라고 부른다), Gérard de Nerval.

41) 네르발(1808-1855)의 소설집 『불의 처녀들 *Les Filles du feu*』에 수록되어 있는 단편. 몽상과 현실이 교차하는 시적인 작품이다.

적 모순(內的矛盾) 때문에 그 양자(兩者)가 모두 쓸모없게 될 것이다. 그리고 알 길 없는 깊이를 지닌 메시지가, 「인간은 좋지도 않고 나쁘지도 않다」거나, 「인생에는 많은 괴로움이 있다」거나, 혹은 「천재란 기나긴 인내이다」하는 따위의 핵심적인 진리를 우리에게 가르쳐줄 것이다. 그때가 되면 이 을씨년스런 수작의 종국적(終局的) 목표가 달성된 셈이 되고, 독자는 책을 놓으면서 태평한 마음으로 외치게 될 것이다. 「이런 것은 모두가 한갓 문학에 불과한 것이지」

그러나 우리에게는 글쓰기란 하나의 기도(企圖)이다. 작가는 죽기에 앞서 살아 있는 인간이다. 우리는 책을 통해서 우리의 정당성을 밝혀야 한다고 생각한다. 비록 먼 훗날 우리가 과오를 저질렀다는 판정이 내린다 해도 미리부터 과오를 두려워해서는 안 된다고 생각한다. 그리고 작가는 자신의 악덕(惡德)과 불행과 약점을 전면에 내세우는 그런 비루한 수동적 인간으로서가 아니라, 결연한 의지와 선택과 저마다 삶을 추구하는 전체적 기도의 인간으로서, 자신의 작품을 통해서 전적(全的)으로 참여해야 한다고 믿고 있다. 그렇기 때문에 문제를 시초부터 재검토하고 우리 나름대로 이렇게 물어야 마땅한 것이다. ――「무엇을 위한 글쓰기인가?」라고.

원주

1 적어도 일반적으로는 그렇다. 클레의 위대성과 과오는 기호인 동시에 사물인 그림을 만들려고 시도한 점에 있다.[1)]

2 나는 여기에서 〈모방한다〉는 말이 아니라, 분명히 〈창조한다〉는 말을 썼다. 그 사실은 샤를 에티엔 Charles Estienne 씨의 그 모든 감정적 언사를 일고의 가치도 없는 것으로 만들기에 충분한 것이다. 그는 내 이야기를 한마디도 알아듣지 못하고 허깨비에 칼을 휘둘러대고 있을 따름이다.

3[2)] 이것은 바타유가 『내면의 체험』에서 들고 있는 예이다.

4[3)] 언어에 대한 이런 태도[4)]의 기원을 알고 싶어하는 사람을 위해서 여기에서 간단한 언급을 해두려 한다.

본시 시(詩)라는 것은 인간의 〈신화〉를 창조하고, 산문작가는 인간의 〈초상〉[5)]을 그린다. 현실을 볼 때, 인간의 행위는 욕구에 지

---

1) Paul Klee(1879-1940): 사르트르는 클레의 기독교적 비전 때문에 생기는 이 양면성을 볼스 Wols의 그림의 사물성과 대조하고 있다. *Doigts et Non-doigts*(*Situations IV*에 수록) 참조.

2) L' Expérience intérieure(1943), Coll. Tel, Gallimaird, p. 157 참조. 사르트르는 뒤에서(372쪽), 언어의 병적(病的) 현상으로서 이 예를 다시 들고 있다. 또한 이미 1943년에 바타유를 비판한 「새로운 신비주의자 *Un nouveau mystique*」에서도 이 점에 대해서 언급하고 있다(*Situations I*, 147쪽 참조).

3) 이 원주 **4**는 저항시인들에 대한 언급과는 관련이 없는 것이다. 그것은 차라리 그 언급 바로 앞에 있는 진술과 관련되는 것이다. 이 글은 말라르메에 대한 깊은 이해를 바탕으로 하는 사르트르의 시관(詩觀)을 아는 데 매우 중요한 텍스트이다.

4) 본문에서 말한 〈인간 조건에서 벗어나서 언어를 거꾸로 보는 태도〉, 즉 시적 태도를 가리킨다.

배되고 효용에 끌리는 것으로, 어떤 의미에서는 그것은 〈수단〉이다. 따라서 행위 자체는 주목의 대상이 안 되고 그 결과만이 중시된다. 가령, 내가 펜을 잡을 〈목적〉으로 손을 내미는 경우에, 나는 자신의 몸짓을 겨우 어렴풋이 의식할 따름이며, 내 시선이 가 있는 곳은 펜이다. 이렇듯 인간은 자신이 설정한 목적에 의해서 소외된다. 한데 시는 이 관계를 역전시킨다. 세계와 사물은 비본질화(非本質化)되고, 그것들은 그 자체가 목적이 되는 행위를 성립시키기 위한 한낱 구실이 될 따름이다. 꽃병이 존재하는 것은 한 처녀가 거기에 꽃을 꽂는다는 우아한 동작을 하기 위한 것이며, 트로이 전쟁이 일어난 것은 헥토르와 아킬레스가 영웅적인 전투를 벌이기 위한 것이다. 목적에서 유리(遊離)된 행동, 목적이 물러간 행동은, 가령 전자의 경우에는 춤으로,[6] 후자의 경우에는 용맹성(勇猛性)으로 평가된다. 그러나 행위의 성과에 대해서 아무리 무관심하다 하더라도, 시인은 19세기 전까지는 대체적으로 그의 사회와 화합(和合)했던 것이 사실이다. 시인은 산문이 추구하는 목적을 위해서 언어를 사용하지는 않았지만, 산문가와 마찬가지로 언어를 신뢰하고 있었던 것이다.

그러나 부르주아 사회가 성립한 이후로는 시인은 산문작가와 이구동성(異口同聲)으로 그 사회가 살 수 없는 사회라고 선언하게 되었다, 시인으로서는 여전히 인간의 신화를 창조하는 것이 본령(本領)이었으나, 그는 이제 백색(白色)의 마술로부터 흑색의 마술로 옮아갔다.[7] 인간은 전과 다름없이 절대적 목적으로 다루어졌지

---

5) 〈초상〉이라는 말은, 절대적 존재로서의 인간(인간의 신화)과는 반대로, 사회적 일상적 상황 속에서의 인간의 모습과 행동을 의미한다. 초상에 관해서는 뒤에 다시 언급되어 있다(126–127쪽).

6) 발레리는 더 일반적으로 산문의 언어를 목적지에 도달하기 위한 수단인 〈걷기〉로, 시의 언어를 그 자체에 목적이 있는 〈춤〉으로 비유한 바 있다(*Pléiade I*, 1957, 1329–1330쪽).

만, 그 기도의 성공으로 말미암아 공리적인 집단 속으로 매몰(埋沒)되고 만다. 따라서 그의 행위의 배후에 있으면서 신화로 옮아가는 것을 가능케 해주는 것은, 이미 성공이 아니라 좌절(挫折)이다. 오직 좌절만이 인간의 기도의 끝없는 전개를 장벽처럼 가로막으면서 인간을 순수한 자기 자신으로 되돌려준다.[8] 세계는 여전히 비본질적인 것이기는 하지만, 이제는 패배의 계기로서 존재하는 것이다. 사물(事物)의 목적성은 인간의 길을 막아서 인간을 자기 자신에게로 되돌아가게 하는 데 있게 된다. 그렇다고 해서 시인은 세상의 흐름을 함부로 패배와 파멸로 향하게 한다는 것이 아니라, 오직 패배와 파멸만을 주목의 대상으로 삼으려는 것이다. 인간의 기도에는 양면이 있다. 그것은 성공인 동시에 좌절이다. 이 문제를 생각할 때에는 변증법의 도식(圖式)만으로는 불충분하며, 우리의 어휘(語彙)와 아울러 우리의 이성의 틀을 더욱 유연하게 만들어야 한다. 역사란 객관적이 아니며 그렇다고 해서 완전히 주관적인 것도 아니다. 그리고 역사에 있어서는 변증법이 일종의 반(反)변증법에 의해서 부정되고 침투되고 침식되면서도 역시 변증법적이다. 나는 후일 이러한 역사적 현실을 서술해 볼 생각이지만, 그것은 철학자로서의 일이다.[9]

---

7) 백색의 마술 magie blanche: 설명될 수 있는 자연적인 인과 관계를 통해서 희한한 효과를 산출하는 기술을 말한다. 요술쟁이들의 기술을 그 예로 들 수 있다.

흑색의 마술 magie noire: 어떤 신령이나 특히 귀신의 개입에 의해서 생기는 초자연적인 효과를 일컫는다. 비유적으로 시의 경우에는 언어의 초이성적인 힘에서 우러나는 효과를 가리킨다.

8) 사르트르는 이 견지에서 말라르메론을 전개했다(*L'Engagement de Mallarmé*, Gallimard, 1986).

9) 이 기도는 1960년에 나온 『변증법적 이성비판 *Critique de la Raison dialectique*』으로 실현되었다. 그는 이 책에서 〈실천적 타성태 pratico-inerte〉라고 이름 지은 반변증법적 현상의 매우 심각한 역기능에 주목하

일반적으로 볼 때는 사람들은 야누스의 두 얼굴을 동시에 살피지는 않는다. 행동하는 사람은 한쪽을, 시인은 다른 쪽을 본다. 도구가 부서지고 못 쓰게 될 때, 계획이 어긋나고 노력이 수포로 돌아갈 때, 이 세계는 표점(標點)도 없고 길도 없는 것으로, 순박하고도 무서운 신선미(新鮮味)를 띤 것으로 나타난다. 세계는 인간을 압도하는 것이기 때문에 더없는 현실성을 띤다. 성공한 행동은 모든 것을 일반화하지만, 패배는 사물에 그 개별적 현실성을 다시 부여한다. 그러나 여기에서 예견된 역전 현상(逆轉現象)이 생겨서, 궁극적 목적으로 여겨진 좌절은 세계에 대한 부인(否認)인 동시에 세계의 수용(受容)이 된다. 부인인 까닭은 인간은 인간을 압도하는 것보다도 〈더 가치가 있기〉 때문이다. 인간은 이제 엔지니어나 선장(船長)처럼 〈현실성의 과소(過少)〉를 이유로 사물을 부인하는 것이 아니다. 반대로 그는 패자(敗者)로서의 존재 그 자체를 통해서 〈현실성이 너무나 가득 차 있는〉 사물들을 부인하는 것이다. 인간은 세계의 회한(悔恨)인 것이다. 다른 한편으로 인간이 세계를 수용하는 까닭은, 세계가 성공의 도구이기를 멈추고 좌절의 도구가 되기 때문이다. 세계에는 은연한 합목적성(合目的性)이 깔린다. 이제는 도리어 세계의 대립적 요인이 도움이 되고, 인간에게 적대(敵對)하면 할수록 더욱 인간적인 것이 된다. 이리하여 좌절 그 자체가 구원으로 전환된다. 그것은 좌절이 어떤 초월적인 것으로 도달하게 만들어주기 때문이 아니다. 좌절이 그 자체로서 꿈틀거려서 변신하는 것이다.

가령 시어(詩語)는 산문의 폐허에서 솟아난다. 말은 배반이며 전달(傳達)이 불가능하다는 것이 사실이라면,[10] 낱말 하나하나가

면서도 역사의 생성을 내다본다는, 전통적 마르크스주의에 어긋나는 생각을 보여주고 있다.

10) 이 발언은 이해하기에 따라서는 사르트르의 주장에 큰 문제를 야기시

그 개별성을 회복하여 우리의 패배의 도구가 되고 전달 불가능한 것의 은닉자(隱匿者)가 될 것이다. 그것은 〈달리〉 전달할 만한 것이 있기 때문이 아니다. 산문에 의한 전달이 좌절된 이상, 낱말의 뜻 그 자체가 순수하게 전달 불가능한 것이 되기 때문이다. 이리하여 전달의 실패는 전달 불가능한 것의 존재를 시사(示唆)한다. 낱말들을 이용하려는 기도가 어긋나면, 초탈(超脫)한 입장에서 순수하게 말을 직관(直觀)하려는 움직임이 뒤따른다. 이런 이야기는 우리가 앞서 이 책의 66쪽에서[11] 시도한 서술과 맞물리는 것이지만, 이 자리에서는 나는 더욱 일반적 견지에서 현대시의 근원적 태도라고 생각되는 좌절에 대하여 절대적 가치를 부여하려고 한 것이다. 또 한 가지 주목해 두고 싶은 것은 이런 태도의 선택이 집단(集團) 내에서의 매우 명확한 기능을 시인에게 부여한다는 점이다. 극도로 통합적이거나 종교적인 사회에서는, 좌절은 국가에 의해서 은폐(隱蔽)되거나, 반대로 종교에 의해서 다시 부각(浮刻)된다. 그러나 우리의 민주주의 체제처럼 세속적이며 한결 덜 통합적인 사회에서는 시가 그것을 다시 부각하는 것이다.

킬 수 있는 성질의 것이다. 〈말이 배반이며 전달 불가능한 것〉이고, 〈산문에 의한 전달이 좌절〉이라면, 그의 문학론과 참여론의 전제 조건이 되어야 할 인간 상호간의 진정한 이해와 관계는 성립할 수 없는 것이기 때문이다. 이 언어의 전달 불가능성에 관한 문제는 『변증법적 이성비판』에서 재론되고 있는데, 그 문제에 대한 사르트르의 해결의 논리는 납득하기 어려운 것이다. 졸저, 『문학을 찾아서』 133쪽 참조.

11) 텍스트에는 〈이 책의 16쪽에서〉로 되어 있다. 그러나 원래 이 글의 제1장이 실린 《현대》 1947년 2월호의 쪽수는 769-787쪽이며, 그후 우리가 텍스트로 삼은 *Situations II*에 전재되었을 때는, 이 책의 16쪽은 「《현대》지 창간사」가 차지하고 있고, 여기에서 언급되어 있는 내용과는 전혀 상관없는 것이다. 따라서 Folio판이 그것을 「《현대》지 창간사」에서라고 바꾸어놓은 것은 근거없는 짓이다. 역자의 생각으로는 〈16쪽〉은 아무래도 오식(誤植)이며, 〈66쪽〉으로 바로잡아야 할 것 같다. 왜냐하면 그곳에 과연 시어의 초탈성과 사물성에 대한 언급이 있기 때문이다.

시에 있어서는 패자(敗者)가 곧 승자이다.[12] 그리고 진정한 시인은 승리하기 위해서 죽음에 이르기까지 패배하기를 선택한 사람이다. 다시 말하지만, 이것은 현대시(現代詩)에만 국한된 이야기이다. 역사적으로 보면 다른 형태의 시들이 있다. 그러나 그런 과거의 시와 우리 시대의 시의 관계를 살피려는 것이 나의 주제는 아니다. 만일 구태여 시인의 참여를 들먹여야 한다면, 시인이란 패배를 향하여 참여하는 사람이라고 말해 두자. 시인이 항상 내세우는 액운(厄運)과 저주(詛呪)의 깊은 뜻이 바로 여기에 있다.[13] 시인은 늘 그런 액운을 외부의 간섭의 탓으로 돌리지만, 사실은 그의 가장 심오한 선택에서 유래하는 것이다. 그것은 그의 시의 결과가 아니라 원천이다. 시인은 인간의 기도의 전체적 좌절을 확인한다. 그리고 자기의 개인적인 패배를 통해서 인간 모두의 패배를 증언(證言)하기 위해서 자신의 삶이 좌절을 겪도록 처신하는 것이다. 따라서 그는 우리가 앞으로 살펴보게 되듯이 산문가와 마찬가지로 이의(異議)를 제기한다. 그러나 산문의 이의 제기가 더욱 커다란 성공을 겨냥한 것인 반면에, 시의 이의 제기는 모든 승리의 밑에 숨어 있는 패배를 겨냥하는 것이다.

5 모든 시에는 어떤 산문적인 양상(樣相)이, 즉 성공의 양상이 내재한다는 것은 두말할 나위도 없다. 마찬가지로 가장 무미건조한 산문에조차 항상 다소간의 시가, 즉 어떤 좌절의 양상이 내포되어 있다. 어떠한 산문작가도, 가장 명철한 산문작가도, 자기가

12) 〈패자가 곧 승자〉라는 생각의 기원에는 아마도 〈삶을 잃는 자가 구원을 받는 자〉라는 기독교적 역설이 깔려 있을 것이다(마태복음 16:25, 마가복음 8:35, 누가복음 9:24, 요한복음 12:25).

13) 보들레르도 말라르메도 바로 〈액운 Le Guignon〉이라는 제목의 시를 썼다. 그러나 시의 제목은 어떻든 간에 시인이 이 세상에서 저주받고 있다는 테마는 보들레르 이후의 가장 주요한 테마의 하나이며, 베를렌이 유포시킨 〈저주된 시인〉이라는 지칭(指稱)이 그 사정을 잘 말해 주고 있다.

말하고자 하는 것을 〈완전히〉 나타내지는 못한다. 그의 말에는 항상 과부족(過不足)이 있다. 문장 하나하나가 도박이며 위험의 감수이다. 모색하면 할수록 낱말은 더욱 야릇한 모습을 띠게 된다. 발레리가 지적했듯이 아무도 한 낱말을 속속들이 이해할 수는 없다. 그래서 한마디 한마디의 말은 그 분명한 사회적 의미 때문에 쓰이는 동시에, 어떤 은연한 울림 때문에 쓰이기도 한다. 그 점은 독자 역시 감지(感知)할 수 있는 것이다. 한데 이 국면에서 보자면 우리는 협약(協約)된 의사 전달의 차원에 있는 것이 아니라, 영감과 요행(僥倖)의 차원에 있게 된다. 산문의 침묵은 산문의 한계를 긋는 것이기 때문에 시적(詩的)이다. 그리고 내가 순수한 산문과 순수한 시의 양극단을 생각해 본 것은 설명을 좀더 분명하게 하려는 뜻에서였다. 그렇다고 해서, 일련(一連)의 중간 형식을 연속적으로 거쳐 나가면 시로부터 산문으로의 이행(移行)이 가능해진다고 결론지어서는 안 된다. 만일 산문작가가 말들을 지나치게 애완(愛玩)하면, 〈산문〉이라는 에이도스는 부서지고, 횡설수설하는 결과가 초래될 것이다. 반대로 시인이 이야기하고 설명하고 가르치려 한다면, 시가 〈산문적〉인 것이 되고 시인은 자신의 목적을 등지게 될 것이다. 시와 산문의 양자는 복잡하고 순수하지 못하지만 그래도 역시 저마다 분명하게 한정된 구조를 지니고 있는 것이다.[14]

14) 따라서 사르트르의 시와 산문의 구분에 관한 진술은 양자의 차이를 극단화시켜 설명하려는 일종의 방법적 과격주의이다. 그러나 문학의 경우 그는 이런 엄격한 구별이 현실적으로는 존재할 수 없다는 것을 이미 여기에서도 시사하고 있고, 후일에는 산문문학의 시적 성격에 더욱 큰 비중을 두어 나간다. 그중에서도 특히 두드러진 것이 1966년의 『작가는 지식인인가 *L'ecrivain ést-il un intellectuel?*』(*Situations VIII*, 430-455쪽)이다.

2 무엇을 위한 글쓰기인가[1)]

저마다 이유가 있다. 어떤 사람에게는 예술은 도피이며, 다른 사람에게는 정복(征服)의 수단이다. 그러나 도피한다면야 은둔 생활로, 광기(狂氣)로, 죽음으로 도피할 수도 있고, 또 정복은 무기로도 할 수 있다. 그런데 왜 하필이면 꼭 글을 쓰겠다는 것이며, 글을 통해서 도피와 정복을 하겠다는 것인가? 그것은 작가들의 여러 가지 목표의 배후에는 그들 모두에게 공통되는 어떤 더욱 깊고 더욱 직접적인 선택이 있기 때문이다. 우리는 그 선택이 무엇인지를 밝혀보려고 한다. 그러면, 작가의 참여가 요청되는 것은 바로 글을 쓴다는 그 선택 때문이 아니겠느냐

---

1) 제2장과 제1장과의 관련은 긴밀하지 않다. 여기에서 전개되는 문학 작품, 예술 작품, 창조, 읽기 등에 관한 논의는 제1장에서 기본적인 것으로 설정된 산문과 시(및 다른 예술 장르)의 구별을 밑에 깔고 있는 것이 아니라, 도리어 지양(止揚)하고 있는 듯이 보인다. 따라서 매우 독창적인 문학 원론이라고 볼 수 있는 이 장을 전체적 취지와 어떻게 연관시키느냐 하는 것은 이 책의 이해와 해석에서 가장 중요한 문제가 된다.

는 것을 알게 될 것이다.

우리는 지각(知覺)할 때마다, 인간이 그 무엇을 〈드러낸다〉는 의식을 갖게 된다. 즉, 인간을 통해서 존재가 〈거기에 있다〉는 의식, 달리 말하면 인간은 사물들을 나타나게 하는 수단이라는 의식을 갖게 된다. 가지가지의 관계들을 자꾸만 더 많이 맺어놓는 것은 이 세계에 있어서의 우리의 현존(現存)이다. 이 나무와 이 한 조각의 하늘을 관련시키는 것은 우리들이다. 우리들이 있기 때문에, 아득한 옛날부터 죽어 있던 이 별과 이 초승달과 이 어두운 강이 하나의 풍경으로 통합되면서 드러나는 것이다. 이 거대한 땅덩어리들을 엮는 것은 우리의 자동차나 비행기의 속도이다. 우리가 행동할 때마다 세계는 우리에게 새로운 모습을 드러내 보인다. 그러나 우리가 비록 존재의 탐지자(探知者)이긴 하지만, 그 창조자는 아니라는 것도 우리는 또한 알고 있다. 만일 우리가 고개를 돌려 그 풍경을 보지 않게 되면, 그것은 증인(證人) 없이 어두운 영겁(永劫) 속으로 그대로 가라앉고 말 것이다. 다만 가라앉을 뿐이다. 왜냐하면 그것이 아주 없어지리라고 생각할 정도로 미친 사람은 없을 것이기 때문이다. 없어질 것은 도리어 우리들 자신이다. 그러면 대지는 다른 의식체(意識體)가 깨우러 올 때까지는 계속 혼수 상태에 빠져 있게 될 것이다. 이리하여 우리가 사물을 〈드러내 보이는〉 존재라는 내적(內的) 확실성과 아울러 또 하나의 확실성이 있는데, 그것은 〈드러난〉 사물에 대해서 우리의 존재는 본질적(本質的)이 아니라는 것이다.[2)]

---

2) 사르트르의 인식론의 근본을 이루는 의식과 사물 사이의 유기적 관계, 다시 말하면 관념론과 실재론의 통합이 여기에서 문학 원론의 전개에 적용되고 있다.

예술적 창조의 주된 동기의 하나는 분명히 세계에 대해서 우리 자신의 존재가 본질적이라고 느끼려는 욕망이다.[3] 내가 드러낸 들이나 바다의 이 모습을, 이 얼굴의 표정을, 나는 화폭에 옮기면서 또는 글로 옮기면서 고정(固定)시킨다. 나는 그 모습들을 긴밀히 관련시키고 질서가 없던 곳에 질서를 만들고 사물의 다양성에 정신의 통일성을 박아넣는다. 그러면 나는 그 모습들을 만들어내는 것이라고 생각한다. 바꾸어 말하자면, 나는 나의 창조물에 대해서 스스로 본질적이라고 느낀다. 그러나 이번에는 창조된 사물이 나에게서 벗어난다. 나는 드러내고 또 동시에 만들어낼 수는 없다. 창조된 것은 창조 행위에 대해서 비본질적(非本質的)인 것으로 옮아간다. 무엇보다도 먼저 창조된 사물이 남들의 눈에는 결정적인 것으로 보일망정, 우리의 눈에는 항상 미결정 상태로 남아 있는 것으로 보이기 때문이다. 우리는 언제나 이 선(線)을, 이 색조를, 이 말을 바꿀 수 있다. 그래서 그것은 결코 확정적인 것이 될 수 없다. 어느 풋내기 화공(畵工)이 스승에게 이렇게 물었다. 「언제 제 그림이 완성되었다고 생각해야 할까요?」 그러자 스승은 대답했다. 「네가 네 그림을 바라보고 스스로 놀라서 〈내가 이것을 만들었다니!〉하고 말할 때다」

그것은 「결코 그럴 수 없다」는 것과 같은 말이다. 만일 그럴 수 있다면, 그것은 자기의 작품을 남의 눈으로 바라보고 자기가 창조한 것을 새로 드러내는 것이 될 테니 말이다. 한데, 우리가 자신의 창조적 행위를 더 강하게 의식할수록 창조된 사물

---

3) 바로 이 욕망의 실현이 『구토』의 마지막 장면에서 주인공이 유일한 구원으로 생각해 본 것이다.

에 대해서는 그만큼 덜 의식하게 된다는 것은 자명(自明)한 일이다. 용도가 정해진 연장을 가지고 관례적 규준(規準)에 따라 도자기나 목조물을 만드는 경우에는, 우리의 손을 빌려 작업하는 것은 하이데거가 말하는 바로 그 일반인 man[4]이다. 그 경우라면 작업의 결과는 제법 이물(異物)처럼 보여, 우리의 눈에도 객체성(客體性)을 띨지도 모른다. 그러나 우리 자신이 제작의 규칙이나 척도나 규준을 만들고, 우리의 창조적 충동이 우리의 가장 깊은 가슴속으로부터 솟아오르는 경우에는 우리의 작품에서 찾아볼 수 있는 것은 우리 자신일 따름이다. 작품을 판단하는 규준을 만든 것은 우리 자신이며, 우리가 거기에서 알아볼 수 있는 것은 우리의 역사이며 우리의 사랑이며 우리의 기쁨이다. 우리가 작품에 더 이상 손을 대지 않고 바라만 본다고 하더라도 우리는 그것으로부터 그런 기쁨이나 사랑을 〈받아들이는〉 것은 전혀 불가능하다. 우리가 그 안에 그런 감정을 담아넣었기 때문이다. 화폭이나 종이 위에서 얻은 결과는 우리의 눈에는 결코 〈객관적〉으로는 보이지 않는다. 그런 결과를 빚어낸 수법(手法)을 너무나 잘 알고 있기 때문이다. 그 수법은 끝끝내 주관적인 발견일 따름이다. 그것은 우리 자신이며 우리의 영감이며 우리의 계략(計略)이다. 그리고 자신의 작품을 〈지각하려고〉 애쓸 때라도, 우리는 그것을 또다시 만들어내고 그 제작의 작업을 머릿속에서 반복할 따름이며, 작품의 모습 하나하나가 모두 결과로밖에는 보이지 않는 것이다. 원래 지각에 있어서는 대상은 본질적인 것으로, 주체(主體)는 비본질적인 것으로 주어진다.

---

4) 불어로는 on으로 번역한다. 주체로서의 자아(自我)가 아니라, 일상 생활에서 그 누구와도 동일하고 대치(代置)될 수 있는 존재, 가령 「나는 남들이 하는 대로 한다」라고 말할 때의 〈나〉.

한데 주체가 창조 행위를 통해서 본질성을 추구하고 그것을 획득하게 되는 경우에는 대상이 비본질적인 것으로 되고 만다.

이러한 변증법(辨證法)이 가장 두드러지게 나타나는 것은 글쓰기의 예술에서이다. 문학이라는 사물은 야릇한 팽이 같은 것이어서, 오직 움직임을 통해서만 존재하는 것이다. 그것을 출현(出現)시키기 위해서는 읽기라고 부르는 구체적 행위가 필요하고, 그것은 읽기의 행위가 계속되는 동안에만 존재할 따름이다. 그 이외의 경우에는 종이 위에 박힌 검은 흔적이 있을 뿐이다. 한데, 제화공(製靴工)이 치수만 맞는다면 자기가 만든 신을 신을 수 있고 목수가 자신이 지은 집에 살 수 있는 것과는 반대로, 작가는 자기가 쓴 것을 스스로는 읽을 수 없다. 반면에 읽는 사람은 읽으면서 예측하고 기대한다. 독자는 한 문장의 끝을, 다음에 올 문장을, 다음에 계속될 페이지를 예측한다. 다음에 올 그런 글들이 자기의 예측에 들어맞거나 혹은 어긋나는 것을 기대한다. 책 읽기는 숱한 가정, 꿈과 그 뒤에 오는 각성(覺醒), 그리고 희망과 실망으로 이루어진다. 독자는 항상 오직 개연성(蓋然性)밖에 없는 미래를 향해서 자기가 지금 읽고 있는 문장보다 앞서간다. 그리고 읽어나감에 따라서 그 미래는 때로는 무너지기도 하고 때로는 굳게 자리잡기도 하면서 한 페이지에서 다른 페이지로 멀어져 간다. 이리하여 문학적 사물의 움직이는 지평선이 형성된다. 기대와 미래와 미지(未知)가 없다면 객관성도 있을 수 없는 것이다.

한데, 글을 쓰는 작업의 경우에는 암묵적(暗默的)인 사이비 읽기만이 있을 뿐이며, 그것이 진정한 읽기를 불가능하게 만든다. 펜의 움직임에 따라 말들이 형성될 때, 작가도 그것을 보기는 할 것이다. 그러나 작가는 쓰기 전에 이미 그 말들을 알고 있으니까 독자들과 마찬가지 방식으로 보는 것은 아니다. 작가의 경우, 시선(視線)의 기능은 읽혀지기를 기다리면서 잠들고 있는 말들을 건드리면서 깨우는 데 있는 것이 아니라, 기호의 설계도를 조정(調整)하는 데 있다. 요컨대 그 기능은 순전히 조정적(調整的)이며, 그의 눈은 손끝의 작은 잘못들만을 가르쳐줄 뿐이다. 작가는 예견하지도 억측(臆測)하지도 않는다. 그는 〈기도(企圖)〉할 따름이다. 그 역시 자기 자신을 기다리는 일이, 흔히들 말하듯이 영감을 기다리는 일이 자주 있기는 하다. 그러나 남을 기다리는 것과 자신을 기다리는 것은 다른 일이다. 작가가 망설인다 해도, 그는 미래가 아직 만들어지지 않아서, 자기가 그것을 곧 만들 것이라는 것을 알고 있다. 또한 자기의 주인공이 앞으로 어떻게 될지 모른다고 해도, 그것은 다만 작가가 아직 그 점에 대해서 생각하지 않았고, 아무런 결정을 하지 않았다는 뜻밖에는 되지 않는다. 따라서 독자의 미래는 결말(結末)이 어떻게 될지 모르는 말들이 가득 차 있는 200페이지인 반면에, 작가의 미래는 백지(白紙)일 따름이다.

이렇듯 작가가 도처에서 만나는 것은 오직 〈자신의〉 앎, 〈자신의〉 의지, 〈자신의〉 기도이며, 요컨대 자기 자신이다. 그는 다만 자신의 주관성(主觀性)과 접촉할 뿐이다. 그가 창조하는 사물은 그의 손이 미칠 수 없는 곳에 있으며, 그는 〈자신을 위해서〉 창조할 수 없다. 자기가 쓴 것을 다시 읽는다 해도 때는 이미 늦은 것이다. 자기의 문장이 자기의 눈에 결코 사물로 비칠 수는 없으리라. 주관성의 한계까지 가더라도 그것을 넘어설 수는 없다. 어떤 필치(筆致)나 명언(名言)이나 멋있는 수식어의 효과를 스스로 높이 평가한다 해도 그것은 남들에게 미칠 효과일 따름이다. 작가는 그것을 측정할 수는 있지만 느낄 수는 없다. 프루스트는 샤르뤼스의 동성애(同性愛)를 발견한 것이 아니다. 왜냐하면 책을 쓰기 전부터 샤르뤼스가 동성 연애자라고 정해 놓았기 때문이다. 혹시 작품이 작가의 눈에 객체(客體)처럼 비치는 날이 온다면, 그것은 오랜 세월이 지나 작가가 그것을 망각했을 때, 이미 작품 속으로 들어갈 수 없고 아마도 작품을 쓸 수 없게 되었을 때이다.[5] 가령 말년에 『사회계약론』을 다시 읽은 루소의 경우가 그렇다.

따라서 자기 자신을 위해서 쓴다는 것은 사실이 아니다.[6] 만일 그렇다면 그것은 최악의 좌절(挫折)이 되리라. 자기의 감정을 종이 위에 투영(投影)한다면, 그것은 기껏해야 그 감정을 따분하게 연장하는 것밖에는 되지 않으리라. 창조 행위는 작품 생산의 불완전하고 추상적인 한 계기(契機)일 따름이다. 만일 작가가 자기 혼자만 존재하고 원하는 만큼 얼마든지 쓸 수 있다고 해도, 〈사물〉로서의 작품은 결코 태어나지 않을 것이며, 그는 결국 펜을 놓거나 절망하고 말 것이다. 쓴다는 작업은 그 변증법적 상관자(相關者)로서 읽는다는 작업을 함축하는 것이며, 이

---

5) 그러나 이 객체화(客體化)의 다른 가능성이 뒤에서 시사되어 있다. 84쪽을 보면, 독자를 통해서 객체화된 작품이 그 작가에게 대상으로서 되돌려지는 경우를 상정하고 있다. 이것은 또한 『구토』의 주인공의 희망이기도 하다.

6) 이 점에 대해서는 모든 사람들 사이에 동의가 있는 것은 결코 아니다. 사르트르도 후일 그의 진술을 수정했다. 「작가가 항상 타인을 위해서 쓴다는 것은 결국에는 그렇다는 것에 지나지 않고, 본래부터 그렇다는 것은 아니다. 분명히 말에 대한 마술적인 생각이 있는 것이어서, 사람은 쓰기 위해서 쓰고 말을 창조하고 그러면서도 어떤 총체(總體)들을 만들어낸다」(*Ecrivain et sa langue*, *Situations IX*. 43쪽)

두 가지의 연관된 행위는 서로 다른 두 행위자를 요청한다. 정신의 작품이라는 구체적이며 상상적인 사물을 출현시키는 것은 작가와 독자의 결합된 노력이다. 예술은 타인을 위해서만, 그리고 타인에 의해서만 존재하는 것이다.

과연 읽기는 지각과 창조의 종합처럼 여겨진다.[1] 그것은 주체의 본질성(本質性)과 대상의 본질성을 동시에 상정한다. 대상이 본질적인 이유는, 그것이 엄밀히 초월적(超越的)이며 그 자체의 구조를 강요하고 독자는 그것을 기다리고 지켜보아야 하기 때문이다. 주체 또한 본질적인 이유는, 대상을 드러내기 위해서(다시 말해서 대상이 여기에 있게 하기 위해서)뿐만 아니라, 그 대상이 절대적으로 존재하기 위해서(다시 말해서 그것을 만들어내기 위해서) 주체가 요청되기 때문이다. 한마디로 말해서 독자는 동시에 드러내고 창조하고, 창조하면서 드러내며, 드러냄을 통해서 창조한다는 것을 의식한다. 사실, 읽기가 기계적인 작업이며, 독자는 빛을 받는 필름처럼 기호의 자극(刺戟)을 받는다고 생각해서는 안 된다. 만일 독자가 주의산만하고 피곤하고 어리석고 제정신이 아닌 경우라면, 문장의 거의 모든 관계를 파악하지 못할 것이며, 「불이 인다」 혹은 「불이 일지 않는다」라고 말할 때처럼 대상을 〈일게〉 하지는 못할 것이다. 그때는 어둠 속에서 끌어낸 몇 마디 말들이 두서없이 출현할 따름이리라. 그러나 독자의 상태가 최상(最上)인 경우에는 그는 낱말들 너머로 한 종합적인 형태를 구성하는데, 이때에는 문장 하나하나는 그 종합적 형태의 부분적 기능으로서만 존재할 것이다. 이리하여 〈테마〉와 〈주제〉와 〈의의(意義)〉가 형성된다.

따라서 처음부터 의의는 낱말 속에 간직되어 있는 것이 아니다. 도리어 의의가 낱말 하나하나의 의미[7]를 이해할 수 있게 해 주는 것이다. 문학이라는 대상은 비록 언어를 〈거쳐서〉 실현되기는 하지만 언어 〈속에서〉 주어지는 것은 결코 아니다. 반대로 그것은 원래가 침묵이며 말에 대한 거역(拒逆)이다. 따라서 책에 늘어놓인 수천 개의 낱말들을 하나하나 모두 읽는다 해도 작품의 의의(意義)가 나타난다는 보장은 없다. 의의는 낱말들의 총화가 아니라 그것의 유기적 전체이다. 독자가 처음부터 단번에 그리고 거의 어떤 도움도 받지 않고 이 침묵의 단계에 올라서지 못한다면 아무것도 이루어지지 않는다. 요컨대 독자가 침묵을 〈발명〉하지 못한다면, 그리고 그가 깨어나게 하는 낱말과 문장들을 침묵 속에 자리잡게 하고 침묵 속에서 지탱해 나가지 못한다면, 모든 것이 허사이다. 그리고 이 작업을 재발명(再發明)이나 발견이라고 부르는 것이 차라리 마땅하지 않겠느냐고 말하는 사람이 있다면, 나는 우선 이러한 재발명이 최초의 발명과 똑같이 새롭고 독창적이라고 대답하겠다. 더구나 대상이 그 이전에는 존재하지 않았던 것이기 때문에, 그것은 재발명이나 발견이 될 수 없다. 내가 말하는 침묵이 사실상 작가가 겨냥한 목표일지도 모르지만, 다만 그것은 작가 자신은 결코 알 수 없었던 것이다. 그의 침묵은 주관적이며 언어 이전의 것이다. 그것은 언어의 결여(缺如)이며, 언어가 특정화(特定化)시키기 이전의 미분화(未分化)되고 체험된 영감의 침묵이다. 이와 반대로 독자가 태어나게 하는 침묵은 하나의 대상이다. 그리고 이 대상

---

7) 의의 sens와 의미 signification: 사르트르는 그 양자를 항상 엄격히 구별해서 사용하지는 않지만, 전자(前者)가 총체적, 심층적인 뜻을 가리키는 한편, 후자는 말의 개별적, 부분적, 명시적인 뜻을 가리키기 위해서 사용되거나 혹은 〈의미 작용〉의 뜻으로 사용되는 것이 일반적이다.

의 내부에 또 여러 가지 침묵들, 즉 작가가 말하지 않는 것이 있다. 그것은 매우 특별한 의도(意圖)들로 되어 있어서, 읽기가 출현시키는 대상의 밖에서는 의미를 잃게 된다.

하지만 대상의 밀도를 형성하고 대상에게 그 독특한 밀도를 부여하는 것은 바로 이 의도들이다. 그것은 표현되지 않은 것이라기보다도 차라리 표현될 수 없는 것이다. 그렇기 때문에 그 의도들이 읽기의 어느 특정한 순간에 나타나는 것은 결코 아니다. 그것은 모든 곳에 있는 동시에 아무 곳에도 없다. 『몬 대장(大將)』의 초자연성, 『아르망스』[8]의 웅대함, 카프카의 신화에서 볼 수 있는 리얼리즘과 진실의 경지, 이러한 모든 것은 결코 미리부터 주어져 있는 것이 아니라, 독자 스스로가 씌어진 것을 부단히 초월하면서 발명해 나가야 하는 것이다. 하기야 작가가 독자를 인도(引導)할 것이다. 그러나 작가의 인도는 몇몇 푯말을 세워놓는 것에 불과하고 그 사이에는 빈터가 깔려 있다. 따라서 그 푯말들을 따라가고 또 그 너머로 나가야 하는 것이다. 한마디로 해서 읽기란 인도된 창조이다.[9]

한편으로 보면 문학이란 대상에는 실상 독자의 주관성 이외에는 다른 어떤 실체도 없다. 가령 라스콜니코프[10]의 기다림은 〈나의〉 기다림이며, 나는 나의 기다림을 그에게 투사(投射)한 것이다. 만일 독자의 이러한 초조감이 없다면, 오직 지루한 기

---

8) *Le Grand Meaulnes*: 알랭푸르니에 Alain-Fournier의 소설.
Armance: 스탕달의 소설.

9) 사르트르는 결국 작가의 의도를 존중하며, 작품을 텍스트로서 작가로부터 독립시키고, 그 의미를 확산시킨다는 구조주의 및 그 이후의 읽기의 방법을 거부한다. 이러한 작가의 의도에 대한 중시는 78쪽에 더욱더 명백히 드러나 있다.

10) Raskolnikoff: 도스토예프스키, 『죄와 벌』의 주인공.

호들만이 깔려 있을 뿐이리라. 그를 심문하는 예심판사(豫審判事)에 대한 라스콜니코프의 증오는 기호에 의해서 촉구되고 유발된 나의 증오이다. 또한 예심판사 자신도, 라스콜니코프를 통해서 내가 그에게 품게 된 증오가 없다면 존재하지 않을 것이다. 나의 증오가 그에게 생명을 주고 육체를 주는 것이다. 그러나 다른 한편으로는 말들이, 마치 우리의 감정을 유발하고 우리 자신을 향해서 그 감정들을 비추기 위한 덫처럼 깔려 있다. 한마디 한마디의 말이 초월(超越)의 과정이다. 그것은 우리의 감정을 형성하고 이름 짓고 상상적 인물에 그것을 부여한다. 그러면 그 인물은 우리를 위하여 그 감정들을 구현하는 일을 걸머지는데, 이 인물의 실체(實體)는 바로 우리가 부여한 이러한 감정 바로 그것이다. 말은 감정에게 대상과 전망과 테두리를 베푼다.

그렇기 때문에 독자에게는 모든 것이 새로 만들어져야 하는 동시에 이미 만들어져 있다. 작품은 바로 그의 능력 여하에 따라서만 존재할 따름이다. 독자가 읽고 창조하는 동안 그는 더 멀리 읽어나갈 수 있고 더 깊이 창조할 수 있으리라는 것을 안다. 그리고 바로 그런 까닭에 작품은 사물들처럼 무진무궁하고 불투명하게 보인다. 이렇듯 읽기란, 우리의 주관으로부터 발생하지만, 차차로 뚫어볼 수 없는 객체(客體)로 눈앞에서 응결해 가는 그런 특성의 절대적 창조인데, 이러한 절대적 창조는 칸트가 신적 이성(神的理性)에만 인정했던 〈이지적 직관〉[11]과 흡

11) 원어로는 Intellektuelle Anschauung: 사르트르는 intuition rationnelle이라고 번역하고 있는 한편, 『Lalande 철학사전』은 원어에 더 가깝게 intuition intellectuelle이라고 옮겨놓고 있다. 그것은 신(神)만이 향유할 수 있는 직관, 즉 대상 그 자체를 창조하는 근원적 직관이며, 이에 반해서 인간의 직관은 이미 어떤 선립적(先立的) 대상이 있어야만 발휘될 수 있는 파생적 직관이다. 그러나 창조로서의 읽기를 강조하기 위한 사르트르의

사한 것이라고 생각해도 좋을 것이다.

창조는 오직 읽기를 통해서만 완성될 수 있기 때문에, 예술가는 자기가 시작한 것을 완결시키는 수고를 남에게 맡기기 때문에, 그리고 그는 오직 독자의 의식을 통해서만 자기가 제 작품에 대해서 본질적이라고 생각할 수 있기 때문에, 모든 문학 작품은 호소(呼訴)이다. 쓴다는 것은 내가 언어라는 수단으로 기도한 드러냄을 객관적 존재로 만들어주도록 독자에게 호소하는 것이다. 그리고 작가는 독자의 〈무엇에〉 호소하느냐고 묻는 사람이 있다면, 그 대답은 간단하다. 미적(美的) 대상이 출현할 수 있는 충분한 이유는 책에도 없고(책에는 다만 그 출현에 대한 요청이 있을 뿐이다), 또한 작가의 마음에도 없다. 작가는 그의 주관성에서 벗어날 수 없으므로 이 주관성이 객관성으로 이행한다고는 말할 수 없다. 따라서 예술 작품의 출현은 그 이전의 여건으로서는 〈설명될 수 없는〉 하나의 새로운 사건이다. 그리고 이 인도된 창조는 절대적인 시작이기 때문에, 가장 순수한 상태의 독자의 자유에 의해서 이루어진다. 이렇듯 작가는 독자의 자유에 호소하여 그의 작품의 산출에 협력하기를 바라는 것이다.

하기야 모든 도구가 어떤 가능한 행동의 수단이므로 그것들은 우리의 자유에 일임되어 있는 것이며, 그런 각도에서 보자면 예술 작품이라고 해서 무슨 특별한 것이 아니라고 말하는 사람들이 있을지도 모른다. 또한 도구는 어떤 일정한 작업의 구상(構想)과 관련되어 있다는 것도 사실이다. 그러나 그것은 어디

이 비유는 앞에서 언급된 〈인도된 창조로서의 읽기〉의 개념과 잘 부합되지 않는다고 생각된다.

까지나 가언(假言) 명령[12]에 머무른다. 그래서 나는 장도리를 사용하여 상자에 못질을 할 수도 있고 혹은 내 이웃을 타살(打殺)할 수도 있다. 장도리를 그것 자체로서 생각하는 한에는, 그것은 나의 자유에 대한 호소가 아니며 나를 자유와 대면시키지도 않는다. 그것은 수단의 자유로운 창출 대신에 일련의 정해진 관례적 행위를 통해서 나의 자유에 봉사하려는 것이다. 그 반면에 책은 나의 자유에 봉사하는 것이 아니라 그것을 요구한다. 사실, 우리는 강요(強要)나 매혹이나 탄원(歎願)을 통해서 남의 자유 그 자체에 호소할 수는 없다. 그 자유에 도달하는 방법은 하나뿐이다. 그것은 우선 자유를 인정하고 다음으로 자유를 신뢰하고 마지막으로 자유의 이름으로, 다시 말해서 그것에 대한 신뢰의 이름으로 그 자유로부터 행위를 요구하는 것이다.

따라서 책은 도구처럼 어떤 목적을 위한 수단이 아니라, 독자의 자유에 대해서 자신을 목적으로 제시하는 것이다. 그렇기 때문에 〈목적 없는 합목적성(合目的性)〉이라는 칸트의 표현은 내 생각에는 예술 작품을 지칭하기에는 전혀 부적합하다. 사실 그 말이 함축하는 의미는, 미적 대상이 단순히 합목적성의 외관만을 띠고 있고, 상상력(想像力)의 자유롭고도 조절(調節)된 놀이를 촉구하는 데 불과하다는 것이다. 한데 이런 이야기를 할 수 있는 것은, 독자나 관중의 상상력이 다만 조절적 기능만이 아니라 또한 구성적 기능을 가지고 있다는 사실을 망각하고 있기 때문이다. 상상력은 놀이를 하는 것이 아니라 예술가가 남긴 흔적 너머로 아름다운 대상을 재구성하도록 요청하고 있는 것

12) 가언 명령: 칸트의 철학에서, 정언(定言) 명령과 대조되는 것으로, 어떤 목적을 달성하기 위한 수단으로서 주어지는 명령. 가령, 「오래 살기 위해서는 적게 먹어라」.

이다. 정신의 다른 기능들과 마찬가지로 상상력 역시 그 자체를 스스로 즐길 수는 없다. 그것은 항상 밖으로 향하고 항상 어떤 기도를 겨냥한다. 만일 어떤 대상이 기막힌 조화와 질서를 보여 주어서, 우리 스스로가 비록 그것에 어떤 특정한 목적을 부여할 수 없는 때에라도 거기에 무슨 목적이 배어 있다고 상정하게 되는 경우가 있다면, 목적 없는 합목적성이 성립할 수도 있으리라. 이런 식으로 미(美)를 정의할 때는, 칸트의 뜻이 바로 그렇듯이 예술의 미를 자연의 미에 동화(同化)시킬 수도 있을 것이다. 가령 완벽한 대칭적인 형태를 띠고 그 조화로운 색채도, 고른 곡선도 기막힌 한 송이 꽃이 있다고 하자. 그러면 우리는 당장 그 모든 특질에 대해서 어떤 목적론적(目的論的)인 설명을 하고 싶고, 그 특질들이 어떤 알 수 없는 목적을 위해서 마련된 수단이라는 생각에 끌리게 된다.

한데 바로 여기에 잘못이 있는 것이다. 왜냐하면 자연의 미는 어떤 점에서도 예술의 미와 비교될 수 있는 것이 아니기 때문이다. 예술 작품이 목적을 〈갖고 있지 않다〉는 점에서는 나도 칸트와 같은 생각이다. 그러나 그것은 예술 작품 자체가 목적이기 때문이다. 칸트의 명제는 하나하나의 그림과 조상과 책의 밑바닥에서 울려오는 호소를 고려하고 있지 않다. 칸트는 작품이 먼저 사실로서 존재하고 그후에 그것이 보여진다고 생각한다. 그러나 작품은 사람이 그것을 〈바라볼〉 때에만 존재하며, 그것은 무엇보다도 먼저 순수한 호소이자 순수한 존재의 요구인 것이다. 그것은 도구와 같이 그 존재가 분명하고 그 목적이 미결정 상태에 있는 것이 아니다. 그것은 우리가 수행해야 할 임무로서 나타나며 처음부터 정언 명령(定言命令)의 차원에 위치한다. 물론 우리에게는 책을 책상 위에 그냥 놓아둘 전적(全的)인 자유가 있다. 그러나 일단 책을 펴게 되면 그 책임을 져야 하는 것이다. 왜냐하면 자유가 체험되는 것은 자의적(恣意的)인 주관적 작용의 즐거움을 통해서가 아니라, 그 정언 명령이 요청하는 창조적 행위를 통해서이기 때문이다. 이 절대적 목적, 즉 초월적이면서도 우리가 동의했고 자유 그 자체가 자신의 것으로 삼은 이 명령이, 우리가 가치라고 부르는 것이다. 예술 작품은 호소이기 때문에 가치이다.

내가 독자에게 호소하여 내가 시작한 일을 완성시켜 주기를 요청한다면, 내가 독자를 순수한 자유로서, 순수한 창조력으로서, 무조건적(無條件的)인 행위로서 생각한다는 것은 당연한 이야기이다. 따라서 나는 어떠한 경우에도 그의 수동성(受動性)에 호소할 수는 없다. 다시 말해서 그에게 〈작용하여〉, 공포, 욕망, 분노와 같은 강한 감정을 단번에 전달하려고 시도할 수는 없다. 하기야 그런 감정을 불러일으키는 것을 유일한 관심으로 삼고 있는 작가들도 있을 것이다. 왜냐하면 그런 감정은 예견할 수도 또 뜻대로 다룰 수도 있는 것이며, 작가는 그것을 어김없이 유발하는 확실한 수단을 가지고 있기 때문이다. 그러나 작가가 그런 짓을 하면 비난의 대상이 된다는 것도 또한 사실이다. 마치 아이들을 무대에 등장시킨 이유로 에우리피데스가 벌써 옛날에 비난을 받았듯이 말이다.[13] 정념에 쏠릴 때는 자유가 소외된다. 그럴 경우에는 자유는 부분적인 기도에 무작정 쏠려들

---

13) Euripides(B.C. 484?-406)에 대해서는, 그의 비극 작품의 주제, 구성, 수법 등이 극히 파격적이어서(일례로 『헤카베』에서는 개막과 동시에 죽은 아이의 망령이 나온다), 그 당시 아리스토파네스를 위시한 다른 작가와 관객들의 비난이 자자했다.

어서, 절대적 목적을 만들어낸다는 그의 과업을 잊어버리고 마는 것이다. 그렇게 되면 책은 증오와 욕망을 품게 하는 수단에 불과하게 된다. 작가는 〈충격을 주려고〉 해서는 안 된다. 만일 그런 짓을 하면 자기 모순에 빠지고 만다. 작가가 무엇을 〈강력하게 요구한다〉 해도 그는 다만 독자가 수행해야 할 과업을 제시하는 데 그쳐야 한다. 그렇기 때문에 〈순수한 제시〉라는 성질이 예술 작품에 있어서 본질적인 것으로 생각되는 것이다.[14] 독자는 어느 정도의 심미적(審美的) 거리를 확보할 수 있어야 한다. 고티에 Gautier는 어리석게도 그것을 〈예술을 위한 예술〉과 혼동했으며, 고답파(高踏派)[15]는 그것을 예술가의 냉담성(冷淡性)과 혼동했다.

여기에서 중요한 것은 오직 일종의 신중성(愼重性)이며, 주네 Genet의 더욱 적절한 표현을 빌리자면 독자에 대한 작가의 예의[16]이다. 그러나 이것은 작가가 그 어떤 추상적이며 개념적인 자유에 호소한다는 뜻은 아니다. 물론 독자가 예술적 대상을 재

---

14) 이러한 〈순수한 제시〉, 다시 말해서 이른바 〈현상학적 기술〉을 보여주는 작품에 대한 높은 평가는 「도스 파소스 Dos Passos론」(*Situations I*에 수록)에 잘 나타나 있다. 또한 『구토』, 『벽』을 비롯한 사르트르 자신의 작품들이 그것을 지향(志向)한 것도 사실이다.

15) 고답파 Parnassiens: 고티에(1811-1872)의 뒤를 이은 일군의 시인들. 시의 형식적, 회화적 아름다움 그 자체에 중점을 두고, 감정의 개입을 배제한다는 반(反)낭만파의 입장에 섰다. 르콩트 드 릴 Leconte de Lisle(1818-1894)과 에레디아 Hérédia(1842-1905)가 대표적이다.

16) Jean Genet(1910-1986): 스스로 체험한 악(惡)의 근원과 의미를 파헤친 『도둑일기 *Journal du voleur*』로부터 부조리 연극인 「병풍 Paravents」에 이르기까지 도덕, 사회, 언어의 모든 면에 걸쳐 철저한 반체제적 입장을 보여주었다. 사르트르는 일찍이 1952년에 『성(聖) 주네, 배우이며 순교자 *Saint Genet, comédien et martyr*』라는 주네의 문학 정신을 탐구한 방대한 책을 출간했다.

창조하는 것은 감정을 통해서이다. 그것이 감동적이라면 눈물을 통해서 나타날 것이며, 그것이 희극적이라면 웃음을 통해서 인식될 것이다. 다만 이런 감정들은 특별한 종류의 것이어서, 그 기원을 이루는 것은 자유이다. 자유가 그것을 자아낸 것이다. 심지어 내가 책의 이야기를 믿는 것도 자유로운 동의에 의한 것이다. 그것은 기독교적 의미의 수난(受難)이다. 다시 말해서 결연히 수동적 입장에 서려는 자유이며, 그런 희생을 통해서 어떤 초월적 효과를 획득하려는 것이다. 독자는 스스로 고지식하게 믿으려 하며 믿음 속으로 빠져든다. 그리고 마치 꿈속에 빠지듯이 그 믿음 속에 빠지지만, 자유롭다는 의식이 잠시라도 상실되는 일은 없다. 어떤 사람들은 때로는 작가를 다음과 같은 딜레마로 몰아넣으려고 하기도 했다. 「당신의 이야기를 곧이곧대로 믿자니 견딜 수 없는 노릇이고, 믿지 않자니 우스꽝스러운 일이구려」 그러나 이런 말은 당치도 않은 것이다. 왜냐하면 미적 의식(美的意識)의 특질은 약속과 서약에 의한 믿음이며, 자기 자신과 작가에 대한 충실성으로 말미암아 지속되는 믿음이며, 부단히 이어져 나가는 믿음의 선택이기 때문이다. 나는 어느 때나 꿈에서 깨어날 수 있고, 또 그렇게 할 수 있다는 것을 알고 있다. 그러나 그것을 바라지 않는다. 읽기란 자유로운 꿈이기 때문이다.

따라서 이 상상적 믿음의 바탕에서 조성되는 그 모든 감정들은 말하자면 나의 자유가 개별적으로 변조(變調)되어 나타난 것과 같은 것이다. 그 감정들은 나의 자유를 흡수하거나 은폐하는 것은 결코 아니다. 그러기는커녕 도리어 자유가 그 자체를 스스로 드러내기 위해서 선택한 하나하나의 양상들이다. 앞서 말한 것처럼, 라스콜니코프는, 내가 그에 대해서 느끼고 따라서 그에게 생명을 주는 그런 반발심과 우정의 복합 감정이 없다면, 한낱 허깨비에 지나지 않을 것이다. 그러나 상상적 대상에 고유한 역전현상(逆轉現象)이 있으니, 그것은 그의 행위가 나의 분노나 경의를 일으키는 것이 아니라, 나의 분노나 경의가 그의 행위에 내실(內實)과 객관성을 부여한다는 것이다. 이렇듯 독자의 감정은 결코 대상에 의해서 지배되는 것이 아니며, 또한 어떠한 외적 현실도 그 감정을 제약할 수 없기 때문에 그 근원은 언제나 자유에 있다. 말을 바꾸면 그것은 지극히 고매(高邁)한 감정[17]이다. 나는 자유에서 우러나는 동시에 자유를 목적으로 삼는 감정을 〈고매하다〉고 부르려는 것이다. 그래서 읽기란 고매한 마음의 실천이다. 그리고 작가가 독자에게 요구하는 것은 추상적인 자유의 적용이 아니라, 정념, 반감, 동감, 성적 기질(性的氣質), 가치 체계를 포함한 그의 인격 전체의 증여(贈與)이다. 다만 이 인격의 증여는 고매한 마음에서 비롯되는 것이기 때문에, 자유가 그 인격에 속속들이 스며들며, 그의 감성의 가장 후미진 응어리조차 변형시키게 된다. 그리고 대상을 더욱 잘 창조하기 위해서 독자의 능동성이 수동성으로 스스로 전환한 것처럼, 이번에는 반대로 수동성이 행위가 된다. 그리하여 책을 읽는 사람은 자신을 최고의 경지까지 드높인다. 바로 그렇기 때문에 무정하기로 이름난 사람들조차 상상적인 불행의 이야기를 읽을 때에는 눈물을 흘리는 것을 보게 되는 것이다. 그때만큼은 그들은, 만일 자유를 스스로 은폐하면서 살지 않았다면

---

17) 〈고매한 감정(마음, 정신)〉: générosité를 번역한 말. 자유를 근원으로 삼고 자유를 위해서 자신을 타자(이 경우에는 책)에게 내맡기는, 즉 인격 전체의 증여 don를 실천하려는 정신 상태를 말한다.

사르트르는 그가 『존재와 무』의 말미에서 약속한 도덕학의 구상을 위하여 이 générosité를 대타 관계(對他關係)의 원리로 생각해 보았다.

그렇게 되었을 인간으로 변모하는 것이다.

이렇듯 작가는 독자들의 자유에 호소하기 위해서 쓰고, 제 작품을 존립시켜 주기를 독자의 자유에 대해서 요청한다. 그러나 작가의 요청은 그것으로 그치는 것이 아니다. 작가는 또한 그가 독자들에게 주었던 신뢰를 자신에게 되돌려주기를 요청한다. 다시 말해서 독자들이 그의 창조적 자유를 인식하고, 동일한 성질의 호소를 통해서 이번에는 거꾸로 그의 자유를 환기시켜 주기를 요청하는 것이다. 사실 바로 이 점에서 읽기의 또 다른 변증법적 역설이 나타난다. 즉 우리들 독자는 우리의 자유를 느끼면 느낄수록 더욱, 타인인 작가의 자유를 인식하게 된다. 마찬가지로 작가가 우리에게 요구하면 할수록 우리도 더 그에게 요구하는 것이다.

내가 어떤 풍경에 매혹될 때, 나는 그 풍경을 창조하는 것이 나 자신이 아니라는 것을 잘 알고 있다. 그러나 또한 만일 내가 없다면, 나무와 잎과 땅과 풀들이 내 눈앞에서 맺는 관계는 전혀 존재하지 않으리라는 것도 알고 있다. 색조(色調)의 배합이나 바람이 만들어내는 형태와 움직임의 조화에서, 내가 발견하는 합목적적(合目的的)인 외관은 내가 설명할 수 없는 것이다. 그러나 그것은 엄연히 존재하고 내 눈앞에 있다. 결국 내가 존재를 〈있게 하는〉 것은 오직 존재가 이미 〈있기〉 때문이다. 그러나 비록 신을 믿는다 해도, 나는 우주에 대한 신의 배려와 내가 바라보고 있는 바로 이 경치 사이에 아무런 사실적 관련도 설정할 수 없다. 그런 관련의 설정은 순전히 언어적(言語的)인 것에 불과하다. 가령 신이 나를 매혹하기 위해서 이 풍경을 만들었다거나 혹은 내가 그것을 보고 좋아하도록 나를 만들었다고 말한다면, 그것은 질문을 대답으로 삼는 것이다. 이 푸른색과 초록색의 결합은 과연 신이 바란 것인가? 그것을 어떻게 알 수 있는가? 우주적 섭리(攝理)라는 개념을 동원해서 어떤 특정한 의도의 존재를 정당화시킬 수는 전혀 없다. 우리가 언급하고 있는 이 경우에는 특히 그렇다. 왜냐하면 풀의 초록빛은 생물학적 법칙이나 특정한 불변적(不變的) 요소나 또는 지리적 결정 요인으로 설명이 되고, 물의 푸른빛은 강의 깊이와 지형의 특질과 흐름의 속도에서 그 이유를 찾아볼 수 있기 때문이다. 비록 색조의 배합이 신의 뜻이라 하더라도 그것은 〈요행으로〉 그럴 뿐이다. 그것은 두 계열의 인과 관계의 만남이며, 다시 말해서 언뜻 눈에 띄는 우연의 사실이다. 그 합목적성은 기껏해야 문제로 남을 따름이다. 우리가 설정하는 모든 관계는 가설(假說)로 머물러 있을 뿐이며, 어떠한 목적도 지상 명령(至上命令)의 형식으로 우리에게 주어져 있는 것은 아니다. 왜냐하면 조물주가 뜻했다는 것이 명백히 드러나는 어떠한 목적도 없기 때문이다.

따라서 자연미(自然美)가 우리의 자유에 〈호소한다〉는 것은 결코 있을 수 없다.[18] 나뭇잎과 형체들과 움직임이 이루는 전체에는 다만 질서처럼 보이는 겉모습이 있을 뿐이다. 그래서 그것이 우리에게 호소하여 우리의 자유를 촉구하는 듯한 환각(幻覺)을 자아내는데, 그런 착각은 우리의 눈앞에서 곧 사라지고 만

18) 이 부분은 사르트르의 미학이 자연미를 패러다임으로 삼는 칸트의 미학과 예각적으로 대립한다는 것을 다시 상기시키는 것이기도 하지만, 더 일반적으로 그가 자연에 〈매혹〉되지 않는 합리주의자임을 말해 주는 것이다. 단적으로 『구토』에서의 자연이 질서에 대한 무서운 교란으로 묘사되어 있는 것이 그 좋은 예이다.

다. 우리가 그 외양적(外樣的) 질서를 한번 둘러보기 시작하자마자 그 호소는 사라지고 우리들 자신만이 남는다. 그래서 이 색깔을 저 색깔과 결부시키느냐, 혹은 또 다른 어떤 색깔과 결부시키느냐 하는 것은 우리의 자유이며, 또한 나무와 물을, 나무와 하늘을, 또는 나무와 물과 하늘을 연관시키는 것도 우리의 자유이다. 그래서 자유는 변덕과 마찬가지가 된다. 새로운 관계들을 설정해 나감에 따라서, 나는 나를 애초에 유혹했던 객관성의 환각으로부터 더욱 멀어져 간다. 나는 다만 사물들이 막연히 그려보이는 몇몇 모티프에 대해서 〈몽상(夢想)할〉 따름이며, 자연의 현실은 이미 몽상의 계기에 불과하게 된다. 혹은 한순간 지각했다고 느낀 그 질서가 누구에 의해서도 내게 주어진 것이 아니며, 따라서 그것이 〈진실한〉 것이 아님을 깨닫고 매우 아쉽게 생각하는 수도 있다. 그럴 경우에는 나는 나의 꿈을 고정(固定)시키고 그림이나 글로 옮겨놓게 될 것이다. 그렇게 해서 나는 자연의 풍경 속에 나타나 보이는 목적 없는 합목적성과 남들의 시선(視線) 사이에 나 자신을 끼워넣고 그들에게 그것을 전달한다. 그러자 이 합목적성은 바로 전달되었다는 이유 때문에 인간적인 것이 된다. 이런 점에서 예술은 증여(贈與)의 의식이며 오직 증여만이 변모(變貌)를 빚어낼 수 있다. 모계(母系) 가족 제도하에서는 어머니가 이름을 갖지 않으면서도 외삼촌과 조카 사이의 불가결한 중개자가 되어 있는데, 그런 가족제에서의 칭호 및 권력의 이양과 흡사한 일이 일어나는 것이다. 나는 언뜻 지나가는 합목적성의 환영을 포착하고, 그것을 다른 사람들에게 제시하고, 그들을 위해서 그것을 추출(抽出)하고 다시 생각해 보았다. 그렇기 때문에 그들은 그것을 신뢰하고 바라볼 수 있는 것이다. 이리하여 그 환영은 이제 의도적인 것이 되었다. 그러나 나 자신으로 말하면, 나는 물론 주관성과 객관성의 접경에 머물러 있기 때문에, 내가 전달한 객관적인 질서를 관조(觀照)할 수는 없다.

이와 반대로 독자는 안심하고 앞으로 나갈 수 있다. 그가 아무리 멀리 가도, 작가가 그보다 벌써 더 멀리 갔기 때문이다. 독자가 책의 여러 다른 부분들을, 가령 각장(各章)이나 낱말들을, 어떻게 서로 연결시키든 간에, 그는 한 가지 보장을 가지고 있다. 그것은 그런 관련이 작가에 의해서 명백히 의도된 것이라는 보장이다. 하기야 독자는 데카르트가 말하듯이 아무런 관계가 없어 보이는 부분들 사이에도 어떤 은밀한 관계가 있는 것처럼 생각할 수도 있으리라. 그러나 이 점에서도 작가는 독자를 이미 앞질러 간 것이다. 그래서 가장 지독한 무질서(無秩序)마저도 예술의 효과이며 따라서 그것 역시 하나의 질서이다. 읽기란 귀납(歸納)이며 내삽(內揷)이며 외삽(外揷)이다. 그리고 과거에 과학적 귀납의 근거가 되는 것이 신의 뜻이라고 오랫동안 믿어왔듯이, 이러한 정신적 활동의 근거를 이루어주는 것은 작가의 의도이다. 어떤 은근한 힘이 책의 첫 장부터 마지막 장까지 우리와 함께 있고 우리를 지탱해 준다.

그렇다고 해서 우리가 작가의 의도를 쉽게 해독할 수 있다는 말은 아니다. 앞서 말한 것처럼 그 의도는 추측의 대상에 머물러 있으며 그래서 독자로서는 〈실험〉을 해보는 것이다. 그러나 그 추측을 떠받쳐 주는 것이 있으니, 그것은 책에 나타나는 미(美)는 결코 우연의 결과가 아니라는 단단한 확신이다. 자연에 있어서는 나무와 하늘은 우연히 조화를 이룰 뿐이다. 그러나 소설에서 주인공들이 〈이〉 탑에 혹은 〈이〉 감옥에 갇히고 〈이〉 공원을 거니는 것은 일련의 독립된 인과 관계들의 합력(合力)에 의한 것이기도 하지만(가령 인물이 일련의 심리적, 사회적 사건으로 말미암아 어떤 심적 상태에 있게 되었다거나, 또는 그가 어떤 곳으로 가고 있었는데 도시의 지형 때문에 어떤 공원을 가로지를 수밖에 없었다는 따위), 이와 아울러 더욱 깊은 합목적성(合目的性)의 표현이기도 하다. 왜냐하면 소설에서 공원이 존재하는 것은 오직 어떤 심적 상태와의 조화를 만들기 〈위해서〉, 그 심적 상태를 사물로 표현하기 위해서, 혹은 강렬한 대조로써 그것을 부각시키기 위해서이기 때문이다. 그리고 그 심적 상태 자체도 풍경과의 관련하에서 착상된 것이다. 이런 점에서 볼 때 인과 관계는 겉모양에 지나지 않고, 우리는 그것을 차라리 〈원인 없는 인과 관계〉라고 이름 지을 수 있으리라. 이렇듯 깊은 현실을 이루는 것은 합목적성이다.

그러나 독자인 내가 원인의 질서 밑에 목적의 질서가 깔려 있다는 것을 전적으로 확신할 수 있는 것은, 책을 열자마자 그 책의 원천이 인간의 자유에 있다는 것을 긍정하기 때문이다. 만일 작가가 정념(情念)에 의거해서 그리고 정념에 휩싸여서 썼을 것이라는 느낌이 들면 나의 신뢰는 당장에 사라지고 말 것이다. 그럴 경우에는 원인의 질서를 목적의 질서로 아무리 떠받쳐 놓아도 소용이 없을 것이다. 왜냐하면 그 목적의 질서라는 것 자체가 심리적 인과 관계에 의존하고 있어서, 예술 작품은 결정론의 사슬 속으로 끌려들 것이기 때문이다. 물론 나는 책을 읽으면서, 작가가 정념에 끌릴 수 있으며, 또 심지어 작품을 처음 구상할 때는 정념에 의해서 완전히 지배되기도 했으리라는 것을 부인하려는 것은 아니다. 그러나 글을 쓰겠다는 결심은 자기의 감정에서 한 걸음 물러선다는 것을 상정한다. 요컨대 독자가 책을 읽으면서 그렇게 하듯이 작가 역시 그의 감정을 자유로운 감정으로 변형(變形)하는 것, 다시 말해서 고매한 태도를 취하는 것을 상정한다.

따라서 읽기란 작가와 독자 사이에서 맺어진 고매성의 협약이다. 서로가 상대방을 신뢰하고, 상대방에게 기대하고, 자기 자신에게 요구하는 만큼 상대방에게도 요구한다. 그러한 신뢰 그 자체가 고매한 마음이다. 왜냐하면 그 누구도 작가로 하여금 독자가 자기의 자유를 행사하리라고 믿도록 강요할 수 없고, 또 독자로 하여금 작가가 자기의 자유를 행사했다고 믿도록 강요할 수도 없기 때문이다. 그 신뢰는 양자가 다 같이 취한 자유로운 결단에서 나오는 것이다. 이리하여 변증법적인 왕래(往來)가 양자 사이에서 성립된다. 내가 읽을 때 나는 요구한다. 그 요구가 충족되면, 내가 그때 읽고 있는 책은 작가로부터 더 많이 요구하도록 나에게 촉구한다. 뒤집어 말하면, 나 자신으로부터 더 많이 요구하라고 작가에게 요구하도록 만든다. 또한 역으로 작가가 요구하는 것도 내가 나의 요구를 최고도로 높이는 것이다. 이리하여 나의 자유는 자신을 나타내면서 타자의 자유를 드러내 보이는 것이다.

미적 대상(美的對象)이 〈사실적〉(혹은 그렇게 불리는) 예술 작품이냐 또는 〈형식적〉 예술 작품이냐 하는 것은 큰 문제가 아니다. 그것이야 어떻든 간에 자연적 관계는 전도되어 있다. 가령 세잔Cézanne의 그림의 전경(前景)에 있는 이 나무는 우선 인과론적(因果論的) 연관의 산물처럼 보인다. 그러나 인과 관계는 한낱 환각이다. 하기야 우리가 그 그림을 바라보고 있는 한 인과 관계는 하나의 명제로서 남아 있을지도 모른다. 그러나 그것은 깊은 합목적성에 의해서 떠받쳐져 있는 것이다. 나무가 그 자리에 있는 것은 화면의 나머지 부분이 그 형태와 그 색채를 전경에 놓을 것을 요구했기 때문이다. 이렇듯 현상적(現象的)인 인과 관계를 거쳐서 우리의 시선은 대상의 깊은 구조로서의 합목적성에 도달하고 또한 합목적성을 넘어서서 그 원천(源泉)과 원초적 근거로서의 인간의 자유에 도달한다. 페르메르 Vermeer의 리얼리즘은 첫눈에는 사진과 같다는 느낌이 들 정도로 철저하다. 그러나 그의 소재의 찬란함── 벽돌로 된 작은 벽들의 보드러운 광채며, 인동덩굴 줄기의 푸른빛을 띤 두터움이며, 현관의 윤기 있는 어둠이며, 성수반(聖水盤)의 돌처럼 반들반들한 얼굴들의 오렌지색 살결 따위를 자세히 바라보면, 우리는 그것들이 주는 쾌감을 통해서 그 합목적성이 형태나 색채에 있다기보다도 그의 물질적 상상력[19]에 있다는 것을 알게 된다. 사물들의 실체와 원형질(原形質)이 그런 형태들을 존재하게 만든 것이다. 이 리얼리스트의 덕분으로 우리는 아마도 절대적 창조에 가장 가까운 경지까지 가볼 수 있으리라. 왜냐하면 우리가 인간의 깊디깊은 자유를 만나게 되는 것은 물질의 수동성 그 자체 속에서이기 때문이다.

한데, 작품이란 그려지거나 새겨지거나 또는 이야기된 대상에 한정되는 것이 아니다. 우리가 세계라는 배경하에서 사물을 지각하듯이, 예술에 의해서 재현된 대상들도 우주라는 배경하에서 나타나는 것이다. 파브리스의 모험의 배경에는 1820년의

19) 물질적 상상력: 사물 그 자체의 본질과 비밀을 드러나게 하는 상상력. 따라서 더 깊은 상상(몽상)을 위해서 물질을 원점 또는 근거로 삼는 것을 의미하는 바슐라르 Bachelard의 개념과는 다른 것이다.

이탈리아와 오스트리아와 프랑스가 있고, 블라네스 신부[20]가 점치는 하늘의 별들이 있고, 결국 대지 전체가 있다. 화가가 들이나 꽃병을 우리에게 보여줄 때 그 그림은 말하자면 온 세계를 향해서 열려 있는 창문이다. 밀밭 사이로 뻗어나간 그 빨간 길을 우리는 반 고흐Van Gogh가 그린 것보다 더 멀리 따라간다. 다른 밀밭 사이로, 다른 구름 아래로, 바다로 흘러드는 강 끝까지 그 길을 따라간다. 우리는 들과 대지의 존재를 떠받쳐 주는 깊은 합목적성[21]을 무한으로, 세계의 저쪽 끝까지 펼쳐 나간다. 이렇듯 창조적 행위는 몇몇 대상들을 생산하거나 재생산함으로써 세계 전체의 탈환(奪還)을 겨냥하는 것이다. 하나하나의 그림과 책은 존재 전체의 재획득이다. 그것은 저마다 보는 사람의 자유 앞에 이 전체를 제시한다. 과연 예술의 종국적 목적은 이 세계를 있는 그대로 보여주되, 그 근원이 인간의 자유에 있는 듯이 보여줌으로써, 그것을 재획득하는 데 있는 것이다. 그러나 예술가가 창조하는 것은 오직 보는 사람의 눈을 통해서만 객관적 현실성을 띨 수 있기 때문에, 이 재획득이 결정적으로 이루어지는 것은 보기라는 절차——특히 읽기라는 절차를 통해서이다. 이제 우리는 앞서 제기한 질문에 더 잘 대답할 수 있게 된 것이다. 작가가 남들의 자유에 호소하기를 선택한 것은 양자간의 요구의 연계를 통해서 그들이 존재의 전체를 인간에게 다시 귀속시키고 인간의 수중에 세계를 사로잡기 위해서이다.

---

20) Fabrice, Blanès 신부: 스탕달, 『파름의 승원』의 작중 인물.

21) 여기에는 원문상의 오식이 있다. 원문은 〈……la terre profonde qui soutient l'existence des champs et de la finalité〉로 되어 있는데, la terre와 la finalité라는 두 단어를 서로 맞바꾸어 놓아야 한다. 이 오식은 문고판(collection Idées)에도 그대로 되풀이되어 있고, 오직 《현대》에 실린 최초의 텍스트만이 정확하다.

한 걸음 더 나가서 이야기를 해보자. 한데, 그러기 위해서는 한 가지 상기해야 할 것이 있다. 그것은 모든 다른 예술가들과 마찬가지로 작가 역시 독자에게 어떤 느낌을 주려고 한다는 것이다. 그것을 일반적으로는 미적 쾌감(美的快感)이라고 부르는데, 나로서는 미적 희열(喜悅)[22]이라고 부르고 싶다. 이 느낌의 나타남은 작품이 완성되었다는 표시인데, 그것을 앞서 말한 내용에 비추어서 검토해 보자. 이 희열은 사실에 있어서 창조자가 창조하는 과정에서는 느낄 수 없는 것이며, 오직 보는 사람(지금 우리가 하고 있는 이야기의 경우에는 독자)의 미의식과 일체를 이루는 것이다. 그것은 복합적인 감정이지만 그 구조들은 상호적으로 조건이 되고 분리할 수가 없다.

우선 그것은 목적-수단, 수단-목적[2]의 실용적 연쇄 관계를 일시적으로 단절하는 초월적이며 절대적인 목적의 인식과 일체를 이룬다. 다시 말하면, 호소의 인식, 또 달리 말하자면 가치의 인식과 일체를 이룬다. 그리고 내가 이 가치에 대해서 갖는 정립적(定立的) 의식은 필연적으로 나의 자유에 대한 비정립적 의식을 동반한다.[23] 왜냐하면 자유가 그 자신에게 분명해지는 것은 초월적 요구에 의해서이기 때문이다. 자유의 그 자체에 대한 인식은 곧 희열이다. 그러나 이러한 비정립적인 의식의 구조

---

22) 여기에서는 구별을 위해서 plaisir를 〈쾌감〉으로, joie를 〈희열〉로 번역했다.

23) conscience positionnelle(또는 thétique)/conscience non positionnelle(또는 non thétique): 전자(前者)는 존재를 존재하는 것으로 대상화하는 의식을 가리키며, 반대로 후자는 자신을 존재하는 것으로 대상화하지 않을 때의 의식을 가리킨다. 사르트르가 들고 있는 예를 빌리자면, 담뱃개비를 세고 있을 때, 나는 그 담뱃개비를 의식의 대상으로 의식하는데, 그때의 의식은 정립적 의식이며, 그것을 세고 있는 나 자신의 행위에 대해서는 비정립적 의식밖에는 가지고 있지 않다(*L'Etre et le Néant*, 19쪽).

는 또 하나의 구조를 내포한다. 읽기가 창조인 이상, 나의 자유는 다만 순수한 자립성으로서뿐만 아니라 또한 창조적 활동으로서 그 자신에게 나타난다. 바꾸어 말하면 나의 자유는 그 자신의 법칙을 스스로 마련하는 데 그치지 않고 또한 대상의 구성자로서 자신을 파악하는 것이다. 그런데, 바로 이 단계에서 예술에만 고유한 현상이 나타난다. 다시 말해서 창조된 대상이 그 창조자에게 〈대상으로서〉 주어지는 그런 창조가 나타나는 것이다. 이것이 창조자가 자신에 의해서 창조된 대상을 향유(享有)할 수 있는 유일한 경우이다. 그리고 읽혀진 작품에 대한 정립적 의식에 적용되는 이 향유[24]라는 말은 우리가 미적 희열의 본질적 구조를 마주 대하고 있다는 것을 충분히 알려주는 말이다. 한데 이 정립적 향유는 본질적인 것으로 파악된 대상에 대해서 우리 자신이 또한 본질적이라는 비정립적 의식을 수반한다. 나는 미적 의식의 이 국면을 〈안정감〉이라고 부르려 한다. 가장 강렬한 미적 감동조차도 그지없이 고요한 것으로 만들어주는 것은 바로 이 안정감이다. 그것은 주관성과 객관성의 엄밀한 조화에 대한 인식에서 유래한다.

다른 한편으로 미적 대상은 본래 상상적인 것을 통해서 다다르려는 세계이기 때문에, 미적 희열에는, 세계가 가치――다시 말해서 인간의 자유 앞에 제시된 과업――라는 정립적 의식이 따른다. 나는 그것을 인간의 기도의 미적 변용(美的變容)이라고 부르려 한다. 왜냐하면 보통의 경우에는 세계는 우리의 상황의 지평으로서, 우리를 우리 자신과 갈라놓는 무한한 거리로서, 여건의 종합적 전체로서, 장애물과 도구의 미분화된 집합으로서

24) 향유: jouissance의 번역.

나타나는 것이며, 우리의 자유에 호소하는 요청으로서는 결코 나타나지 않기 때문이다. 이리하여 미적 희열은 본래는 나 아닌 것을 내가 거머잡고 내면화하려는 의식의 차원에서 유래하는 것이다. 나는 여건을 명령으로, 사실을 가치로 변화시키기 때문이다. 즉, 세계는 〈나의〉 과업이다. 다시 말해서 나의 자유의 본질적이며 자발적인 기능은 다름아니라 무조건적(無條件的)인 움직임을 통해서 세계라는 유일하고도 절대적인 대상을 존재시키는 데 있는 것이다.

그리고 셋째로, 이상에서 언급한 구조에는 여러 사람들의 자유 사이의 협약(協約)이 전제로서 깔려 있다. 왜냐하면 한편으로는 읽기란 작가의 자유를 인정하고 신뢰하고 요청하는 행위이며, 다른 한편으로 미적 기쁨은 그 자체가 가치라는 양상으로 느껴지는 것이므로, 타자(他者)에 대한 절대적 요청——모든 사람이 자유로운 인간으로서 같은 작품을 읽을 때 같은 기쁨을 느껴야 한다는 요청을 내포하는 것이기 때문이다. 이리하여 인류 전체가 가장 높은 자유 속에 현존(現存)하며, 모든 인간이 〈자신의〉 세계인 동시에 〈밖의〉 세계이기도 한 그런 세계를 떠받들어 존재케 하는 것이다. 미적 희열에 있어서 정립적 의식은, 존재하는 동시에 존재해야 할 것으로서, 완전히 우리의 것인 동시에 완전히 낯선 것으로서, 또한 낯설수록 더욱 우리의 것으로서, 세계 전체를 〈이미지화(化)하는〉 의식이다. 다른 한편으로 비정립적인 의식은 무릇 인간들의 자유의 조화로운 전체를, 신뢰의 대상으로서 그리고 보편적 요청의 대상으로서 〈현실적으로〉 내포하는 것이다.

따라서 쓴다는 것은 세계를 드러내는 동시에, 독자의 고매한 마음이 수행해야 할 과업으로서 세계를 제시하는 행위이다. 그것은 존재 전체에 〈본질적인〉 것으로서 인정받기 위해서 타자의 의식에 의존하는 것이다. 그것은 개재(介在)하는 사람들을 통해서 그 본질성을 체득(體得)하기를 바라는 것이다. 그러나 다른 한편으로 현실적 세계는 오직 행동을 통해서만 드러나기 때문에, 우리는 오직 변혁을 위해서 세계를 초월함으로써만 세계 속에서의 자신의 존재를 느끼는 것이기 때문에, 만일 소설가가 초월을 향한 움직임을 보여주지 않는다면, 그런 소설가의 세계에는 부피가 없게 될 것이다.[25)]

자주 지적되는 것처럼, 어떤 이야기 속에서 한 사물이 그 존재의 밀도를 획득하는 것은 그 사물에 관한 묘사의 빈도나 길이 때문이 아니라, 여러 작중인물들과 맺는 관련의 복합성 때문이다. 사물이 인물들에 의해서 조작되고 다루어지고 다시 방치되는 일이 자주 일어날수록, 요컨대 인물들 자신의 목적을 향해서 초월되는 일이 자주 일어날수록 그 사물은 그만큼 더욱 현실적으로 보이는 것이다. 소설의 세계, 즉 사물과 인간의 전체에서도 마찬가지이다. 소설의 세계가 최대한의 밀도를 보여주기 위해서는, 독자로 하여금 그 세계를 발견하게 해주는 〈현시(顯示)—창조〉가 또한 행동으로의 상상적 참여이어야 하는 것이다. 달리 말하면, 세계를 변혁하려는 의욕이 강하면 강할수록 그 세계는 더욱 살아 있는 세계가 된다. 리얼리즘의 잘못은 현

25) 여기서부터, 사르트르는 창조의 의의, 읽기의 과정, 그것이 가져오는 세계와 자아의 변용 등, 요컨대 문학 작품의 현상학의 차원에서 고찰된 자유의 문제를 넘어서서, 현실적 세계의 변혁과 결부된 자유의 이야기를 하기 시작한다. 이것은 화제를 정치적, 사회적 참여로 되돌리려는 뜻에서 나온 것인데, 자유라는 말을 축으로 삼은 이 두 가지 차원의 이야기는 잘 맞물리지 않는다는 것이 역자의 생각이다.

실적인 것이 관조(觀照)에 의해서 드러난다고 믿고, 따라서 현실적인 것에 대한 불편부당(不偏不黨)한 묘사가 가능하다고 믿은 점에 있었다. 지각 자체가 본시 편파적이고, 어떤 대상에 이름을 붙인다는 행위가 벌써 그 대상의 변용을 가져오는 이상, 그런 공정한 묘사가 어떻게 가능하단 말인가? 그리고 세계를 구성하는 본질적인 존재가 되기를 바라는 작가가, 그 세계에 내포된 부정(不正)의 존립을 위해서도 본질적인 존재가 되기를 어떻게 바랄 수 있겠는가? 하지만 실상은 그렇게 될 수밖에는 없는 것이다. 그러나 설사 부정의 창조자가 되는 것을 스스로 받아들인다 하더라도, 그 수용(受容)은 부정을 타파하고 초월하려는 움직임 속에서 일어나는 일이다.

다른 한편으로 독자인 나로 말하자면, 내가 부정한 세계를 창조하고 존속시키는 경우, 나는 그 책임을 걸머지지 않게 될 수는 없는 것이다. 사실, 작가의 모든 기교는, 그가 〈드러내 보이는 것〉을 내가 〈창조〉하고 따라서 나 자신이 연루자(連累者)가 되지 않을 수 없도록 만드는 데 있다. 이렇듯 우리 두 사람이 함께 세계에 대한 책임을 지는 것이다. 세계는 우리 두 사람이라는 자유로운 존재의 결합된 노력에 의해서 지탱되고, 작가는 나를 매개자로 삼아 세계를 인간적인 것으로 통합시키려고 했다. 바로 그런 이유 때문에, 세계는 〈그 본체〉에 있어서, 가장 깊은 골수에 이르기까지, 인간의 자유를 목적으로 삼은 자유에 의해서 속속들이 관통되고 지탱되는 것으로서 나타나야만 한다.

그리고 세계는 목적의 왕국[26]이어야 하겠지만, 비록 현실적

26) la cité des fins: 칸트가 『도덕철학원론』에서 말하는 Reich der Zwecke. 〈상이한 이성적 존재자가 공통의 법칙에 의해서 체계적으로 결합된 체제

으로 그렇지는 못할망정 적어도 목적의 도시로 향하는 한 단계가 되어야 한다. 요컨대 세계는 생성(生成)이 되어야 하고, 언제나 우리는 우리를 짓누르는 무거운 덩어리로서가 아니라, 그 목적의 도시로의 초월이라는 관점에서 세계를 바라보고 제시하여야 한다. 작품은 그것이 그리는 인간이 아무리 나쁘고 절망적일망정 고매성을 지녀야 한다. 그렇다고 물론 교훈적인 이야기나 덕스러운 인물로서 고매성이 표현되어야 한다는 말은 결코 아니다. 그것은 심지어 미리 의도된 것이어서도 안 된다. 착한 감정만으로는 훌륭한 책을 쓸 수 없다는 것은 사실이기 때문이다.[27] 고매성은 책의 바탕 그 자체라야 하고, 인물과 사물들이 만들어지는 원단이라야 한다. 주제(主題)가 어떤 것이건 간에 일종의 본질적인 경묘(輕妙)함이 도처에 나타나서, 작품이란 결코 자연적 소여(所與)가 아니라 〈요청〉이며 〈증여〉라는 것을 상기시켜야 한다. 작가가 내게 부정한 세계를 보여주는 것은 내가 그 부정을 냉담하게 바라보기 위해서가 아니다. 그것은 내가 나의 분노로서 그 부정을 생동(生動)시키고, 부정의 본질, 즉 극복되어야 할 악폐(惡弊)라는 그 본질로서 그것을 드러내고 창조하기 위해서이다.

이리하여 작가의 세계의 깊이가 온전히 드러나는 것은 오직 독자가 검토하고 찬탄하고 분노할 때이다. 고매한 사랑은 끝끝내 지키겠다는 맹세이며, 고매한 분노는 변혁하겠다는 맹세이며, 찬탄은 본받겠다는 맹세이다. 문학과 도덕은 전혀 다른 것이지만, 미적(美的) 요청의 밑바닥에는 도덕적 요청이 깔려 있는

(體制).〉

27) 앙드레 지드가 유포시켜 유명해진 말을 본딴 것. 「아름다운 감정은 나쁜 문학을 만들어낸다」(『프랑수아 모리악에게 준 편지』, 1928, 4, 24)

것을 우리는 알 수 있다. 왜냐하면 글을 쓰는 사람은 굳이 글을 쓴다는 그 사실 자체로 말미암아 독자의 자유를 인정하고, 또한 글을 읽는 사람은 책을 펼친다는 그 단 한 가지 사실로 말미암아 작가의 자유를 인정하는 것인 이상, 예술 작품은 어떤 면에서 보든 간에 인간의 자유에 대한 신뢰의 행위이기 때문이다.[28] 그리고 독자도 작가도 오직 자유가 현시(顯示)되기를 요청하기 위해서만 자유를 인정하는 것이기 때문에, 작품이란 인간의 자유의 요청이라는 안목하에서 세계를 상상적으로 제시하는 것이라고 정의할 수 있다.

이런 점에 의거해서 우리가 우선 말할 수 있는 것은 〈어두운 문학〉이란 있을 수 없다는 것이다. 세계를 아무리 어두운 색조로 그린다 해도 그 묘사는 오직 자유로운 인간이 그런 세계 앞에서 자신의 자유를 느끼도록 하기 위한 것이다. 따라서 다만 좋은 소설과 나쁜 소설이 있을 따름이다. 나쁜 소설이란 독자에게 아첨하여 그의 환심을 사려는 소설이며, 좋은 소설이란 독자에 대한 요청이며 신뢰이다. 그러나 무엇보다도 자유로운 인간들의 화합을 실현하려는 예술가가 자유로운 독자들에게 제시할 수 있는 유일한 세계의 모습은 언제나 더욱더 자유로 충만되어야 하는 그러한 세계인 것이다. 작가가 세차게 불러일으키는

28) 이러한 타인의 자유에 대한 호소는 사르트르가 대타 관계(對他關係)의 기본구조로 삼은 상호 적대성과 모순되는 것으로 보인다. 그러나 그는 문학 작품이 매개의 기능을 할 때 이 모순을 해결될 수 있다고 생각했다. 이와 관련하여 그의 『도덕론 초고』 중에서 다음의 구절을 인용해 둔다. 「타인에 대한 호소 (……) 타인과의 진정한 관계는 결코 직접적이 아니라, 작품의 매개를 통해서. (……) 작품을 통해서 성립되는 나의 대자(對自)와 나의 대타 사이의 새로운 관계」(*Cahiers pour une morale*, 487쪽)

이러한 고매한 마음가짐이 부정을 정당화하는 데 이용되리라고는 생각할 수 없는 일이다.

또한 인간에 의한 인간의 굴종을 찬양하거나 수용하거나, 혹은 규탄하지 않고 그냥 내버려두는 작품을 읽는 독자가 자신의 자유를 향유할 수 있다는 것도 생각할 수 없는 일이다. 미국의 흑인이 쓴 것이 비록 백인에 대한 증오를 가득 담고 있더라도 그것은 훌륭한 소설이 될 수 있다는 것을 우리는 상상해 볼 수 있다. 왜냐하면 그는 그 증오를 통해서 자신의 인종의 자유를 요구하고 있는 것이기 때문이다. 한데, 그 흑인 작가는 독자인 나에게 고매한 태도를 갖도록 촉구한다. 따라서 내가 순수한 자유로운 존재로서 나 자신을 의식하는 이상, 감히 억압하는 인종의 편에 설 수는 없는 것이다. 그러므로 백색 인종과 그 일원(一員)으로서의 나 자신에 대항하는 나는, 모든 자유로운 사람들에게 유색 인종의 해방을 요구할 것을 재촉한다. 마찬가지로 반유태주의를 찬양하는 좋은 소설이 씌어질 수 있다고도 상상할 수는 없는 일이다.[3] 왜냐하면 내 자유가 모든 사람의 자유와 불가분의 관련을 맺고 있다는 것을 느끼고 있는 이상, 어떤 부류의 사람들의 굴종에 찬동하기 의해서 나의 자유를 행사하라고는 아무도 내게 요구할 수 없기 때문이다. 그러므로, 평론가, 논객(論客), 풍자작가, 소설가를 막론하고, 또 단순히 개인의 정념을 다루든 사회제도를 공격하든 간에, 무릇 글쓰는 사람은 자유로운 사람들에게 호소하는 자유인이며, 오직 자유라는 한 가지 주제만을 가지고 있을 따름이다.

이런 점으로 보아, 독자를 굴종시키려는 모든 기도는 작가의 예술 그 자체를 스스로 부정하는 것이다. 가령 대장장이의 경우

같으면, 파시즘의 위협을 겪는 것은 인간으로서의 그의 삶이며, 반드시 그의 직업이라고는 말할 수 없다. 반면에 작가의 경우에는, 쌍방으로 위협을 겪고, 또한 삶보다도 차라리 직업에 있어서 더 큰 위협을 겪는 것이다. 전쟁 전에는 파시즘을 열렬히 부르짖었지만, 나치Nazis가 온갖 영예를 안겨준 바로 그 순간이 되자 도리어 작품을 못 쓰게 된 작가들이 있었다.

내 머리에 떠오르는 것은 드리외 라 로셸이다.[29] 그는 잘못 생각했다. 그러나 그는 성실했고 자신의 성실성을 증명했다. 그는 나치의 입김이 담긴 잡지를 주관하기로 동의한 것이다. 처음 몇 달 동안은 동포들을 질책하고 훈계하고 교화하려 했다. 그러나 아무도 그에게 대답하지 않았다. 대답할 자유가 이미 없었기 때문이다. 그는 그것이 짜증스러웠다. 독자의 존재를 〈느낄 수가〉 없었으니 말이다. 그는 더 성급하게 굴었지만, 자기를 이해해 주는 사람이 있다는 것을 보여주는 어떠한 징후도 나타나지 않았다. 심지어 증오와 분노의 징후조차 없었다. 그저 잠잠할 뿐이었다. 그는 더욱더 큰 불안에 싸여 갈피를 잃은 것 같았고, 독일 사람들에게 쓰라린 불만을 털어놓았다. 그의 글은 거만했고 악에 받친 투로 변했다. 마침내는 제 가슴을 후려쳐 보았지만, 그가 업신여기는 변절(變節)한 저널리스트들의 맞장구를 제외하고는 아무런 메아리도 없었다. 그는 사표를 내던졌다가 다시 붓을 들고 또 이야기를 계속했지만, 여전히 사막에서 외치는 꼴이었다. 이렇듯 남들의 침묵 때문에 재갈이 물린 그는

29) Drieu la Rochelle(1893–1945): 프랑스의 소설가. 제1차 세계대전 이후의 조국의 무력성과 퇴폐성을 거부하고, 정력적이며 거의 경련적인 정신과 행동을 내세웠다. 파시즘으로 쏠려들어, 독일군이 프랑스를 점령했을 때, 전통 있는 잡지 *N.R.F.*의 편집을 맡아 그들의 편에 서서 글을 썼다. 종전 후 자살했다.

드디어 침묵하고 말았다. 그는 남들의 굴종을 요구했는데, 그의 미친 머리로는 그 굴종이 자의적(自意的)이며 여전히 자유로운 것이라고 상상했음에 틀림없다. 사실 굴종의 시기가 왔다. 그때 인간으로서의 드리외는 그것을 크게 기뻐했으나 작가로서의 그는 그것을 견딜 수가 없었던 것이다.

같은 무렵에 다른 사람들은——다행히도 그들이 대다수였지만——글을 쓴다는 자유가 시민으로서의 자유와 불가분리하다는 것을 이해하고 있었다. 우리는 노예를 위해서 글을 쓰는 것이 아니다. 산문이라는 예술은 산문이 의미를 지닐 수 있게 해주는 유일한 제도, 즉 민주주의와 떼어놓을 수 없는 관계를 맺고 있다. 그래서 한쪽이 위협을 겪으면 다른 한쪽도 역시 위협을 겪는 것이다. 그리고 다만 글쓰기로써 양자(兩者)를 지키는 것만으로는 충분하지 않다. 불가불 붓을 꺾지 않을 수 없게 될 날이 오면 작가 역시 무기를 들어야 하는 것이다. 이렇듯 당신이 어떤 곡절로 작가가 되었든 간에, 당신이 어떤 견해를 표명했든 간에, 문학은 당신을 싸움터로 끌어들인다. 글쓰기는 자유를 희구하는 한 방식이다. 따라서 일단 글쓰기를 시작한 이상에야, 당신은 좋건 싫건 간에 참여하고 있는 것이다.

아마도 여러분은 무엇을 위한 참여냐고 물을 것이다. 〈자유의 수호를 위해서〉라고 당장에 대답함직하다. 그러나 그것은 방다Benda가 말하는 반역 이전(反逆以前)의 성직자처럼[30] 이상적

30) Julien Benda(1867-1956): 프랑스의 문필가. 여기에서 언급되고 있는 것은 1927년에 발표된 『성직자의 배반*La Trahison des clercs*』이라는 책이다. 이 책에서 방다는 지식인들(예술가, 작가, 학자, 교육자)의 임무가, 현실적 정치 권력에 대해서 초연한 입장에 서서, 순수한 진리의 탐구에 전념하는 데 있다고 역설했다. 그것이 사르트르의 참여의 주장과는 정반대

가치의 수호자가 되겠다는 뜻인가, 혹은 정치적, 사회적 투쟁에서 어느 한편에 서서 구체적이며 일상적인 자유를 지키겠다는 뜻인가? 이 질문은 매우 단순해 보이지만 사실은 아무도 스스로 제기해 본 일이 없는 또 하나의 질문과 결부되어 있다. 그것은 〈누구를 위하여 쓰는가?〉라는 질문이다.

의 것임은 두말할 필요도 없다. 참고로, 여기에서 〈성직자〉로 번역된 clercs라는 말은 옛 불어에서는 학문을 갖춘 사람, 즉 식자(識者)를 의미했다. 따라서 이 책의 제목을 〈지식인의 배반〉으로 번역하는 것이 더 좋을지도 모르나, 사르트르는 뒤에서 중세에 학문을 담당했던 좁은 의미의 성직자에 대해서도 이 말을 사용하고 있기 때문에, 아예 〈성직자〉로 통일시키고 이 말에 은유적인 의미를 부여하려고 했다.

원주

1 다른 예술 작품들(그림, 교향곡, 조상 따위)을 대하는 사람들의 태도에 관해서도, 정도의 차이는 있지만 같은 말을 할 수 있다.

2 〈실생활〉에 있어서는 모든 수단은 그것이 추구의 대상이 되자마자 목적으로 생각될 가능성이 있다. 그리고 한 목적은 다른 목적에 도달하기 위한 수단이 될 수 있다.

3 이 발언에 놀라는 사람들도 있었다. 그렇다면 억압을 조장하려는 명백한 취지를 보이는 소설, 다시 말해서 유태인, 흑인, 노동자, 피식민자에 반대해서 씌어진 소설 중에서 단 한 권이라도 좋은 소설이 과연 있는지 누가 일러주었으면 좋겠다. 아마도 당신들은 내게 이렇게 대꾸할지도 모른다. 「그런 좋은 소설이 아직은 없다고 하더라도, 장차 그것이 결코 씌어지지 않으리라는 법은 없다」 그러나 이런 대꾸를 하는 당신들은 추상적인 이론가에 지나지 않는다는 것을 스스로 고백하고 있는 것이다. 추상적인 이론가는 내가 아니라, 당신들이란 말이다. 왜냐하면 당신들은 추상적인 예술관에 입각해서 아직 실현된 일이 없는 사실의 가능성을 강변하고 있고, 반면에 나는 이미 알려진 사실에 대한 설명만을 시도하려는 것이기 때문이다.[1)]

1) 사르트르는 이미 1946년에 실존적 입장에서 반유태주의를 통렬히 비판하고 또한 유태인 자신의 진정한 태도를 설파한 명저, 『유태인 문제에 관한 성찰*Réflexions sur la question juive*』을 발표했다.

3 누구를 위하여 쓰는가

언뜻 생각하기에는 의심의 여지가 없다. 작가는 보편적 독자를 위해서 쓰는 것이니까 말이다. 과연 우리가 살펴본 것처럼 작가의 요청은 원칙적으로 〈모든〉 사람에게 지향(指向)되는 것이다. 그러나 내가 앞서 말한 것은 관념적인 것에 불과하다. 실제로는 작가는 궁지에 빠지고 기만당하고 부자유한 사람들을 위해서 말한다는 것을 스스로 알고 있기 때문이다. 더구나 그 자신의 자유 자체가 그렇게 순수한 것이 아니어서, 그것을 순화하기 위해서도 글을 쓰는 것이다. 영원한 가치라는 말을 함부로 입에 올리는 것은 안이하고도 위험한 짓이다. 영원한 가치란 뼈만 앙상한 것이다. 자유 그 자체도 〈영원의 상(相) 밑에서〉 볼 때는 메마른 곁가지에 지나지 않는다. 왜냐하면 자유란 바다처럼 항상 새로 시작되는 것이기 때문이다.[1] 자유는 인간이 끊

1) 발레리의 시 「해변의 묘지 Le Cimetière marin」의 셋째 줄에서 따온 것. 〈La mer, la mer, toujours recommencée.〉

임없이 자신으로부터 초탈(超脫)하고 자신을 해방시키는 움직임 이외의 다른 것이 아니다. 이미 주어진 자유란 있을 수 없다. 우리는 정념(情念), 인종, 계급, 민족과 싸우면서 자신의 승리를 전취(戰取)해야 하고, 또한 자신과 더불어 남들의 승리를 전취해야 한다. 그러나 이 경우에 중요한 것은 제거해야 할 장애와 극복해야 할 저항의 특이(特異)한 양상이다. 그것이 각각의 구체적인 상황에 있어서 자유의 모습을 정해 주기 때문이다. 방다 Benda가 바랐듯이 만일 작가가 헛소리를 하기를 택한다면, 멋있는 글귀로 영원한 자유를 읊을 수도 있으리라. 국가사회주의도 스탈린식의 공산주의도 또 자본주의적 민주주의도 다 같이 내세우는 그런 영원한 자유말이다. 그런 작가는 누구를 거북하게 만드는 일도, 누구에게 호소하는 일도 없다. 그가 요구하는 모든 것은 미리 다 주었으니까 말이다. 그러나 그것은 추상적인 꿈이다. 그가 원하건 원치 않건 간에, 또 비록 불멸의 월계관을 탐내는 경우에라도, 작가는 동시대인(同時代人)들에게, 동포에게, 같은 인종과 계급의 형제들에게 이야기하는 것이다.

많은 사람들이 충분히 인식하고 있지 못한 일이지만, 정신의 작품은 본래가 〈암시적〉인 것이다. 설사 작가의 목적이 대상의 완전한 재현에 있다고 하더라도, 그는 결코 〈모든 것〉을 이야기하지는 못한다. 그가 발언하는 것은 항상 그가 알고 있는 것에 못 미친다. 언어란 원래가 〈생략적〉인 것이기 때문이다. 가령 말벌이 창문으로 들어왔다는 것을 옆사람에게 알리려고 할 때, 나는 긴 말을 늘어놓지 않는다. 〈조심해!〉라든가 〈저 봐!〉라는 단 한마디 말로 또 단 하나의 몸짓으로 족하다. 상대방이 그 말벌을 보기만 하면 되는 것이다. 또한 우리가 프로뱅 Provins이나 앙굴렘 Angoulême[2]에 사는 어느 부부(夫婦)의 일상적 대화를 아무 설명 없이 그대로 옮겨놓은 음반을 듣는다고 가정하면, 우리는 그 내용을 전혀 새겨들을 수 없으리라. 〈콘텍스트〉가 없기 때문이다. 다시 말해서 우리에게는 공통의 기억과 공통의 지각이 없고, 그들의 상황과 기도가 없기 때문이다. 요컨대 그 대화자의 한쪽은 상대방의 세계가 어떤 것인지를 서로 알고 있는데, 우리에게는 그런 세계가 결여되어 있기 때문이다.

읽기도 이와 마찬가지이다. 같은 시대와 같은 집단의 사람들, 같은 사건을 겪고 같은 문제를 지니거나 회피하는 사람들은 같은 입맛을 가지고 있다. 그들은 서로 연루(連累)되어 있고 그들 사이에는 같은 시체들이 가로놓여 있다. 그렇기 때문에 많은 말을 늘어놓을 필요가 없다. 그들 사이에는 〈열쇠가 되는 말〉들이 있는 것이다. 가령 내가 미국의 독자들에게 독일군 점령시기(獨逸軍占領時期)[3]에 관한 이야기를 한다면, 많은 분석을 하고 신중을 기해야 할 것이다. 그들의 선입견, 편견, 풍설 따위를 씻어내기 위해서 우선 20쪽 가량을 허비해야 할 것이다. 그러고 나서도 한 걸음 내디딜 때마다 내 위치를 확인해야 하고, 우리의 역사의 이해에 도움을 줄 이미지나 상징을 미국의 역사에서 찾아내야 하고, 우리의 노인성(老人性) 비관주의와 미국인의 어린애 같은 낙관주의의 차이를 늘 염두에 두어야 할 것이다. 그러나 내가 프랑스 사람들을 위해서 같은 주제의 글을 쓴다고 하면, 그때는 우리 집안끼리의 이야기가 된다. 가령 〈어느 공원의 정자에서 열린 독일 군악대의 연주회〉라는 몇 마디 말로 충분하다. 모든 것이 그 몇 마디 말 속에 담겨 있다. 아직도 싸늘

2) 프랑스의 지방 도시들.

3) 제2차 세계대전 때, 프랑스가 초기 작전에 패배하여 항복하고, 독일군에 의해서 점령되어 있었던 시기(1940년 6월부터 1944년 8월까지).

한 봄날씨, 시골의 공원, 관악기를 부는 까까머리의 사람들, 못 보고 못 들은 척하면서 걸음을 재촉하는 행인들, 나무 밑에서 상을 찌푸리고 있는 두세 사람의 청중, 프랑스에게는 필요없고 허공으로 사라지는 아침의 주악(奏樂), 우리의 수치와 고뇌와 분노와 그리고 또한 우리의 자존심…….

이렇듯 내 글이 지향하는 독자는 미크로메가스도 앵제뉘[4]도 아니며, 또한 하느님 아버지도 아니다. 나의 독자는 기본 원리부터 설명해 주어야 하는 그런 착한 야만인처럼 무식하지도 않고, 또 요정(妖精)이나 백지 상태의 사람도 아니다. 그는 또한 천사나 영원한 하느님처럼 모든 것을 알고 있는 것도 아니다. 나는 그에게 세계의 어떤 모습들을 드러내 보이고, 그가 이미 아는 것을 이용해서 그가 아직도 모르는 것을 일러주려고 한다. 완전한 무지와 전지(全知) 사이에 걸쳐 있는 독자는 시시각각 변동하고 그의 〈역사성〉을 명시해 줄 만한 한정된 앎을 밑천으로 삼고 있는 것이다. 그는 순간적인 의식의 존재도 아니며, 자유를 순수하게 그리고 초시간적(超時間的)으로 지니고 있는 존재도 아니다. 그는 또한 역사의 상공을 날아다니는 것이 아니라, 역사 속에 참여하고 있는 것이다.

작가의 존재도 역시 역사적이다. 바로 그렇기 때문에 어떤

---

4) *Micromégas*(1752): 볼테르Voltaire가 『걸리버 여행기』에서 힌트를 얻어 쓴 소설. 주인공은 그의 고향인 실리우스 별을 떠나 우주의 다른 천체들을 여행하다가 지구에 도달하여 인간들의 철없는 거동과 생각을 목격한다. 당시의 사회에 대한 풍자 소설이다.

L'Ingénu(1764): 역시 볼테르의 풍자 소설. 미국 인디언의 한 부족에서 태어난 〈착한 야만인〉인 주인공이 프랑스 루이 14세의 궁정(宮廷)에 와서 가지가지의 악덕과 풍습을 보고 겪고 비판한다는 이야기이다. 〈앵제뉘〉는 천진난만하다는 뜻으로 그에게 붙은 별명이다.

작가들은 영원 속으로 비약함으로써, 역사에서 벗어나기를 바란다. 한데 동일한 역사 속에 투입되어 있고 역사를 만들어나가는 데 다같이 이바지하는 작가와 독자 사이에서는 책을 매개로 하여 역사적 접촉이 성립된다. 쓰기와 읽기는 동일한 역사적 사실의 양면이며, 작가가 우리에게 촉구하는 자유는 자유롭다는 추상적인 순수 의식이 아니다. 엄격히 말해서 자유는 〈있는〉 것이 아니라, 역사적 상황 속에서 전취되는 것이다. 모든 책은 제각기 특정한 소외로부터 출발해서 구체적 해방을 제시한다. 그렇기 때문에 제도, 풍습, 억압과 투쟁의 어떤 형태, 동시대(同時代)의 지혜와 광증(狂症), 지속적인 정념과 일시적인 집념, 미신과 양식(良識)의 최근의 성과, 명증(明證)과 무지, 여러 학문이 유포시키고 모든 분야에 응용되는 특정한 추리 방법, 희망, 공포, 감성과 상상과 심지어 지각(知覺)의 습관, 전해져 내려오는 풍습과 가치, 요컨대 작가와 독자가 공유하는 모든 세계가 밑에 깔려 있지 않은 책은 없다.

작가가 그의 자유로서 생동(生動)시키고 뚫어보려는 것은 바로 이러한 낯익은 세계이며, 독자 역시 그 세계에서 시작해서 자신의 구체적 해방을 시도해야 하는 것이다. 그 세계는 소외이며 상황이며 역사이다. 내가 다시 걸머지고 떠맡아야 하는 것도, 나 역시 나 자신과 남들을 위해서 변혁하거나 유지해야 하는 것도 그 세계이다. 자유의 직접적인 모습이 부정성(否定性)인 것은 사실이지만, 그 부정성이란 〈노〉라고 말하는 추상적인 힘이 아니라, 부정하는 것을 제 속에 간직하고 그것으로 온통 물드는 그러한 구체적인 부정성이다. 그리고 작가와 독자의 자유는 하나의 세계를 통해서 서로 찾고 서로 영향을 주고받는 것이므로, 세계의 어떤 모습을 들어올리느냐 하는 작가의 선택이 그 독자를 결정하며, 거꾸로 말하자면 어떤 독자를 선택하느냐에 따라 작가의 주제가 결정되는 것이다.

이렇듯 모든 정신적 작품은 그것이 겨냥하는 독자의 이미지를 그 자체 속에 간직하고 있다. 가령 나는 『지상의 양식』에 따라 나타나엘의 모습을 그려볼 수가 있다. 이 책에서 나타나엘에게 극복하기를 종용하고 있는 소외(疏外)는 그의 가족이며, 그가 현재 소유하고 있거나 또는 상속을 통해서 소유하게 될 부동산이며, 편협한 유신론(有神論)이다. 그에게는 또한 교양과 한가한 시간이 있다. 왜냐하면 육체 노동자나 실업자나 미국의 흑인에게 메날크[5]를 모범으로 삼으라고 권유하는 것은 터무니없는 일이기 때문이다. 나타나엘은 굶주림, 전쟁, 계급적, 인종적 억압 따위의 어떠한 외적(外的) 위험에도 노출되어 있지 않다. 그가 겪는 유일한 위험이 있다면, 그것은 그 자신의 환경의 희생자가 되는 것이다. 따라서 그는 백인이며 아리안 족(族)이며 부자이다. 비교적 안정되고 편한 시대, 소유 계급의 이데올로기가 이제야 겨우 기울기 시작할까 말까 하는 시대에 사는 대(大)부르주아 집안의 상속자이다. 후일 로제 마르탱 뒤 가르가 앙드레 지드의 열렬한 찬미자로서 제시해 놓은 다니엘 드 퐁타냉과 똑같은 인물이다.[6]

우리의 시대와 더욱 가까운 예로서 『바다의 침묵』[7]을 두고

---

5) Ménalque: 『지상의 양식』에서 지드가 자기의 스승으로 설정한 가공의 인물.

6) Roger Martin du Gard(1881-1958): 대하소설 『티보 집안의 사람들 *Les Thibault*』로 유명한 프랑스 작가. Daniel de Fontanin은 그 소설의 인물로 자유분방한 생활을 한다.

7) *Le Silence de la mer*(1942): 베르코르 Vercors(1902-1991)의 소설. 프랑스

생각해 보자. 이 작품은 초기의 한 저항운동가에 의해서 씌었으며, 그 창작 목적은 우리의 눈에는 명백한 것인데, 뉴욕, 런던 또 때로는 심지어 알제Alger로 망명한 사람들로부터는 반감만 사고 그 저자가 대독(對獨) 협력자로 단죄되기조차 했으니 참으로 충격적인 일이다. 한데 그 이유는 베르코르가 그들을 독자로 겨냥하지 않았다는 점에 있다. 반대로 독일군에게 점령된 지역에서는 작가의 의도나 그 글의 효과에 대해서 의심하는 사람은 아무도 없었다. 그는 〈우리〉를 위해서 썼기 때문이다.

하기야 나는 베르코르가 조형(造型)한 독일 장교와 프랑스 처녀의 모습에 진실성이 있다고 말하면서 그를 변호할 생각은 없다. 이 점에 대해서는 쾨스틀러[8]가 매우 훌륭한 견해를 보여준 바 있다. 그의 말대로 두 프랑스 사람의 침묵에는 심리적 합당성이 없고, 그것은 다소 시대착오적인 인상마저 풍긴다. 그것은 모파상이 그린 애국적 농민들이 그 전의 점령 기간[9]에 보여준 고집스런 침묵을 상기시킨다는 것이다. 그때는 다른 희망과

를 점령한 독일군의 한 장교가 노인과 그의 조카딸이 사는 집에 기숙한다. 그 장교는 프랑스를 애호하는 교양 있고 매우 신사적인 사람이지만, 그의 지극한 예절의 표현에 대해서 두 사람은 끝끝내 침묵을 지킨다는 이야기이다. 이 소설에 관해서는 출간 당시에 벌써 국내에서도, 독일 장교를 지나치게 훌륭한 인물로 묘사했다는 비판이 일었다. 그러나 그런 훌륭한 인격을 갖춘 독일 군인에게조차도 결코 마음을 내주어서는 안 된다는 것을 보여주기 위해서 썼다는 것이, 작가 자신의 변이었다. 참고로, 사르트르는 뒤에서 이 소설의 발행년도를 1년 잘못 잡고 있다.

8) Arthur Koestler(1905-1983): 영국으로 망명한 헝가리 태생의 작가. 스탈린 시대의 숙청의 문제를 다룬 『백주의 암흑*Darkness at Noon*』(1940)으로 널리 알려져 있다. 사르트르는 1946년에 그와 알게 되었으나, 이듬해에 정치적 견해의 차이로 갈라섰다.

9) 1870년 보불(普佛)전쟁에서 프랑스가 졌을 때의 일을 가리킨다. 여기에서 언급된 〈고집스런 침묵〉은 가령 모파상의 단편 「두 친구Les deux amis」의 경우이다.

다른 고뇌와 다른 풍속을 지닌 〈다른〉 점령 기간이었다. 다른 한편으로 독일 장교로 말하자면, 그의 모습에는 실감이 없지 않다. 그러나 당연한 일이지만, 점령군과의 일체의 접촉을 거부하고 있던 당시의 베르코르로서는, 있음직한 여러 요소들을 결합함으로써, 모델 없이 짐작만으로 그 독일 장교라는 인물을 만들어낼 수밖에 없었다.

따라서 〈진실성〉이라는 척도에서만 보자면, 영국의 사람들이 선전삼아 매일처럼 만들어낸 독일 군인들의 모습보다도 베르코르가 그린 그 모습을 더 합당한 것으로 택해야 할 이유는 없다. 그러나 프랑스 본국에 있던 프랑스 사람에게는 1941년에 나온 베르코르의 소설이 더 〈효과적인〉 것이었다. 포화(砲火)의 장벽이 적과 우리를 갈라놓고 있을 때는 우리는 적을 통틀어서 악(惡)의 화신으로 규정하는 것이 당연하다. 모든 전쟁은 선과 악의 대결로 선전(宣傳)된다. 따라서 영국의 신문들이 독일 군인 중에서 굳이 선인과 악인을 구별하려고 애쓰지 않았다는 것은 넉넉히 이해할 만한 일이다. 그러나 이와 반대로 정복당하고 점령당하고, 승리한 적군과 뒤섞여 살게 된 사람들은 그 사태에 익숙해짐으로써, 그리고 교묘한 선전에 끌림으로써, 적군을 다시 인간으로 생각하게 된다. 그들은 선인과 악인으로 갈리고, 또 착한 〈동시에〉 사악한 인간으로 받아들여진다. 1941년 당시의 독일 군인을 흡사 식인귀(食人鬼)처럼 그려보인 작품이 있었다면, 그런 작품은 사람들의 웃음거리가 되고 목적을 이루지 못했을 것이다.

그러나 벌써 1942년 말이 되자 『바다의 침묵』은 그 효과를 상실했다. 왜냐하면 전쟁이 프랑스 본토에서 다시 시작되었기 때문이다. 한편으로는 프랑스 사람들에 의한 지하 선전, 태업, 철도의 탈선 공작, 암살 기도가 생겼고, 다른 한편으로는 독일군에 의한 야간 통행 금지, 강제 수용소 송치(送致), 감금, 고문, 인질(人質)의 처형이 있게 되었다. 보이지 않는 포화의 장벽이 독일 사람과 프랑스 사람을 다시금 갈라놓게 한 것이다. 우리 친구들의 눈알을 빼고 손톱을 뽑는 독일인들이 나치즘의 공범자인지 혹은 희생자인지를 따져볼 계제가 이미 아니었다. 그들과 직면해서는 이미 고고(孤高)한 침묵으로 일관할 수는 없었다. 더구나 그들 자신이 그런 침묵을 용인하지 않았을 것이다. 이러한 전쟁의 국면에서는 그들과 협력하거나 그들에게 저항하는 두 가지 길밖에는 없었다. 포격과 학살, 화염에 싸인 마을과 강제 수용소로의 송치의 와중에서는 베르코르의 소설은 목가적(牧歌的)인 것으로 보였다. 그는 이미 독자를 잃은 것이다.

그의 독자는 1941년의 사람들——패전(敗戰)의 굴욕을 겪었지만 점령자의 가식적(假飾的)인 예의 범절에 놀라고, 충심으로 평화를 바라고 볼셰비즘의 망령에 겁먹고 페탱 Pétain[10]의 연설에 속아넘어간 사람들이었다. 그런 사람들에게, 독일 군인을 굶주린 야수처럼 그려보인다는 것은 헛된 일이었다. 그와 반대로 독일군 역시 예의바르고 심지어 호감이 가는 사람들일 수도 있다는 것을 인정해 주지 않을 수 없었다. 그리고 독일군의 대부분도 〈우리와 똑같은 사람들〉이라는 것을 알고 놀란 프랑스 사람들에게 타일러 주어야 했다——비록 그런 경우에도 그들과의 우정은 있을 수 없다는 것을, 외국 군인은 호감이 가는 인간일수록 더욱 불행하고 허약한 존재라는 것을, 그리고 사악한

---

10) Philippe Pétain(1856-1951): 제1차 세계대전 때 국민적 영웅이 되었던 육군 원수. 그러나 제2차 세계대전중에는 독일에 점령된 프랑스의 괴뢰 정권의 수반이 되었다. 종전 후 종신형으로 복역중 사망했다.

제도와 이데올로기에 대해서는, 그것을 우리에게 가져다 보여준 사람들이 악인(惡人)으로 느껴지지 않는다 하더라도, 그것과 투쟁해야 한다는 것을. 요컨대 독자가 수동적 대중이었던 까닭에, 그리고 그 시점에서는 괄목할 만한 저항 조직이 미미하고 그 조직원의 규합(糾合)도 극히 조심스럽게 이루어져야 했던 까닭에, 민중에게 요구할 수 있었던 유일한 저항의 형식은 오직 침묵이며 경멸이며, 강제되었다는 것을 뚜렷이 나타내 보이는 복종이었다.

이렇듯 베르코르의 소설은 그 독자를 한정하고 그 한정을 통해서 그 자체의 의미를 한정했다. 그것은 1941년의 프랑스 부르주아지의 정신에 입각해서 몽투아르 회견(會見)[11]의 결과와 싸우려고 한 것이다. 패전(敗戰) 후 1년 반이 되었던 당시로서는 그것은 생기 있고 치열하고 효과적인 작품이었다. 그러나 반세기(半世紀) 후가 되면 아무도 거기에서 감동을 느끼지 못할 것이다. 사정을 잘 모르는 독자들이 그때까지도 그 소설을 읽는다면, 1939년의 전쟁에 관한 재미있고도 좀 따분한 콩트라고 생각할 것이다. 바나나는 막 땄을 때 맛이 가장 좋다고들 한다. 마찬가지로 정신적 작품도 당장 그 자리에서 소비되어야 하는 것이다.

정신적 작품의 성격을 그것이 지향(指向)하는 독자 여하에 따라서 설명하려는 모든 시도는 공리공론(空理空論)이며 간접적 접근방법에 불과하다고 비난하는 사람도 있을 것이다. 그보다는 작가의 조건 자체를 결정적 요인으로 보는 것이 더 간단하고

11) Montoire: 프랑스의 작은 도시. 1940년 10월 페탱 원수는 여기에서 히틀러와 만나, 독일과의 협력 원칙을 정했다.

직접적이며 더 엄격한 것이 아니겠는가? 텐 Taine이 말하는 〈환경〉이란 개념에 의지하는 것이 합당하지 않겠는가?[12] 이런 물음에 대해서 나는 환경에 의한 설명은 과연 〈결정적〉이라고 대답하겠다. 환경은 작가를 〈산출〉한다. 한데 내가 환경설을 믿지 않는 것은 바로 그런 이유 때문이다. 이와 반대로 독자는 작가를 부른다. 다시 말해서 독자는 작가의 자유에 대해서 문제를 제기한다. 환경은 〈배후로부터 오는 힘 vis a tergo〉인 반면에, 독자는 기다림이며 채워져야 할 빈터이며, 비유적 의미와 본래적(本來的) 의미의 양자에 걸쳐서 〈아스피라시옹 aspiration〉[13]이다. 한마디로 해서 그는 〈타자〉이다. 더구나 나는 인간의 상황에 의해서 작품을 설명하는 방법을 물리치려는 것은 전혀 아니다. 그래서 글을 쓴다는 기도가 인간적이며 〈총체적인〉 어떤 상황의 자유로운 초월(超越)이라고 늘 생각해 왔다. 그리고 그 점에서 글쓰기는 다른 모든 기도와 다를 바 없다. 한데, 에티앵블은 재치가 넘쳐흐르면서도 다소 피상적(皮相的)인 한 논설에서 이렇게 쓰고 있다.[1]

「나는 나의 작은 사전을 수정해야 할 판이라고 생각하고 있었다. 그러자 장폴 사르트르의 다음과 같은 서너 줄의 문장이 우연히 눈에 띄었다. 〈우리에게는 작가란 과연 베스탈도 아리엘도 아니다. 작가는 무엇을 하건 간에 사태(事態)에 끼여들고 있으며, 아무리 먼 곳으로 피신한다 해도 주목의 대상이 되고 연루되어 있는 것이다.〉 사태에 끼여들고 빠져나갈 수 없다는 이 말

---

12) Taine(1828-1893): 결정론(決定論)의 입장에 서서, 문학 작품과 정신적 산물의 본질을 종족, 환경, 시대의 세 요소에 따라서 설명할 수 있다고 주장했다.

13) aspiration: 본래의 의미로는 〈빨아들이기〉, 비유적으로는 〈희구, 갈망〉을 뜻한다.

을 듣자, 내 머리에는 〈우리는 꼼짝없이 연루되어 있다 Nous sommes embarqués〉는 파스칼의 말이 거의 동일한 뜻으로 떠올랐다. 그러자 당장 내게는 참여라는 말이 가치없는 것으로 여겨졌다. 그 말은 가장 평범한 사실로, 왕에게도 노예에게도 해당되는 사실로, 요컨대 인간 조건으로 환원(還元)되었다」[14]

---

14) 이 단락의 이해를 위해서 다음과 같은 몇 가지 주석을 달아두자.

a. Vestale: 로마의 Vesta 신을 섬기는 순수 무구한 무녀.

Ariel: 중세 전설에 나오는 공기의 정령. 셰익스피어의 『폭풍우 *Tempest*』에도 등장한다.

b. René Etiemble(1909-): 프랑스의 학자, 비평가, 소설가. 편협한 지식과 신화화된 관념의 타파를 위해서 다양한 학문적 활동과 문필 활동을 전개해 왔다. 중국 철학에 대한 깊은 이해를 보여주고도 있다.

c. 에티앵블이 인용하고 있는 사르트르의 문장은 《현대》지 창간사 「Présentation des《*Temps modernes*》」(1945년 10월) 중에 나오는 것이다.

d. 파스칼의 표현은 신의 존재 여부에 관한 인간의 결단은 불가피하다는 것을 말하는, 그 유명한 〈내기〉에 관한 언급에서 나온다. 원문은 「Oui; mais il faut parier. Cela n'est pas volontaire: vous êtes embarqué」(*Pensées*, Brunschvicg판, §233). 여기에서 embarqué란, 배를 타고 바다에 나가면 꼼짝 못하게 되는 것처럼, 어려운 일에 꼼짝없이 끼여들고 있다는 비유적인 의미로 쓰인 것이다. 우리는 신의 존재 유무에 관해서 어느 한쪽에 걸지 않을 수가 없으며, 이 〈내기〉는 우리의 자유 의사를 넘어서서 불가피하다는 것이 이 말의 뜻이다.

e. 에티앵블의 발언이 포함된 논설 전체는 "De l'engagement"이라는 제목으로 그의 평론집 *Littérature dégagée*(Gallimard, 1955)에 재수록되어 있다. 그 전후관계를 살펴서 그의 말의 요지를 정리하면 다음과 같다. 「나는 engagement이라는 말에 내가 생각하던 것과는 다른 뜻이 있는 것을 알게 되었다. 그런데 사르트르가 「《현대》지 창간사」에서 하고 있는 말을 들으니, 그것은 너무나 당연해서 싱거운 뜻의 단어가 되고 있다. 누구나 상황에 끼여 있어 벗어나지 못한다는 의미에서 engagé라는 말을 사용한다면, 그것은 파스칼이 말하는 embarqué와 같으며, 누구에게나 적용되는 것이다」

f. 그러나 사르트르는 이러한 비판에 대한 반론으로서 텍스트에서 보다시피 그 두 말을 구별하려고 한다. 그에 의하면, embarqué는 수동적, 강제적으로 끌려드는 상태를 의미하는 한편, engagé는 그 끌려든 상

사실 내가 말하려고 한 것도 그런 말과 다를 바 없다. 다만 에티앵블은 경솔하게 생각했다. 모든 사람이 꼼짝없이 연루되어 있다고 하더라도, 그것은 모두가 그 사실을 철저하게 의식하고 있다는 뜻이 되는 것은 결코 아니다. 대부분의 사람들은 자기가 묶여 있다는 것을 스스로 은폐하기에 여념이 없다. 그렇다고 반드시 거짓말로, 인공 낙원(人工樂園)으로 또는 공상적인 삶으로 도피하려고 시도한다는 뜻은 아니다. 등불을 어둡게 하고, 앞뒤를 다 같이 살펴보려고 하지 않고, 수단은 묵과(默過)한 채 목적만을 염두에 두고, 같은 운명의 사람들과의 연대성을 거부하고, 근엄(謹嚴)의 정신[15] 속으로 피하기만 하면 되는 것이다. 또한 삶을 죽음의 견지에서 관조(觀照)함으로써 삶의 모든 가치를 박탈하고, 또 동시에 범용한 일상 생활 속으로 도피함으로써 죽음의 공포를 뭉개버릴 수도 있다. 그뿐만 아니라 억압 계급(抑壓階級)에 속하는 사람은 고상한 감정을 통해서 자신의 계급에서 벗어날 수 있다고 믿고, 다른 한편으로 피억압 계급에 속하는 사람은 내면적 생활을 함양(涵養)하기만 하면 쇠사슬에 묶여도 여전히 자유로울 수 있다고 주장함으로써, 억압

태를 능동적, 자의적으로 수용하고 그것에 대처해 나가는 태도를 의미한다. 참고로 말해 두지만, 카뮈 Camus 역시 그 두 말을 구별하면서도, 시대적 상황에 대한 작가의 지세에 관하여 다음과 같이 말하면서 사르트르와는 대척적(對蹠的)인 입장에 섰다. 「예술가는 스스로 바라건 바라지 않건 간에 끌려들고(embarqué) 있다. 나는 embarqué라는 말이 engagé(참여하고 있다)라는 말보다 더 적합하다고 생각한다. 왜냐하면 예술가의 경우에 문제가 되는 것은, 자의적인 참여가 아니라, 차라리 강제된 병역 의무와 같은 것이기 때문이다」(*Discours de Suède*, 26쪽)

15) esprit de sérieux: 기존 관념에 의지하고 자신의 존재의 정당성을 믿음으로써, 인간 조건의 진실을 외면하려는 태도. 자기 기만(mauvaise foi)의 한 형식. 『구토』에 나오는 부빌 시민들의 모습이 그 좋은 예이다.

자와의 공범 관계를 은폐하는 것도 가능할 것이다. 작가 역시 다른 사람들과 마찬가지로 이런 모든 술책에 의지할 수도 있다. 사실, 대부분의 작가들은 조용히 잠자기를 바라는 독자에게 숱한 잔꾀를 제공해 주려고 한다.

한 작가가 진실로 참여하는 것은 꼼짝없이 연루되어 있다는 것을 가장 투철하게 그리고 가장 철저하게 의식하려고 애쓸 때, 다시 말해서 자신을 위해서나 남들을 위해서 무매개적(無媒介的)이며 자연적인 연루를 반성적인 연루로 전환할 때라고 나는 말하고 싶다. 작가란 무엇보다도 매개자이며, 그의 참여는 매개 행위인 것이다. 다만 한 작가의 작품을 그의 조건에 따라서 설명해야 한다는 것이 옳은 말이라 하더라도, 그 조건이란 비단 일반적 인간으로서의 조건뿐만 아니라 또한 작가로서의 조건이라는 점을 명심하지 않으면 안 된다. 가령 한 작가가 유태인, 체코 사람 또는 농가(農家) 출신인 경우, 그는 각각 유태인 작가, 체코 작가, 농촌에 뿌리를 둔 작가인 것이다. 나는 어느 논설에서 유태인의 상황을 정의(定義)하려고 시도했는데, 그때 내가 마련한 정의는 오직 다음과 같은 것이었다. 「유태인이란 남들이 유태인으로 보는 사람, 그리고 그에게 주어진 상황에서 출발해서 자기 자신을 선택해 나갈 수밖에 없는 사람이다」[16] 내가 이런 말을 한 것은 이 세상에는 오직 남들의 판단에서 유래하는 특질이라는 것이 있기 때문이다.

하기야 작가의 경우에는 사정이 한결 복잡하다. 왜냐하면 반드시 작가가 되어야 할 필연성은 아무에게도 없기 때문이다. 따라서 이 경우에는 자유가 근원을 이룬다. 나는 우선 글을 쓰겠다

16) 『유태인에 관한 성찰 *Réflexions sur la question juive*』, 83, 166쪽 참조.

는 나의 자유로운 기도 때문에 작가가 되는 것이다. 그러나 곧 다음과 같은 사실이 뒤따른다. 즉, 나는 남들이 작가라고 여기는 한 인간, 다시 말해서 어떤 요청에 응답해야 하고, 좋건 싫건 간에 어떤 사회적 기능이 부여된 인간이 되는 것이다. 어떤 역할을 담당하기를 바라건 간에, 작가는 남들이 자기에 대해서 갖는 이미지에 따라서 그 역할을 수행해야 한다. 그는 어떤 특정한 사회가 문인(文人)에게 부여한 역할을 바꾸려고 시도할 수도 있다. 그러나 그 변경을 위해서는 우선 그 역할 속으로 끼여들어 가야만 한다. 이렇듯 자신의 풍습과 세계관과 사회관과 또 그 사회 내에서의 문학관을 지닌 독자가 개입하는 것이다. 독자는 작가를 포위하고 그에게 조여든다. 독자의 단호한 혹은 은연한 요구, 그리고 그의 거부와 도피가 작품 구성의 출발점을 이루는 사실적 여건이다.

가령 위대한 흑인 작가 리처드 라이트[17]의 경우를 생각해 보자. 그가 미국의 북부로 이주한 남부 출신의 〈니그로〉라는 그의 〈인간으로서의〉 조건만을 생각해 보더라도, 그 당장에 우리는 그가 〈흑인의 눈으로 본〉 흑인이나 백인밖에는 그릴 수 없으리라고 여기게 될 것이다. 남부 흑인 중의 90퍼센트가 실질적으로 선거권을 못 가진 형편에서, 그가 과연 영원한 진선미(眞善美)

17) Richard Wright(1908-1960): 미국의 흑인 작가. 『검은 소년 *Black Boy*』(1945)을 비롯한 여러 작품에서, 백인에 의한 흑인의 억압을 고발하기 위해서 그의 말대로 「언어를 가지고 싸워 나갔다」. 그는 사르트르가 지적한 대로, 남부 미시시피에서 태어났으나, 인종 차별이 덜한 시카고로 이주했다. 사르트르와는 돈독한 관계를 가졌으며, 1948년에는 파리에서 〈정신의 국제주의〉라는 심포지엄에 함께 참가했고, 또 『공손한 창부 *La putain respec-tueuse*』가 미국에서 번역되었을 때 라이트는 소개의 말을 쓰기도 했다.

를 관조(觀照)하면서 세월을 보내기로 동의하리라고 누가 생각할 수 있겠는가? 그것이 바로 〈성직자의 반역〉이라고 말하는 사람이 있다면, 피억압자(被抑壓者)들 중에는 그런 지식인은 있을 수 없다고 나는 대꾸하겠다. 성직자는 필연적으로 억압하는 계급이나 인종의 기생충들이다. 한데, 미국의 흑인이 작가로서의 적성을 스스로 발견하는 경우에는, 자기가 다룰 주제 역시 동시에 발견하는 것이다. 그는 권외(圈外)에서 백인을 보고 권외에서 백인의 문화를 섭취하는 사람이다. 그리고 그의 모든 책은 미국 사회 속에서의 흑인종의 소외를 보여줄 따름이다. 그러나 그 제시의 방법은 리얼리스트처럼 객관적이 아니라 정열적이며, 독자를 그 와중에 끌어넣는다.

하지만 이러한 고찰만으로는 그의 작품의 본질이 충분히 규정될 수 없다. 그는 단순히 투쟁적 책자 작자(作者)나 블루스[18]의 작사자(作詞者)나 또는 남부 흑인의 예레미아[19]로만 머무를 수도 있었을 것이다. 그래서 좀더 깊이 따져보기 위해서는 독자에 대해서 고찰해야 한다. 그렇다면 리처드 라이트는 어떤 독자를 겨냥하는 것인가? 분명히 보편적 인간을 상대하려는 것은 아니다. 보편적 인간이라는 개념에는, 어떠한 특정한 시대에도 참여하지 않는다는 본질적 성격이 내포되어 있으며, 따라서 그런 사람은 스파르타쿠스[20] 시대의 로마의 노예의 운명에 대해서

18) blues: 미국 남부의 흑인 민요에서 비롯된 가요. 흑인들의 비통한 심정을 노래한다.
19) Jeremiah: 옛 헤브라이의 예언자. 유태인이 바빌론으로 끌려갔을 때, 그 운명을 순순히 받아들이라고 비관적인 설교를 했다. 그래서 비관론자, 불길한 예언을 하는 사람을 뜻하는 보통 명사로 쓰이기도 한다.
20) Spartacus(B.C. 71 사망): 로마 시대의 노예. 그가 이끈 노예들의 반란군은 한때 이탈리아 전토에 걸쳐 큰 세력을 이루었다.

나, 루이지애나의 흑인의 운명에 대해서나 똑같은 정도의 감동밖에는 느끼지 못할 것이다. 보편적 인간은 보편적 가치 이외의 것은 생각할 줄 모르고, 인간의 신성불가침(神聖不可侵)한 권리에 대한 순수하고 추상적인 주장만을 일삼는다. 그렇다고 해서 라이트는 버지니아나 캐롤라이나에 사는 백인 인종차별주의자를 독자로 삼아 그의 책을 쓰려는 것도 아니다. 그들의 태도는 미리 단단히 굳어져 있어서 그의 책을 펴보지도 않을 것이기 때문이다. 그의 독자는 또한 글을 읽을 줄 모르는 남부 늪지대의 흑인 농민도 아니다. 그리고 그가 그의 책에 대한 유럽의 높은 평가를 알고 기뻐하는 것은 사실이지만, 글을 쓰면서 유럽의 독자들을 우선적으로 겨냥하지는 않았다는 것은 분명한 일이다. 유럽은 머나멀고, 또한 유럽 사람들의 의분(義憤)은 별로 효과가 없으며 위선적이다. 인도와 인도지나(印度支那)와 흑인 아프리카를 노예화한 나라의 사람들에게 큰 기대를 걸 수는 없는 노릇이다. 이런 점으로 보아, 우리는 라이트의 독자를 충분히 규정해 볼 수 있다. 그가 겨냥하는 것은 북부의 유식한 흑인이며 선의(善意)의 미국 백인들(지식인, 좌파 민주주의자, 급진주의자, C. I. O.[21]에 가입한 노동자)이다.

이 말은 라이트가 이들 독자를 통해서 모든 사람을 겨냥하지 않는다는 뜻은 아니다. 그러나 모든 사람을 겨냥한다는 것은 오직 〈그들을 통해서〉이다. 영원한 자유는 라이트가 추구하려는 역사적이며 구체적인 해방의 지평선에서만 엿보이는 것과 마찬

21) Congress of Industrial Organizations(산업별 노동조합회의): 1938년 American Federation of Labor(미국 노동총동맹)에서 분리되어 결성되었으나, 1955년 다시 합쳤다.

가지로, 인류의 보편성도 그의 독자라는 구체적이며 역사적인 집단의 지평선에 위치하는 것이다. 문맹(文盲)인 흑인 농부와 남부의 농장주들은 그의 현실적 독자의 둘레에 있는 추상적인 가능성으로서의 독자이다. 어쨌든 문맹도 읽기를 배울 수 있고, 『검은 소년』이 가장 완고한 흑인배척론자의 수중에 들어가서 그의 눈에 띄게 될 가능성도 있다. 그런 일은 다만 인간의 모든 기도가 사실상의 한계를 넘어서서 차츰 무한을 향해서 확대된다는 것을 의미할 따름이다.

한데, 여기에서 주목해야 할 것은, 이 〈사실상의 독자들〉 사이에 분명한 단절이 있다는 점이다. 라이트의 경우에 흑인 독자는 주체성(主體性)을 표상한다. 같은 유년 시절, 같은 곤경, 같은 콤플렉스를 지닌 그들은 한마디만 해도 이심전심(以心傳心)으로 이해한다. 작가는 자신의 상황을 밝히려고 애씀으로써 그들 모두의 상황을 밝혀준다. 그들이 매일처럼 직접적으로 영위하는 생활, 그들이 자신의 괴로움을 표현할 말을 찾아내지 못하면서 견뎌나가는 그런 생활을, 그는 매개자로서 설명하고 지적하고 그들에게 보여주는 것이다. 그는 그들의 의식이다. 그리고 그가 직접적인 삶을 넘어서서 자신의 조건을 반성적으로 재검토하려는 움직임은 그의 동족(同族) 전체의 움직임이다. 이와는 반대로 백인 독자는 그 선의가 아무리 훌륭하다 해도, 흑인 작가에게는 〈타자〉일 수밖에는 없다. 그들은 작가와 같은 삶을 살지 않았고, 그들이 흑인의 조건을 이해한다고 하더라도, 그것은 무척 애를 써야 겨우 가능한 것이며 또한 유추(類推)에 의존하는 것인데, 그런 유추는 항상 오해의 소지를 남기는 것이다. 다른 한편으로 볼 때, 라이트는 백인 독자가 과연 어떤 사람들인지 완전히 알지는 못한다. 그는 그들의 거만한 안정감과 백색의 아리안 족(族)에게 공통된 태평스런 확신——세상은 흰색이며 자기들이 그 세상의 주인이라는 확신을 권외(圈外)에서 짐작할 수 있을 따름이다. 그가 종이 위에 적어 내려가는 말들은 백인이 쓸 때와 흑인들이 쓸 때에 똑같은 문맥을 지니지 않는다.[22] 그는 짐작으로 말들을 선택할 수밖에 없다. 왜냐하면 그 말들이 낯선 백인의 의식에서 어떤 반향을 일으킬지 모르기 때문이다. 그리고 그가 백인에게 이야기할 때는 그의 목적 자체가 달라진다. 그들을 연루시키고 그들의 책임을 가늠하게 만들고 그들의 의분과 수치심을 자아내야 하는 것이다.

이리하여 라이트의 작품 하나하나는 보들레르를 따라 〈이중(二重)의 동시적 소원(請願)〉[23]이라고 부를 만한 이중성을 지니고 있다. 한마디 한마디의 말이 두 갈래의 문맥에 걸쳐 있다. 모든 문장에 두 가지의 힘이 동시에 작용해서 그의 이야기의 비길 데 없는 긴장감을 자아낸다. 만일 그가 백인 독자만을 상대했다면, 그의 글은 더 장황하고 더 교훈적이고 또한 더 모욕적인 것이 되었으리라. 반대로 흑인 독자만을 겨냥했다면, 더 간략하고 더 공감적(共感的)이고 더 애절했을 것이다. 전자의 경우에는 그의 작품은 풍자 소설에 가까웠을 것이며, 후자의 경우에는 예언적인 비탄(悲嘆)에 가까웠을 것이다. 예레미야는 다

---

22) 사르트르의 이 논리는 프랑스 말을 사용하는 흑인 시인들을 두고 이야기할 때에도 그대로 적용되어 있다. 「검은 오르페우스 Orphée noir」(*Situations III*) 참조.

23) 「모든 사람에게 언제나 두 가지의 동시적 소원이 있다. 하나는 신을 향한 것이며 또 하나는 악마를 향한 것이다」(*Mon cœur mis à nu*, 전집 I, Pléiade, 682쪽). 사르트르는 보들레르가 말하는 소원의 내용을 언급한 것이 아니라, 라이트의 작품에 두 가지의 모순된 지향이 동시에 존재한다는 점을 강조하려고 한 것이다.

만 유태인에게 이야기했을 따름이다. 그러나 분열된 독자를 위해서 쓴 라이트는 그 분열을 간직하는 동시에 넘어설 수가 있었다. 그는 그것을 예술 작품을 창조하는 계기로 삼았던 것이다.

작가는 글을 써서 공동체의 이익에 봉사하려고 결심했다 하더라도, 여전히 소비자이며 생산자는 아니다. 그의 가치는 무상적(無償的)[24]이며, 따라서 그 가치를 금전으로 계측할 수 없다. 그 시장 가치는 임의적으로 정해진 것에 불과하다. 작가는 어떤 시대에는 연금(年金)을 받고, 또 어떤 시대에는 책의 판매액수 중의 일정한 비율의 돈을 받는다. 그러나 구제도(舊制度)하에서 한 편의 시(詩)와 왕실에서 주는 연금 사이에 등가적(等價的) 관련이 없었던 것처럼, 오늘날의 사회에서도 정신적 작품과 일정한 비율로 받는 금전 사이에 그런 관련은 없다. 요컨대 작가는 보수를 받는 것이 아니라, 시대에 따라 혹은 후하게, 혹은 박하게 부양을 받는 것이다. 그것은 그럴 수밖에 없다. 왜냐하면 그의 활동은 〈무용한〉 것이기 때문이다. 작품을 통해서 사회가 그 자신을 의식하게 된다는 것은 결코 〈유용할〉 수가 없고 때로는 〈해로운〉 것이다. 유용성(有用性)은 이미 구성된 사회의 테두리 안에서, 그리고 이미 정해진 제도와 가치와 목적과의 관련하에서 규정되는 것이기 때문이다. 한데, 사회가 자신을 비추어볼 때, 그리고 특히 타자에 의해서 〈보여진다〉는 것을 알 때에는, 바로 그 사실로 말미암아 기존 가치와 체제에 대한 이

24) 무상적 gratuit: 사르트르는 이 말을 자주 쓰고 있다. 그것은 〈이해 관계를 초월하여, 이익에 대한 고려 없이 주어진다〉는 것을 뜻한다.

의(異議)가 제기되는 것이다. 작가는 이처럼 사회에 대해서 그 모습을 보여주고, 자신의 현상(現狀)을 걸머지거나 혹은 그것을 변혁하도록 촉구한다. 아무튼 간에 사회는 달라진다. 그것은 무지(無知)의 덕분으로 유지해 오던 균형을 잃고 수치심과 뻔뻔함 사이에서 동요하고, 자기 기만에 빠져든다. 이렇듯 작가는 사회에 〈불행 의식〉[25]을 준다. 바로 이러한 사실로 말미암아, 작가는 보수적인 세력들과 끊임없는 대립 관계에 있다. 그 세력들은 균형을 유지하려고 하고, 작가는 그것을 깨뜨리려고 하기 때문이다. 이렇듯 직접적인 것의 부정(否定)을 통해서만 이루어지는 매개적(媒介的)인 것으로의 이행은 곧 부단한 혁명이다.

한데, 이토록 비생산적이며 위험한 활동에 보수를 준다는 사치를 부릴 수 있는 것은 오직 지배 계급의 사람들뿐이다. 그리고 그들이 그런 짓을 하는 것은 전술인 동시에 오해에서 비롯된 것이다. 대부분의 경우는 오해이다. 물질적인 걱정에서 벗어난 지배층의 엘리트들은 충분히 자유로워서, 반성적인 자기 인식을 바랄 정도로 되어 있다. 그래서 자신을 되찾기 위해서 작가에게 자신의 모습을 보여달라고 요청하는데, 일단 그 모습이 제시되면, 그것을 스스로 걸머져야 한다는 것을 모르는 것이다. 다른 한편으로 어떤 사람들의 경우에는 작가를 대우하는 것이 전술일 수가 있다. 그들은 작가가 초래하는 위험을 알고는 그의 파괴적인 힘을 통제(統制)하기 위해서 돈을 주는 것이다. 이리하여 작가는 지배 세력인 〈엘리트〉의 기생충이 된다. 그러나 작가는 그 본래의 기능으로 말미암아, 그를 먹여 살리는 사람들의 이해 관계와 대립할 수밖에 없다.[2] 바로 여기에 작가의

---

25) conscience malheureuse: 자기의 처지나 행위가 당당하지 못하다는 자각에서 오는 꺼림칙한 느낌.

조건을 규정하는 근원적인 갈등이 있는 것이다.

이 갈등은 때로는 뚜렷이 나타난다. 일례로 『피가로의 결혼』[26]은 구제도의 조종을 울린 작품이었지만, 그 성공을 가져오게 한 것은 궁정인(宮廷人)들이었다는 것은 지금도 하는 이야기이다. 또 때로는 갈등이 눈에 잘 띄지 않는 수도 있다. 그러나 그것은 항상 존재한다. 왜냐하면 지적한다는 것은 제시하는 것이며, 제시한다는 것은 변화시키는 것이기 때문이다. 그리고 기존의 권익을 해치는 이러한 이의 제기(異議提起)의 행동은 비록 그 역할이 미미하다 해도, 체제의 변혁에 감히 이바지하고, 또 다른 한편으로 피억압 계층(被抑壓階層)은 책을 읽을 여가도 교양도 없기 때문에, 갈등의 객관적 모습은 보수 세력, 즉 현실적 독자와, 진보 세력, 즉 잠재적 독자 사이의 대립으로 나타나는 수가 있다.

계급 없는 사회에서는 그 내적(內的) 구조 자체가 중단 없는 혁명이기 때문에, 작가는 〈만인을 위한〉 매개자이며, 그의 원칙상의 이의 제기는 사실상의 변화에 선행하거나 혹은 수반하게 될 것이다. 내 생각으로는 이것이 〈자기 비판〉이라는 개념에 부여해야 하는 깊은 뜻이다. 그런 사회에서는 현실적 독자가 잠재적 독자의 한계까지 확대되고 그럼으로써 대립하는 여러 경향이 독자의 의식 속에서 화합하며, 완전히 해방된 문학은 건설의 필연적 계기로서의 〈부정성〉이 될 것이다. 그러나 내가 알기로는 이러한 유형의 사회는 지금으로서는 존재하지 않으며, 또한 과연 도래할 수 있을지 의심스럽기조차하다. 따라서 갈등이

26) 보마르셰 Beaumarchais(1732-1799)의 너무나 유명한 이 풍자극은 3년 간이나 상연이 금지되었다가, 대혁명 전야라고 할 수 있는 1784년에야 비로소 무대에 올려졌다.

여전히 존재하고, 그것이 작가와 그의 〈괴로운 마음〉[27] 사이의 드라마라고 내가 부르고 싶은 것의 근원을 이루는 것이다.

이 갈등이 가장 단순한 형태로 나타나는 것은 잠재적 독자가 실질적으로 존재하지 않고, 작가가 특권 계급의 주변(周邊)에 머무르는 대신에 그 계급에 의해서 흡수될 때이다. 이 경우에는 문학은 지배층의 이데올로기와 일치하고, 매개 행위(媒介行爲)[28]는 그 계급의 내부에서 이루어진다. 즉, 이의 제기는 다만 세부 사항에 걸친 것이며, 의심할 여지 없는 원칙의 이름으로 행해진다.

이것이 가령 12세기경의 유럽에서 일어났던 일이다. 성직자(聖職者)[29]는 오직 성직자를 위해서만 글을 썼다. 그러나 정신적인 것과 세속적인 것이 아예 분리되어 있었기 때문에, 그는 마음이 편할 수 있었다. 기독교적 혁명은 정신적인 것의 도래(到來)를 가져왔다. 다시 말해서 부정성, 이의 제기, 초월로서의 정신 그 자체를 가져왔고, 자연의 영역 너머로 자유인들의 〈반자연적인〉 도시(都市)를 끊임없이 건설하려고 했다. 그러나 대상을 넘어서려는 이 보편적인 힘은 우선 그 자체가 대상으로서 받아들여져야 했고, 자연의 끊임없는 부정 그 자체가 먼저 자연으로서 나타나야 했으며, 여러 이데올로기를 부단히 창출하고 그것들을 지양(止揚)해 나가는 능력이 우선 하나의 특정한

27) 괴로운 마음: mauvaise conscience의 번역. 이 말은 자기 자신에 대해서 도덕적 판단을 내릴 때에, 잘못 행동했다고 생각하거나 불만스러운 감정을 스스로 느끼는 것을 뜻한다.

28) médiation: 텍스트에는 méditation(명상)으로 되어 있으나 오식(誤植).

29) 여기에서 말하는 〈성직자〉는 좁은 의미로, 즉 〈승려〉로 이해되어야 한다. 그 당시에는 그들이 곧 지식인이었던 것은 물론이다.

이데올로기로서 구현되어야 했다. 기원(紀元)후 최초의 수세기에 걸쳐서, 정신적인 것은 기독교의 포로가 되었다. 달리 말해서 기독교는 정신적인 것 그 자체가 되었지만, 그것은 〈소외된〉 정신적인 것이었다고 해도 좋다. 정신이 대상으로 되어버린 것이다. 그렇기 때문에 분명히 알 수 있는 일이지만, 정신은 만인에게 공통적이며 늘 다시 시작되는 기도로서 나타나지 않고, 그 대신 무엇보다도 먼저 몇몇 사람들의 전문 분야로서 나타났다.

중세 사회는 정신적인 것을 필요로 했고 그 필요에 응하기 위해서 호선(互選)으로 뽑히는 전문가의 단체를 만들었다. 오늘날 우리는 읽고 쓰는 행위를 인간의 권리로 생각하고, 또 동시에 그것이 구어(口語)와 똑같을 만큼 자연스럽고 자발적인 의사소통의 수단이라고 생각하고 있다. 그렇기 때문에 일자 무식한 농부조차 잠재적인 독자로 취급된다. 그러나 성직자의 시대에는 읽기와 쓰기는 오직 전문가들만이 관여하는 기능이었다. 그 행위는 그 자체를 위해서, 즉 정신의 함양(涵養)으로서 실천된 것이 아니다. 그것은 후일 후마니타스 humanitas라고 부르게 될 그런 넓고 막연한 인문주의에 이르는 것을 목적으로 삼은 것이 아니었다.[30] 그것은 오직 기독교의 이데올로기를 지키고 전달하는 수단일 따름이었다. 읽을 줄 안다는 것은 성전(聖典)과 그 무수한 주석서(註釋書)에 관한 지식을 획득하기에 필요한 도구를 갖게 되었다는 뜻이며, 쓸 줄을 안다는 것은 주석을 달 줄 안다는 것을 의미했다. 오늘날 우리가 어떤 직업을 가지고 있으면, 구태여 목수나 고문서(古文書) 학자로서의 특기를 갖추어야 하겠다고는 바라지 않는 것처럼, 중세의 다른 사람들은 읽고 쓰는

30) 그리스, 라틴의 언어와 문학에 관한 연구 humanitas에 기초를 둔, 16세기의 정신적 탐구의 경향을 가리키는 것이다.

전문적 기능을 터득하기를 바라지 않았다.

귀족들은 정신적인 것을 생산하고 간직하는 일을 성직자에게 맡겼다. 그들 자신은 오늘날의 독자처럼 작가를 지배할 능력이 없었고, 성직자의 도움이 없으면 정통적(正統的)인 신앙과 이단(異端)을 구별하기조차 불가능했다. 그들이 흥분한 것은 오직 교황이 속계의 폭력을 이용했을 때였다. 그럴 때는 약탈과 방화를 일삼았는데, 그것은 그들이 교황을 신뢰하고 약탈의 기회를 결코 놓치지 않으려고 했기 때문이다. 사실인즉, 이데올로기는 궁극적으로는 그들 귀족과 인민을 겨냥한 것이다. 그러나 이데올로기의 전달은 설교를 통해서 구두로 이루어졌고, 또한 교회는 글보다도 더 간결한 언어를 일찍부터 마련하고 있었다. 그것은 이미지의 언어이다. 수도원과 성당의 조각, 그림 유리, 회화, 모자이크 따위가 신(神)과 성사(聖史)의 이야기를 해주었던 것이다. 신앙을 도해(圖解)한다는 이 거창한 기도의 테두리 밖에서, 성직자는 연대기, 철학서, 주석서, 그리고 시(詩)를 썼다. 그들은 그런 글을 동료를 위해서 썼으며, 그 글쓰기는 상급자의 감독하에서 이루어졌다. 그들은 자기의 작품이 대중에게 미칠 효과에 대해서는 관심을 둘 필요가 없었다. 왜냐하면 대중이 그런 작품의 존재조차 모른다는 것은 애초부터 분명한 것이었기 때문이다. 또한 성직자는 약탈하고 배반하는 봉건 귀족들의 양심에 어떤 가책을 주려고 한 것도 아니다. 폭력이란 원래가 무지몽매한 것이니까 말이다.

따라서 그들로서는 자기의 모습을 속계(俗界)에 비추어본다거나, 어느 한편을 선택한다거나, 역사적 체험으로부터 정신적인 것을 건져내도록 꾸준한 노력을 한다는 것은 생각할 수 없는 일이었다. 모든 것이 그 반대였다. 작가는 교회에 속하고, 교회는 변화에 대한 저항으로 그 위신을 보이려는 거대한 정신적 단체였다. 역사와 속계는 한 몸이며, 정신적인 것은 속계와 근본적으로 달랐다. 성직의 목적은 이 구별을 유지하는 것, 다시 말해서 전문적인 단체로서, 속계에 맞서서 자체 유지를 해 나가는 것이었다. 게다가 경제가 매우 분할적(分割的)이고 교통 수단도 매우 드물고 느렸기 때문에, 한 지방에서 전개되는 사건이 인접 지방에는 전혀 영향을 못 미치고, 수도원은 나라가 전란에 휩싸여 있는 동안에도, 마치 『아카르나이 사람』[31]에 나오는 주인공처럼 특별한 평화를 누릴 수 있었다. 이리하여 작가의 사명은 오직 영원한 존재에 대한 관조만에 전념함으로써 자신의 자립성(自立性)을 증명하는 데 있었다. 그는 영원한 것이 존재한다는 것을 끊임없이 내세우고, 그 관조가 자신의 유일한 관심이라는 사실을 통해서 그 존재를 보여주었다.

이 점에서 볼 때, 중세의 작가는 과연 쥘리앵 방다의 이상을 실현해 보인 것이지만, 그것은 어떤 조건하에서 가능했던 것인가? 그것이 실현될 수 있었던 것은, 문학의 정신성이 소외되고, 한 특정한 이데올로기가 승리하고, 봉건적 다원 체제(多元體制)가 성직자의 고립을 가능케 해주고, 거의 전체의 인민이 문맹이며, 작가의 유일한 독자는 다른 작가들의 집단이었기 때문이다. 사고의 자유를 행사하고, 한정된 전문가의 집단을 넘어서는 독자를 위해서 글을 쓰려는 작가가 오직 영원한 가치와 선험적(先驗的) 사상의 내용만을 서술하리라고는 생각할 수 없

---

31) *Akharnes*(B.C. 425): 아리스토파네스의 희극. 10년 간 계속되어 온 펠로폰네소스 전쟁에 지친 아카르나이 지방 출신의 한 농부가 스파르타와 개인적으로 휴전 조약을 맺는다는 이야기를 통해서, 평화에 대한 강렬한 희구를 표현했다.

는 노릇이다. 중세 성직자의 편안한 마음은 문학의 죽음 위에서 꽃피었던 것이다.

그러나 작가가 그러한 행복한 의식을 유지할 수 있는 것은 반드시 그 독자가 전문가의 집단으로 한정되어 있을 경우만은 아니다. 작가들이 특권 계급의 이데올로기에 끼여들고 그것에 완전히 젖어들어, 다른 이데올로기는 생각조차 할 수 없게 되기만 하면 그러기에 충분한 것이다. 그러나 이 경우에는 그들의 기능이 달라진다. 왜냐하면 그들에게 요구되는 것은 어떤 교리(敎理)의 〈수호자〉가 되어달라는 것이 아니라, 다만 그 방해자가 되지 말라는 것이기 때문이다. 작가들이 이미 구성된 이데올로기에 가담하는 이러한 두번째 예로서, 우리는 17세기 프랑스를 골라 생각해 볼 수 있을 것이다.

이 시대에는 작가와 독자의 세속화가 완성되어 가고 있었다. 그 근본적 이유가 된 것은 저작물의 확산력(擴散力)과 그 거창한 성격, 그리고 모든 정신적 작품에 깃들여 있는 자유의 호소력이었음은 틀림없는 일이다. 그러나 교육의 보급, 정신적 권력의 쇠퇴(衰退), 특별히 속계를 겨냥한 새로운 이데올로기들의 출현[32]과 같은 외부적 사정이 이에 박차를 가했다. 하지만 세속화는 반드시 보편화를 의미하는 것은 아니다. 독자는 여전히 엄격하게 제한되어 있었다. 그 독자층을 총칭(總稱)하여 〈사교계〉라고 부르는데, 이 말은 궁정인, 성직자, 법관, 부유한 부르주

32) 특히 물리학을 비롯한 과학과 과학적 사고 방식의 획기적 발전, 그리고 이른바 자유사상가들 libertins에 의한 종교적 권위의 거부를 들 수 있을 것이다.

아로 구성된 한줌의 집단을 가리킨다. 개개인으로 보자면, 이 독자는 〈신사 honnête homme〉라고 불리고, 이른바 〈취미 goût〉라는 명목하에 일종의 검열 기능을 행사했다. 요컨대 그들은 상류 계급의 사람들이며 또 동시에 전문가였다. 그들이 작가를 비판할 수 있는 것은 그들 자신이 글을 쓸 줄 알았기 때문이었다. 코르네유, 파스칼, 데카르트의 독자는 세비녜 부인, 메레 기사, 그리냥 부인, 랑부이예, 생테브르몽[33]이었다.

오늘날에는 독자가 작가에 대해서 수동적인 상태에 있다. 독자는 작가가 사상이나 새로운 예술 형식을 마련해 줄 것을 기다리기만 한다. 그는 사상이 그 안에서 구체화될 그런 불활성(不活性)의 덩어리이다. 그가 작가에게 간여하는 수단은 간접적, 소극적이며, 스스로 의견을 표명한다고는 말할 수 없다. 독자는 다만 책을 사거나 사지 않거나 할 따름이다. 작가와 독자의 관계는 수컷과 암컷의 관계와도 같다. 읽기는 단순한 정보 획득의 수단이 되었고, 쓰기는 의사 전달의 매우 일반적인 수단이 되어 있는 것이다.

그러나 17세기에 있어서는, 글을 쓸 줄 안다는 것은 이미 훌륭하게 쓸 줄 안다는 것을 의미했다. 그것은 하늘이 모든 사람에게 다 같은 글 재주를 베풀어주었기 때문이 아니라, 독자가

---

33) Madame de Sévigné(1626-1696): 재치 있고 섬세한 문체의 서간(書簡) 문학으로 유명하다.

Chevalier de Méré(1607-1684): 이른바 〈신사 honnête homme〉의 전형으로 알려진 문필가. 파스칼과 가까운 사이였다.

Madame de Grignan(1646-1705): Madame de Sévigné의 딸. 모녀간의 편지로 알려져 있다.

Madame de Rambouillet(1588-1665): 자택에 문예 살롱을 열어 많은 지식인들을 모으고, 재색 겸비의 귀부인으로서 일세를 풍미했다.

Saint-Evremond: 37쪽 역주 25) 참조.

비록 엄격한 의미에서 작가와 동일하지는 않다 하더라도, 잠재적 작가로서의 능력을 갖추고 있었기 때문이다. 독자는 기생적(寄生的) 엘리트의 일부를 이루고 있었고, 그들이 보기에 글쓰기의 기술은 직업은 아닐망정 적어도 우월성(優越性)의 징표였다. 그들은 글을 쓸 줄 알기 때문에 읽었다. 조금만 운이 좋았다면, 지금 읽고 있는 책을 자신이 직접 쓸 수도 있었으리라. 독자의 역할은 적극적이었다. 작가는 자기의 정신적 산물을 문자 그대로 독자의 〈심사〉에 내맡기는 것이었다. 그러면 독자는 자기가 적극적으로 지지하는 가치 체계에 따라서 작품을 판단했다. 그 시대에는 낭만주의와 같은 혁명은 상상조차 할 수 없었다. 그런 혁명은 아직 정견(定見)이 없는 대중의 협력이 있어야만 가능한 것이다. 그 경우에는 대중이 모르고 있던 사상이나 감정을 작가가 계시하여, 대중에게 놀람과 충격과 활기를 주고, 또 단단한 신념이 없는 대중은 항용 작가에게 자신을 강간(強姦)하여 수태시켜 달라고 요구하는 것이다.

한데, 17세기에는 신념이 요지부동이었다. 종교적인 이데올로기는 속계(俗界)에서 태어난 정치적 이데올로기와 손을 맞잡았다. 신의 존재에 대해서도 왕권신수설(王權神授說)에 대해서도 공공연히 의문을 제기하는 사람은 아무도 없었다. 〈사교계〉는 그 자체의 언어와 취미와 의식(儀式)을 가지고 있었고, 자기들이 읽는 책에서 그것을 재확인하려고 했다. 사교계는 또한 그 자체의 시간관(時間觀)을 가지고 있었다. 그들이 역사적 사실로서 끊임없이 명상하는 두 가지의 것, 즉 원죄와 속죄는 머나먼 과거에 속한다. 또한 지배층의 명문 대가들이 그 자존심과 특권의 정당성의 근거로 삼는 것도 아득한 과거이다. 신은 지극히 완전한 존재여서 달라질 수 없고, 또 지상(地上)의 이대 세력

(二大勢力)인 교회와 왕권이 오직 그 불변성(不變性)만을 희구하고 있기 때문에, 미래는 아무런 새로운 것도 가져올 수 없다. 이러한 이유로 말미암아, 시간의 적극적 요소는 과거이며, 또한 과거 그 자체는 현상적(現象的)으로 타락한 영원이었다. 현재란 항상 죄악이며, 그나마 현재를 변명할 수 있는 것은 오직 사라진 시대를 되도록 충실하게 반영할 수 있는 경우뿐이었다. 사상은 그 고대성(古代性)이 증명될 때에만 수용할 만한 것이 되고, 예술 작품 역시 고대의 본을 딸 때에만 즐거움을 베풀 수 있었다. 우리는 중세와 마찬가지로 17세기에 있어서도 이러한 이데올로기의 의식적인 수호자로서 행세한 작가들을 찾아볼 수 있다. 교회에 소속하고 오로지 교리의 수호에만 전념하는 대성직자(大聖職者)들은 여전히 있었다. 이와 아울러 속계의 〈호위견(護衛犬)들〉, 즉 절대 왕권의 이데올로기를 마련하고 지키는 데 몰두하는 수사관(修史官), 궁정 시인, 법률가 및 철학자들이 있었다.

그러나 우리는 그들 이외로, 제3의 종류의 작가들이 출현하는 것을 보게 된다. 그들은 완전히 세속적이다. 그들의 대부분은 당대의 종교적, 정치적 이데올로기를 〈받아들이기는〉 하지만, 그렇다고 해서 그런 이데올로기를 증명하거나 보존할 책임이 있다고 생각한 것은 아니다. 그들은 그런 것을 글로 쓰지 않았고, 다만 암암리에 수용했을 뿐이다. 당대의 이데올로기는 우리가 앞서 본 바와 같이 독자와 작가에게 공통적인 전제 조건의 배경 내지는 총체(總體)를 이루는 것인데, 그들의 경우, 이 전제 조건은 작가가 쓴 글을 독자들이 이해하는 데 필수적인 것이다. 이 작가들은 대체로 부르주아지에 속하며, 귀족에게서 돈을 받고 있었다. 그리고 그들은 생산자가 아니라 소비자이고, 또한 귀족들 역시 생산자가 아니라 남들의 노동으로 먹고 사는 사람들이기 때문에, 그들은 기생 계급에 기생하는 존재였다. 그들은 또한 어떤 단체[34]를 이루면서 생활하는 것도 이미 아니었다. 그러나 고도로 통합된 이 사회에서 그들은 일종의 묵시적(默示的)인 동업자 조합을 형성했다. 그리고 왕권은 그들의 기원이 그런 단체에 있고, 또한 글쓰기가 예로부터 성직(聖職)이었다는 것을 끊임없이 상기시키기 위해서, 그중 몇 명을 골라 일종의 상징적인 단체로 편입시켰다. 그것이 다름아닌 한림원(翰林院)[35]이다. 왕의 녹을 받아먹고 엘리트 계층을 독자로 가지고 있는 그들은 오로지 그 한정된 독자들의 요청에 응하는 것만이 관심사였다.

그들은 또한 12세기의 성직자에 못지않을 정도로 마음이 편안했다. 왜냐하면 그 시대에는 현실적 독자와 구별되는 잠재적 독자에 대해서 생각한다는 것이 불가능했기 때문이다. 하기야 라 브뤼에르[36]는 농민에 〈대해서〉 이야기하긴 했지만, 결코 그들〈에게〉 이야기한 것은 아니다. 그가 농민의 참상을 알린 것은 자기가 수용한 이데올로기에 반대되는 논의를 전개하기 위해서가 아니라, 바로 그 이데올로기 자체를 위해서였다. 그런 참상의 존재는 교양 있는 군주(君主)와 선량한 기독교도로서는 수치스러운 일이라는 것이었다. 이렇듯, 민중에 관한 이야기는 민중 자신과는 상관없이 이루어졌다. 글이 민중의 의식화에 도움이 될 수 있다는 것은 상상조차 할 수 없는 일이었다. 그리고

34) collège의 번역. 동업자 조합은 그 대표적인 예이다.

35) Académie française: 루이 13세의 시대인 1634년에 창립되었다.

36) La Bruyère(1645-1696): 『성격론 *Les Caractères*』으로 유명한 문필가. 특히 그 책의 제6장 「재산에 관하여 Des biens de fortune」에서 도시와 농촌의 하층민의 비참한 처지에 대한 주목을 촉구하고 있다.

동질적(同質的)인 독자를 상대로 하기 때문에, 작가의 정신에는 어떠한 모순도 깃들이지 않았다. 작가들의 의식이, 현실적이지만 가증스러운 독자와, 바람직하지만 다다를 수 없는 잠재적 독자 사이에서 분열된다는 일은 있을 수 없었다. 그들은 작가가 이 세상에서 수행해야 할 역할을 자문하지 않았다. 왜냐하면 작가가 자신의 사명에 대해서 스스로 물음을 제기하는 것은 오직 그 사명이 분명히 주어져 있지 않아서, 그것을 스스로 찾아내고 다시 찾아내는 시대에서만 가능한 것이기 때문이다. 바꾸어 말하자면, 작가가 엘리트의 독자층 저 너머로 아직 형체가 잡히지 않은 한 무리의 가능한 독자들을 지각(知覺)하고 그들을 겨냥할지 안 할지를 선택할 때, 그리고 그런 독자를 상대로 삼게 될 경우에는 그들과 자신의 관계를 스스로 결정해야 할 때에만, 그것은 가능한 것이다.[37)]

그러나 17세기의 작가들은 교양 있고 엄격히 한정되고 능동적인 독자, 그들에게 부단한 통제를 가하는 독자를 상대로 했기 때문에 그 기능이 규정되어 있었다. 민중에게는 전혀 알려지지 않은 그들은, 그들을 먹여 살리는 엘리트의 모습을 그려보여 주는 것을 직업으로 삼았다. 그러나 모습을 그려보이는 데는 여러 가지 방법이 있는 법이다. 어떤 초상화들은 그 자체가 항변이 된다. 화가가 국외자(局外者)의 입장에서 정열 없이 그려서, 모델과의 일체의 공감(共感)을 거부할 때에 그런 일이 일어난다. 그러나 한 작가가 그의 현실적 독자의 초상을 오직 항변으로서 그리겠다는 생각을 하기 위해서는, 자기 자신과 그의

37) 사르트르는 이 문제를 제4장에서 자세히 논의한다. 이것은 자신의 출신 계급을 거부하면서도 프롤레타리아의 세계로 들어설 수 없는 부르주아 작가들(사르트르 자신을 포함)의 가장 중요한 문제로 부각되어 있다.

독자 사이의 모순을 이미 의식하고 있어야 한다. 다시 말해서, 작가가 〈외부로부터〉 독자들에게로 다가와서 의아한 눈으로 그들을 바라보거나, 혹은 그 자신과 독자가 함께 구성하고 있는 작은 사회에 대해서 외부의 사람들(가령 소수 민족이나 피압박 계층 따위)의 놀란 시선(視線)이 쏠리고 있는 것을 느껴야 한다. 그러나 17세기에는 잠재적 독자가 존재하지 않고, 작가는 엘리트의 이데올로기를 비판 없이 받아들였기 때문에, 그의 독자와 한통속이 되었다. 그의 작업을 방해하는 어떠한 외부의 시선도 없었다. 산문작가도 또 시인조차도 결코 저주(詛呪)된 존재가 아니었다.[38] 그들은 작품을 쓸 때마다 문학의 의미와 가치를 판단할 필요가 없었다. 왜냐하면 그런 의미와 가치는 전통에 의해서 미리 결정되어 있었기 때문이다. 계급화된 사회에 완전히 편입되어 있었던 그들은 개별적(個別的) 존재로서의 긍지도 고뇌도 몰랐다.

한마디로 해서 그들은 〈고전적〉이었다. 사실인즉, 고전주의의 시대에 있어서는 사회가 비교적 안정된 형태를 갖추고, 그것이 영원무궁하다는 신화가 스며들어 있다. 다시 말해서 그 사회는 현재와 영원을, 역사성과 전통을 혼동한다. 계급 제도가 굳어져 있어서 현실적 독자를 넘어서는 잠재적 독자를 결코 생각할 수 없으며, 모든 독자는 작가에 대해서 유능한 비평가이며 검열관이다. 종교적, 정치적 이데올로기가 매우 공고하고 금제(禁制)가 매우 엄격해서, 새로운 생각의 터전을 발견한다는 것은 도대체 불가능하고, 작가는 엘리트가 받아들인 〈상투적 사상〉을 형식화할 수 있을 따름이다. 따라서 읽기는――그것은

38) 49쪽 원주 **4** 참조.

앞서 살펴본 것처럼 작가와 독자 사이의 구체적 관계인데—— 서로 인사하는 것과 흡사한 상호 인지(相互認知)의 의례이다. 다시 말해서 작가와 독자가 동일한 세계에 속해 있고 모든 것에 대해서 동일한 생각을 가지고 있다는 것을 의식적(儀式的)으로 확인하는 것에 불과하다. 이렇듯 모든 정신적 작품은 동시에 의례적 행위이기도 하며, 문체(文體)라는 것은 작가가 독자에 대해서 보여주는 최고의 예절이다. 그리고 독자로서도 가지각색의 책에서 늘 같은 생각들을 되씹는 데 염증을 느끼지 않았다. 왜냐하면 그 생각들이 바로 자기들의 생각이었고, 그들이 작가에게 바란 것은 새로운 사상을 불어넣어 달라는 것이 아니라, 다만 이미 가지고 있는 사상을 멋있게 표현해 달라는 것뿐이었기 때문이다.

따라서 작가가 독자에게 그려보여 주는 초상화가 추상적이며 동류적(同類的)인 것임은 당연한 이야기이다. 기생적(寄生的)인 계급에게 바치는 그런 초상화는 노동하는 인간도, 또 더욱 일반적으로는 인간과 외적(外的) 자연과의 관련도 보여줄 수 없었다. 다른 한편으로 전문가의 단체들이 교회와 왕권의 통제하에서 정신적, 세속적 이데올로기의 유지를 전담하고 있었기 때문에, 작가는 인간의 형성에 작용하는 경제적, 종교적, 형이상학적, 정치적 요인들의 중요성을 전혀 인식하지 못했다. 또한 그가 사는 사회가 현재와 영원을 혼동하고 있기 때문에, 이른바 인간성의 사소한 변화조차 상상하지 못했다. 역사는 일련의 우발적 사건에 지나지 않고, 그런 것은 영원한 인간에게 피상적인 영향은 줄 수 있을망정, 결코 심층적인 변화를 가져올 수는 없다고 생각했다. 그리고 역사적 지속(持續)에 굳이 무슨 의미를 부여해야 한다 해도, 그것은 동시에 다음의 두 가지 것이었다. 첫째로는 역사는 영원한 반복이어서, 앞서 일어난 일들이 오늘날의 사람들에게 교훈을 줄 수 있고 또 주어야 한다는 것이었다. 이와 동시에 역사는 또한 점진적인 퇴행 과정(退行過程)이어서, 역사상의 중요한 사건들은 이미 오래전에 〈지나갔으며〉, 문학은 이미 고대(古代)에 완벽한 경지에 이르렀기 때문에 그 고대의 규범은 요지부동하다는 생각이었다. 이 모든 점에서도 또한 작가는 그의 독자들과 한통속이었다. 그들은 노동을 저주된 일로 생각하고, 자신의 위치가 특권적이라는 단 한 가지 이유 때문에, 역사와 세계에 있어서의 그 위치를 〈체득(體得)〉하지 못했으며, 신앙, 군주에 대한 존경, 정념, 전쟁, 죽음 그리고 예절만을 관심거리로 삼았던 것이다.

요컨대 고전적 인간의 이미지는 순전히 심리적(心理的)[39]이다. 왜냐하면 고전적 독자는 자신의 심리에 대해서만 의식하고 있었기 때문이다. 그러나 주목해야 할 것은 이 심리학마저도 전통주의적(傳統主義的)이라는 점이다. 그것은 인간의 마음에서 깊고 새로운 진실을 찾아내자는 것은 결코 아니었다. 자기 분열을 느끼고 불만을 품은 작가가 자신의 그런 고뇌에 대해서 설명을 시도하는 것은 불안정한 사회에서, 그리고 독자가 여러 사회적 계층에 걸쳐 있을 때야 가능한 것이다.

17세기의 심리학은 순전히 기술적(記述的)이었다. 그것은 작가의 개인적 체험에 기초를 두고 있었다기보다도, 엘리트가 자기 자신에 대해서 생각하고 있었던 것의 예술적 표현이었다. 라

39) 대체적으로 사르트르는 〈심리적〉이라는 말을 〈실존적〉, 〈역사적〉이라는 말과 대립되는 뜻으로 사용한다. 심리적인 것을 중시하는 사람은 인간에게 어떤 초역사적인 불변의 정신 현상이 내재해 있다고 보는 본질주의자라는 것이 그의 견해이다.

로슈푸코[40]는 그의 『잠언집(箴言集)』의 형식과 내용을 사교계의 담소(談笑)에서 빌려왔다. 제수이트파(派) 수도사들의 결의론(決疑論)[41], 프레시외즈[42]들의 에티켓, 초상화적인 묘사, 니콜[43]의 도덕관(道德觀), 정념에 대한 종교적 개념 따위가 수많은 다른 작품들의 원천이 되어 있었다. 희극은 고대의 심리학에서, 그리고 상류 부르주아지의 조악(粗惡)한 상식에서 착상되었다. 사교계의 사람들은 그런 작품을 거울삼아 제 모습을 비추어보고는 좋아했다. 왜냐하면 자신에 대해서 생각하고 있던 바를 거기에서 알아볼 수 있었기 때문이다. 사교계가 바란 것은 진실한 제 모습을 계시해 주는 것이 아니라, 다만 스스로 제 모습이라고 생각한 것만을 비추어주는 것이었다.

하기야 반드시 풍자를 마다한 것은 아니었다. 그러나 엘리트에 속하는 모든 사람은 도덕의 이름을 빌려, 소책자(小冊子)나 희극을 통해서, 자신의 건강에 필요한 청소나 정화 작업을 실시하자는 것에 지나지 않았다. 비록 우스꽝스런 후작(侯爵)이나 소송인(訴訟人)이나 프레시외즈가 조롱의 대상이 되었다 해도 그것은 지배 계급의 〈권외에〉 위치한 관점에서의 조롱은 결코

---

40) La Rochefoucauld(1613-1680): 그의 『잠언집 *Réflexions ou sentences et maximes morales*』(1665)은 인간의 근원적인 이기주의와 악덕에 대한 비관적 성찰로 가득 차 있다.

41) casuistique(영: casuistry): 선악에 관한 판단을 내리기 어려운 행위에 대해서, 그것을 각각의 경우에 따라 판정하려는 도덕적, 신학적 해석학. 13세기부터 있어왔던 이 해석학은 17세기에 제수이트파에 의해서 널리 적용되었는데, *Provinciales*을 발표한 파스칼을 비롯한 얀센파는 이 경향이 기독교의 본질에 어긋난다고 하여 통렬히 논박했다.

42) Précieuses: 세련되고 가식적(假飾的)인 언행을 숭상했던 17세기 상류 계급의 여성들.

43) Pierre Nicole(1625-1695): 얀센파에 속하는 프랑스의 신학자. 많은 저서 중에서 특히 『도덕론 *Essais de morale*』이 유명하다.

아니었다. 항상 조롱거리가 된 것은 세련된 사회에 동화될 수 없고 그 집단 생활의 테두리 밖에서 사는 괴짜들이었다. 미장트로프[44]가 조롱의 대상이 되는 것은 예절을 모르기 때문이며, 반대로 카토스와 마그드롱[45]은 예절이 지나치기 때문에 조롱당한다. 필라맹트[46]는 여성(女性)에 관한 통념에 역행하는 짓을 한다. 긍지가 있으면서도 겸허하고, 또한 자신의 신분이 위대한 동시에 비천(卑賤)하다는 것을 자각하고 있는 부유한 부르주아지가 보기에는, 신사연(紳士然)하는 부르주아는 꼴사나웠고, 또 이런 부르주아는 귀족의 틈 속으로 뚫고 들어가려고 했기 때문에 진짜 신사들[47]이 보기에도 꼴사나웠다. 이러한 내부적(內部的) 풍자, 비유적으로 말하자면 생리적 풍자는 보마르셰, 쿠리에, 발레스, 셀린[48]의 위대한 풍자와는 아무 관련도 없는 것이다. 한데, 그런 내부적 풍자는 별로 용기 있는 행동이 아니면서

---

44) Misanthrope: 〈인간을 혐오하는 사람〉이라는 뜻. 이 말을 제목으로 삼은 몰리에르의 희곡이 있고, 여기에서는 그 주인공인 알세스트 Alceste를 가리킨다.

45) Cathos, Magdron: 몰리에르의 희곡 『시건방진 숙녀들 *Les Précieuses ridicules*』에 나오는 그야말로 시건방진 여성들.

46) Philaminte: 몰리에르의 『여학자 *Les Femmes savantes*』에 나오는 권위적이며 현학적인 여성.

47) honnête homme: 이 말은 앞서 언급한 것처럼 귀족에 대해서만 사용되었다.

48) Paul-Louis Courier(1772-1825): 자유주의적이며 반교권주의적인 입장에서서, 왕정복고 시대(Restauration, 1814-1830)의 반동적 정치에 대해서 날카로운 비판을 가했다.

Jules Vallès(1832-1885): 소설가, 사회주의자. 특히 3부작 *Jacques Vingtras*를 통해서 민중을 억압하는 부정한 사회를 치열하게 공격했다.

Céline(1894-1961): 소설가. 『밤의 끝으로의 여행 *Le Voyage au bout de la nuit*』을 비롯한 작품들을 통해서 돈과 거짓이 지배하는 현대 사회에 통렬한 풍자와 조소를 던졌다.

도 한결 더 혹독하다. 왜냐하면 그것은 약자와 병자와 적응 불능자에 대해서 집단이 가하는 억압적 행위이기 때문이다. 그것은 말하자면 구박둥이의 어설픈 거동을 보고, 한떼의 악동(惡童)들이 퍼붓는 매정한 웃음소리와도 같은 것이었다.

그 출신과 습성으로 보아 부르주아인 17세기 작가는 그 가정생활에 있어서, 1780년대나 1830년대의 재기 발랄하고 격동적인 작가들[49]을 닮았다기보다도 오롱트나 크리잘[50]과 유사했다. 그러나 그들은 대귀족의 사회에 받아들여지고 그 녹을 얻어먹어서 약간은 자신의 신분(身分) 위로 올라섰지만, 재능이 문벌(門閥)을 대신할 수는 없다는 것을 알고 있었다. 그리고 사제(司祭)들의 훈계에 순종하고, 왕권을 섬기고, 교회와 군주 제도를 두 기둥으로 삼은 거대한 건물에서 조촐한 자리——귀족이나 성직자보다는 낮지만 상인(商人)이나 학자들보다는 높은 그런 자리를 차지한 것을 다행으로 여겼다. 이러한 작가들은 자기가 너무 늦게 태어나서, 말할 만한 것들을 남들이 이미 모두 말해 버렸으니, 그 말을 멋있게 다시 되뇌는 길밖에는 없다고 체념하면서 태평하게 제 직업에 종사했다. 그들은 세습적인 귀족 칭호에 버금가는 영예가 자신들을 기다리고 있다고 생각하고, 그 영예는 영원하리라고 기대했다. 왜냐하면 그들의 독자의 사회

49) 1780년대의 작가로서는 보마르셰가, 1830년대의 작가로서는 스탕달이 여기에 해당될 것이다.

50) Oronte: 몰리에르의 희곡에는 이 이름을 가진 인물이 세 작품에 나온다. 여기에서는 *Monsieur de Pourceaugnac*에 등장하는 권위주의적이며 편협한 아버지를 가리키는 것 같다.

Chrysale: 『여학자』에서 Philaminte의 남편. 산문적이며 답답한 부르주아의 전형이다.

가 사회적 변화로 말미암아 뒤집힐 수 있다는 것은 상상조차 할 수 없는 일이었기 때문이다. 이렇듯 왕실(王室)의 영속성은 자기들의 명성의 영속성을 보장해 주는 것으로 여겨졌던 것이다.

그러나 그들의 뜻에 어긋나다시피한 일이 생겼다. 작가가 그의 독자에게 겸손하게 제시한 거울이 마술을 부린 것이다. 그것은 독자를 사로잡고 끌어들였다. 만족스럽고 공인(公認)된 이미지, 객관적이기보다는 주관적이며, 외적이라기보다는 내적인 이미지만을 독자에게 보여주도록 모든 일이 이루어졌을 터였다. 그러나 이 이미지 역시 하나의 예술 작품이 아닐 수 없다. 다시 말해서 그것은 작가의 자유에 근원을 두고 있으며, 독자의 자유에 대한 호소이다. 그 이미지는 아름답고 냉담한 것이어서, 심미적(審美的) 거리 때문에 독자의 손이 닿을 수 없는 곳에 있다. 그 이미지를 통해서 자기 만족에 젖는다거나 따뜻하고 편안한 느낌을 가져본다거나 혹은 은근한 너그러움을 기대해 보는 것은 불가능한 일이다. 비록 그것이 당시의 통념을 내용으로 삼고 있고, 동시대(同時代)의 사람들을 마치 탯줄처럼 이어주는 상호 영합(相互迎合)의 속삭임으로 이루어져 있기는 하지만, 그것은 또한 자유에 의해서 지탱되고 있으며, 바로 그 이유로 말미암아 다른 종류의 객관성을 띠는 것이다. 엘리트가 그 거울에서 찾아보는 것은 물론 〈그 자신〉이기는 하다. 그러나 극단적으로 엄격한 눈초리로 스스로를 바라볼 때에 나타나는 그 자신의 모습이다. 하기야 그 모습은 타자(他者)의 시선에 의해서 대상으로 응결된 것은 아니다. 엘리트에게는 농민도 장인도 아직 타자가 아니었다. 그리고 17세기 예술의 특징이 되어 있던 반영적(反映的) 제시[51]의 행위는 엄격하게 내적인 과정이었다.

그러나 그 예술은 각자가 제 속을 들여다보려는 노력을 극한까지 밀고 나가게 했다. 그것은 부단한 코기토cogito였다.

하기야 작가는 한가로움도 억압도 기생적 생활도 문제시하지는 않았다. 왜냐하면 지배 계급의 그러한 양상은 오직 그 권외에 위치하는 관찰자에 의해서만 명시(明示)될 수 있는 것이기 때문이다. 그래서 그들에게 제시된 이미지는 엄격히 심리적인 것에 머물렀다. 그러나 자연 발생적인 행위가 반성적 상태로 옮아가면, 그 순수한 성격도 또 무매개적(無媒介的)이라는 구실도 이미 잃고 만다. 그렇게 되면 그 행위를 스스로 떠맡거나 혹은 변화시켜야 하는 법이다. 작가가 독자에게 보여주는 것이 예절과 의식(儀式)의 세계이기는 했지만, 독자는 이제 그 세계의 외부에 위치할 수밖에는 없었다. 왜냐하면 그 세계를 인식하고 그 속에 있는 자신을 객체시하도록 종용되었기 때문이다.

이런 점에서 볼 때, 라신이 『페드르』에 관해서 한 말, 「이 작품에서 정념이 묘사된 것은 그것에서 유래하는 모든 혼란을 보여주기 위한 것이다」라는 말은 옳다.[52] 그러나 그의 발언이 사랑의 끔찍함을 애써 일깨우려 했다는 뜻에서 옳다는 것은 아니다. 정념의 묘사는 이미 그것으로부터의 초월(超越)과 해탈을 의미한다는 점에서 옳은 것이다. 한데, 같은 무렵에 정념에 대

51) 작품에 그려진 초상을, 독자가 자신의 모습의 반영으로 보도록 제시하는 것.

52) Racine, *Phèdre*의 서문. 이 서문은 초연 3개월 후에 첨부된 것이다. 그것을 쓴 동기는, 연극이 부도덕하다는 얀센파의 사람들(특히 그의 스승이었던 니콜)의 규탄에 대해서, 카타르시스라는 차원에서 그 도덕성을 내세워서 변명하기 위한 것이었다. 따라서 그것이 라신의 타협적인 수사인지 혹은 진심의 소산인지에 대해서는 지금도 논란이 있고, 사르트르의 해석이 절대적이라고는 말하기 어려울 것이다.

한 인식을 통해서 그 해탈을 꾀한 철학자들이 있었다는 것은 우연이 아니다.[53] 그리고 정념에 맞서려는 자유의 반성적 실천을 〈도덕〉이라는 이름으로 미화하는 것이 보통이므로, 17세기의 예술은 무엇보다도 〈도덕주의적〉이었다고 말해도 좋으리라. 그것은 예술이 덕을 가르치겠다는 공공연한 목적을 표방했다거나, 또는 착한 의도에 끌려서 보잘것없는 문학을 만들어냈다는 뜻에서 하는 말이 아니다. 그것이 도덕주의적인 이유는, 독자에게 그 자신의 모습을 무언중(無言中)에 제시하고, 그 모습을 견딜 수 없는 것으로 만들어주었다는 점에 있다. 도덕주의적이라는 것은 그런 예술의 정의이자, 한계가 되는 것이기도 하다. 그것은 〈오직〉 도덕주의적이었을 따름이다. 심리적인 것을 도덕적인 것으로 승화시키기를 독자에게 종용한 것은 사실이지만, 종교, 형이상학, 정치, 사회와 관련된 여러 문제를 이미 해결된 것으로만 생각했기 때문이다. 그럼에도 불구하고 그 활동이 〈카톨릭적〉[54]이었음에는 틀림없다. 17세기의 예술은 권력을 장악하고 있는 개별적 인간들을 보편적 인간과 혼동했기 때문에, 어떠한 구체적 범주의 피억압자의 해방에도 힘쓸 수 없었다. 작가는 억압 계급에 완전히 동화되어 있었다. 그러나 결코 그 공범자는 아니었다. 그의 작품은 의심할 여지없이 해방적이었다. 왜냐하면 그것은 억압 계급의 내부에서 인간을 그 자신으로부터 해방시키는 결과를 가져왔기 때문이다.

---

53) 『정념론 *Traité des Passions de l'âme*』(1649)의 저자 데카르트는 물론이지만, 파스칼과 또한 말브랑슈Malebranche(1638-1715)를 함께 생각해 볼 수 있을 것이다.

54) catholique: 〈보편적〉이라는 원래의 뜻을 아이러니컬하게 쓴 것.

우리는 지금까지 작가의 잠재적 독자가 전혀 존재하지 않거나 거의 존재하지 않는 경우, 그리고 현실적 독자를 분열시킬 만한 어떠한 갈등도 없는 경우를 고찰했다. 우리가 살펴본 것처럼 이럴 경우에, 작가는 지배적인 이데올로기를 편안한 마음으로 받아들이고, 바로 그 이데올로기의 내부에서 자유를 위한 호소를 던진다. 그런데 잠재적 독자가 갑작스럽게 나타나거나, 혹은 현실적 독자가 서로 적대하는 파당(派黨)으로 갈리게 된다면, 사정은 달라진다. 그래서 우리는 이제 작가가 지배 계급의 이데올로기를 거부하기에 이르렀을 때, 문학에 어떤 변화가 일어나는지를 살펴보아야 한다.

18세기는 역사상 유례없는 행운의 시대였고, 또 프랑스 작가들에게 있어서는 뒤미처 곧 잃게 된 낙원의 시대였다. 그들의 사회적 조건에는 변함이 없었다. 약간의 예외가 있긴 했지만, 부르주아 계급 출신인 그들은 대귀족의 총애를 받아 자신의 신분에서 벗어날 수 있었다. 부르주아지가 책을 읽기 시작했기 때문에, 그들의 현실적 독자의 테두리가 상당히 넓어지긴 했지만, 〈하층〉 계급의 사람들은 여전히 그들 작가의 존재를 모르고 있었다. 그래서 그들이 라 브뤼예르나 펜롱[55]에 비해서 더 자주 하층 계급에 대해서 언급했다 해도, 마음속에서조차 그 사람들을 상대로 이야기한 것은 아니다. 그러나 심각한 변동이 생겨서 독자층은 둘로 갈라지고 말았다. 따라서 이제는 그 양쪽의 서로

---

55) Fénelon(1651-1715): 성직자, 사상가, 소설가. 루이 14세의 정치를 우의적으로 비판한 『텔레마크의 모험 *Aventures de Télémaque*』(1699)은 프랑스 고전 문학의 걸작의 하나이다. 시민으로서의 공덕(公德)을 강조하면서 이상 사회를 생각하기도 했다.

모순되는 요청(要請)에 응해야만 하게 된 것이다. 이것이 18세기 작가들의 상황을 처음부터 특징지은 〈긴장〉이다.

한데, 이 긴장은 매우 특수한 양상으로 나타났다. 지배 계급은 사실상 그 이데올로기에 대한 자신(自信)을 잃고, 방어적 입장으로 몰렸다. 그들은 새로운 사상의 확산을 늦추려고 어느 정도 애썼으나, 자기들 자신이 새로운 사상에 물드는 것을 어찌할 수 없었다. 그들은 종래의 종교적, 정치적 원칙이 권력을 유지하기 위한 가장 좋은 도구라는 것을 알았지만, 바로 그 원칙을 오직 도구로만 보았기 때문에, 그것을 이미 전적으로 숭상하지는 않았다. 〈실용적〉 진리가 계시(啓示)의 진리 대신에 들어앉게 된 것이다. 검열과 금령(禁令)이 거세졌지만, 그런 가혹한 조치는 내적 약점과 절망에서 비롯된 뻔뻔함을 은폐하기 위한 것이었다. 이미 〈성직자〉는 없었다. 교회 문학은 새어나가는 교리(敎理)를 움켜쥐어 보려는 공허한 호교론(護敎論)에 불과했다. 그것은 자유에 대항하고, 존경과 공포와 이해 관계에만 호소했는데, 이렇듯 자유로운 인간에 대한 호소가 아니게 됨으로써, 이미 문학이 아니게 된 것이다. 그래서 방황하는 엘리트는 진정한 작가 쪽으로 몸을 돌리고 불가능한 부탁을 했다. 굳이 원한다면 자기들에 대해서 준엄한 발언을 해도 좋겠지만, 시들어가는 이데올로기에 다소나마 활력을 불어넣어 달라는 것, 그리고 독자의 이성(理性)에 호소하여, 날이 갈수록 불합리하게 된 교리를 받아들이도록 설득해 달라는 것이었다. 요컨대 작가이기를 멈추지 않으면서도 선전원이 되어달라는 부탁이었다.

그러나 지배 계급의 그런 작전은 처음부터 실패할 수밖에 없는 것이었다. 그들의 원칙은 무매개적(無媒介的)이며 초논리적(超論理的)인 〈자명한 것〉이 이미 아니었기 때문에, 다시 말해서 작가에게 원칙의 옹호를 부탁하려면, 우선 그것을 〈제안〉해야 했기 때문에, 또한 원칙을 살려내야 하는 것은 원칙 자체를 위해서가 아니라 질서를 유지하기 위해서였기 때문에, 그들은 원칙을 재건하도록 애쓴다는 바로 그 사실로 말미암아 원칙의 정당성을 스스로 부인하게 된 것이다. 이러한 흔들흔들한 이데올로기를 다시 굳히기에 동의(同意)하는 작가는 적어도 그 이데올로기에 의식적으로 〈동의〉한 것이다. 그리고 지난날에는 부지중(不知中)에 지배했던 원칙에 이렇듯 의식적으로 찬동하기 때문에, 작가는 그것으로부터 풀려나는 것이다. 그는 이미 그 원칙들을 넘어서고, 비록 본의가 아니더라도 고독과 자유의 터전으로 들어서는 것이다.

다른 한편으로 마르크스주의의 용어를 빌리자면, 〈상승 계급〉을 이루고 있던 부르주아지는 그들에게 강요된 이데올로기에서 벗어나는 동시에, 자기들 고유의 이데올로기를 구축(構築)하기를 바랐다. 한데, 머지않아 국정(國政)에 참여하기를 요구하게 될 이 〈상승 계급〉은 이제는 다만 〈정치적인〉 차원에서만 억압받고 있을 따름이었다. 그들은 쇠퇴한 귀족의 면전에서 경제적 우위를 조용히 차지해 가고 있었다. 그들은 벌써 금전과 교양과 여가를 향유(享有)하게 되었다. 이렇듯 역사상 처음으로 피압박 계급이 작가 앞에 현실적 독자로서 나타나게 된 것이다.

한데, 사정은 작가에게 있어서 한결 유리한 것이었다. 왜냐하면 깨어나고 책을 읽게 되고 생각을 하게 된 이 상승 계급은, 중세의 교회가 그러했듯이 그 자신의 이데올로기를 분비(分泌)할 만한 조직화된 혁명 정당을 산출하지 못했기 때문이다. 18세기의 작가는, 우리가 살펴보게 될 후일(後日)의 작가들처럼, 하강 계급(下降階級)의 청산되어 가는 이데올로기와 상승 계급의 엄연한 이데올로기의 사이에 끼여 난처해하는 일[56]은 없었다. 부르주아지는 〈광명〉을 바라고 있었다. 그들은 자기들의 생각이 소외되어 있다는 것을 어렴풋이 느끼고 자아 의식(自我意識)을 갖추기를 바랐다. 그래서 그들의 내부에서 유물론자의 단체나 사상적인 단체나 비밀 결사와 같은 조직체의 몇몇 흔적을 찾아보는 것은 아마도 가능할지 모른다. 그러나 그런 것들은 스스로 사상을 산출한다기보다는 사상을 기다리고 있던 연구단체(硏究團體)들이었다, 또한 대중적이며 자연발생적인 형식의 글들, 가령 익명의 비밀 책자 같은 것이 유포되기도 했다. 그러나 이러한 아마추어 문학은 직업 작가와의 경쟁을 겨냥한 것이라기보다도, 자신들의 집단의 불분명한 갈망을 작가에게 알려서 그를 자극하고 움직이려는 것이었다. 이리하여 준(準) 전문가로 구성된 독자들――아직은 간신히 명맥을 유지하고, 궁정(宮廷)과 사회의 상위층에서 충원이 되는 그런 독자들에 맞서서, 이제 부르주아지가 대중적 독자로서의 윤곽을 드러내 보인 것이다. 그들은 문학에 대해서 비교적 수동적인 상태에 있었다. 왜냐하면 그들 자신은 글쓰기라는 기술을 몸소 실천하지는 않았고, 문체나 문학의 장르에 대해서 어떤 선입견(先入見)도 품고 있지 않았으며, 재능 있는 작가가 내용과 형식을 통틀어 모든 것을 베풀어주기만을 기대하고 있었기 때문이다.

지배 계급과 부르주아지의 쌍방에 끌리게 된 작가는 적대(敵

56) 19세기 후반기의 작가들의 경우를 두고 하는 말이다. 사르트르는 여기에서 부르주아지를 하강 계급, 프롤레타리아를 상승 계급으로 보는 마르크스주의의 역사관에 의존하고 있다. 〈엄밀한 이데올로기〉라는 표현은 마르크스주의를 가리킨다.

對)하는 두 진영의 독자 사이에서, 그들의 갈등의 중재자와 같은 위치에 서게 되었다. 작가는 이미 성직자가 아니었다. 지배 계급만이 그를 먹여 살린 것은 이미 아니었다. 하기야 지배 계급이 아직도 녹을 주었으나, 부르주아지도 역시 책을 사 보았기 때문에, 양쪽에서 돈을 벌었다. 물론 작가의 아버지도 부르주아이며, 그 자식도 부르주아로 머무를 터였다. 따라서 작가는 다른 사람보다 재수가 있긴 했지만 그 역시 억압된 부르주아이며, 다만 역사적 상황의 압력으로 말미암아 자기의 처지를 자각(自覺)하게 된 부르주아라고 생각할 수 있을지 모른다. 요컨대 그는 부르주아지 전체가 자기 자신과 자기의 요구를 의식화할 수 있게 해주는 계급 내적(階級內的)인 거울이라고 생각할 수 있을지 모른다. 그러나 이런 견해는 필경 피상적인 것에 불과하다. 왜냐하면, 충분히 주목하지 않기가 쉽지만, 한 계급이 계급 의식을 갖추게 되는 것은 오직 내부와 외부에서 동시에 자기 자신을 바라볼 때, 달리 말하면 외부로부터의 도움을 받을 때이기 때문이다. 한데, 이 역할을 하는 것이 영구한 계급 이탈자(離脫者)인 지식인이다.

18세기 작가의 본질적인 성격은 바로 객관적인 동시에 주관적인 계급 이탈(階級離脫)[57]에 있었다. 그는 아직도 부르주아지와의 연줄을 기억하고 있지만, 대귀족의 호의에 힘입어 본래의 환경에서 벗어나게 되었다. 그에게는 특권이 있어서, 특권 없는 사촌인 변호사나 형제지간인 시골의 본당 신부와는 구체적인 연대성을 느끼지 못한다. 행동거지와 심지어 우아한 문체까지도 궁정이나 귀족에게서 본뜬 것이었다. 그의 가장 절실한 소

57) 자기가 속하는 계급에서 스스로 벗어났다고 생각하는 점에서 주관적, 또한 사실상 그런 처지가 되었다는 점에서 객관적이다.

원이며 그를 거룩한 존재로 만들어줄 〈영예(榮譽)〉라는 개념도 희미하고 애매한 것이 되어버렸다. 영예에 대한 새로운 생각이 싹텄기 때문이다. 이제는 작가의 진정한 보람은 부르주에 사는 무명(無名)의 의사나 랭스[58]의 보잘것없는 변호사가 거의 남모르게 자기의 책을 읽어주는 것이었다.

그러나 잘 알지도 못하는 이런 독자들의 평가가 확산된다고 해도, 그것은 작가에게 큰 감동을 주지는 못했다. 왜냐하면 그는 다른 한편으로는 명성에 대한 전통적 개념을 선배들로부터 이어받았는데, 그것에 따르면 작가의 재능의 축성(祝聖)은 군주의 손에 달려 있었기 때문이다. 그의 성공의 분명한 징표는 가령 에카테리나 여왕이나 프리드리히 대왕이 그들의 식탁에 초대해 주는 것이었다.[59] 작가에게 고위층(高位層)이 베푸는 보상이나 위엄 있는 직함은 오늘날의 국가가 주는 상이나 훈장처럼 공식적이며 비인격적(非人格的)인 성질을 띤 것이 아니었다. 그것은 인간과 인간 사이의 거의 봉건적인 특징을 간직하고 있었다. 그리고 특히 작가는 생산자의 사회에서 영원한 소비자이며, 기생 계급에 기생하는 존재였기 때문에, 돈에 대해서도 기생자(寄生者)답게 행세했다. 그의 일과 보수 사이에는 어떤 공통적인 척도(尺度)가 없으니까, 그는 돈을 〈버는〉 것이 아니라 〈쓰기〉만 했다. 따라서 비록 가난뱅이라도 사치스럽게 살았다. 작가에게는 모든 것이 사치였다. 그의 글까지도, 아니 무엇보다도 그의 글이 특히 사치였다. 그러면서도 작가는 심지어 왕의

58) Bourges, Reims: 지방 도시의 예로 든 것.

59) 디드로Diderot는 1773년 러시아의 여왕 Ekaterina 2세의 초청으로 그 궁전에 5개월 간 체재했고, 볼테르는 프로이센의 Friedrich 대왕의 곁에 3년 간(1750–1753) 머물렀다.

내실(內室)에서마저도, 그 거친 힘과 대단한 저속성(低俗性)을 그대로 보여주었다. 디드로는 철학의 이야기를 하다가 흥분한 나머지, 에카테리나 여왕의 넓적다리를 피가 나도록 꼬집은 일이 있었다. 그리고 이런 짓이 도를 지나치면, 권세가들은 작가란 한낱 상놈에 불과하다는 것을 느끼게 해주는 경우도 있었다. 가령 곤장을 맞고, 감옥에 갇히고, 런던으로 달아나고, 프리드리히 대왕의 무례한 처사를 겪은 볼테르의 일생은 승리와 굴욕의 연속이었다. 작가는 때로는 후작 부인의 일시적인 총애를 누리기도 하지만, 결혼 상대는 기껏해야 그 하녀이거나 석공(石工)의 딸이었다. 그렇기 때문에 그의 독자와 마찬가지로 그의 의식도 양분될 수밖에 없었다. 그렇지만 그 분열을 괴로워하기는커녕, 그 근원적인 모순이 자랑스러웠다. 그 누구에게도 묶여 있지 않고, 친구와 적(敵)을 마음대로 고를 수 있고, 붓만 들면 주위 환경과 국민과 계급의 조건에서 벗어날 수 있다고 생각했던 것이다.

이렇듯 작가는 허공을 날고 솟아오르고, 순수한 사상과 순수한 시선 그 자체가 되었다. 그는 글쓰기를 선택함으로써 실현시킨 계급 이탈을 사실로서 받아들이고 그것을 고독으로 전환시켰다. 그는 귀족들을 외부로부터, 즉 부르주아의 눈으로 바라보고, 역으로 부르주아 역시 외부로부터, 즉 귀족의 눈으로 바라보았다. 그리고 양자(兩者)에 깊이 연루(連累)되어 있어서, 양자를 다 같이 이해할 수 있었다. 바로 그런 이유 때문에, 과거에는 통합된 사회에서 보수적이며 정화적(淨化的)인 기능만을 담당해 오던 문학이 이제 작가의 내부에서, 또 작가를 통해서 자립성을 의식하게 되었다. 문학은 유례없는 행운을 만나, 작가가 부르주아지와 교회와 궁정 사이에 걸쳐 있듯이, 상승 계급의 어렴풋한 소망과 무너져가는 이데올로기의 사이에 위치하게 되어, 갑작스럽게 그 독립성을 주장하기에 이른 것이다. 이제 문학은 한 집단의 통념을 반영하는 것이 아니라, 〈정신〉을 자처(自處)하여, 사상을 형성하고 비판하는 영구한 힘이 되었다.

물론 문학의 이러한 자체적인 복권(復權)은, 문학 작품이 아직도 어떤 계급의 구체적 표현이 못 된 점으로 보아 추상적이었으며, 또 순전히 형식적이었다고 해도 과언이 아니다. 그리고 작가가 애당초 그를 맞아들인 사회뿐만 아니라 자신의 출신 계급과도 일체의 깊은 연대 관계를 거절했기 때문에, 문학은 〈부정성〉, 즉 의심, 거부, 비판, 이의 제기와 혼동되었다고까지 말할 수 있다. 그러나 또한 바로 그런 점에서, 문학은 교회의 경직된 정신성(精神性)에 대항하여, 역동하는 새로운 정신성──어떤 이데올로기와도 혼동될 수 없고, 모든 기존의 여건(與件)을 부단히 넘어서는 힘으로서 나타나는 그런 정신성의 권리를 내세우기에 이르렀다. 문학이 매우 기독교적인 군주제(君主制)의 궁궐 속에 편히 들어앉아서 훌륭한 모델을 모방하고만 있었을 때에는, 진리의 문제를 두고 고민할 필요는 없었다. 왜냐하면 그 시대의 진리란 문학의 모태(母胎)가 된 이데올로기의 매우 거칠고 구체적인 한 성질에 지나지 않았기 때문이다. 〈진실하다〉는 것과 그냥 〈있다〉는 것은 교회의 교리로서는 완전히 같은 것이었고, 그 체계를 떠나서 따로 있는 진리란 생각할 수도 없는 것이었다. 그러나 이제는 정신성이 추상적인 움직임──무릇 이데올로기를 가로지르고, 그것들을 마치 빈 조개 껍질처럼 도중에 내버리고 가는 그런 움직임이 되었다. 한데, 이런 시대이니만큼, 진리 역시 모든 구체적이며 특정한 철학에서 벗어나 추상적인 독립성을 띠고 나타나서, 문학의 지도 이념(指

導理念)이 되고 그 비판 운동의 종국적 목표가 된 것이다. 정신성, 문학, 진리——이 세 가지 개념은 의식화의 추상적이며 부정적인 계기(契機)를 통해서 서로 연결되었다. 그리고 그 도구는 분석이라는 부정적이며 비판적인 방법이었는데, 그것은 구체적인 여건을 추상적인 요소로, 그리고 역사의 산물을 보편적 개념들의 결합으로 끊임없이 분해(分解)시켰다.[60]

젊은이가 글을 쓰기로 선택한 것은 그가 괴로워하는 억압과 그를 부끄럽게 만드는 출신 계급과의 연대성(連帶性)에서 벗어나기 위해서였다. 몇 마디의 말을 적기 시작하자, 그는 자기의 성장 환경과 계급에서, 아니 모든 환경과 계급에서 벗어나고, 역사적 상황을 반성적, 비판적으로 인식한다는 단 한 가지 사실로 말미암아, 그 상황을 돌파할 수 있다고 믿었다. 저마다의 편견 때문에 특정한 시대에 갇힌 귀족과 부르주아지의 갈등을 넘어서서, 그는 붓을 들자마자, 자기가 시간과 장소를 초월한 의식체라고, 요컨대 〈보편적 인간〉이라고 생각했다. 그리고 그에게 해방을 가져다주는 문학은 추상적 기능이며 인간성의 〈선험적인〉 힘이었다. 그것은 매순간마다 인간이 역사로부터 자신을 해방시키는 움직임, 한마디로 해서 자유의 행사(行使)였다.

17세기에는 글쓰기를 선택한다는 것은 하나의 한정된 직업——그 자체의 비결(秘訣)과 규칙과 관행과 그 세계 내에서의 일정한 서열을 지닌 그런 직업을 갖는다는 것을 의미했다. 그러나 18세기가 되면, 이러한 틀은 무너지고 모든 것이 새로 시작되었

60) 가령 다음과 같은 분석 방법이 그렇다. 「세 가지의 것이 인간의 정신에 끊임없이 작용한다. 풍토, 정체(政體), 종교가 그것이다. 이것이 이 세상의 수수께끼를 설명하는 유일한 방법이다」(Voltaire, *L'Essai sur les mœurs*)

다. 정신의 작품은, 성공의 정도에는 차이가 있겠으나, 모두들 이미 정해진 규범에 따라 제작(製作)되는 것이 이미 아니라, 그 하나하나가 개별적인 발명이며, 문예(文藝) Belles-Lettres[61]의 본질과 가치와 중요성에 관한 작가의 결심을 나타내는 것이라고 할 만했다. 작가는 저마다 자신의 규칙과 원리를 마련하고, 또 그것에 따라서 자기의 작품이 판단되기를 바랐다. 작가마다 문학 전체를 참여시키고, 문학의 새로운 길을 개척하려고 나섰다. 이런 점에서 보아, 그 시대의 최악(最惡)의 작품은 바로 전통을 고수하려는 작품이었다는 것은 우연이 아니다. 가령 비극과 서사시(敍事詩)는 통합된 사회에서 맺은 아름다운 열매였는데, 분열된 사회에서는 그런 장르는 유물이나 모작(模作)으로서만 잔존할 수 있을 따름이었다.

18세기의 작가가 그들의 작품을 통해서 부단히 주장한 것은 역사에 대해서 반(反)역사적인 이성(理性)을 행사하는 권리였는데, 바로 이 점에서 추상적 문학의 본질적인 요청을 드러낸 것이라고 말할 수 있다. 작가의 관심은 독자들에게 더 분명한 계급 의식을 고취시키는 데 있지 않았다. 도리어 정반대로 그가 부르주아 독자에게 던진 호소는 굴욕과 편견과 두려움을 잊어

---

61) Belles-Lettres: 미술의 뜻인 Beaux-Arts을 본따서 만들어진 이 말에 대한 설명은 구구하다. 더구나 그것이 문학 littérature과 어떻게 다른 뜻을 지니느냐 하는 것은 더 어려운 문제이다. 일반적으로는 〈특히 심미적(審美的)인 견지에서 생각된 개개의 문학 작품들〉이라고 이해되고 있는 듯하지만, 18세기에는 그 외연이 한결 넓어서 〈심미적 목적으로 쓰이거나 혹은 그런 각도에서 고찰된 웅변, 시, 산문, 문법, 역사 서술 따위의 글〉을 지칭했다. 그러나 문맥으로 보아 사르트르는 여기에서는 전자의 뜻에서 이 말을 사용하고 있는 것으로 생각된다.

버리라는 것이었다. 그리고 귀족 계급의 독자에 대해서는 그 계급적 오만과 특권을 벗어던지기를 호소했다. 작가는 스스로 보편적 인간으로 자처(自處)했으므로 보편적 독자를 가질 수밖에 없었고, 그가 동시대인의 자유에 대해서 요청한 것은 역사적인 연줄을 끊고, 보편성 속으로 합류(合流)하라는 것이었다.

그렇다면 작가가 구체적 억압에 대해서 추상적 자유를 내세우고, 역사에 대해서 이성을 내세웠으면서도, 다름아닌 역사적 발전의 방향으로 나갈 수 있었던 기적(奇蹟)은 어디에서 유래한 것인가? 우선 그 이유로 지적할 수 있는 것은 부르주아지가 사용한 독특한 전술──1830년과 1848년에도 재차(再次) 사용한 그러한 전술이다.[62] 그들은 권력을 장악하기 직전에, 아직도 권력을 요구할 상태에 있지 않았던 피억압 계급과 제휴(提携)했던 것이다. 한데, 그토록 서로 다른 사회 집단을 결속시키는 고리는 매우 일반적이고 추상적인 것이 될 수밖에는 없었다. 그래서 부르주아지는 분명한 자기의식화(自己意識化)를 바라지 않았다. 만일 그러면, 수공업 노동자나 농민의 반발을 살 우려가 있었기 때문이다. 그보다는 그들이 바란 것은 반대 운동의 지도자로서의 권리를 인정받는 것이었다. 왜냐하면 보편적인 인간성의 주장을 기존(旣存)의 권력자에게 인식시키는 데는, 자기들이 더 유리한 입장에 있었으니까 말이다.

다른 한편으로 그 시대에 태동하던 혁명은 〈정치적인〉 것이

62) 1830년 7월 혁명의 과정에서, 노동자들의 반란을 부르주아지가 이용하고 흡수하여, 루이 필립의 이른바 7월 왕조의 치세(治世)를 가져오게 한 일과 1848년 2월 혁명에 의해서 제2공화국이 수립되었으나, 노동 계급의 이익을 대변한 사회주의의 세력을 진압하고 포섭해 나간 것을 말한다. 이 두 시기에 있어서는 부르주아지는 노동자를 억압하기 위하여 보편적 이성의 이름을 빌렸다는 것이 사르트르의 견해이다.

었다. 그럼에도 불구하고, 혁명적 이데올로기도 조직된 정당도 없었기 때문에, 부르주아지는 누군가가 그들을 계몽해 주고, 수세기(數世紀)에 걸쳐 기만과 소외의 도구가 되어온 기존의 이데올로기를 하루 빨리 청산해 주기를 바라고 있었다. 그런 이데올로기를 대신할 새로운 이데올로기를 만드는 것은 후일의 일이었다. 지금으로서는 다만 정치적 권력을 차지하기 위한 한 단계로서 언론(言論)의 자유가 아쉬웠다. 따라서 작가가 〈그 자신을 위해서〉 그리고 또 〈작가로서〉 사상과 사상 표현의 자유를 주장한다는 것은 필연적으로 부르주아 계급의 이익을 위해서 봉사하는 것이 되었다. 부르주아지가 요구한 것은 그 이상의 것이 아니고, 또 작가 역시 그 이상의 일을 할 수도 없었다. 앞으로 우리가 살펴보게 되겠지만, 어떤 다른 시대에 있어서는 작가가 글쓰기의 자유를 요구하면서도 마음이 편안하지 않은 일이 있다. 그는 피압박 계급(被壓迫階級)이 그런 자유와는 전혀 다른 것을 바라고 있다는 것을 자각할 수 있기 때문이다. 그럴 경우에는, 생각하는 자유는 특권으로 나타나고, 어떤 사람들의 눈에는 억압의 수단으로 보이게 될 것이다. 그러면 작가의 입장은 유지될 수 없는 것이 된다.[63] 그러나 프랑스 혁명의 전야(前夜)에는, 작가는 자신의 직업을 지켜 나가기만 하면 그것이 곧 상승 계급의 소원을 위한 길잡이의 구실을 했다는 매우 예외적인 행운을 누렸던 것이다.

작가는 그 사실을 알고 있었다. 그는 길잡이로서, 그리고 정

---

63) 사르트르는 제4장에서 이 괴리를 해결하는 데 가장 큰 관심을 기울이고 있다. 그는 문학의 운명과 노동자의 운명을, 문학의 자립성과 노동자의 해방을 융합시키려고 애쓴다(332-335쪽 참조).

신적 지도자로서 자처했다. 그리고 그런 역할이 가져오는 위험을 스스로 감당했다. 권력을 장악하고 있던 엘리트가 더욱더 신경이 날카로워져서, 어느 날은 작가에게 호의를 쏟는가 하면 이튿날에는 그를 투옥(投獄)하는 변덕을 부리기 때문에,[64] 작가는 그의 선배들처럼 안정성과 자랑스러운 범용성(凡庸性)을 누릴 수가 없었다. 영광과 역경(逆境)이 교차하는 그의 인생, 햇빛이 눈부신 산정에 오르는가 하면, 아찔한 낭떠러지로 떨어지기도 하는 그런 인생은 모험가의 인생이었다. 나는 어느 날 블래즈 상드라르[65]가 『럼주(酒)』에 붙인 헌사(獻辭)를 읽은 일이 있다. 그것은 「문학에 지친 오늘날의 젊은이들에게, 소설 역시 하나의 행동이 될 수 있다는 것을 증명해 주기 위하여」라고 되어 있는데, 그 글을 읽은 나는 이렇게 생각했다. 18세기에는 자명했던 일을 오늘날에는 굳이 증명해야 한다니, 우리는 진정 불행하고 죄(罪)진 사람들이라고. 그 시대에는 정신의 작품은 사회적 변혁의 원동력이 될 사상을 산출하고 또한 그 작가에게 위험을 초래(招來)했기 때문에, 이중의 의미에서 행동이었다. 그리고 그 책이 어떤 것이건 간에 이 행동은 〈해방적〉이었다.

하기야 17세기에도 문학에는 해방적인 기능이 있긴 했지만, 그 기능은 베일에 가린 암시적인 것이었다. 그 반면에 백과전서파(百科全書派)의 시대에 있어서는, 〈신사들〉의 정념(情念)을 가차없이 비쳐보여 줌으로써 그 정념으로부터의 해방을 촉구하는 것이 문제가 아니라, 글쓰기로써 다름아닌 인간 그 자체의 정치적 해방에 공헌하자는 것이었다. 따라서 작가가 부르주아 독

---

64) 가령 앞에서 언급한 볼테르의 경우처럼(142쪽 참조).

65) Blaise Cendrars(1887-1961): 시인, 소설가. 파란만장의 기괴하고 격정적인 모험의 이야기들을 통해서 삶의 뜻을 재발견하려는 시도를 보여준다.

자에게 던지는 호소는 그 자신이 원하건 원하지 않건 간에 반항의 촉구였고, 다른 한편으로 그가 동시에 지배 계급에게 던지는 호소는 명철한 사고 방식과 비판적인 자아 검증(自我檢證)과 특권의 포기의 촉구였다. 이 점에서 루소Rousseau의 조건은, 유식한 흑인과 함께 백인을 상대로 글을 쓴 리처드 라이트의 조건과 매우 흡사하다. 루소는 귀족에 대해서는 〈증언〉을 하고, 이와 동시에 평민(平民)인 형제에 대해서는 자기의식화를 하도록 종용(慫慂)했기 때문이다. 그의 글과 디드로 및 콩도르세[66]의 글이 이미 오래전부터 준비한 것은 비단 바스티유의 탈취(奪取)뿐만 아니라 또한 8월 4일의 밤[67]이었다.

그리고 작가는 자신의 출신 계급과의 연줄을 끊었다고 생각했기 때문에, 또한 보편적 인간성이라는 드높은 차원에서 독자에게 말했기 때문에, 그들에게 던지는 호소와 그들의 불행을 함께 나누려는 참여는 순전히 고매(高邁)한 마음에서 비롯된 것이라고 스스로 생각했다. 글을 쓴다는 것은 준다는 것이다. 그 행위를 통해서 작가는 노동하는 사회의 기생자라는 받아들일 수 없는 상황을 스스로 걸머져서 극복하고, 또한 문학 창조의 특징을 이루는 절대적 자유, 즉 무상성(無償性)을 의식화했다. 이렇듯 그는 보편적 인간과, 인간성이 지닌 추상적 권리를 끊

66) Condorcet(1743-1794): 수학자, 철학자, 정치가. 대혁명 때에 지롱드당에 동조하여, 자코뱅 정부로부터 사형 선고를 받았다. 감옥 생활중에 쓴 『인간 정신의 진보에 관한 역사적 소묘 *Esquisse d'un tableau historique du progrès de l'esprit humain*』에서, 과학의 무한한 진보와 훌륭한 교육을 통한 인류의 밝은 미래를 내다보았다.

67) 1789년 7월 14일 바스티유 감옥의 탈취가 있은 지 20일 후인 그날 밤, 제헌의회 Assemblée constituante는 귀족의 특권을 법적으로 폐지했다.

임없이 안중(眼中)에 두고 있었다. 그러나 그렇다고 해서 방다가 말한 바와 같은 성직자가 곧 그 시대의 작가의 모습이었다고 생각해서는 안 된다. 작가의 입장은 본시 〈비판적〉이었으니까, 당연히 비판할 〈그 무엇〉을 가지고 있어야 했기 때문이다. 그리고 그의 비판의 대상으로 우선 떠오른 것은 제도와 미신과 전통과 전통적 정권(政權)의 행위였다.

달리 말하자면, 17세기 이데올로기라는 건물을 지탱해 주던 영원(永遠)과 과거라는 시간의 벽돌이 금가고 무너짐에 따라, 작가는 새로운 차원의 시간성, 즉 〈현재〉를 그 순수한 상태에서 지각하게 된 것이다. 지난 여러 세기 동안 때로는 〈영원〉의 감각적 구상화(具象化)로서만, 또 때로는 〈고대〉의 타락한 발산물(發散物)로서만 생각되어 오던 그 현재말이다. 〈미래〉로 말하자면, 작가는 아직도 막연한 생각밖에는 가지고 있지 않았다. 그러나 그가 살고 있고 앞으로 내달리는 이 현재라는 시간만큼은 독특한 것이며 자신의 시간이라는 것을, 그 시간은 고대의 가장 찬란한 시간에 비해서 전혀 손색이 없다는 것을 알고 있었다. 왜냐하면 그런 고대의 시간도 우선 현재를 시발점으로 삼았던 것이기 때문이다. 그는 현재야말로 그의 기회이며, 그 기회를 결코 놓쳐서는 안 된다는 것을 알고 있었다. 그렇기 때문에 자기가 전개해야 할 전투(戰鬪)는 미래의 사회를 위한 준비라기보다도, 당장 효과를 얻어내야 할 단기적(短期的) 기도라고 생각했다. 당장 이 제도를 고발하고, 당장 이 미신을 타파해야 했다. 그리고 당장 이 부정(不正)을 바로잡아야 했다. 한데, 현재에 대한 이러한 열렬한 관심은 작가를 관념론에 빠져들지 않게 해주었다. 작가는 자유와 평등을 영원한 이데아로서 관조하는 데 만족하지 않았다. 종교개혁 이후 처음으로, 작가들은 공적

(公的) 생활에 개입하고, 불공평한 법령에 항의하고, 소송 사건의 재심(再審)을 요구했다.[68] 한마디로 해서 정신적인 것은 거리에, 장터에, 시장에, 재판소에 깔려 있다고 결연히 판단하고, 속세의 일에 등을 돌리기는커녕 도리어 부단히 속세의 일로 되돌아가고 개개의 상황하에서 그것을 넘어서야 한다고 결단했던 것이다.

이렇듯 독자층의 격변(激變)과 유럽인의 의식의 위기[69]는 작가에게 새로운 기능을 부여했다. 작가는 이제 문학을 고매한 정신의 간단없는 행사(行使)로 여기게 된 것이다. 하기야 그는 아직도 귀족들의 직접적이며 엄격한 통제를 겪기는 했다. 그러나 자기들의 저 아래에서, 형체 없는 열렬한 기대를, 한결 여성적이며 미분화된 욕구를 감지할 수 있었으며, 그것이 귀족들의 검열로부터 작가를 해방시켜 주는 것이었다. 작가는 정신적인 것을 무력화시키고, 자신의 입장을 빈사 상태의 이데올로기에서 분립(分立)시켰다. 그의 책은 독자의 자유에 대한 자유로운 호소가 된 것이다.

---

68) 소송 사건의 재심에 개입한 대표적인 예로는 칼라스 사건 Affaire Calas을 들 수 있다. 신교도에 대한 부당한 억압과 편견에서 연유한 오판(誤判)에 볼테르가 적극적으로 개입하여 판결을 바로잡도록 했다(1765).

69) 유럽인의 의식의 위기: 필경 Paul Hazard의 명저 *La Crise de la conscience européenne 1680-1715*(1935년 출간)의 제목을 상기해서 원용한 것. 그러나 이 원용은 이 경우 적절하지 않은 것 같다. 사르트르는 지금까지 유럽 전체의 차원에서 18세기의 사상적, 사회적 변동을 이야기한 것도 아니고, 또한 그것과 연관하여 프랑스의 사정을 설명한 것도 아니다. 그뿐 아니라 아자르가 말하는 위기는 다른 문명과의 접촉을 통해서 유럽 사람들의 생각이 상대화된 데서 비롯된 것인데, 사르트르의 18세기론은 그런 각도에서의 성찰과는 전혀 무관한 것이다.

작가들이 그토록 열렬히 바랐던 부르주아지의 정치적 승리는 작가의 조건을 송두리째 뒤집어놓고, 문학의 본질마저도 의심스러운 것으로 만들어버렸다. 작가들은 마치 자기들의 패배(敗北)를 준비하기 위해서 그토록 애를 썼던 것이나 다름없었다. 문예의 대의(大義)를 정치적 민주주의의 대의와 일체화시킴으로써, 그들이 부르주아지의 권력 장악을 도운 것은 분명하다. 그러나 동시에, 일단 승리가 획득되자, 그들의 요구의 대상, 즉 그들의 글의 한결같고 거의 유일한 주제가 사라지는 것을 보게 된다는 위기에 직면했다. 요컨대 문학의 고유한 요청과 억압된 부르주아지의 요청을 이어주었던 기적적인 조화는, 그 양자(兩者)가 실현되자마자 깨져버린 것이다. 수백 만의 사람들이 자신의 감정을 표현할 길이 없어 초조해하던 한에 있어서는, 자유롭게 글을 쓰고 모든 것을 따지는 권리를 주장한다는 것은 훌륭한 일이었다. 그러나 사상 및 종교의 자유와 정치적 권리의 평등이 획득되자마자, 문학을 지킨다는 것은 아무의 흥미도 끌 수 없는 순전히 형식적인 놀이로 변하고 말았다. 그래서 다른 무엇을 찾아내야만 했다.

한데 이런 상황에서 작가는 이미 그 특권적인 지위를 상실했다. 그 지위는 독자를 이분(二分)시키고 작가가 양쪽에 걸쳐서 활동할 수 있게 해준 분열에서 비롯되었던 것인데, 이제 그 양쪽이 맞붙어버렸기 때문이다. 부르주아지는 귀족을 완전히 흡수한 것이나 다름없었다. 따라서 작가는 통합된 독자의 요구에 응해야만 하게 되었다. 이제 그들은 출신 계급에서 벗어날 수 있는 일체의 희망을 잃고 말았다. 부르주아인 부모에게서 태어나고, 부르주아를 독자로 삼고 부르주아로부터 보수를 받는 작가들은 부르주아로 남아 있을 수밖에 없었다. 감옥에 갇히듯, 부르주아지에 갇힌 것이다. 과거에 그들은 얼빠진 기생 계급(寄生階級)이 변덕으로 베푼 밥을 얻어먹으면서도, 그 계급을 아무런 가책 없이 침식해 들어가서, 말하자면 이중 간첩과 같은 역할을 했는데, 그때의 처지가 못내 그리웠고, 그 회고병(懷古病)에서 벗어나기에는 앞으로 한 세기라는 세월이 소요될 터였다.[70] 그들은 황금의 알을 낳던 닭을 죽여버린 것같이 느꼈다. 부르주아지는 이제 새로운 형태의 억압을 시작했지만, 기생적인 계급은 아니었다. 노동 수단을 손아귀에 넣었으니까 말이다. 그러나 생산의 조직과 제품의 분배를 조절(調節)하는 데 매우 부지런했다. 그들은 문학 작품을 이해 관계에서 벗어난 무상(無償)의 창조물로 보기는커녕, 보수를 받는 봉사 행위라고 생각했다.

이 부지런하고 비(非)생산적인 계급을 정당화시켜 준 신화(神話)가 바로 〈공리주의〉이다. 부르주아는 이런저런 방식으로 생산자와 소비자 사이에서 중개의 기능을 했다. 그들은 절대적인 힘을 갖추게 된 〈중간항(中間項)〉이었다. 따라서 그들은 분리될 수 없이 결부된 수단과 목적 중에서 수단에 제일차적(第一次的)인 중요성을 부여하기로 선택했다. 목적은 말하지 않아도 알 만한 것이라 하여, 결코 정면에서 살펴보지 않았고 그냥 묵과해버리고 말았다. 인생의 목적과 존엄성은 수단의 마련을 위해서 진력하는 데 있었다. 중개자 없이 절대적 목적을 만들어내려고

---

70) 한 세기가 걸렸다는 언급은 아마도 1930년대가 되어서야 부르주아 출신의 좌익 작가들이 두 계급 사이에 걸쳐서 활동하게 된 것을 암시하고 있는 것이리라. 누구보다도 사르트르 자신이 그렇다.

시도하는 것은, 마치 교회의 힘을 빌리지 않고 신과 맞대면하려는 것처럼 〈진지〉하지 못한 짓이었다. 진지하다고 인정받는 유일한 기도는, 한없이 꼬리를 무는 수단들 때문에 목적의 지평선이 자꾸만 물러서는 그런 기도였다. 한데, 예술 작품이 공리주의의 사슬 속으로 끼여들어 뜻있는 것으로 대접받게 되기 위해서는, 그것 역시 무조건적인 목적이라는 천공(天空)에서 내려와서 유용(有用)한 것이 되기로 체념해야만 했다. 다시 말하자면 수단을 조정하는 한 가지 수단이 되어야만 했던 것이다. 특히 부르주아는 그 권력의 근거를 신의(神意)에 두고 있지 못해서, 자기의 존재에 대하여 완전한 자신이 있는 인간들이 아니었기 때문에, 문학은 부르주아의 신분이 신으로부터 비롯된 권리라는 것을 느끼게 해주어야 했다. 이리하여 18세기에는 특권 계급의 의식을 괴롭혔던 문학이 19세기에는 새로운 억압 계급의 의식을 편안하게 해주는 구실을 하게 될 판국이었다.

그나마 18세기에 작가의 행운과 자존심을 가져왔던 자유로운 비판의 정신이 유지될 수만 있었더라도 좋았을 것이다. 그러나 이제는 독자가 그것에 반대했다. 부르주아지는 귀족의 특권과 투쟁했을 동안에는, 파괴적 부정성(否定性)을 받아들였지만, 권력을 장악한 현재로서는 건설로 옮아가고 모두들 건설 사업을 돕기를 요구했다. 종교적 이데올로기의 내부에서라면, 신자가 그의 의무와 신앙조항(信仰條項)을 신의 뜻과 결부시켰기 때문에 거역이 가능했다. 그럼으로써 신자는 자기와 전능자(全能者) 사이에, 인격 대 인격의 구체적이며 봉건적인 연줄을 맺을 수가 있었다. 신은 물론 완전무결하고 자신의 완전성에 묶여 있는 존재이지만, 신의 자유 의지에 대한 이런 의존(依存)은 기독교 윤리에 어떤 무상성(無償性)의 요소를 담아넣고, 따라서 그 문학에 다소의 자유를 가져다주었다. 기독교적 영웅은 항상 천사와 싸우는 야콥이며, 성자(聖者)는 차후에 신의 뜻에 더욱더 철저하게 복종할망정, 우선은 그 뜻에 〈거역〉했던 사람이다.[71]

그러나 부르주아의 윤리는 신의(神意)에서 유래한 것이 아니다. 그 보편적이며 추상적인 규칙은 사물(事物)들에 명기되어 있었다. 그 규칙들은 지극히 높고 매우 상냥하면서도 인격적인 의지의 결과가 아니라, 오히려 본래부터 존재하는 물리학의 법칙과 흡사한 것이었다. 아무튼 그렇게 상정하기만 하면 되었다. 왜냐하면 그런 것을 꼬치꼬치 캐본다는 것은 신중한 처사가 아니었기 때문이다. 그런 규칙들의 근원이 애매모호한 것이기 때문에 〈점잖은〉 사람은 그것을 검토하기를 자제(自制)한 것이다. 부르주아 예술은 수단이 되어야 하고 그렇지 않으면 아예 존재할 수 없게 될 판국이었다. 예술은 원칙에 대해서 왈가왈부해서 그것을 무너뜨릴 위험을 초래해서는 안 되며,[3] 또한 사람의 마음속을 너무 깊이 파내려 가서 그 안에 깃들인 무질서를 찾아내는 일이 있어서도 안 되었다. 부르주아 독자들이 무엇보다도 두려워한 것은 재능이었다. 다시 말해서 난데없는 언어로서 사물의 어수선한 밑바닥을 폭로하고, 또 거듭거듭 자유에 호소함으로써 사람들의 더욱 어수선한 밑바닥을 휘저어놓는, 그런 위협적이며 〈철없는〉 광기(狂氣)였다. 반대로 〈안이성(安易性)〉은 환영을 받았다. 안이성이란 다름아니라 사슬에 묶이고 자기 자신을 부정하는 재능이다. 그것은 상투적이며 조화로운 언설(言說)로써 안심을 시켜주는 기술이다. 세계와 인간은 특별히 놀랍거나 겁나거나 혹은 흥미로운 어떤 것도 지니지 않은 범용하고

---

71) 야콥의 이야기는 구약성서 창세기 32장. 여기에서 말하는 성자들의 예로는 가령, 성 안토니우스나 아우구스티누스를 생각해 볼 수 있을 것이다.

뻔한 존재임을, 친근한 벗과 같은 어조로 보여주려는 기술이다.

그것뿐이 아니었다. 부르주아는 중간에 개재하는 인간을 통해서만 자연의 힘과 관계를 맺는다. 물질적 현실은 부르주아에게는 제조(製造)된 생산물의 형태로만 보인다. 그들은 아득히 멀리까지 이미 인간화된 세계에 의해서 둘러싸여 있고, 또 인간화된 세계가 그들의 모습을 비추어준다. 그들은 남들이 이미 사물의 표면에 뿌려놓은 의미들을 이것저것 주워 모으는 것으로 만족한다. 그들의 본질적인 과업은 낱말, 숫자, 도식, 도표와 같은 추상적인 상징을 다루어서, 피고용자들이 어떤 방법으로 소비재(消費財)를 나누어 가질 것인지를 결정하는 데 있다. 그리고 직업뿐만 아니라 교양의 차원에서도, 그들은 오직 생각에 대해서만 생각하게 되어 있다. 한데, 이상의 이유들로 말미암아 부르주아는 이 세계가 하나의 관념 체계(觀念體系)로 환원될 수 있다고 확신하고 만 것이다. 그들은 노력, 고통, 결핍, 억압, 전쟁 등, 모든 것을 관념으로 용해시켜 버린다. 그래서 악(惡)이 있는 것이 아니라, 오직 다원성(多元性)이 있을 뿐이었다. 만일 어떤 관념이 자유롭게 날뛰면 그것을 체계 속으로 통합시켜야 했다. 이리하여 인간의 진보는 거대한 동화 작용(同化作用)처럼 여겨졌다. 관념은 관념끼리, 정신은 정신끼리 서로 동화되었다. 그리고 이러한 엄청난 소화 과정의 끝에 다다르면, 상념이 통일되고 사회도 완전히 통합을 이룰 터였다.[72]

그러나 이와 같은 낙관론은 작가의 예술관과는 정반대의 것이다. 미(美)는 관념으로 환원될 수 없는 것이기 때문에, 예술

72) 헤겔의 관념론적 변증법에 대한 비판적 암시(?).

가는 동화될 수 없는 소재를 필요로 한다. 하기야 산문작가는 기호를 모아 엮는 사람이지만, 그 경우에라도 말의 물질성(物質性)과 말의 불합리한 저항에 대해서 민감하지 못하다면, 그의 문체에는 멋도 힘도 없을 것이다.[73] 그리고 예술가가 그의 작품을 통해서 세계를 세우고 한량없는 자유를 통해서 그 세계를 지탱해 나가기를 바라는 것은 다름아니라 그가 사물과 상념(想念)을 근본적으로 구별하기 때문이다. 그의 자유와 사물은 오직 그 양자가 모두 계측(計測)할 수 없다는 점에서 동질적이다. 그리고 그가 사막이나 처녀림을 다시 정신과 맞물리게 하기를 바란다면, 그 방법은 사막과 숲을 사막과 숲의 관념으로 전환시키는 것이 아니라, 실존의 무한정한 자발적 전개(自發的展開)를 통해서 존재를 존재로서 밝히는 것, 불투명성(不透明性)과 대립적 요인을 내포한 그 존재를 밝히는 것이다. 이렇듯 예술 작품은 관념으로 환원될 수 없다. 왜냐하면 우선 그것은 개별적 존재, 즉 완전히 사고의 대상으로 화할 수 없는 그 어떤 것의 생산 내지는 재생산이기 때문이다. 그리고 둘째로는 이 개별적 존재는 개별적 실존에 의해서, 즉 사고(思考)의 운명 자체와 그 가치를 결정하는 자유에 의해서 완전히 침투되어 있기 때문이다. 그렇기 때문에 또한 예술가는 악(惡)에 대해서 특별한 이해심을 보여왔다. 악이란 일시적이며 벌충될 수 있는 고립(孤立)된 관념이 아니라, 사고(思考)로 환원될 수 없는 세계와 인간의 모습인 것이다.[74]

---

73) 앞서 27쪽의 역주 15)에서도 말한 것처럼, 사르트르는 실제적으로는 산문 문학의 예술성, 즉 그 〈시적〉 성질에 대해서 큰 배려를 한다.

74) Mal: 여기에서 말하는 〈악〉이란 도덕적, 사회적 의미가 아니라, 존재론적인 비유이다. 그것은 어떠한 합목적성에 의해서 정당화될 수도 없고, 또 어떠한 원리나 체계로 통합될 수도 없는, 우연적으로 부조리하게

부르주아는 사회적 계급의 존재, 특히 부르주아지의 존재를 부정한다는 점에 그 특질이 있다. 17세기의 귀족은 자기가 일정한 신분에 속해 있다는 이유에서 지배권을 행사하려고 했다. 이와 대조적으로 부르주아는 이 세계의 재물(財物)의 오래된 소유가 자기들을 기막히게 숙성(熟成)시켜 주었으며, 이 숙성이 바로 지배력과 지배권의 근거라고 생각했다. 더구나 그들은 소유자와 소유되는 사물 사이에서만 종합적(綜合的) 관계를 인정할 따름이었다. 그리고 그 이외의 점에서는 모든 인간이 서로 비슷하다는 것을 분석에 의해서 보여주었는데, 그 이유로는 첫째로 인간들은 사회적 결합의 변치 않는 요소이기 때문이며, 둘째로는 인간은 사회에서 어떤 지위를 차지하고 있건 간에 모두들 저마다 〈인간성〉을 완전히 지니고 있기 때문이다. 따라서 사회적 불평등은 우연적이고 일시적인 사태에 불과해서, 그런 것이 사회적 원자(原子)의 영구적인 성격을 바꾸어놓을 수는 없는 것으로 생각되었다. 그들의 눈에는 각각의 노동자가 일시적 성원(成員)을 이루는 종합적 계급으로서의 프롤레타리아는 존재하지 않았고, 존재하는 것은 다만 개별적인 무산자(無産者)들뿐이었다. 그런 무산자들이 동일한 인간성을 지니면서 서로 고립하고 있고, 그들을 이어주는 연줄이 있다면, 그것은 내적 연대성이 아니라, 유사성이라는 외적 연관뿐이라고 생각된 것이다.

분석 정신에 의거한 선전을 통해서 개인들을 농락하고 갈라놓은 부르주아는, 그런 개인들 간에는 다만 〈심리적인〉 관계만이 있을 따름이라고 생각했다. 그야 그럴 수밖에 없었다. 부르주아는 사물과 직접적인 관련을 갖지 않기 때문에, 그의 작업

존재하는 존재들의 근원적 양태를 두고 하는 말이다.

은 본질적으로 인간에게 작용하는 것이기 때문에, 그들은 오직 남들의 환심을 사거나 남들에게 겁을 주려고 했을 뿐이었다. 의식(儀式)과 규율과 예절이 그들의 행위를 다스렸고, 그들은 남들을 한낱 꼭두각시로 보았다. 그리고 그들이 인간의 감정이나 성격에 대해서 어떤 지식을 갖추려고 한다 해도, 그 이유는 모든 종류의 정념이 사람을 좌지우지할 수 있는 끄나풀처럼 여겨졌기 때문이다. 가난하지만 야심을 품은 부르주아의 지침서는 〈벼락부자가 되는 법〉이었고, 부자의 지침서는 〈사람을 다스리는 법〉이었다. 따라서 부르주아지는 작가를 전문가로 취급했다. 만일 작가가 사회 질서에 대해서 곰곰이 생각하기 시작하면, 부르주아는 귀찮아하고 겁을 먹었다. 그들이 작가에게 요구한 것은 다만 인간의 심정에 관한 실제적 경험을 자기들에게도 알려 달라는 것이었다. 이리하여 문학은 17세기에서처럼 심리학으로 귀착(歸着)된다. 그렇지만 코르네유,[75] 파스칼, 보브나르그[76]의 심리학은 자유를 향한 카타르시스의 호소였다. 그 반면에 상인은 거래 상대자의 자유를 무시하고, 지사(知事)는 부지사의 자유를 무시했다. 그들이 작가에게 바란 것은 오직 남들을 유혹하고 지배할 수 있는 백발백중의 묘책을 제공해 달라는 것이었다. 그들로서는 인간은 확실하게 그리고 쉽사리 지배할 수 있는 대상이라야 했다. 요컨대 엄밀하면서도 예외없는 심정(心情)의 법칙이 있어야만 했다. 학자가 기적을 믿지 않듯이, 부르주아지의 거물들은 이미 인간의 자유를 믿지 않게 되었다. 그리고 그

75) Corneille(1606-1684): Racine과 더불어 17세기 프랑스의 가장 위대한 비극 작가.

76) Vauvenargues(1715-1747): 군인 생활을 했던 문필가. 개인적으로는 불치의 병으로 고생했으나, 그의 인생관은 라 로슈푸코와는 반대로 낙관적이었다. 신의 은총에 의지하지 않는, 이성과 감성의 조화를 강조했다.

들의 도덕이 공리적이었던 것처럼 그들의 심리학의 원동력은 이익(利益)이었다. 이제 작가의 임무는 절대적으로 자유로운 독자들에 대한 호소로서 작품을 내바치는 것이 아니라, 그를 지배하는 심리적 법칙을, 그 자신과 마찬가지로 그 법칙에 지배되는 독자에게 제시하는 것이 되고 말았다.

관념론, 심리주의, 결정론, 공리주의, 근엄(謹嚴)의 정신, 바로 이런 것들이 부르주아 작가가 그 독자들에게 우선 비추어주어야 했던 것이다. 작가에게 요구된 것, 그것은 세계의 야릇한 모습과 그 불투명성(不透明性)을 복원하는 것이 아니라, 세계를 요소적(要素的)이며 주관적인 인상(印象)으로 분해하여 그것을 더 쉽게 소화할 수 있게 해달라는 것이었다. 그것은 마음의 가장 내밀(內密)한 움직임을 가장 깊은 자유 속에서 재발견하는 것이 아니라, 작가 자신의 〈경험〉을 독자의 경험과 견주어 보여달라는 것이었다. 이리하여 작가의 작품들은 부르주아의 재산목록인 동시에, 엘리트의 권리에 근거를 주고 제도의 정당성을 보여주기 위한 심리학적 감정서(鑑定書)였고, 또한 예의 범절의 지침서였다. 결론은 미리 정해진 것이었다. 문제를 어느 정도까지 깊이 검토하느냐 하는 것이 미리 정해져 있고, 심리적 동기들도 미리 선택되고, 문체(文體)조차도 미리 규정되어 있었다. 따라서 독자는 아무런 불안 없이 아무 책이나 눈감고 살 수 있었다. 그러나 문학은 살해된 것이다. 에밀 오지에로부터 시작하여, 뒤마 피스, 파유롱, 오네, 부르제, 보르도를 거쳐, 마르셀 프레보와 에드몽 잘루[77]에 이르기까지, 그런 일을 떠맡기로 계

77) 참고상, 여기에서 열거된 문인들의 연대를 적어둔다. 그들은 과연 부르주아적인 도덕과 가치의 옹호자들이며, 오늘날에는 거의 읽히지 않는다.

약하고, 끝끝내 그 계약을 지킨 것이나 다름없는 작가들이 있었다. 한데, 그들의 작품이 신통치 않은 것은 우연이 아니다. 왜냐하면 그들에게 재능이 있었다고 해도, 그 재능을 감출 수밖에는 없었기 때문이다.

반면에, 훌륭한 작가들은 거부했다. 그리고 이 거부가 문학을 살려냈지만, 그후 50년 동안 문학의 특징을 결정하고 말았다. 과연 1848년으로부터 1914년의 전쟁에 이르기까지, 독자층의 철저한 획일화(劃一化)는 작가로 하여금 원칙적으로 〈모든 독자에 거역해서〉 글을 쓰도록 만들었다. 하기야 작가는 그의 작품을 팔기는 했지만, 제 책을 사는 사람들을 멸시하고 그들의 기대를 꺾으려고 애썼다. 유명해지느니 차라리 인정받지 못하는 편이 낫고, 만일 생전에 명성을 얻게 된다 해도, 그것은 오해의 소산이라는 것이 상식처럼 되어버렸다. 더구나 출판된 책이 혹시 독자의 악감(惡感)을 충분히 살 수 없는 경우에는, 모욕적인 서문을 첨가하기가 일쑤였다.[78] 작가와 독자 사이의 이러한 근본적인 갈등은 문학사에서 전례가 없었던 현상이다. 17

Emile Augier(1820–1889): 소설가.
Dumas Fils(1824–1895): 『춘희 *La Dame aux camelias*』의 작가.
Edouard Pailleron(1834–1899): 풍속희극의 작가.
Georges Ohnet(1848–1918): 소설가.
Paul Bourget(1852–1935): 『제자 *Le Disciple*』의 작가.
Henry Bordeaux(1870–1963): 소설가.
Marcel Prévost(1862–1941): 소설가.
Edmond Jaloux(1878–1949): 소설가, 비평가.

78) 가령 보들레르, 『악의 꽃들 *Les Fleurs du mal*』의 서시(序詩)를 들 수 있다. 「어리석음, 잘못, 죄악 그리고 인색이/우리의 마음을 차지하고 우리의 몸을 괴롭힌다. (……) 위선의 독자여, 내 동포여, 내 형제여!」

세기에는 작가와 독자 사이에 완전한 합의가 있었다. 18세기에는 작가는 다 같이 현실적인 두 종류의 독자를 갖고 있었고, 자기의 뜻대로 그 어느 한쪽에 의지할 수가 있었다. 초기의 낭만주의는 그러한 이중성을 되살리고, 자유주의적 부르주아지에 반대하여 귀족에게 의지함으로써,[79] 공공연한 투쟁을 회피하려던 헛된 시도(試圖)였다. 그러나 1850년 이후에는 부르주아지의 이데올로기와 문학의 요청 사이의 깊은 모순을 은폐할 길이 없게 되었다. 그리고 같은 무렵에 이미 잠재적(潛在的) 독자들이 사회의 심층에서 형성되기 시작하여, 작가가 자기들의 현실을 밝혀주기를 기다리고 있었다. 그것은 무상(無償)의 의무 교육이 발전했기 때문이다. 이윽고 제3공화국[80]이 되면, 읽고 쓰는 권리를 만인에게 공인하게 될 터인데, 이런 시기에 처하여 작가는 무엇을 하려는 것이었던가? 그는 엘리트에 반대하여 대중의 편에 서고, 독자의 이중성이라는 상황을 자신에게 유리하게 다시금 만들어보려는 것이었던가?

언뜻 보기에는 그랬던 것 같다. 1830년부터 1848년 사이에 부르주아지의 변두리를 휘저어놓은 커다란 사상 운동의 덕분으로, 어떤 작가들은 잠재적 독자층을 발견했다. 그들은 이 잠재적 독자에게 〈민중〉이라는 이름을 붙이고 그것에 신비롭고 그윽

79) 원래 귀족 출신인 샤토브리앙Chateaubriand과 비니Vigny와 같은 사람이 그렇다. 또한 초기에는 왕당파였던 위고Hugo도 이 부류에 넣을 수 있겠고, 더 나가서는 귀족적 제도나 가치의 이름 아래서 부르주아를 비판한 발자크를 생각해 볼 수도 있을 것이다.

80) 제3공화국: 1870년 보불(普佛)전쟁에서 패배한 나폴레옹 3세의 제2제정이 무너지고 나서 생긴 공화국 체제. 1940년 제2차 세계대전에서 독일에 패배할 때까지 계속되었다.

한 속성(屬性)을 부여했다. 구원은 민중으로부터 오리라는 것이었다. 그러나 그 작가들은 민중을 사랑하긴 했지만, 그 실체를 거의 몰랐고, 또 무엇보다도 그들 자신이 민중 출신이 아니었다. 상드[81]는 뒤드방 남작 부인이며, 위고는 제1제정기(第一帝政期)의 장군의 아들이었다. 인쇄업자의 아들인 미슐레[82]조차도 리옹의 견직공(絹織工)이나 릴의 직조공[83]과는 거리가 멀었다. 그들의 사회주의는——그들이 사회주의자였던 때를 두고 하는 이야기지만——부르주아적인 관념론의 부산물에 지나지 않았다. 더구나 민중은 그들이 선택한 독자라기보다도 오히려 어떤 작품들의 주제였다. 아마도 위고만큼은 모든 곳으로 뚫고 들어갔다는 희한한 행운을 누린 작가였다. 그는 프랑스 작가 중에서 진실로 민중적인 드문 작가의 한 사람, 아니 차라리 유일한 작가라고 말할 수 있으리라. 한편, 다른 작가들은 노동자들을 독자로 끌어들이지도 못하면서 부르주아지의 반감만을 샀을 따름이었다. 그 점을 알기 위해서는 부르주아의 대학(大學)이 진정한 천재이며 최고의 산문가였던 미슐레에 대해서는 냉대(冷待)를 했으면서도, 현학자(衒學者)에 불과했던 텐이나 〈아름다운 문체〉의 미명하에 온갖 저속성과 추악성의 본보기를 보여준 르낭은 애지중지했다는 사실을 비교해 보면 될 것이다.[84] 그러나

---

81) George Sand(1804-1876): 여류 소설가. 1848년의 2월 혁명을 전후하여 민주 혁명을 위한 정치 운동에 가담했고, 소설에서도 인도주의적 사회주의의 경향을 보이기도 했다. 1822년 Dudevant 남작과 결혼했다.

82) Jules Michelet(1798-1874): 역사가. 민주적, 반교회적 입장에 서서, 민중을 역사적 창조의 원천으로 보았다.

83) Lyon은 프랑스 동남부에 있는 제3의 대도시. Lille은 방적으로 유명한 북부의 도시. 리옹에서는 1831년과 1834년에 열악한 노동 조건에 항의하는 견직공들의 반란이 일어난 일이 있다.

84) a. Renan(1823-1892): 종교를 대신할 과학의 발전에 대해서 낙관적인

부르주아지 때문에 미슐레가 겪은 고생에는 보상이 없었다. 그가 사랑했던 〈민중〉은 얼마 동안 그의 책을 읽어주었지만, 이윽고 마르크스주의의 성공으로 말미암아 그의 존재는 망각의 심연으로 빠지고 말았다. 요컨대, 이들 작가의 대부분은 실패한 혁명[85]의 패배자들이었다. 그들의 이름과 운명은 그 혁명과 결부되어 있다. 위고를 제외하고는 그들 중의 아무도 진실로 문학에 그 발자국을 새겨놓지 못했다.

다른 작가들, 다른 모든 작가들은 마치 목에 돌이 매달린 듯이 자신의 계급에서 굴러떨어질 것이 두려워서 물러서고 말았다. 하기야 그들에게는 핑계가 없지 않았다. 우선 시기 상조였다. 작가와 프롤레타리아를 맺어줄 어떠한 현실적 연줄도 없었다. 그 억압된 계급은 작가들을 흡수할 수 없었고, 작가가 필요하다고도 생각하지 않았다. 따라서 작가들이 프롤레타리아를 지켜줄 결심을 했다고 해도, 그 결심은 추상적인 것에 머물렀으리라. 아무리 성실했다 해도, 작가들은 머리로만 이해할 뿐, 가슴으로는 공감할 수 없는 남들의 불행을 관심 있게 〈굽어보는〉 것이 기껏이었으리라. 프롤레타리아와의 합류(合流)를 위

견해를 피력한 『과학의 미래 *L'Avenir de la science*』로 널리 알려져 있는 사상가. 그러나 후기에는 신비주의로 경사하여 이성과의 조화를 생각해 보았다. 사르트르는 이미 『구토』에서, 두 번이나 Renan의 이름을 경멸적인 어투로 들고 있고(원서 초판, 114, 141쪽), 그후에도 그를 가족, 조국, 조상을 중시한 부르주아 학자로 치부하여 반감을 표명하고 있다 (Contat et Rybalka, *Les Ecrits de Sartre*, 696쪽 참조).

b. Taine은 1864년부터 20년 간 미술학교 교수였고, Renan은 Collège de France의 교수와 학장을 지낸 데 반하여, 반종교적이며 민주주의적인 사상을 품은 Michelet는 제2제정 정부에 의해서 1851년부터 그가 봉직하던 Collège de France에서 추방되었다.

85) 1848년의 2월 혁명을 가리킨다.

해서 자신의 출신 계급에서 뛰쳐나온 작가들, 스스로 포기해야 했던 안락한 생활의 기억에 시달렸을 그런 작가들은 진실한 프롤레타리아의 권외(圈外)에서 〈화이트 칼라 프롤레타리아〉를 형성할 위험에 봉착했다. 그런 가짜 프롤레타리아는 한편으로는 노동자의 의심을 사고, 다른 한편으로는 부르주아의 증오의 대상이 되었을 터이며, 또 그들의 주장은 고매한 정신의 소산(所産)이라기보다도 심술과 원한에서 비롯된 것이었으리라. 요컨대 그들은 노동자에게도 또 부르주아에게도 동시에 대드는 꼴이 되고 말았을 것이다.[4]

게다가 18세기에는 문학이 필요한 것으로 주장한 자유는 시민이 쟁취하려던 정치적 자유와 구별되지 않았다. 작가는 제 나름대로 예술의 본질이라고 생각된 것을 탐구하고 형식적 요청의 해석자 노릇을 하기만 하면, 그것이 곧 혁명적이 되는 길이었다. 태동중(胎動中)의 혁명이 부르주아 혁명인 경우에는, 문학은 자연스럽게 혁명적일 수가 있었다. 왜냐하면 문학은 자기 발견을 하자마자, 그것이 정치적 민주주의와 결부되어 있다는 것이 밝혀졌기 때문이다. 그러나 수상가(隨想家), 소설가, 시인들이 옹호하게 된 형식적 자유는 프롤레타리아의 깊은 요구와는 아무런 공통성도 없었다.[86] 프롤레타리아가 요구하려던 것은 정치적 자유가 아니다. 정치적 자유는 어쨌든 그들이 이미 향유하게 된 것이며, 사실에 있어서는 기만에 불과했다.[5] 그들은 또한 지금으로서는 아무 쓸모도 없는 사상의 자유 따위를 요구한 것도 아니다. 그들이 요구한 것은 이러한 추상적 자유와는 전혀 다른 것이다. 그들은 삶의 물질적 개선(改善)을 바라고, 마음속

86) 이것은 특히 1870년에 성립된 제3공화국 이후의 경우이다.

더 깊은 곳에서는 은연히, 인간에 의한 인간의 착취의 종결을 바란 것이다. 후에 살펴보게 되겠지만, 프롤레타리아의 이러한 요구는 역사적이며 구체적인 현상(現象)으로서의 글쓰기의 예술이 내세우는 요구와 동질적이다. 글쓰기의 예술이란 자신의 존재를 역사화하기를 받아들이는 한 인간이 인간 전체에 관해서 동시대의 모든 인간에게 던지는 독자적이며 시대적인 호소인 것이다.

그러나 19세기에는 종교적 이데올로기에서 막 벗어난 문학은 부르주아 이데올로기에 봉사하기도 거부했다. 그리하여 모든 종류의 이데올로기로부터의 독립을 원칙으로 삼았다. 바로 이 사실로 말미암아, 문학은 순수한 부정성(否定性)이라는 그 추상적인 모습을 오랫동안 띠게 된 것이다. 문학 〈그 자체〉가 이데올로기라는 것은 아직 이해되지 못했고, 문학은 아무도 부정하지 않는 그 자립성을 주장하기에 열을 올렸다. 다시 말하자면, 문학은 어떤 특정한 주제에 묶일 필요가 없고, 모든 소재를 다 같이 다룰 수 있다는 것이었다. 가령 노동자의 실상을 훌륭하게 다룰 수도 있겠지만, 그런 주제의 선택은 형편에 따르는 것이며, 또한 작가의 자유로운 결정에 따른다는 말이었다. 그러다가 이튿날에는 시골의 부르주아의 이야기를 하고, 또 어떤 날에는 카르타고의 용병(傭兵)의 이야기를 할 수도 있었다. 플로베르와 같은 작가는 때때로 형식과 내용의 일치를 주장했지만, 그런 주장으로부터 어떤 실질적인 결론을 끌어내지도 못했다. 모든 동시대인과 마찬가지로 플로베르 역시 빈켈만이나 레싱[87]과 같은 사람들이 거의 한 세기 전에 미(美)에 관해서 내린

87) Winckelmann(1717-1768): 독일의 미술사학자. 바로크에 반대하여, 그리스 미술을 모범으로 삼을 것을 주장하고, 모든 훌륭한 작품은 균형과 절

정의——어떤 식으로 표명되었든 간에 요컨대 미란 통일성 속의 다양성이라는 정의에 의존하고 있었다. 그에게 중요했던 것은 다양한 광채(光彩)를 포착하고는, 그것을 문체에 의해서 엄격히 통일화하는 것이었다. 공쿠르 형제[88]가 말하는 〈예술적 문체〉 역시 그와 다를 것이 없다. 그것은 모든 소재를, 심지어 가장 아름다운 소재까지도, 통일화하고 더욱 미화(美化)하기 위한 형식적 방법이었다. 그렇다면, 하층 계급의 요구와 문학의 원칙 사이에 어떤 내적 연관이 있을 수 있겠는가? 프루동[89]만이 이런 점에 주목한 유일한 사람인 듯하다. 그리고 물론 마르크스가 있기는 있다. 그러나 그들은 문학자가 아니었다. 문학은 아직까지도 그 자립성의 발견에만 정신이 팔려서, 그 자체를 목적으로 삼았다. 반성적 시기로 넘어간 문학은 이제 그 방법을 검토해 보고, 옛 틀을 타파하고, 그 자체의 율법(律法)을 실험적으로 결정해 보고, 새로운 기법(技法)을 만들어내려고 시도했다. 그것은 오늘날의 형태의 연극과 소설로, 자유시로, 언어

도와 정온(靜穩)으로 이루어진 불변의 보편적인 미를 지향한다고 보았다.

Lessing(1729-1781): 공간적 예술인 미술과 시간적 예술인 시의 관계와 차이를 성찰하고 미술보다는 시가 고차원의 예술이라고 주장했으나 (*Laocoon*, 1766), 미의 규준에 관해서는 대체적으로 Winckelmann의 견해를 따랐다. 극작가로서는 프랑스의 고전극을 지양한 시민적인 희곡을 써서 작가의 사회적, 국민적 사명을 강조했다.

88) Les Goncourt(Edmond 1822-1896, Jules 1830-1870): 이른바 자연주의 작가. 하층 계급의 사람들에 대한 섬세한 관찰과 묘사로 알려져 있으나, 그런 내용보다도 세련된 예술적 문체로 더 유명하다. 그들의 유산으로 공쿠르 상이 제정되었다.

89) Pierre Joseph Proudhon(1809-1865): 프랑스의 사회주의자. 그러나 자본주의의 완전한 철폐보다는 그 개량을 통한 계급간의 화합을 주장(『빈곤의 철학 *La Philosophie de la misere*』, 1846)하여, 마르크스로부터 혹독한 비판을 받았다.

비평으로 서서히 향해 나갔다.

만일 문학이 어떤 특정한 내용을 찾아냈다면, 문학 자체에 대해서 생각하는 것을 그만두고, 그 내용의 성질에 의거해서 미적(美的) 규준을 설정해야 했을 것이다. 또한 작가들이 잠재적 독자를 위해서 쓰기로 선택했다면, 그들의 예술을 독자의 능력에 부합시켜야 했을 것이다. 다시 말해서, 예술을 그 자체의 본질에 따라서가 아니라, 외부의 요구에 따라서 결정해야 했을 것이다. 그리고 교양 없는 독자들이 이해할 수 없으리라는 단 한 가지 이유에서, 문학적 이야기, 시, 또 심지어 논리의 여러 형식들을 포기해야 했을 것이다. 그러나 그렇게 되면, 문학이 소외의 나락으로 다시 떨어질 위험에 봉착할 터였다. 그렇기 때문에 작가는 문학을 일정한 독자나 주제에 굴종시키기를 진심으로 거부했다. 그러나 그들이 미처 알아차리지 못한 것이 있었다. 그것은 이제 태어나려는 구체적 혁명과 작가들이 빠져든 추상적 놀이 사이의 단절(斷絶)이었다. 이번에는 대중이 권력을 장악하려는 판이었다. 한데, 그 대중에게는 교양도 여가도 없었다. 따라서 이른바 문학적 혁명이라고 불리던 모든 활동은 기법의 세련화를 통해서 대중이 접근할 수 없는 작품들만을 만들어냈고, 그 결과 사회적 보수주의에 봉사했던 것이다.

결국 문학은 부르주아 독자에게로 되돌아갈 수밖에 없었다. 작가는 부르주아 독자와의 일체의 관계를 단절했다고 자랑했지만, 하층 계급으로 내려앉는 것을 거부했기 때문에, 그 단절은 다만 상징적인 것으로 머무르는 수밖에 없었다. 그들은 끊임없이 단절의 제스처를 꾸몄다.[90] 복장, 음식, 가구, 또 행동거지에 있어서 그 단절을 과시했지만, 실지로 그것을 실천한 것은 아니다. 작품을 읽어주고 작가를 먹여 살려주고 그의 명성(名聲)을 판가름하는 것은 부르주아지였다. 작가는 거리를 두고 부르주아지를 전체적으로 살펴보는 척했지만, 그것은 헛된 장난에 불과했다. 진실로 부르주아지를 심판하려면, 그 밖으로 탈출해야 했겠고, 또 이 탈출을 위해서는 다른 계급의 이해 관계와 생활 방식을 체험하는 길밖에는 없었을 것이다. 그러나 작가는 그런 결심을 할 수 없었기 때문에, 모순과 자기 기만(自己欺瞞) 속에서――〈누구를 위하여〉 쓰느냐는 것을 알고 있는 동시에 알고 싶어하지 않는 그런 자기기만 속에서 살았다.

그들은 툭하면 〈고독〉에 대해서 언급했다. 그리고 자기가 은연히 선택한 부르주아 독자를 끝내 공공연한 독자로 삼지 않고, 오직 자기 자신이나 신(神)만을 위해서 글을 쓴다는 허울좋은 핑계를 꾸몄으며, 형이상학적인 관심의 표명, 신에 대한 기도, 또는 자아 성찰 등, 요컨대 커뮤니케이션이 아닌 모든 것을 글쓰기의 목적으로 내걸었다. 작가는 흔히 자기가 신령에 사로잡힌 자라고 떠들어댔다. 그들은 어떤 내적(內的)인 필연성에 끌려서 말들을 토해 내는 것이며, 결코 그것을 남들에게 〈주기〉 위한 것이 아니라고 건방을 떨었던 것이다. 그러면서도 작가는 자기의 글을 정성껏 고쳐 쓰곤 했다. 그리고 다른 한편으로 그들은 부르주아가 망하기를 바라기는커녕, 부르주아지의 지배권을 시비하려고조차 하지 않았다.

도리어 그 반대였다. 플로베르는 그 지배권을 또렷이 인정했

90) 사르트르의 보들레르론(*Baudelaire*, 1947)을 보면 이런 각도에서 그의 자기 기만의 제스처(특히 dandyism)가 비판되어 있다. 이러한 〈자신의 계급과의 신화적 단절〉은 또한 플로베르나 고티에의 경우이기도 하다(161쪽).

다. 그가 그토록 무서워했던 파리 코뮌 이후의 서간집(書簡集)을 보면, 노동자에 대한 천한 욕설로 가득 차 있다.[6] 그리고 자신의 환경 속에 틀어박혀 있는 작가는 그 환경을 밖으로부터 판단할 수 없기 때문에, 또한 그의 거부는 아무 실효도 없는 정신 상태에 불과하기 때문에, 부르주아지가 억압 계급이라는 사실조차 알아차리지 못했다. 아닌게아니라, 작가는 부르주아지를 사회 계급이 아니라 자연적인 종족(種族)으로만 생각했고, 부르주아지를 묘사한다 해도, 그 묘사는 순전히 심리적인 언어로 이루어졌다.

이리하여 부르주아 작가와 〈저주된〉 작가는 동일한 차원에서 활동했다. 단 한 가지 다른 점이 있다면, 그것은 전자(前者)가 백색의 심리학을 따른 반면에, 후자는 흑색의 심리학에 의지했다는 것뿐이다.[91] 가령 플로베르는 「천하게 생각하는 모든 자를 부르주아라고 부르겠다」[92]고 선언한 적이 있는데, 이때 부르주아지에 대한 그의 정의(定義)는 심리적이며 관념적인 언어로서, 다시 말해서 그가 거부하겠다고 나선 바로 그 이데올로기의 관점에서 이루어지고 있는 것이다. 따라서 플로베르는 부르주아지에게 괄목할 만한 봉사를 했던 셈이다. 그는 프롤레타리아 쪽으로 넘어갈 염려가 있는 반항자와 적응 못한 자들에게 이

91) 백색의/흑색의 심리학: 부르주아는 인간을 심리적 존재로만 본다는 그의 이데올로기를 드러내놓고 있는 반면, 작가는 자신이 부르주아가 아닌 것처럼 자기 기만을 하나, 사실은 그 인간관이 부르주아와 똑같이 심리적이라는 것을 말하기 위한 것이다.

92) 모파상이 그의 플로베르론에서 언급하고 있는 이 유명한 발언은, 과연 사르트르가 지적한 것처럼 플로베르가 부르주아라는 말을 사회 계급적인 의미로 취하기보다는, 인간의 타입을 나타내는 말로 썼다는 것을 알려준다. 하기야 사르트르 자신도 『구토』에서는 이와 똑같은 의미에서, 즉 〈속물 salaud〉이라는 의미에서 그 말을 사용하고 있다.

렇게 설교함으로써, 그들을 다시 〈옳은 길〉로 들어서게 했다.

「사람은 정신적 훈련만을 통해서 제 속에 깃들인 부르주아 근성에서 해방될 수 있다. 고상하게 생각하는 훈련을 사적(私的)으로 쌓아가기만 하면, 편안한 마음으로 재산과 특권을 계속 향유할 수 있다. 당신들은 부르주아적으로 생활하고 부르주아적으로 좋은 수입을 누리고 부르주아의 살롱에 드나들어도 좋다. 왜냐하면 그런 것은 겉모양에 지나지 않기 때문이다. 당신들은 고귀한 감정으로 말미암아 그런 족속들을 초월한 존재이기 때문이다」

이리하여 플로베르는 또한 어떻든 간에 마음을 편하게 가질 수 있는 요령을 동료 작가들에게 가르쳐준 셈이다. 고귀한 마음은 무엇보다도 예술 창조의 분야에서 특별히 잘 발휘되는 것으로 되어 있으니까 말이다.

예술가의 고독이란 이중의 속임수였다. 그것은 다수의 독자와의 현실적 관련을 은폐할 뿐만 아니라, 또한 소수의 전문가의 독자가 재구성되었다는 사실도 은폐한 것이다. 인간과 재물을 다스리는 역할을 부르주아에게 전적으로 떠맡긴 이상, 정신적인 것이 다시금 속세적인 것에서 분리되어 일종의 성직(聖職)이 다시 태어나게 되었다. 스탕달의 독자는 발자크이며, 보들레르의 독자는 바르베 도르빌리[93]였다. 그리고 보들레르 자신은 포의 독자가 되었다.[94] 문학적 살롱은 무슨 단체와 같은 분위기

93) Barbey d'Aurevilly(1808-1889): 당시의 부르주아를 극단적으로 매도한 소설가. 초자연적이며 악마주의적인 경향을 보이는 작품들을 남겼다.

94) 보들레르는 단순히 Edgar Allan Poe(1809-1849)의 작품을 감상한 것이 아니라, 그에게서 시적 창작의 원리를 배웠다. 소기의 효과를 산출하기 위한 치밀한 구성과 엄밀히 계산된 언어의 필요성을 강조한 포에 대한

를 띠었다. 거기에서 사람들은 사뭇 경의를 표하면서 소곤소곤 〈문학 이야기〉를 하고, 음악가가 그의 음악에서 얻은 미적 기쁨이 작가가 그의 작품에서 얻는 미적 기쁨보다 더 강렬한지 어떤지를 두고 따지곤 했다. 이토록 인생에서 유리됨에 따라 예술은 다시 성스러운 것이 되었다. 심지어는 일종의 성자 공동체(聖者共同體)까지 생겼다. 사람들은 수세기를 넘어서서 세르반테스, 라블레, 단테와 손을 맞잡고, 그런 수도회의 일원이 되었다. 이 성직자 단체는 구체적이며 말하자면 지리적인 조직체가 아니라 일종의 계속적(繼續的) 제도, 모든 회원이 이미 죽어 있는 그런 클럽이었다. 다만 한 사람만이 아직 살아 있는데, 그는 가장 최근에 가입한 회원이며, 그가 이 지상에서 다른 모든 회원을 대표하고 그 단체의 전부를 상징했다.

한데, 이 신종(新種)의 신자들은 과거 속에 성자를 가지고 있으면서도, 또한 자신의 미래의 삶이라는 것을 가지고 있었다. 속세적인 것과 정신적인 것의 분립(分立)은 영예(榮譽)라는 개념에 심각한 변화를 초래했다. 라신의 시대에는 영예란 생시에 인정받지 못했던 작가에 대한 사후의 보상을 의미했다기보다도, 이미 얻은 성공이, 요지부동한 사회에서 자연적으로 후세로 이어진다는 것을 의미했다. 그러나 19세기에 있어서는 그 개념이 일종의 과보상(過補償)의 메커니즘으로서 기능했다. 「나는 1880년에 이해될 것이다」라든가, 「나는 항소심에서 이길 것이다」[95]라는 따위의 유명한 말은 작가가 통합된 사회의 테두리 속

보들레르의 찬양은 그의 중요한 평론의 일부를 이루고 있다.

95) 전자는 스탕달의 말이다. 과연 그는 1880년에 Taine에 의해서 그 진가가 인정되었다. 후자는 앙드레 지드의 『〈사전꾼들〉의 일기 *Journal des 〈Faux-Monnayeurs〉*』에 나오는 말이다.

에서 직접적이며 보편적인 작용을 행사하려는 욕망을 아직도 잃지 않았다는 것을 보여준다. 그러나 이 작용은 현재로서는 불가능하기 때문에, 작가와 독자 사이의 화해라는 보상의 신화를 기약 없는 미래로 투영(投影)할 수밖에 없었다. 게다가 이 모든 생각은 매우 막연한 것이었다. 영예를 좇는 사람들 중의 그 누구도, 어떤 종류의 사회에서 보상을 받을 수 있을지 자문해 본 일이 없었다. 다만 그들의 생각으로는 더 후에, 그리고 더 오래된 세상에서 살게 될 후손들은 정신적으로도 더 훌륭할 것 같았고, 그들은 그런 몽상을 즐겼을 따름이다. 그래서 자가 당착을 예사로 하던 보들레르는 한편으로는 이 사회가 퇴폐기에 들어섰기 때문에 인류의 멸망과 더불어 끝장이 날 것이라고 주장하면서도, 다른 한편으로는 사후(死後)의 영예를 꿈꿈으로써 그의 자존심의 상처를 달랜 것이 한두 번이 아니었다.

따라서 현재로서는 작가는 전문가로 구성된 독자에 의지할 수밖에 없었다. 과거로 말하자면, 위대한 사자(死者)들과 신비스런 동맹을 맺고, 미래를 위해서는 영예라는 신화를 이용했다. 자신의 출신 계급으로부터의 상징적 이탈을 위해서라면, 무엇 하나 소홀히한 것이 없었다. 이리하여 작가는 허공에 뜨고, 자신의 시대와 인연을 끊고, 제 고장을 떠나고, 저주된 존재였다.

한데, 이 모든 코미디에는 한 가지 목적밖에는 없었다. 그것은 구제도하(舊制度下)의 귀족 사회와 흡사한 상징적 사회로 흡수되는 것이었다. 정신분석 학자들은 자폐증에서 허다한 예를 찾아볼 수 있는 이러한 동일화의 과정을 익히 알고 있다. 정신병원에서 탈출하기 위한 열쇠를 구하는 환자는 자기 자신이 바로 그 열쇠라고 믿게 된다. 이와 마찬가지로, 계급 이탈을 위해서 귀족의 호의를 바라는 작가는 마침내 자기 자신이 모든 귀족의 화신(化身)이라고 생각하게 된 것이다. 그리고 귀족의 특징은 기생적(寄生的) 생활에 있으므로, 작가는 기생적 생활의 과시를 그의 생활의 스타일로 삼았다. 그들은 순수한 소비의 순교자가 되었다. 우리가 앞서 본 것처럼, 그들은 부르주아의 재물(財物)을 사용하는 것을 전혀 꺼리지 않았다. 그러나 그 재물을 소비한다는 조건, 다시 말해서 그것을 비생산적이며 소용없는 것으로 변형시킨다는 조건하에서였다. 말하자면 재물을 불살라 버린 것인데, 왜냐하면 불은 모든 것을 순화시키기 때문이다. 더구나 그들은 반드시 부자가 아니면서도 잘살아야 했기 때문에, 궁색한 동시에 낭비적인 이상야릇한 생활을 영위했다. 가난 때문에 철없는 방종을 일삼을 수 없었던 그들은 기상천외의 행동을 일부러 꾸며서 그런 방종을 상징적으로 모방했다.

그들이 예술 이외로 인정한 고귀한 일이라고는 단지 세 가지밖에는 없었다. 그것은 우선 사랑이었는데, 그 이유는 사랑이란 유용성(有用性)이 없는 정념(情念)이며, 니체가 말했듯이 여자는 가장 위험한 장난감이기 때문이다. 둘째로는 여행이었다. 왜냐하면 나그네는 어느 한 곳에 결코 정착하는 일 없이 이 사회에서 저 사회로 옮겨 다니는 영원한 증인이기 때문이며, 또한 일하는 집단에 대해서 〈이질적인〉 소비자인 그는 기생적 생활의 전형이기 때문이다. 그리고 셋째로는 전쟁이 가끔 그러했다. 왜냐하면 전쟁은 인간과 재물의 엄청난 소비였기 때문이다.

귀족적이며 호전적인 사회에서는 모든 생업(生業)이 경멸의 대상이었는데, 작가 역시 그런 경멸을 나타내 보였다. 그들은 구제도하의 궁정인(宮廷人)들처럼 무용(無用)하게 되는 것만으로는 만족하지 않았다. 그들은 유용한 일들을 짓밟고 부수고 불사르고 망쳐놓고, 사냥꾼들을 무르익은 밀밭에 풀어놓은 왕시(往時)의 영주(領主)들의 망동을 흉내냈다. 작가들이 제 마음속에서 기른 것은 보들레르가 「유리장수」[96]에서 언급한 파괴적 충동이었던 것이다. 좀더 후가 되면, 그들이 특히 애호한 것은 모양이 사납거나 결함이 있거나 쓸모없게 되거나 반쯤 삭아버린 도구들, 요컨대 희화(戱畵)처럼 되어버린 그런 도구들이었다. 심지어 자신의 생명조차, 파괴해야 할 연장처럼 생각하는 일이 드물지 않았다. 아무튼 그들은 생명을 위험에 빠뜨리고 죽음을 자초했다. 술이건 마약이건 무엇이라도 좋았다. 한데, 무용성의 극치는 물론 미(美)이다. 〈예술을 위한 예술〉로부터 시작하여 리얼리즘과 고답파(高踏派)를 거쳐 상징주의에 이르기까지 그 모든 유파들의 합의점이 있었으니, 그것은 예술이란 순수한 소비의 최고의 형식이라는 것이다. 예술은 아무것도 가르쳐주지 않고, 어떤 이데올로기를 반영하지도 않으며, 특히 교훈적이 되어서는 안 된다는 말이었다. 지드는 「훌륭한 감정의 소유자는 나쁜 문학을 만든다」[97]는 말을 했지만, 지드보다 훨씬 앞서서 플로베르, 고티에, 공쿠르 형제, 르나르,[98] 모파상이 각자

96) 정확히는 「나쁜 유리장수 Le Mauvais vitrier」라는 제목의 산문시. 권태에서 비롯되는 돌발적이고 파괴적인 행위에 관한 이야기이다. 화자는 세상을 아름답게 보이게 하는 유리를 가지고 있지 않다는 이유로 화분을 던져, 행상인이 짊어지고 있는 유리를 박살낸다.

97) 88쪽 역주 27) 참조. 그러나 지드가 이 발언에 부여한 본뜻은 「교훈적이어서는 안 된다」는 뜻이 아니라, 냉혹한 자기 성찰과 악의 유혹을 모르면 좋은 소설을 쓸 수 없다는 것이었다.

98) Jules Renard(1864-1910): 『홍당무 *Poil de carotte*』(1894)로 잘 알려진 소설가, 희곡 작가. 풍자적이며 시적인 문체가 돋보인다. 그는 「나의 문체가 나의 목을 조인다」는 재치 있는 말을 한 일이 있다.

제 나름대로 같은 내용의 말을 했던 것이다.

어떤 작가들에게는 문학이란 절대화된 주관성이며, 그들의 괴로움과 죄악이 검은 넝쿨처럼 뒤틀리며 타버리는 기쁨의 불꽃이었다. 그들은 마치 감옥과 같은 세계의 밑바닥에 갇혀 있으면서도, 자기들의 불만의 감정이 바로 〈다른 곳〉의 존재를 알려주는 것이라고 생각하면서, 세계를 초월하고 소멸시키려 했다.[99] 그들은 자기들의 마음이 매우 유별난 것이어서, 그 마음의 묘사는 결단코 비생산적(非生産的)인 것이라야 한다고 생각했다. 다른 한편으로는 시대의 공정한 증인이 되려는 작가들이 있었다. 그러나 그들은 그 누구를 위해서 증언하려는 것이 아니라, 증언과 증인 그 자체를 절대화시킨 것이다. 그들은 주위의 사회의 모습을 허공에 대고 그렸다. 날조되고 전조(轉調)되고 획일화되고 예술적 문체라는 덫에 걸려서, 세계의 사건들은 중화되고, 말하자면 괄호 속에 묶이고 만다. 리얼리즘은 일종의 〈판단 중지 epochè〉였다. 이리하여 불가능한 진실은 〈돌의 꿈처럼 아름다운〉[100] 비인간적인 미(美)와 그 입장을 같이한다. 작가는 글을 쓰는 동안에는, 또 독자도 책을 읽는 동안에는, 이 세상의 사람이 아닌 것이다. 그들은 순수한 시선(視線)으로 변모한 것이다. 그들은 인간을 밖에서 바라보고, 신의 관점에서, 말하

---

99) 일례로 보들레르의 다음의 말을 들 수 있다. 「절묘한 시가 눈가에 눈물을 고이게 할 때, 그 눈물은 넘쳐흐르는 기쁨의 증거가 아니라, 차라리 (……) 불완전한 것 속에 유배(流配)되어 있어, 계시된 낙원을 당장 이 지상에서 움켜잡으려는 인성(人性)의 증거인 것이다」("Théophile Gautier")

100) 보들레르의 『악의 꽃들』 XVII, 「미 La Beauté」의 첫줄. 「Je suis belle, ô mortels! comme un rêve de pierre. 나는 아름답도다, 인간들이여, 돌의 꿈처럼」

자면 절대적 허무의 관점에서 인간을 생각하려고 애썼다. 그러나 우리는 가장 순수한 서정시인이 자신의 특수한 심정을 묘사한 내용 중에서도 우리 자신의 심정의 반영을 찾아볼 수 있는 법이다. 또한 실험소설이 과학을 모방한다고 하더라도, 소설 역시 과학과 마찬가지로 유용하고 사회적 적용성을 가질 수 있는 것이 아니겠는가?

그러나 극단론자들은 유용성을 두려워하는 나머지, 그들의 작품을 읽는 독자들이 자신의 마음을 이해하게 되는 것조차 바라지 않아서, 아예 자기들의 체험을 글로 전달하기를 거부했다. 극단적으로 말하면, 작품은 완전히 비인간적이 될 때에만 완전히 무상적(無償的)인 것이 될 수 있다는 이야기였다. 그리고 이 경지에 이르면, 사치와 낭비의 극치인 절대적 창조──〈이 세상의 것이 아니고〉 또 이 세상의 일을 전혀 상기시키지 않기 때문에 이 세상에서는 쓸모가 전혀 없는 그런 절대적 창조의 희망이 생길 터였다. 이리하여 상상 작용은 현실을 〈부정하는〉 무조건적인 능력으로 생각되고, 예술 작품은 세계의 붕괴 위에 세워졌다. 이리하여 데제생트의 극단적인 기교주의가, 모든 감각의 조직적인 착란이, 그리고 결국은 언어의 집중적인 파괴가 이루어졌다. 또한 침묵이 흘렀다. 말라르메의 작품에서 보는 바와 같은 얼음장 같은 침묵이, 혹은 모든 커뮤니케이션을 불순한 것으로 여기는 테스트 씨(氏)의 침묵이 흘렀다.[101]

---

101) 데제생트Des Esseintes: 위스망스Huysmans(1848-1907)의 소설 『역로*A rebours*』에 나오는 인물. 저속한 생활을 거부하고, 사치롭고 진귀한 장식품으로 가득한 방에 스스로 갇혀 신비로운 세계와의 교감을 겨냥한다. 〈모든 감각의 조직적인 착란〉: 궁극적인 미지의 경지에 도달하기 위한 방법으로서 랭보Rimbaud가 생각한 것. 이른바 「견자Voyant의 편지」에 나오는 말.

이 찬란한 죽음의 문학의 극점은 허무였다. 허무는 그 극점인 동시에 깊은 본질이었다. 이 새로운 정신병은 아무런 긍정적 측면도 지니고 있지 않았으며, 속세적인 것의 순수하고도 단순한 부정이었다. 중세(中世)에 있어서는 속세적인 것은 정신적인 것에 대해서 비본질적인 것이었다. 한데, 19세기에는 그 반대의 현상이 생겼다. 속세적인 것이 으뜸이고, 정신적인 것은 그것을 좀먹고 파괴하려는 비본질적인 기생충이 되었던 것이다. 요는 세계를 부정하거나 소모하자는 것이었다. 소모하면서 부정하자는 것이었다. 플로베르는 인간과 사물에서 벗어나기 위해서 글을 썼다. 그의 문장은 대상을 포위하고 사로잡고 꼼짝 못 하게 하고 그 허리를 꺾어놓고 삼켜버리고 스스로 돌로 변하고 또 대상도 돌로 변화시켜 버린다. 그것은 눈멀고 귀먹고 혈맥(血脈)이 없는 문장이다. 생명의 숨결 한점 없고 문장과 문장 사이에는 깊은 침묵이 가로놓인다. 문장마다 영원히 허무 속으로 빠져들고, 그것이 사로잡은 대상도 그 무한한 추락 속으로 끌려들어간다. 그리고 일단 묘사된 모든 현실은 목록에서 지워지고, 작가는 다른 현실로 넘어간다.

리얼리즘이란 다름아니라 대상에 대해서 시도한 바로 이러한 대규모의 음울한 사냥이었다. 그 목적은 무엇보다도 마음을 가라앉히려는 데 있었다. 그것이 지나간 곳에서는 이미 풀이 자라나지 않았다. 자연주의 소설의 결정론(決定論)은 삶을 질식시키

테스트 씨 Monsieur Teste: 순수 정신의 경지에 이르는 과정을 추구하기 위해서 발레리 Valéry가 만든 인물. 그는 모든 언어적 표현을 불순한 것으로 경멸하는 최고의 예지에 도달한다. 참고로 말해 두지만 이 단락에서 사르트르는 시와 산문의 구별이라는 대전제를 어기면서, 또한 작품이 독자의 자유에 대한 호소라는 작품의 존재론을 고려하지 않고, 그 반사회성을 일률적으로 고발하고 있다.

고, 인간의 행동 대신에 일방 통행적인 메커니즘을 들여앉혔다. 그것은 인간, 행위, 가족, 사회의 점차적(漸次的)인 해체라는 단 한 가지 주제만을 가지고 있었다고 해도 과언이 아니다.[102] 모든 것을 영(零)으로 되돌려야 했다. 자연을 생산적인 불균형 상태로 보고는 그 불균형을 말소시키려고 했다. 현존하는 힘들을 없애버려서 죽음의 균형 상태로 되돌아오려고 했다. 혹시 어떤 작가가 한 야심가의 성공을 그려보이는 일이 있다 해도, 그것은 겉모양에 지나지 않는다. 가령 『미모의 친구』[103]는 부르주아지의 진지(陣地)를 정면으로 공격한 것이 아니라, 사회의 붕괴 때문에 떠오른 부표(浮標)에 지나지 않는다. 그리고 아름다움과 죽음 사이의 밀접한 관련을 발견한 상징주의[104]는, 지난 반세기 간의 문학 전체의 테마를 명시한 것에 불과하다. 이미 존재하지 않는 시간이기 때문에 과거가 아름다웠고, 죽어가는 처녀와 시드는 꽃이 아름다웠고, 모든 쇠퇴(衰退)와 멸망이 아름다웠으며, 소모와 육체를 좀먹는 병과 마음을 파먹는 사랑과 죽음의 원리인 예술에 최고의 품위(品位)가 부여되었다. 앞에도 뒤에도, 또 태양과 대지의 향기에조차도, 죽음은 도처에 깔려

102) 졸라Zola의 경우를 보면, 사르트르의 이 판단은 반드시 옳은 것은 아니다. 졸라는 결정론은 숙명론이 아니라는 점을 강조했다. 그에게는 인과 관계에 의거한 사회악의 묘사는 그것 자체가 목적이 아니라 고발이며, 그 교정은 역시 인과 관계에 의거하는 과학의 발전과 그 발전을 수용하는 정치에 의해서 가능하다는 낙관론을 제시한다.

103) *Bel Ami*: 모파상의 장편소설. 여러 부도덕한 여성 편력과 술책을 이용하여 출세하고 치부하는 인물을 주인공으로 삼고 있다.

104) 여기에서 말하는 상징주의는 소위 퇴폐파 사람들Décadents 사이에서 자리잡은 19세기 말의 후기상징주의를 가리킨다. 사르트르가 언급하는 경향은 특히 라포르그Laforgue(1860-1887)와 빌리에 드 릴라당Villiers de l'Isle-Adam(1838-1889)에서 찾아볼 수 있을 것이다.

있었다. 바레스[105]의 예술은 죽음에 대한 명상이었다. 한 사물은 그것이 〈소모될 수〉 있을 때, 다시 말해서 우리가 향유하면 죽어 없어지게 될 때에만 아름답다는 것이었다.

이러한 귀족들의 놀이에 특히 알맞은 시간적 구조는 〈순간〉이라는 것이다. 순간은 사라지면서도, 또한 그 자체가 영원의 이미지이기 때문에, 인간의 시간, 즉 노동과 역사의 마당인 3차원의 시간의 부정이다. 집을 짓기 위해서는 많은 시간이 필요하지만, 무너뜨리려면 한순간으로 족한 것이다. 이런 관점에서 지드의 작품들을 보면, 거기에는 〈소비자로서의 작가〉에게만 엄밀히 적용되는 어떤 윤리(倫理)를 발견하지 않을 수 없다. 그가 말하는 이른바 무상(無償)의 행위[106]는 한 세기에 걸친 부르주아의 희극의 결말이며, 〈귀족으로서의 작가〉의 요청이 아니고 무엇이란 말인가? 지드가 무상의 행위의 예로 든 것이 모두 소비와 관련되어 있다는 것은 놀랄 만한 일이다. 필록테테스는 자기의 활을 내주고, 백만장자는 지폐를 마구 뿌리고, 베르나르는 도둑질을 하고, 라프카디오는 살인을 하고, 메날크는 세간을 내다 판다.[107] 이러한 파괴 행위가 극한까지 치달아서, 20년 후

105) Maurice Barrès(1862-1923): 자아와 조국의 긴밀한 관계를 강조한, 민족주의의 경향이 짙은 작가. 『민족적 정력의 소설*Le Roman de l'énergie nationale*』이라는 이름의 3부작이 그의 대표적 소설이다. 그러나 그의 밑바닥에는 죽음에 대한 집념과 그것으로부터의 탈주의 욕망이 깔려 있고, 그의 과격한 민족주의적 언행도 그것에 뿌리를 두고 있을 것이다.

106) Acte gratuit: 앙드레 지드가 생각해 본 순수 행위. 어떠한 이해 관계, 정념, 동기, 목적과도 무관한 행위 그 자체를 통해서 자신의 절대적 자유를 증명하려는 것.

107) Philoctète(Philoktetes): 소포클레스의 희곡에서와는 달리, 지드의 작품 『필록테테스 또는 세 가지 도덕에 관한 논구*Philoctète ou le traité des trois morales*』에서는 이 인물이 오디세우스의 책략 때문이 아니라, 자신의 정신적 자유의 증거로서 활을 내준다.

에 이르면 브르통의 다음과 같은 말이 나오게 된다.「가장 단순한 초현실주의적인 행위는 권총을 움켜쥐고 거리로 내려가서 군중을 향해 마구 쏘아대는 것이다」[108] 이것이 하나의 긴 변증법적 과정의 종점이었다.

18세기에는 문학은 부정성이었다. 한데, 부르주아지의 지배와 아울러, 그것은 절대적이며 구상화(具象化)된 부정의 단계로 옮아가고, 모든 것을 소멸시키는 다채롭고 화려한 과정이 되고 말았다. 브르통은 또한 이렇게도 말하고 있다.「초현실주의는 존재를 소멸시켜서, 얼음의 영혼도 불의 영혼도 아닌, 내적(內的)이며 맹목적인 찬란한 빛으로 전환시키는 것만에 관심을 갖는다」 극단까지 가면 문학에 남은 길은 그 자체의 존재를 부정하는 것이었다. 그리고 초현실주의의 이름을 빌려 해낸 것이 바로 그것이다. 작가들은 70년 동안 세상을 소모하기 위해서 글을 써왔는데, 1918년 이후로는 문학을 소모하기 위해서 쓴 것이다.[109] 문학적 전통을 헤프게 다루고, 말들을 낭비하고, 말들을 서로 부딪쳐서 폭파시켰다. 이리하여 절대적 부정으로서의 문학은 〈반문학〉이 되었는데, 이런 문학만큼 〈문학적인〉 문학은 일찍이 없었다. 한 바퀴 돌아 제자리로 간 것이다.

같은 시기에 작가들은 혈통 귀족(血統貴族)[110]의 경박한 낭비

Bernard:『사전꾼들 *Les Faux-monnayeurs*』의 인물.

Lafcadio: 교황청의 지하실 *Les Caves du Vatican*』에 나오는 인물. 열차에서 사람을 밀어 떨어뜨린다.

108)「초현실주의 제2선언 *Second Manifeste du surréalisme*」(1930)에 나오는 말. 그 다음에 나오는 인용문도 마찬가지이다.

109) 따라서 사르트르는 이 〈소비의 문학〉의 기점을, 부르주아지가 그 지배권을 정립한 1848년으로 보고 있다.

벽을 모방하기 위해서 무책임성을 정당화시키는 데 가장 큰 관심을 두었다. 우선 그들은 전제군주제의 신권설(神權說)을 대신할 천재의 권리를 주장했다. 미(美)는 사치의 극점이기 때문에, 미는 모든 것을 빛내고 태우는 차디찬 불꽃의 화형대이기 때문에, 미는 모든 형태의 소모와 파괴, 특히 고통과 죽음을 양식(糧食)으로 삼고 있는 것이기 때문에, 그 사제(司祭)인 예술가는 미의 이름으로 동포의 불행을 요구하고 필요에 따라서는 그 불행을 초래할 권리를 갖는다는 것이었다. 예술가 자신으로 말하자면, 그는 오래전부터 불타서 이미 재가 되어버린 존재이다. 그래서 불꽃을 계속 타오르게 하기 위해서는 다른 제물이 필요했다. 특히 여성이 필요했다. 여성들은 작가를 괴롭혔고, 작가도 여성들에게 똑같이 보복했다. 작가는 주의의 모든 사람에게 불행을 안겨주기를 바랐다. 무슨 파국을 조성할 길이 없을 때에는, 제물을 받아들이는 것으로 만족했다. 그는 둘레에 깔린 숭배자들의 마음을 불태우고, 감사하는 심정도 양심의 가책도 없이 그들의 돈을 낭비해 버렸다. 모리스 삭스의 이야기에 의하면, 아나톨 프랑스에 열광했던 그의 외할아버지는 작가의 사이드 Saïd 별장을 치장하기 위해서 한 재산을 톡톡히 털었다고 한다.[111] 그리고 외할아버지가 세상을 떠났을 때, 아나톨 프랑스가 했다는 조사(弔詞)는 기껏 「애석하구나. 그 사람은 실내 장식용이었는데!」라는 말뿐이었다. 부르주아의 돈을 뜯어냄

110) 세습적 귀족. 17세기에 어떤 고위직 법관에게 부여된 이른바 법복(法服) 귀족 noblesse de robe의 칭호와 구별된다.

111) Maurice Sachs(1906-1945): 데카당의 경향을 보인 문필가.
Anatole France(1844-1924): 이른바 〈미소하는〉 회의주의의 입장에 서서, 인간의 지나침과 어리석음을 아이러니컬한 필치로 그려나간 소설가. *Thaïs*를 위시한 많은 작품을 남기고, 사회주의의 장래에 희망을 걸었다.

으로써, 작가는 그의 성직을 행사한 셈이었다. 그렇게 해서 얻은 부르주아의 부(富)의 일부를 연기처럼 날려보냈기 때문이다. 그리고 바로 이런 짓을 통해서, 작가는 일체의 책임을 초월한 위치에 올라섰다. 도대체 누구에 대해서 책임을 지고, 무슨 명목으로 책임을 져야 하겠는가? 혹시 그들의 작품이 건설을 목적으로 삼은 것이었다면, 이것저것 따져볼 수도 있었으리라. 그러나 그것이 순수한 파괴를 내세운 이상, 어떤 판단의 대상이 될 수가 없는 일이었다.

다만 19세기 말에는 이런 사태가 어느 정도 불분명하고 또 모순을 내포한 것이었다. 그러나 초현실주의의 도래와 더불어, 문학이 살인을 교사(敎唆)하게 되자, 작가는 역설적이면서도 논리적인 귀결로서, 전적인 무책임성의 원리를 공공연히 선언하고 나섰던 것이다. 실은, 그들이 그 이유를 분명히 제시한 것은 아니고, 자동기술법[112)]이라는 밀림 속으로 피신하고 말았다. 그러나 그 동기는 명백하다. 순수한 소비 생활을 하는 기생적 귀족으로서, 노동하고 생산하는 사회의 재산을 쉴새없이 불사르는 것을 기능으로 삼는 작가가, 자신이 파괴하는 집단의 율법을 따를 수는 없는 노릇이었다. 그런데, 이러한 조직적인 파괴는 결코 〈스캔들〉 이상의 것이 될 수는 없었기 때문에, 결국 작가는 스캔들을 일으키는 것을 제일의 의무로 삼고, 그 스캔들의 결과에서 면책(免責)되는 것을 불가침의 권리로 삼은 것이라고 말할 수 있다.

---

112) Ecriture automatique: 머리에 떠오르는 생각을 즉시로 옮기는 것을 겨냥한 초현실주의의 수법. 그것은 「되도록 빨리 말해지는 독백이다. 주체의 비판적 정신이 어떠한 판단도 내릴 수 없고, 그후 어떠한 묵비(默秘)를 피하지도 않고, 최대한으로 정확하게 〈말해지는 생각〉이 되도록 하는 그러한 독백이다」(브르통, 「초현실주의 제1선언」).

한편, 부르주아지는 작가들이 하는 대로 내버려두고, 그들의 경망한 짓을 웃어넘길 따름이었다. 부르주아지로서는 작가가 자신을 멸시한들 큰 문제가 아니었다. 결국 독자가 되어주는 유일한 계층은 부르주아지였기 때문에, 그런 멸시에 깊은 뜻이 있을 수는 없었다. 작가가 부르주아지에 대한 멸시를 표명한 것은 바로 부르주아지 자신에게였으며, 그 멸시를 부르주아지에게 마치 밀담(密談)처럼 털어놓은 것이다. 이런 관계가 말하자면 그들을 서로 이어준 연줄이었다. 그리고 작가가 비록 민중을 독자로 획득했다고 가정하더라도, 부르주아가 천하게 생각하는 사람들이라는 것을 보여줌으로써 과연 어느 정도 그들의 불만을 조장(助長)할 수 있었겠는가?[113] 절대적 소비의 교리(教理)로서 노동 계급을 농락할 수 있는 가능성은 전무였다. 더구나 부르주아지는 작가가 은근히 자기들의 편에 서 있다는 것을 알고 있었다. 작가로서는 그의 대립과 원한과 미학을 정당화하기 위해서는 부르주아지의 존재가 필요했다. 또한 작가가 소비하기 위한 재물(財物)을 받는 것도 역시 부르주아지로부터였다. 그는 영주권을 가진 이방인 행세를 하기 위해서라도 사회 질서가 유지되기를 바랐다. 요컨대 작가는 반항자였지 결코 혁명가[114]는 아니었다.

부르주아지는 그 반항아들을 떠맡았다. 심지어 어떤 의미에

113) 〈불만을 조장하다〉: *Les Temps modernes*에는 attirer le mécontentement으로 되어 있고, *Situations II*에는 attiser le mécontentement으로 되어 있다. 전자는 〈끌어오다〉, 후자는 〈불지피다〉의 뜻이지만, 역자로서는 후자가 더 적합하다고 생각된다.

114) 반항자 révolté는 기존 체제의 파괴를 염두에 두지 않고 그 내에서 항거하는 사람. 이에 반해서 혁명가 révolutionnaire는 체제 자체의 전복을 겨냥하는 사람. 이 차이는 카뮈 Camus와 사르트르의 차이라고도 말할 수 있으며, 1952년의 두 사람 사이의 논쟁의 밑에 깔려 있는 것이기도 하다.

서는 그들과 한통속이 되어주기조차 했다. 왜냐하면 부정(否定)의 힘을, 공허한 심미주위(審美主義)와 실효 없는 반항 속에 가두어두는 편이 훨씬 나았기 때문이다. 만일 그 부정의 힘을 자유롭게 풀어주면, 피억압 계급을 위해서 사용될 수도 있었을 것이기 때문이다. 그뿐 아니라, 부르주아 독자들은 작가가 작품의 〈무상성(無償性)〉이라고 부르는 것이 무엇인지를 그들 나름대로 이해하고 있었다. 작가로서는 무상성이란 정신성의 본질 그 자체이며, 속세적인 것과의 단절의 영웅적인 표현이었다. 그러나 부르주아 독자로서는 무상적인 작품이란 근본적으로 해가 없는 것이며, 단순한 오락거리였다. 하기야 보르도나 부르제의 문학이 더 흡족한 것이기는 했다.[115] 그러나 진지한 관심사(關心事)에서 잠시 벗어나게 해주고, 원기 회복에 필요한 오락을 제공해 주는 그런 무해무용(無害無用)한 책들이 있는 것도 나쁘지는 않다고 생각했다. 이렇듯 부르주아 독자는 예술 작품이 아무 쓸모가 없다고 인정하면서도, 다른 한편으로는 그것을 이용하는 길을 찾아냈던 것이다.

작가의 성공은 바로 이러한 오해 위에 세워진 것이었다. 작가가 오해당하기를 좋아한 이상, 독자의 오해는 당연한 것이 되었다. 작가의 수중에서 문학은 그 자체로서 맴도는 추상적 부정(否定)이 되었으니, 독자들이 그의 가장 혹독한 모욕조차 웃어넘기고, 「이런 것은 문학에 지나지 않지!」라고 말하는 것을 의당 예상했어야 했다. 또한 문학이 근엄(謹嚴)의 정신에 대한 순수한 반발인 이상, 독자들이 작가의 작품을 근엄하게 받아들이기를 원칙상 거부하는 것을 당연하다고 생각해야만 했다. 그

115) 앞에서 언급한 것처럼 이런 작가들은 부르주아지의 체제와 이데올로기를 적극적으로 옹호했기 때문이다.

뿐 아니라 작가와 독자는 그 시대의 가장 〈허무주의적인〉 작품을 통해서조차 동류자(同流者)라는 것이 밝혀졌다. 비록 그것을 완전히 의식하지 못했고, 또 스캔들의 형식을 띨 경우도 있었지만 말이다. 왜냐하면 작가가 독자들과 담을 쌓으려고 아무리 애쓸망정, 독자의 은근한 영향에서 완전히 벗어나기란 전혀 불가능하기 때문이다. 부르주아인 것을 수치로 여기고, 부르주아를 위해서 쓰면서도 그 사실을 스스로 은폐(隱蔽)한 작가들은 가장 터무니없는 사상들을 늘어놓았다. 그들은 사상이란 많은 경우에 정신의 표면에 생기는 거품에 지나지 않는다는 것을 보여주려고 했다. 그러나 기법(技法)이 작가를 배반했다. 왜냐하면 그들은 기법을 통제하는 데에는 전심전력을 다하지 않았기 때문이다. 한데, 기법이란 더욱 근본적이고 더욱 진실한 선택을, 은연한 형이상학을,[116] 그리고 동시대 사회와의 진정한 관계를 나타내는 것이다. 아무리 시니컬한 말을 했을망정, 아무리 신랄한 주제를 택했을망정, 19세기 소설의 기법은 프랑스의 독자들에게, 부르주아지를 안심시킬 수 있는 모습을 그려보여 주었다. 하기야 오늘날의 작가들도 그런 소설 기법을 이어받았지만, 그것을 완성시킨 것은 19세기 작가들이었다.

소설의 기교의 출현은 중세 말엽으로 거슬러 올라가는데, 그것은 소설가가 자신의 예술에 대해서 최초로 반성적인 생각을 하게 되었을 때와 일치한다. 애초에 소설가는 스스로 무대에 오른다거나 자기의 기능에 대해서 생각하는 일 없이 그냥 이야기

116) 소설가의 기법은 그의 형이상학을 드러낸다는 생각은 *Situations I*에 수록된 포크너Faulkner론이나 카뮈의 『이방인』에 관한 글에 분명히 표명되어 있다. 만년에도 이 견해에는 변함이 없어서, 보부아르와의 대담에서도 같은 말을 하고 있다(*La Cérémonie des adieux*, 270쪽 참조).

를 해나갔다. 왜냐하면 그 이야기의 주제는 거의 모두가 민속적(民俗的)인 것, 혹은 적어도 집단적인 것이었고, 소설가는 그것을 그냥 옮겨놓기만 하면 되었기 때문이다. 그의 작업의 소재에 사회적 성격이 깃들여 있다는 사실과 아울러, 그런 소재가 작품화되기 이전부터 이미 존재해 왔다는 사실로 말미암아, 소설가는 매개자로서의 역할을 담당하게 되고 또한 그 존재가 충분히 정당화될 수 있었다. 소설가란 가장 아름다운 이야기들을 알고 있는 사람, 그리고 그 이야기를 구두(口頭)로 하는 대신에 글로 써놓는 사람이었다.[117] 그 자신은, 새로 꾸미는 것은 거의 없고 다만 단정히 가다듬을 뿐이며, 상상적인 것의 기록자였다. 한데, 소설가가 스스로 이야기를 꾸며서 그것을 발표하기 시작하게 되자, 그는 자기 자신을 반성하게 된 것이다. 그는 거의 죄악(罪惡)과 같은 자신의 고독과 정당화될 수 없는 무상성(無償性)과 문학적 창조의 주관성을 한꺼번에 발견했다. 모든 사람에게, 그리고 자기 자신에게조차 그런 것을 은폐하기 위해서, 즉 글을 쓸 권리에 근거를 주기 위해서, 소설가는 그가 꾸민 이야기를 진실처럼 보이게 하려고 했다. 집단적 상상에서 나오는 이야기에는 거의 물질과 같은 불투명성(不透明性)이 배어 있는 것이 특징인데, 자기의 이야기에 그런 불투명성이 깃들이게 할 수 없는 소설가는 다른 것은 고사하고, 그 이야기가 스스로 꾸민 것이 아닌 척하고, 추억담으로 받아들여지게 만들었다. 이 목적을 위해서 소설가는 구전 문학(口傳文學)의 화자(話者)와 같은 인물을 빌려서 이야기를 전개시키고, 이와 아울러 현실적 독자를 대표하는 청자(聽者)를 등장시켰다. 『데카메론』

117) 여기에서 말하는 〈최초의 소설〉이란 민담, 그리고 특히 서사시를 가리킨다.

의 인물들이 그런 예이다. 그들은 일시적인 피신(避身) 때문에 야릇하게도 성직자의 처지와 흡사하게 되며, 화자, 청자, 평자(評者)의 역할을 번갈아 한다. 이리하여 객관적이며 형이상학적인 리얼리즘——이야기의 말들과 그 말이 지칭하는 사물들이 같은 것으로 생각되고 세계를 이야기의 실체로 삼았던 그런 리얼리즘의 시대가 지나간 다음으로, 문학적 관념론의 시대가 온 것이다. 이제 말은 입속에서나 붓끝에서만 존재할 따름이고, 본질적으로, 말 자체를 통해서만 그 현존성(現存性)이 보장되는 그런 화자의 것이 되고 말았다. 또한 이야기의 실체는 세계를 자각하고 생각하는 주관성이었고, 소설가는 독자를 사물과 직접적으로 접촉시키는 대신에, 매개자로서의 자신의 기능을 의식하게 되고, 허구적인 화자라는 형식으로 그 매개자로서의 기능을 실현시켰다.

그 이후 독자에게 베푼 이야기의 주된 특징은 그것이 사전에 이미 생각된 것이라는 점, 다시 말해서 분류되고 정돈되고 다듬어지고 순화된 것이라는 점에 있다. 아니 차라리, 원래의 이야기를 돌이켜 생각해 보고 나서야, 그 이야기를 독자에게 해주는 것이 특징이 되었다고 말하는 것이 더욱 옳으리라. 그렇기 때문에 집단적 기원을 가진 서사시(敍事詩)의 시간이 흔히 현재인 반면에, 소설의 시간은 거의 언제나 과거이다.

보카치오로부터 세르반테스를 거쳐 17세기와 18세기의 프랑스 소설로 이르면서, 그 수법은 복잡해지고 삽화적(揷話的)으로 되어 나갔다. 왜냐하면 소설은 풍자, 가짜 이야기, 인물 묘사[7] 따위를 도중에 주워 모아서 그것들을 끼워넣었기 때문이다. 우선 소설가가 벽두에 나타나서 제 존재를 알리고 독자에게 말을 걸고 훈계하고 자기의 이야기가 진실이라고 다짐한다. 나는 그것을 원초적 주체(原初的 主體)라고 부르려 한다. 그러고는 이야기가 전개되어 나감에 따라, 애초의 화자가 만난 부차적 인물들이 끼여들어, 이 인물들이 이야기 줄거리를 중단시키고 자기들의 신세타령을 한다. 이들이 부차적 주체를 이루는데, 그것은 원초적 주체에 의해서 지탱되고 재탕(再湯)된 것이다.[118] 이리하여 어떤 이야기들은 2차적으로 생각되고 정리된 것들이다.[8] 그 결과, 독자가 어지러운 사건에 직접적으로 휘말려드는 일은 결코 일어나지 않는다. 비록 그런 사건이 애초에 생겼을 때 화자가 놀랐다 하더라도, 그런 놀람을 독자에게 〈전달〉하지는 않고, 다만 그것을 〈알려줄〉 뿐이다.[119] 소설가로서는, 말의 현실성은 오직 말을 하는 데에 있는 것으로만 믿고 있고, 또한 아직도 담화술(談話術)이라는 것이 존재하는 세련된 시대에 살고 있었기 때문에, 그는 책에서 읽게 되는 말들을 정당화하기 위해서 입담 좋은 인물들을 등장시킨다. 그러나 이야기하는 역할을 담당하는 그런 인물들 역시 말로써 만들어지는 것이므로, 소설가는 악순환에서 벗어날 수가 없는 것이다.[9]

하기야 19세기 소설가들이 사건의 서술에 특별히 애쓰고, 사건에 어느 정도의 신선미와 생동성을 부여하려고 시도한 것은 사실이다. 그러나 대부분의 경우, 그들은 부르주아 관념론과

---

118) 여기에서의 사르트르의 분석에는 약점이 있다. 그것은 화자 narrateur와 소설가 자신을 동일시하고 있다는 것이다. 그러나 이 약점은, 소설의 이야기가 과거에 있었던 이미 정리된 일로 나타난다는 사르트르의 지적 자체를 무효화시키는 것은 아니다.

119) 전달하다 communiquer, 알리다 faire part. 〈전달한다〉는 것은 그 놀라움의 실체를 보이는 것이며, 〈알린다〉는 것은 놀랐다는 사실만을 전하는 것. 대체로, 전자는 〈showing〉, 후자는 〈telling〉이라고 말할 수 있을 것이다.

완전히 부합하는 관념론적인 기법에 다시 빠져들고 말았다. 바르베 도르빌리와 프로망탱[120]처럼 서로 판이한 작가들도 다 같이 그런 기법을 늘 사용했다. 가령 『도미니크』를 보면, 원초적 주체가 부차적 주체를 떠받쳐주고 있는데, 이야기를 해나가는 것은 후자(後者)이다.

이러한 수법을 그 어느 작가보다도 뚜렷하게 보여준 것이 모파상이다. 그의 단편소설의 구조는 거의 한결같다. 우선 청중이 소개되는데, 대개의 경우 그들은 저녁 식사 후에 응접실에 모인 번지르르한 상류 사회의 인사들이다. 그리고 때는 피로도 정념도 모두 사라진 밤중이다. 피억압자(被抑壓者)들도 반항아들도 모두 잠든 시간이다. 세계는 어둠에 묻히고 이제 이야기가 다시 싹트려는 찰나이다. 무(無)로 둘러싸인 동그란 불빛 속에서 그 엘리트들만이 자지 않고 남아서 그들의 의식(儀式)을 치르기에 전념하고 있는 것이다. 그들 사이에 무슨 책략이나 사랑이나 미움과 같은 것이 있다고 해도 그런 이야기는 전혀 나오지 않는다. 더구나 욕망도 노여움도 모두 가라앉았고, 이 선남선녀들은 그들의 교양과 풍습을 〈보존〉하고, 그들 자신의 예의 범절을 통해서 〈상호 확인〉을 하는 데에만 관심이 있는 것이다. 그들은 가장 세련된 질서를 대표하는 인간들이다. 더구나 밤이 고요하고 정념이 가라앉은 시각(時刻)인 만큼, 모든 것이 19세기 말의 안정된 부르주아지——어떤 이상한 일도 생길 수 없다고 생각하고 자본주의 체제의 영속성을 믿고 있는 그런 부르주

120) Eugène Fromentin(1820-1876): *Dominique*(1863)가 그의 유일한 소설. 연상의 여인에 대한 사춘기의 사랑 이야기를 추억담의 형식으로 전개시킨다. 미묘한 감정의 곡절을 분석한, 이른바 심리소설의 한 걸작으로 알려져 왔다.

아지를 상징하는 데 안성맞춤이다.

그러자 화자가 등장한다. 그는 〈많은 것을 보고 읽고 간직하고 있는〉 나이 지긋한 사람이다. 이를테면 의사, 군인, 예술가, 돈 후안과 같은 많은 경험을 쌓은 전문가이다. 인생의 어느 시기에 다다르면, 사람은 정념에서 해방되고 자신의 과거의 정념을 너그럽고도 명철하게 돌이켜본다는 점잖고 편리한 신화(神話)가 통용되고 있는데, 화자가 바로 그런 사람이다. 그의 심경은 밤처럼 고요하다. 그의 이야기는 이미 옛날의 일이다. 그것 때문에 괴로워했다 해도 이제는 그 괴로움에서 교훈을 얻고, 그것을 돌이켜보고, 진정하게, 다시 말해서 〈영원의 상 아래서〉 관조하는 것이다. 파란이 있었던 것은 사실이지만, 그것은 이미 오래전에 끝난 일이다. 그 주역(主役)들은 죽었거나 결혼해 버렸거나 혹은 마음의 상처가 아물었다. 이렇듯 모험이란, 이미 그 자취가 없어진 잠시간의 무질서에 불과하다. 그러니 그 이야기는 풍부한 경험을 쌓고 지혜를 터득한 지금의 입장에서 하는 것이며, 듣는 이도 다시 질서가 회복된 처지에서 그것을 들어주는 것이다. 질서가 승리하고 도처에서 지배한다. 그 질서가, 이미 사라진 옛날 옛적의 무질서를 바라본다. 마치 여름날의 잔잔한 물이 한때 수면을 주름잡던 잔물결의 기억을 간직하고 있듯이 말이다. 더구나 과연 무슨 파란이 있기라도 했던 것인가? 혹시 무슨 갑작스런 변화를 환기(喚起)시키면, 이 부르주아의 패거리를 펄쩍 뛰게 했으리라. 그래서 화자인 장군이나 의사는 그들의 추억을 생생하게 털어놓는 일이 없다. 그들은 자기들의 체험에서 골자만을 가려내고, 발언을 시작하자마자, 그 이야기에는 교훈이 담겨 있다는 것을 미리 우리에게 알려준다.

따라서 이야기는 설명적이어서, 예시(例示)를 통하여 어떤 심리학적 법칙을 만들어내는 것을 겨냥하는 것이다. 법칙이라기보다 헤겔을 따라서 〈변화의 고요한 이미지〉라고 말하는 편이 나을지도 모른다. 그러니까 변화 그 자체, 즉 이야기의 개별적 측면은 겉모습에 지나지 않는다. 이 설명의 체계에 있어서는 모든 결과는 모든 원인으로, 예기치 않았던 일은 이미 예기했던 일로, 새로운 것은 예로부터 있던 것으로 환원된다. 메예르송[121]에 의하면 19세기의 학자가 과학적 사실에 대해서 한 일은 다양성을 동일성으로 환원한 것인데, 소설의 화자는 이와 같은 일을 인간적 사실에 대해서 한 것이다. 그리고 간혹 화자가 이야기에 다소 불안스러운 맛을 곁들이려고 잔꾀를 부릴 때에는, 그런 변화의 비환원성(非還元性)의 분량을 조심스럽게 제한한다. 가령 환상소설에서 화자는 설명할 수 없는 것의 배후에는, 우주에 합리성을 다시 가져오는 영원한 인과론적 질서가 있음을 독자가 짐작하도록 만드는 것이다.[122] 이렇듯 이 안정된 사회에서 탄생한 소설가의 눈에는, 변화는 파르메니데스[123]의 경우에 그렇듯이, 또 악(惡)이 클로델[124]의 경우에 그렇듯이, 비존재(非存在)이다. 비록 변화가 존재한다 하더라도, 그것은 사회에 적

121) Emile Meyerson(1859-1923): 프랑스의 철학자. 형이상학을 배제하고 과학주의의 입장에 섰다.

122) 사르트르의 이 지적은 합당하다. 모파상의 환상적 단편, 가령 「공포La Peur」, 「잠드는 의자Endormeuse」 따위를 보면, 사건은 일상적인 것 속에서 일어나고 또한 일상적인 것에 의해서 해소된다. 그것은 결국 인과관계로 설명이 된다. 그의 작품 중에서 가장 환상적이라고 할 수 있는 *Le Horla*에 관해서는 3장 원주 **10** 참조.

123) Parmenides: 진실로 존재하는 것에는 어떠한 변화도 운동도 없다고 주장한 점에서, 모든 것이 달라지고 생성된다고 생각한 헤라클레이토스와 대척적이다.

124) Paul Claudel(1868-1955): 20세기 전반의 프랑스의 가장 저명한 카톨릭 희곡 작가.

응할 줄 모르는 사람의 개인적인 불행에 지나지 않는 것으로 치부되었다.

이런 소설가의 관심의 대상은 사회와 세계라는 움직이는 체계 속에서의 부분적 체계의 상대적 움직임을 고찰하는 데 있는 것이 아니라, 절대적 정지(靜止)의 관점에 서서, 상대적으로 고립된 부분적 체계의 절대적 움직임을 고찰하는 데 있었다. 요컨대 그 절대적 움직임을 한정할 수 있는 절대적 척도를 가지고 있었고, 따라서 그 절대적 진상(眞相)을 인식했다는 말이 된다. 자체(自體)의 영원성에 대해서 명상하고 의식(儀式)에 의해서 그 영원성을 축복하는 이 질서 있는 사회에서, 한 인간이, 지난날의 무질서의 망령을 상기시키고 그 모습을 여기저기 출몰시키고 철늦은 멋으로 장식하는데, 일단 그 망령이 불안을 초래할 위험이 있게 되면, 당장에 요술지팡이를 휘둘러서 사라지게 하고는 그 대신 인과율과 법칙의 체계를 가져다 놓는다. 역사와 인생을 이해했기 때문에 그런 것에서 초탈할 수 있었고, 또 지식과 경험으로 말미암아 청중보다 높은 위치에 올라선 이 마술사에게서, 우리는 앞서 이야기한 바 있는, 상공(上空)에서 조망하는 귀족의 모습을 다시 찾아볼 수 있는 것이다.[10]

내가 모파상이 사용한 수법에 대해서 지금까지 길게 언급한 것은 그것이 그의 세대와 직전의 세대와 그후의 여러 세대의 프랑스 소설가의 기본적 기법이 되었기 때문이다. 소설 내의 화자는 항상 존재해 왔다. 화자는 추상화될 수도 있고 또 흔히 명백하게 제시되지 않는 수조차 있다. 그러나 어느 경우이건 간에, 우리가 사건을 알게 되는 것은 그의 주관성을 통해서이다. 화자가 전혀 나타나지 않는다 해도, 그것이 쓸데없는 장치로서 말소된 것이 아니라, 작자(作者)의 분신이 되었기 때문이다. 백지를 앞에 놓고 앉은 작자는 그의 상상이 경험으로 전환하는 것을 본다. 그는 이제 자신의 이름으로 글을 쓰는 것이 아니라, 이야기되는 사건을 목격한 성숙하고 진중한 어떤 사람의 말을 받아 적는 것이다. 가령 도데 Daudet는 분명히 살롱의 능란한 이야기꾼의 소질을 타고 난 사람이어서, 사교계의 회화의 특징적인 말버릇과 애교 있는 탈선(脫線)을 그의 문체에 담아 넣었다. 그래서 다음과 같이 외치고 빈정대고 독자에게 말을 걸고 묻곤 하는 것이다. 「아아! 타르타랭은 얼마나 실망했던 것인가! 한데 여러분은 왜 그런지 아시오? 여간해서 짐작하지 못할 거외다……」[125] 심지어는 시대의 객관적 역사가가 되려고 했던 리얼리즘의 작가들의 경우조차도 이러한 방법이 추상적인 도식을 이루고 있었다. 달리 말해서, 그들의 모든 소설에는 공통적인 중심, 공통적인 골격이 있었는데, 그것은 소설가의 개인적이며 역사적인 주관성이 아니라, 경험이 풍부한 인간의 이상적이며 보편적인 주관성이었다.

무엇보다도 이야기는 과거 시제(時制)로 씌었다. 그것은 이야기되는 사건과 독자를 갈라놓기 위한 의례적(儀禮的)인 과거이고, 이야기꾼의 기억에 해당하는 주관적 과거이다. 그것은 또한 이야기가 생성중(生成中)에 있는 미결의 역사가 아니라, 이미 이루어진 역사에 속한다는 점에서 사회적 과거이기도 하다. 자네 Janet[126]의 주장에 의하면, 추억이 과거의 몽유병적(夢遊病

125) Tartarin de Tarascon(1872): 남프랑스의 소도시 타라스콩에서 태어난 주인공은 터무니없는 환상에 끌려, 마치 돈 키호테처럼 엉뚱하고 우스꽝스러운 모험에 나선다.

126) Pierre Janet(1859-1947): 프랑스의 심리학자이자 신경학자.

的) 부활과 구별되는 것은, 후자가 사건을 그 자체의 계속적 시간에 따라 재현하는 데 반하여, 전자는 무제한적으로 신축성이 있는 것이라서 필요에 따라 한 문장으로도, 또 한 권의 책으로도 제시될 수 있기 때문이다. 한데 이 주장이 옳다면, 시간을 갑자기 압축시키다가는 길게 늘어뜨리기도 하는 이런 종류의 소설은 다름아니라 바로 추억담이라고 말할 수 있을 것이다. 화자는 때로는 결정적인 한순간을 길게 묘사하는가 하면, 또 때로는 「3년이 흘렀다. 암울한 고통의 3년이……」 하는 식으로 몇 해를 건너뛰기도 한다. 그는 인물들의 현재를 그 미래에 의해서 설명하는 것도 서슴지 않는다. 가령 「그들은 이 짧은 만남이 불행한 결과를 가져오리라고는 꿈에도 생각하지 못했다」는 식으로 말이다. 한데 화자의 입장에서 보자면, 이런 시간 처리는 무리가 아니다. 왜냐하면 이 현재와 미래는 둘 다 과거이기 때문이며, 기억의 시간은 그 불가역성(不可逆性)을 잃어, 우리가 시간을 뒤로부터 앞으로, 또 앞으로부터 뒤로 마음대로 뛰어다닐 수 있기 때문이다.

그뿐 아니라, 화자가 우리에게 제시하는 추억담은 이미 손질과 반성과 평가를 겪은 것이어서, 우리에게 즉각적으로 소화될 수 있는 교훈을 베푸는 것이다. 그런 이야기가 보여주는 감정이나 행동은 〈심정(心情)의 법칙〉의 전형적인 예들이다. 가령 「다니엘은 모든 젊은 사람과 다름없이……」, 「에브는 아주 여자다웠는데, 그것은……」, 「메르시에의 버릇은 관리들에게서 흔히 볼 수 있는 것으로서……」라는 따위이다. 그리고 이러한 법칙은 선험적으로 연역될 수도, 직관에 의해서 포착될 수도 없고, 또 과학적 실험에 기초를 둔 보편적 재현의 가능성이 있는 것도 아니기 때문에, 독자는 파란만장한 인생의 여러 고비에서 그런 숨은 법칙들을 귀납적으로 추려낸 주관성에 의지하게 되는 것이다. 이런 점에서 볼 때, 제3공화국 시대의 대부분의 프랑스 소설은 작가의 연령이 어떻든 간에, 그리고 그 연령이 낮으면 낮을수록 더욱, 50대의 사람에 의해서 쓰인 것 같은 인상을 풍길 수 있기를 바랐다고 말할 수 있다.

몇 세대에 걸친 이 시기 전체를 통해서 이야기는 절대의 견지에서, 다시 말해서 질서의 견지에서 서술되었다. 이야기의 내용은 정지(靜止)한 체계 내에서의 국부적인 변화에 불과하며, 작가도 독자도 위험을 겪을 일이 없고 어떤 뜻하지 않은 사건도 두려워할 필요가 없었다. 사건은 모두가 지나간 일이며 이미 정리되고 이해된 것이기 때문이다. 그 안정된 사회의 사람들은 자신을 위협하는 위험을 아직도 의식하지 못했고, 국부적인 변화를 통합할 수 있는 일정한 윤리와 가치 척도와 설명 체계를 가지고 있었고, 역사성을 초월한 존재인 자기들에게는 어떤 중요한 일도 결코 일어나지 않으리라고 확신하고 있었다. 그들 부르주아지가 지배하는 프랑스는 구석구석까지 개간되고, 해묵은 담들에 의해서 바둑판처럼 구획되고, 산업적 방법의 틀에 의해서 고정되고, 프랑스 대혁명이라는 영광 속에서 졸고 있었던 것이다. 한데 이런 시대에는 다른 어떤 소설 기법도 자리잡을 수 없었다. 하기야 몇몇 새로운 수법을 도입하려는 시도가 있기는 했지만, 그것들은 다만 호기심의 대상이 되었거나 혹은 하루살이와 같은 운명을 면하지 못했거나 했다. 작가도 독자도 사회의 구조도 또 그 신화(神話)도 그런 새로운 수법을 요청하지 않았기 때문이다.[11]

일반적으로 문학은 사회에서 통합적(統合的)이며 전투적인 기능을 지니게 마련인데, 19세기 말의 부르주아 사회는 다음과 같은 전례 없는 양상을 보여주었다. 즉, 생산이라는 깃발 아래 모여든 근면한 한 사회 집단에서 태어난 문학은 그 사회를 대변하기는커녕, 그 사회의 관심사에 대해서는 무엇 하나 언급하지 않고, 그 이데올로기에 정면으로 대립하였다. 그것은 미(美)를 비생산적인 것과 동일시하고, 사회에 통합되는 것을 거부하고, 심지어는 읽히는 것조차도 바라지 않았다. 그렇지만 그 반항의 밑바닥에는 지배 계급의 가장 깊은 구조와 그 〈스타일〉이 깔려 있었던 것이다.

그러나 그 시대의 작가들을 비난해서는 안 된다. 그들은 할 수 있는 일을 다 했고, 그들 중의 몇몇은 우리의 가장 위대하고 가장 순수한 작가들이다. 그리고 인간의 행위는 그 하나하나가 세계의 어떤 모습을 우리에게 새로 보여주는 것인데, 그들의 태도 역시 그들 자신의 의향과는 다른 뜻에서 우리의 생각을 새롭게 해주었다. 그것은 세계의 무한한 차원(次元)의 하나로서, 그리고 인간 활동의 가능한 목표의 하나로서 〈무상성(無償性)〉[127]을 계시해 주었기 때문이다. 또한 그들은 결국 예술가였기 때문에, 그 작품들은 그들이 멸시하는 척했던 독자의 자유에 대한

127) 여기에서 말하는 무상성 gratuité은 앙드레 지드의 〈무상의 행위〉에서 사용된 바와 같은 뜻에서의 무상성이 아니라, 114쪽 역주 24)에서 말한 것처럼, 작품이 이해 관계를 떠나서 독자에게 증여된다는 측면을 두고 하는 말이다.

절망적인 호소를 그 안에 지니고 있었다. 그들의 작품은 부정(否定)을 극한까지 밀고 나가서 그 자체의 존재마저 부정한 것이다. 그것은 우리로 하여금 학살된 말들의 저 너머로 시커먼 침묵을 엿보도록 하고, 근엄(謹嚴)의 정신의 저 너머로 모든 것이 등가적(等價的)인 텅 비고 헐벗은 하늘을 엿보도록 해주었다. 또한 모든 신화와 모든 가치 체계의 파괴를 통해서 허무 속으로 솟아오르도록 우리에게 종용하고, 인간 속에서, 신의 초월성과의 내적(內的)인 관계가 아니라 무(無)와의 긴밀하고 은밀한 관계를 드러내 보여주었다.

요컨대 그것은 청춘기의 문학이었다. 아직도 부모에 의지하면서도, 쓸모도 책임도 없는 처지에서 집안의 돈을 낭비하고, 아버지를 비판하고, 자신의 어린 시절을 보호해 주었던 근엄한 세계의 붕괴를 조장(助長)하는 그런 나이 또래의 청년의 문학이었다. 카유아 Callois[128]가 잘 지적했듯이 축제는 부정적인 계기의 하나로서, 그때에는 사회의 성원들이 지금껏 모은 재물을 소비하고, 도덕적 율법을 어기고, 낭비하는 기쁨 때문에 낭비하고, 파괴하는 기쁨 때문에 파괴한다고 하는데, 우리는 그 점에 비추어서 19세기의 문학을 이해할 수도 있을 것이다. 그것은 절약을 지상(至上)의 것으로 삼았던 근면한 사회의 변두리에서, 사치스럽고 불길한 축제를 벌이고, 화사한 부도덕 속에서, 정열의 불길 속에서, 죽음에 이르기까지 몸을 태우기를 종용한 것이었다. 이러한 문학은 후술하는 바와 같이 트로츠키

128) Roger Caillois(1913-1978): 프랑스의 비평가, 사회학자. 현대 사회를 지배하는 고정 관념들을 파괴하기 위하여 다방면의 활동을 전개했다. 『인간과 성스러운 것 *L'homme et le sacré*』(1939), 『놀이와 인간 *Les jeux et les hommes*』(1958), 그리고 예술적 창조의 과정을 다룬 『바벨 Babel』(1948) 등의 많은 저서가 있다.

Trotzky[129]적인 것이 된 초현실주의를 통해서 뒤늦게 완성되고 또 결말을 고하게 되지만, 그것을 보면 이 문학이 지나치게 폐쇄된 사회에서 행사한 기능을 더 잘 이해할 수 있을 것이다. 그것은 일종의 안전판(安全瓣)이었다. 요컨대 영구적인 축제로부터 영구적인 혁명에 이르는 길은 그렇게 먼 것이 아니었다.

그렇지만 19세기는 작가에게 있어서 과오와 실추의 시대였다. 만일 작가가 하향적(下向的)인 계급 이탈(離脫)을 자진해서 받아들여, 자기의 예술에 새로운 내용을 담았더라면, 선배 작가들의 과업을 다른 수단으로, 그리고 다른 국면에서 추구해 나갔을 것이다. 부정성과 추상성을 떠나서 구체적인 건설로 문학을 지향시키는 데 이바지했을 것이다. 이미 18세기에 전취(戰取)했고 이제는 아무도 빼앗을 수 없는 자립성을 간직하면서도, 그 자립성을 다시금 사회와 통합시켰을 것이다. 프롤레타리아의 요구를 밝혀주고 지지함으로써, 글쓰기라는 예술의 본질을 더욱 심화시켰을 것이며, 또한 형식적인 사상의 자유와 정치적 민주주의의 사이뿐만 아니라, 사고의 영원한 주체로서 인간을 선택한다는 구체적인 의무와 사회적 민주주의의 사이에도 일치점(一致點)이 있다는 것을 이해했을 것이다. 그리고 그의 문체는 양분(兩分)된 독자에게 지향되겠기 때문에, 내적(內的) 긴장을 다시 획득했을 것이다. 부르주아에게 그 부정(不正)

129) Trotsky(1878–1940): 소련의 혁명가. 스탈린의 관료주의를 맹렬히 비판하여 추방되고 그의 첩자에게 암살당했다. 브르통은 1938년에 트로츠키와 함께 〈독립적인 혁명 예술〉의 이름으로 스탈린 정권의 사회주의 리얼리즘을 고발했다. 세계를 변혁하고 인생을 바꾼다는 이중의 목표를 내세웠던 초현실주의자로서는 영구혁명을 주장한 트로츠키와 손을 잡는 것은 당연했을 것이다.

을 증언하는 한편, 노동 계급의 의식을 깨우치려고 애씀으로써, 그의 작품은 세계 전체를 반영했을 것이다. 만일 작가가, 예술 작품의 근원인 동시에 독자에 대한 무조건적인 호소이기도 한 고매한 정신과, 그 희화(戱畵)에 불과한 헤픈 마음가짐을 구별할 줄 알았다면, 이른바 〈인간성〉이라는 분석적, 심리적인 해석을 버리고 인간의 무릇 〈조건들〉을 종합적으로 평가할 수 있었을 것이다. 아마도 그것은 어렵고 또 불가능한 일이었을지도 모른다. 그러나 작가의 태도는 애초부터 잘못된 것이었다. 일체의 계급성에서 벗어나려는 교만하고 헛된 짓을 할 것도 아니었고, 또 프롤레타리아를 국외자로서 〈내려다볼〉 것도 아니었다. 그와는 반대로 자기의 계급에서 추방된 부르주아로서, 억압된 대중과 연대적(連帶的) 이해 관계에 의해서 결합된 부르주아로서 자각해야 했던 것이다.

그 시대의 작가들이 찬란한 표현 수단들을 발견한 것은 사실이지만, 그들은 동시에 문학을 배반했다는 것을 잊어서는 안 된다. 그뿐 아니라 그들의 책임은 한결 더 컸던 것이다. 만일 그 작가들이 피억압 계급의 사람들을 독자로 가질 수 있었다면, 그들의 여러 관점의 차이와 작품의 다양성은 우리가 〈사상 운동〉이라고 매우 적절하게 부르고 있는 것, 즉 열리고 서로 모순되고 변증법적인 이데올로기가 대중들 틈에서 자라나는 데 기여(寄與)했을 것이다. 그렇게 되었다면, 아마도 마르크스주의가 승리했겠지만, 그것은 가지가지의 수많은 색조를 띠고, 경합적(競合的)인 이론들을 흡수하고, 열린 사상으로 남을 수 있었을 것이다. 그런데 실제로 만들어진 것은 백 가지가 아니라 단지 두 가지의 혁명적 이데올로기였다. 우선 프루동Proudhon 주의자들이 있었는데, 그들은 1870년 이전의 노동자 인터내셔널[130]에서는 다수파였지만, 파리 코뮌의 좌절로 말미암아 분쇄되고 말았다. 그 결과 마르크스주의가 그 경쟁자에 승리했는데, 이 승리는 모순의 한쪽 항(項)을 지양하면서도 보존하는 헤겔적 부정의 힘에 의한 것이 아니라, 외적(外的)인 힘이 그것을 그냥 없애버려 주었기 때문에 획득된 것이었다. 한데 이러한 영광 없는 승리는 마르크스주의에게 엄청난 대가를 치르게 했다. 경쟁자가 없었기 때문에 그것은 생명을 잃은 것이다.[131] 만일 마르크스주의가 간단없이 상대방의 공격을 겪고, 승리를 위해서 변신을 거듭하고, 적으로부터 무기를 훔쳐오곤 하는 더 좋은 것이었다면, 그것은 정신성(精神性) 그 자체가 되었을 것이다. 그러나 귀족 행세를 하는 작가들이 아득히 멀리 떨어진 곳에서 추상적 정신성의 수호자로 자처하고 있던 동안에, 독불장군인 마르크스주의는 교회와 같은 존재가 되었던 것이다.

내가 여기에서 시도한 분석이 매우 편파적이며 이론(異論)의 여지조차 있음을 나 자신도 잘 알고 있다는 것을 여러분이 믿어주기 바란다. 예외가 얼마든지 있고, 나 역시 그것을 알고 있다. 그러나 그 이야기를 하자면 방대한 지면이 필요할 것이며, 나는 우선 요점만을 서둘러 생각해 본 것이다. 무엇보다도 내가 어떤 입장에서 이 글을 쓰게 되었는지 여러분이 이해해 주기 바란다. 만일 여기에서 내가 비록 피상적일망정 사회학적 설명을

130) 마르크스를 주축으로 삼아, 1864년 런던에서 결성된 제1차 인터내셔널(노동자 국제연합)을 두고 말하는 것. 그 안에서 특히 1866-1868년에 걸쳐 마르크스주의자와 프루동주의자들 사이의 알력이 심했다.

131) 사르트르는 후일 『변증법적 이성비판』에서, 이러한 폐쇄적인 마르크스주의, 그 자신의 말을 빌리자면, 〈정체한〉 마르크스주의를 통렬히 공격하고, 그것을 실존주의를 통해서 다시 생동(生動)시켜야 한다고 주장한다.

시도한 것이라고 생각하는 사람이 있다면, 이 글은 모든 의미를 상실하고 말 것이다. 스피노자에 의하면, 한 끝을 중심으로 해서 도는 선분(線分)의 관념은, 원주라는 종합적이며 구체적이며 완결된 관념과 유리되어 생각될 때에는, 추상적이고 틀린 것이다. 왜냐하면 그 관념을 내포하고 완성시키고 정당화시키는 것은 원주라는 관념이기 때문이다. 이와 마찬가지로 우리의 고찰 역시 예술 작품이라는 견지, 즉 자유로운 인간에 대한 자유롭고 무조건적인 호소라는 견지로 되돌아가지 않는 이상, 자의적(恣意的)인 것이 되고 말 것이다. 우리는 독자와 신화 없이는——다시 말해서, 역사적 상황이 만들어준 〈어떤〉 독자와, 그 독자의 요청에 크게 의존하는 〈어떤〉 문학의 신화 없이는 글을 쓸 수 없다. 요컨대 다른 모든 인간과 마찬가지로 작가도 상황 속에 처해 있는 것이다. 그러나, 그의 글은 인간의 모든 기도가 그렇듯이 상황을 동시에 내포하고 명시하고 넘어서며, 마치 원이라는 관념이 선분의 회전이라는 관념을 설명하고 그 기초가 되는 듯이, 그 상황을 설명하기조차 하고 그 기초가 되는 것이다.

〈상황 속에 처해 있다는 것〉은 자유의 본질적이며 필수적인 성격이다. 상황을 묘사하는 것이 자유를 침해하는 행위가 될 수는 없는 것이다. 얀센파(派)의 이데올로기, 삼일치(三一致)의 법칙,[132] 프랑스 시의 운율(韻律)의 규칙 따위는 예술이 아니다. 예술이라는 견지에서 보자면 그런 것들은 심지어 순수한 무(無)라고조차 할 수 있다. 왜냐하면 그것들이 단순히 결합되었다고

132) 아리스토텔레스의 『시학』을 내세워, 17세기 프랑스에서 비극의 세 가지 규칙으로 삼은 것을 가리킨다. 비극 작품에서 전개되는 행동은 만 하루의 일로 제한되고, 한 장소에서 일어나고, 그 주제가 단일적이라야 한다는 것이다.

해서 훌륭한 비극이나 훌륭한 장면이나 또 심지어 훌륭한 한 줄의 시구가 산출될 수 있는 것은 결코 아니기 때문이다. 그러나 라신의 예술은 바로 그것들로부터 〈출발해서〉 창출되어야만 했다. 그러나 어리석게도 흔히 말해 온 것처럼 그의 예술은 그것들에 순응하거나, 혹은 거기에서 어떤 절묘한 장애나 필요한 구속[133]을 추출한 것이 아니라, 반대로 그것들을 재창출한 것이다. 다시 말해서 막(幕)의 구분, 시구의 분할법(分割法), 각운(脚韻), 포르루아이알Port-Royal[134]의 윤리 따위에, 라신 고유의 새로운 기능을 부여한 것이다. 그래서 라신은 시대가 강요한 틀 속으로 그의 주제를 부어넣은 것인지, 혹은 주제가 요청했기 때문에 그 〈기법〉을 진실로 선택한 것인지 가늠할 수가 없게 되었다. 페드르Phèdre[135]가 어떤 인간이 될 수 없는지를 이해하기 위해서는 인간학 전체를 살펴보아야 할 것이다. 그러나 페드르가 어떤 인간이었는지를 이해하기 위해서는 그 작품을 읽거나 듣기만 하면 된다. 다시 말해서 자기 자신을 순수한 자유가 되게 하고, 고매한 정신을 고매하게 신뢰하면 되는 것이다.

우리가 지금까지 골라본 예들은 오직 작가의 자유를 여러 다른 시대의 상황 속에 놓아보고, 작가에 대한 요청의 한계를 통해서 그의 호소의 한계를 밝혀보고, 작가의 역할에 관해 독자

---

133) a. 텍스트에는 des gênes et des contraintes nécessaires로 되어 있으나, 《현대》지에 실린 원문에서는 des gênes exquises……로 적혀 있다. 이쪽이 더 합당하다고 생각해서 그것에 따랐다.

b. 바로 이러한 규칙의 구속을 주체적으로 수용한 점에 고전주의 작가들의 예술적 장점이 있다고 본 사람들이 가령 발레리와 지드이다.

134) Port-Royal: 파리 서쪽에 있던 수녀원. 17세기 중엽에 얀센파의 사람들의 본거지가 되었다.

135) Racine의 대표적 비극 *Phèdre*의 주인공.

가 품는 생각을 통해서 작가의 문학관의 필연적 한계를 제시해 보려는 데에만 그 목적이 있었다. 그런데 문학 작품의 본질이, 전적(全的)으로 다른 사람들의 자유에 대한 호소로서 나타나고 또 그런 호소가 되고자 하는 자유에 있는 것이 사실이지만, 다른 한편으로 인간이 자유롭다는 것을 감추어온 여러 가지 형식의 억압이, 작가에게 대해서 그 본질의 일부 내지는 전부를 은폐한 것 또한 사실이다. 그리하여 작가들이 자신의 직업에 관해서 품어온 생각들은 필연적으로 온전하지 못한 것이다. 하기야 그 속에는 여전히 어떤 진실이 담겨 있긴 하지만, 만일 그것에만 머무른다면 부분적이며 고립된 그 진실은 오류가 되어버린다. 그리고 개별적 작품 하나하나는 어떤 의미에서는 항상 무조건적인 존재이며, 무(無)로부터 와서 무 속에서 세계를 떠 있게 하는 것이기 때문에, 우리가 가질 수 있는 모든 예술관을 어떻게든 초월하는 것이기는 하지만, 우리는 사회적 동향에 의거해서 문학관의 변동을 살펴볼 수가 있는 것이다. 게다가 우리가 지금까지 서술한 내용은 문학관의 변증법 같은 것을 짐작할 수 있게 해주었다. 그렇기 때문에 우리는 문예사(文藝史)를 엮겠다는 것은 아니지만, 과거 수세기에 걸친 이 변증법의 운동을 재구성해 볼 수 있고, 마침내는 비록 관념적인 것일망정 문학 작품의 순수한 본질을 찾아내고, 또한 이와 아울러 그것이 요구하는 독자의 유형을, 즉 사회의 유형을 찾아낼 수 있을 것이다.

어떤 한 시대의 문학이 그 자립성(自立性)에 대한 또렷한 의식에 이르지 못하고 세간의 권력이나 이데올로기에 굴종할 때, 요컨대 문학이 무조건적인 목적이 아니라 수단으로 그 자신을 생각할 때, 그것은 소외되었다고 나는 말하고자 한다. 하기야 이 경우에도 개개의 작품은 그런 굴종을 초월하고 저마다 무조건적(無條件的)인 요청을 내포하고 있다는 것은 의심의 여지가 없다. 그러나 그것은 다만 암묵적(暗默的)으로 그럴 따름이다. 다른 한편으로 문학이 아직도 그 본질을 완전히 내다보지 못했을 때, 다만 형식적인 자립성의 원칙만을 내세울 뿐 작품의 주제는 아무래도 좋다고 생각할 때, 그런 문학은 추상적이라고 나는 말하고자 한다.

이런 견지에서 볼 때, 12세기는 구체적이면서도 소외된 문학의 모습을 나타낸다. 그것이 구체적이었다는 것은 내용과 형식이 융합되어 있었기 때문이다. 그 시대에 글을 배운 것은 오직 신에 관해서 쓰기 위해서였다. 세계가 신의 작품이라면, 책은 세계의 거울이었다. 책은 신의 대창조(大創造)의 여백에서 이루어지는 비본질적인 창조이므로, 그것은 송사(頌詞)이며 찬양이며 봉헌(奉獻)이며 순수한 반영(反映)이었다. 한데 바로 이 점에서 그 문학은 소외된 문학이었다. 다시 말해서 문학은 모든 경우에 사회체(社會體)를 반영하는 것이었기 때문에 그것은 비반성적(非反省的)인 반영의 상태에 머물러 있었다. 문학이 카톨릭의 세계를 매개한 것은 사실이지만, 성직자에게 문학은 무매개적(無媒介的)인 것일 따름이었다. 그것은 자기 자신을 상실하면서 세계를 회복한 것이다. 그러나 반성적인 생각은 반드시 그 자체를 반성해야 하고, 그렇지 못할 경우에는 반영된 세계와 함께 소실(消失)되고 만다. 그런 점에서 우리가 12세기 문학에 뒤이어 살펴본 세 가지 경우는 문학의 자기 회복의 움직임, 다시 말해서 비반성적이며 무매개적인 반영의 상태로부터 반성된 매개의 상태로의 이행을 보여준 것이었다. 우선 구체적이면서도 소외되었던 문학은 부정성을 통해서 자기 해방을 하고는 추상성으로 옮아갔다. 더 정확히 말하자면, 문학은 18세기에 추상적 부정성이 되었는데, 19세기 말과 20세기 초에는 절대적 부정성으로 낙착했다. 그리고 이런 움직임의 종말에 이르러서는, 사회와의 모든 연줄을 끊어버리고, 심지어 독자를 갖지 않게 되었다. 「누구나 알다시피, 오늘날에는 두 종류의 문학이 있다. 도대체 읽을 수 없지만 많이 읽히는 나쁜 문학과, 읽혀지지 않는 좋은 문학이 있는 것이다」라고 장 폴랑 Jean Paulhan[136]은 말한 바 있다.

그러나 이런 현상 자체가 일종의 전진이었다. 이 오만한 고립의 끝에는, 모든 효능을 멸시하는 이 거부의 끝에는, 문학에 의한 문학의 파괴가 왔다. 우선 「그것은 문학에 지나지 않는다」는 그 끔찍한 말이 그렇다. 그리고 바로 장 폴랑이 〈테러리즘〉이라고 이름 붙인 문학적 현상이 있었다. 그것은 기생충적인 무상성(無償性)의 관념과 거의 동시에, 그리고 그것과 대립되는 것으로서, 태어난 것인데, 19세기 전체에 걸쳐서 무상성과 가지각색의 불합리한 결혼을 되풀이해 오다가, 제1차 세계대전 직전에 마침내 폭발하고 말았다. 우리는 그것을 테러리즘이라기보다도 차라리 테러리스트 콤플렉스라고 부르는 것이 더 마땅할지도 모른다. 그것은 말하자면 얽히고 설킨 독사(毒蛇)들의 뭉치와 같은 것인데, 우리는 거기에서 다음과 같은 요소들을 구별해 볼 수 있다. 1) 기호 그 자체에 대한 뿌리 깊은 혐오.

---

136) Jean Paulhan(1884-1968): 문단의 〈대부〉로 알려졌던 비평가. 그는 그의 주저(主著) 『타르브의 꽃들 *Les Fleurs de Tarbes*』(1941)에서, 문학의 두 경향을 〈수사(修辭)〉와 〈테러〉로 나눈다. 전자는 공인된 형식을 지키는 문학이며, 후자는 새로운 생각의 표출을 위해서 그것을 파괴하는 문학이다. 폴랑이 든 예로는 수사파는 고티에나 발레리와 같은 사람이며, 테러리스트로서는 랭보와 아폴리네르가 있다.

그렇기 때문에 모든 경우에 이 테러리스트들은 말보다도 그 말이 뜻하는 사물을, 언설(言說)보다도 행위를, 의미로서의 말보다도 대상으로서의 말을, 요컨대 산문보다도 시를, 구성보다도 자연적인 무질서를 선호했다. 2) 문학을 위해서 인생을 내바치는 대신에, 문학을 인생의 여러 가지 표현 중의 하나로 삼으려는 노력. 3) 작가의 도덕적 의식의 위기, 다시 말해서 기생적 생활의 처참한 붕괴. 이리하여 문학은 한순간이나마 그 형식적 자립성을 내던질 생각을 한 일이 없었는데도, 형식주의를 부정하게 되고, 그 본질적인 내용에 관한 문제를 제기하기에 이른 것이다. 오늘날 그러한 테러리즘을 이미 넘어선 우리로서는, 그 경험과 앞서 시도한 분석을 참고로 하여, 구체적이며 해방된 문학의 본질적 특성을 규정해 볼 수 있을 것이다.

우리는 작가가 원칙적으로 모든 사람들에게 호소한다고 말한 바 있다. 그러나 곧 이어 작가는 다만 소수의 사람들에 의해서 읽힌다는 점에도 주목했다. 한데 이상적 독자와 현실적 독자 사이의 이 괴리로부터 추상적 보편성이라는 생각이 태어난 것이다. 다시 말해서 작가는 현재 가지고 있는 한줌의 독자들이 무한정한 미래에도 영구히 되풀이된다는 가정을 세워보는 것이다. 이런 점에서 문학적 영예(榮譽)란 니체 Nietzsche가 말하는 영구회귀(永久回歸)와 야릇한 유사성을 가지고 있다. 그것은 역사에 대한 투쟁이다. 양자가 모두 공간(空間)에 있어서의 실패를 벌충하기 위해서 무한한 시간에 의지하는 것이다. 17세기의 작가는 〈신사〉의 무한정한 회귀를 바랐고, 19세기의 작가는 문단과 전문적(專門的)인 독자의 무한정한 확대에 기대했다. 그러나 현재의 사실적 독자를 미래로 투영하는 것은, 적어도 작가의 상상 속에서는, 대다수의 인간의 배제(排除)를 영구화하는 결과를 가져오는 것이기 때문에, 그리고 또한 아직도 태어나지 않은 무한정한 독자를 상상한다는 것은, 실제의 독자를 다만 있을지도 모를 인간으로 이루어지는 독자로 확대하는 것이기 때문에, 작가의 영예를 가져올 보편성은 부분적이며 추상적인 것에 지나지 않는다. 그뿐만 아니라 어떤 독자를 선택하느냐는 것이 어느 정도 주제의 선택의 조건임으로, 영예를 목적과 지침으로 삼는 문학은 그 자체가 추상적인 것으로 머무를 수밖에 없다.

이와 반대로 구체적 보편성이란 특정한 한 사회에 사는 사람들 전체를 의미한다. 한데 작가가 생각하는 독자가 이 전체를 포괄하는 경우, 그것은 반드시 그의 작품의 반향(反響)을 오직 현재에만 국한시켜야 한다는 말이 되는 것은 아니다. 그러나 그런 작가는 영예라는 추상적인 영원성(그것은 절대에 대한 불가능하고 공허한 꿈이다) 대신에, 구체적이며 유한한 시간을 겨냥할 것이다. 그리고 주제의 선택 자체를 통해서 결정할 그 시간은 작가를 역사에서 떼어놓기는커녕, 사회적 시간 속에서의 그의 상황을 규정해 줄 것이다. 인간의 모든 기도는 당연히 어떤 미래를 떠올린다. 가령 내가 씨를 뿌리겠다고 나선다면, 나는 내 앞에 1년 간의 기다림을 설정(設定)한다. 가령 내가 결혼하기로 작정한다면, 나는 당장에 내 인생 전체를 떠올린다. 가령 내가 정치에 투신한다면, 나는 내 죽음 너머로 펼쳐질 미래에 내 인생을 건다. 글쓰기도 마찬가지이다. 당장 오늘날에도, 불멸의 월계관을 바라는 의젓한 사람들의 그늘에서, 우리는 한결 겸손하고 한결 구체적인 포부를 지닌 작가들을 찾아볼 수 있다.[137] 『바다의 침묵』은 프랑스 사람들로 하여금 적(敵)의 협력 요청을 거부하게 만드는 것을 주안으로 삼은 작품이다. 그 효과에 따라서 그 현실적 독자는 독일군의 점령 기간을 넘어서 퍼져 나갈 수는 없었다. 한편 리처드 라이트의 작품들은 미국에 흑인 문제가 존속하는 한 살아 있을 것이다.[138] 따라서 작가가 후세에 살아남기를 단념하라는 것은 결코 아니다. 도리어 그 여부를 결정하는 것은 작가 자신이다. 작가는 행동하는 한 살아남을 것이다. 그후로는 명예직(名譽職)과 은퇴의 시기가 온다. 한데 오늘날에는 역사에서 벗어나려는 작가는 죽자마자, 그리고 때로는 살아 있을 때부터 벌써 명예직을 갖게 되는 것이다.

이렇듯 구체적 독자는 여성의 엄청난 요구와도 같은 사회 전체의 기대를 나타내는 것이며, 작가는 그것을 포착하고 충족시켜 주어야 할 것이다. 그러나 그러기 위해서는 독자가 자유롭게 물을 수 있고, 작가 역시 자유롭게 응답할 수 있어야 한다. 바꾸어 말하자면, 어떠한 집단이나 계급의 질문이 다른 처지에 있는 사람들의 질문을 은폐하는 일이 있어서는 절대로 안 되는 것이다. 만일 그럴 경우에는 우리는 다시금 추상성 속으로 떨어져버릴 것이다. 요컨대 현실적인 문학의 본질을 온전히 실현시킬 수 있는 것은 오직 계급 없는 사회에서뿐이다. 오직 그런 사회에서만 작가는 그의 〈주제〉와 〈독자〉 사이에 어떠한 종류의

137) 사르트르의 이러한 한정된 미래관은 「《현대》지 창간사」에도 그대로 표명되어 있다. 「우리의 관심의 대상이 되는 것은 〈우리〉 시대의 미래이다. 그것은 우리 시대와 거의 구별할 수 없는 그러한 미래이다」(*Situations II*, 14쪽).

138) 따라서 104쪽에서 든 바나나의 비유는(「정신적 작품도 〔바나나처럼〕 당장 그 자리에서 소비되어야 한다」) 작품의 초시대적 가치만을 중시하는 사람들에 대한 과장된 도전적 언사로 읽히는 것이 마땅할 것이다.

어긋남도 없다는 것을 알게 될 것이다. 왜냐하면 문학의 주제는 항상 이 세계에 있어서의 인간이었기 때문이다. 그러나 잠재적(潛在的) 독자가, 밝디밝은 작은 해변과 같은 현실적 독자의 둘레에서 마치 어두컴컴한 바다와 같은 존재로 머물러 있는 한에는, 작가는 특권적인 작은 집단의 이익과 관심을 인류 전체의 것으로 혼동할 우려가 있어왔다. 그러나 독자가 구체적 보편자와 일치하게 된다면, 작가는 진실로 인간 전체에 대해서 써야 할 것이다. 결코 시대를 넘어서는 추상적 인간에 대해서나 어느 시대에도 속하지 않는 독자를 위해서가 아니라, 작가 자신의 시대의 모든 인간에 대해서, 그리고 그의 동시대인(同時代人)을 위해서 써야 하는 것이다.

그렇게 되면 서정적(抒情的) 주관성과 객관적 증언 사이의 문학적 이율배반은 당장에 초극(超克)되고 말 것이다. 왜냐하면 작가는 독자와 동일한 모험에 참여하고, 또 독자와 마찬가지로 균열 없는 사회 속에 위치해 있으므로, 독자에 관한 이야기를 함으로써 자신의 이야기를 하고, 또 자신의 이야기를 함으로써 독자에 관한 이야기를 하는 것이 되겠기 때문이다. 귀족적인 오만에 끌려서, 자신이 상황 속에 처해 있다는 것을 부정하는 따위의 일이 없게 된 작가는 시대의 상공을 날고 영원(永遠)을 내세우면서 시대에 관한 이야기를 하지는 않을 것이다. 그의 상황은 보편적이기 때문에. 그는 모든 사람의 희망과 분노를 표현하고, 그럼으로써 또한 자기 자신을 전적으로 표현하게 될 것이다. 그러나 이때의 자기 자신이란 중세(中世)의 성직자의 경우처럼 형이상적(形而上的)인 피조물로서의 인간도 아니고, 우리의 고전작가(古典作家)들의 경우처럼 심리적인 동물로서의 인간도 아니며, 또한 심지어 사회적 실체로서의 인간도 아니다. 그것은 세계로부터 출현하여 무(無) 속에 자리잡는 전체――그 모든 요소들을[139] 인간 조건이라는 불가분리(不可分離)한 통일성 속으로 녹아들게 하는 그런 전체로서의 인간일 것이다. 이때에는 문학은 가장 완전한 의미에서 진실로 〈인류학적〉인 것이 되리라.

물론 이러한 사회에서는 속계(俗界)와 정신계의 분리를 조금이라도 상기시킬 만한 것은 전혀 없을 것이다. 그런 구분은 우리가 앞서 살펴본 것처럼 인간의 소외에, 따라서 문학의 소외에 필연적으로 대응(對應)하는 것이다. 우리의 분석을 통해서 알 수 있었듯이, 그것은 전문적인 독자, 적어도 계몽된 애호가로 된 독자를, 미분화된 대중에 대립시키는 경향을 늘 띠어왔다. 표방하는 것이 선(善)이건 신적(神的) 완전성이건 아름다움이건 혹은 진리이건 간에, 성직자는 항상 억압자의 편에 서왔다. 그들의 선택은 호위견(護衛犬)이 되느냐 혹은 어릿광대가 되느냐는 것이었다. 방다 씨는 어릿광대 노릇을 택했고 마르셀 Marcel 씨[140]는 호위견의 노릇을 택했다. 그것은 그들의 권리였다. 그러나 언젠가 문학이 그 본질을 향유할 수 있게 되면, 이미 계급도 문단도 살롱도 과분한 명예도 또 불명예도 없게 될 사회에서, 작가는 세계 한복판으로, 그리고 다른 사람들 사이로 내던져질 것이며, 그 때에는 성직(聖職)이라는 개념 자체가

---

139) 바로 앞에서 말한 〈형이상적 피조물, 심리적 존재, 사회적 실체〉.

140) Gabriel Marcel(1889-1973): 실존주의라는 말을 프랑스에 처음으로 유포시킨 이 카톨릭 철학자는 사르트르에 대해서 비판적이었다. 그는 이미 1944년에 『존재와 무』에서 사용된 초월의 개념에 난색을 표명했으며, 1945년에는 「사르트르의 실존주의는 부정적이며 기독교적 실존주의는 긍적적」이라고 말한 바 있다. 이러한 사정들이 사르트르로 하여금 그에 대해서 표독한 말을 던지게 했을 것이다.

생각할 수도 없는 것이 될 것이다. 또한 정신적인 것은 언제나 이데올로기의 기초 위에 서 있는 것이기는 하지만, 이데올로기란 형성중에 있을 때는 자유이며, 일단 형성되고 나면 억압이다. 따라서 자기 자신을 완전히 의식하기에 이른 작가는 어떠한 정신적 영웅의 수호자도 되지 않을 것이다. 또한 이 세계로부터 눈을 돌려서 기존의 가치들을 높은 하늘에서 관조하려고 했던 어떤 선대(先代) 작가들처럼, 원심적(遠心的)인 움직임을 보이지도 않을 것이다. 이제 작가는 그의 일이 정신적인 것의 찬양에 있는 것이 아니라, 정신화(精神化)에 있다는 것을 알게 되리라.

정신화란 〈되찾기〉이다. 그리고 정신화해야 할 것, 되찾아야 할 것은 다름아니라 다채롭고 구체적인 세계이다. 무겁고 불투명하고 여러 영역의 일반성과 수많은 일화들을 지닌 이 세계, 아무리 해도 쳐부술 수 없는 악 ── 그것은 세계를 갉아먹기는 하나 결코 멸망시키지는 못한다 ── 이 깃들여 있는 이 세계이다. 작가는 전혀 다듬어지지 않고 땀내가 나고 구린내가 풍기는 이 일상적인 세계를 있는 그대로 되찾아, 자유의 기반에 서서 자유로운 모든 사람에게 제시할 것이다. 따라서 이러한 계급 없는 사회에서의 문학은, 자유로운 행위에 의지하고 만인의 자유로운 판단에 내맡겨지는 세계의 자기 표현일 것이며, 또한 계급 없는 사회 그 자체의 반성적인 자기 표현일 것이다. 그리고 그 사회의 성원들은 시시각각 책을 통해서 제 위치를 알고 자기 자신을 보고 상황을 파악할 것이다. 그러나 모든 초상화는 그 모델이 된 사람에게 변화를 가하는 것이기 때문에, 가장 단순한 제시일망정 그것은 이미 변화의 단서이기 때문에, 요청(要請)의 총체로서의 예술 작품은 단순히 현재의 묘사가 아니라 미래의 이름으로 그 현재를 판단하는 것이기 때문에, 요컨대 모든 책은 어떤 호소를 내포하기 때문에, 이러한 자기 표현은 이미 자기 초월(自己超越)이다. 세계가 부정되는 것은 단순한 소비를 통해서가 아니라, 그 안에 사는 사람들의 희망과 고통을 통해서이다.

이리하여 구체적인 문학은 여건(與件)으로부터 벗어나는 힘으로서의 부정성과 미래적 질서의 소묘(素描)로서의 기도를 종합한 것이 될 것이다. 그것은 축제, 즉 거기에 비치는 모든 것을 태우는 불꽃의 거울이 될 것이며, 또한 고매성(高邁性), 즉 자유로운 창조와 증여(贈與)가 될 것이다. 그러나 문학이 자유의 이러한 상호보완적인 두 양상을 결합시킬 수 있기 위해서는, 작가에게 모든 것을 말할 수 있는 자유를 부여하는 것만으로는 충분치 않다. 작가의 글을 읽게 될 독자 역시 모든 것을 변혁할 자유를 가지고 있어야 하는 것이다. 따라서 계급이 없어질 뿐 아니라, 모든 독재가 철폐되고 사회 기구가 늘 새로워져야 하며, 질서가 굳어지기 시작하면 부단히 해체되어야 하는 것이다. 한마디로 해서, 문학은 그 본질상 영구혁명중에 있는 사회의 주관성이다. 그러한 사회에서의 문학은 말과 행동의 이율배반을 지양(止揚)할 것이다. 하기야 문학이 행동과 똑같은 것이 될 수는 결코 없을 것이다. 작가가 그의 독자에게 대해서 〈행동한다〉는 것은 거짓말이다. 작가는 다만 그들의 자유에 호소할 따름이며, 그의 작품이 어떤 효과를 발휘하기 위해서는 독자가 무조건적(無條件的)인 결심에 의해서 그의 작품을 자기의 것으로 떠맡아야 하는 것이다. 그러나 항상 자각을 하고 자기를 비판하고 변신해 가는 사회에서는, 글로 쓰인 작품은 행동의 한 본질적 조건, 즉 반성적 의식의 계기가 될 수 있는 것이다.

이렇듯 계급도 독재도 고정성(固定性)도 없는 사회에서는, 문학은 완전히 그 자체를 의식화하게 될 것이다. 형식과 내용, 독자와 주제가 동일하다는 것, 발언의 형식적 자유와 행위의 실질적 자유가 상호보완적(相互補完的)이어서, 한쪽을 주장하기 위해서 다른 쪽의 것을 이용해야 한다는 것, 문학이 개인의 주관성을 가장 잘 나타내는 것은 집단적 요청을 가장 깊이 있게 표출할 때이며 그 반대도 역시 사실이라는 것, 문학의 기능은 구체적 보편자(普遍者)에게 구체적 보편자를 제시하는 데 있으며, 그 목적은 만인의 자유에 호소하여 모든 사람이 인간의 자유의 왕국을 실현하고 유지하도록 하는 데 있다는 것을 이해하게 될 것이다. 물론 이것은 유토피아적인 이야기이다. 우리는 이러한 사회를 생각해 볼 수는 있지만, 현재로서는 그것을 실현시킬 수 있는 어떤 수단도 가지고 있지 않다. 그러나 우리는 이런 사회를 상상해 봄으로써, 문학이라는 개념이 어떤 조건하에서 완전하고도 순수하게 구현될 수 있는지를 짐작할 수 있게 되었다. 하기야 오늘날 그런 조건이 충족되어 있지 않은 것은 사실이며, 우리는 이런 형편에서 글을 써야 하는 것이다. 그러나 지금껏 문학의 변증법을 추구해 보고 산문과 작품의 본질이 무엇인지를 가늠할 수 있게 된 이상, 아마도 우리는 오늘날 가장 시급한 단 하나의 질문에 대답해 볼 수 있을 것이다. 1947년에 있어서 작가의 상황이란 어떤 것이며, 그의 독자는 누구이며, 그의 신화는 무엇이며, 작가는 무엇에 관해서 쓸 수 있고 쓰기를 바라고 또 써야 하는 것인가?

원주

1 에티앵블, 「그 무엇을 위해서 죽는 작가는 행복하도다」《콩바 *Combat*》지(紙), 1947년 1월 24일.[1)]

2 오늘날에는 독자가 확대되었다. 때로는 10만 부가 팔리는 수도 있다. 10만 부가 팔리면, 그 독자는 40만 명으로 볼 수 있다. 따라서 프랑스의 경우에는 인구 100명에 대해서 1명의 독자가 있는 셈이 된다.

3 「만일 신이 존재하지 않는다면 모든 것이 허용된다」는 그 유명한 도스토예프스키의 말[2)]은 부르주아가 150년에 걸친 그 지배 기간 동안에 항상 은폐하려고 애써왔던 무서운 계시이다.

4 그것이 어느 정도 쥘 발레스의 경우이다. 원래 고매한 기질의 소유자라서 부단히 실의(失意)와 싸우기는 했지만 말이다.

5 노동자들이 루이 나폴레옹 보나파르트에 반대하여, 부르주아보다도 한결 열렬히 정치적 민주주의를 지켰다는 것은, 나도 모르는 바 아니다. 그러나 노동자들이 그렇게 한 것은, 정치적 민주주의를 통해서 구조의 변혁을 실현할 수 있다고 믿었기 때문이다.

6 나는 플로베르에 대해서 부당한 생각을 가지고 있다는 비난을 자주 받아왔다. 그래서 나는 기꺼이 다음의 구절들을 인용해 두겠는데, 플로베르의 서간집(書簡集)을 펼쳐보면 누구나 그것을 확인할 수 있을 것이다.

---

1) Etiemble 자신은 그 인용문의 출처가 1946년 10월에 *Valeurs*라는 잡지에 실린 것이라고 말하고 있다(그의 평론집, 『탈참여의 문학 *Littérature dégagée*』, 14쪽 참조).

2) 도스토예프스키의 『악령』에서 키릴로프가 하고 있는 말.

「한편에서는 신(新) 카톨릭 사상이, 다른 한편에서는 사회주의가 프랑스를 바보의 나라로 만들었다. 모든 것이 무염시태(無染始胎)와 노동자의 도시락 사이에서 움직이고 있습니다」(1868년)

「첫째, 구제책(救濟策)은 인간 정신의 치욕인 보통 선거를 걷어치우는 데 있을 것입니다」(1871년 9월 8일)

「나 한 사람은 능히 크루아세[3]의 유권자 20명에 상당합니다」(1871년)

「나는 파리 코뮌의 패거리에 대해서 아무런 미움도 느끼지 않습니다. 미친 개들을 미워할 수는 없으니까 말입니다」(크루아세, 1871년, 목요일)

「군중이라는 짐승 떼는 언제나 미운 것입니다. 중요한 것은, 횃불을 이어받는 늘 동일한 정신적 인간들의 작은 집단들이죠」(크루아세, 1871년 9월 8일)

「파리 코뮌은 이제 숨이 끊어지려고 하는데, 그것은 중세(中世)의 마지막 표현입니다」

「나는 민주주의를, 적어도 프랑스에서 이해되고 있는 바와 같은 민주주의를 증오합니다. 그것은 정의 대신에 은총을 선양(宣揚)하고 법을 부정합니다. 한마디로 해서 반사회적이죠」

「파리 코뮌은 살인범을 복권시켰습니다」

「민중은 영원한 미성년자입니다. 그리고 그것은 수(數)이며 덩어리이며 일정한 틀이 없기 때문에 항상 최하위에 있을 것입니다」

「많은 농부들이 글을 깨쳐서 이미 본당 신부의 말을 귀담아듣지 않게 되었다는 것은 별로 심각한 일이 아닙니다. 그보다 한결 심각한 문제는 르낭이나 리트레[4]와 같은 사람들이 많이 생존할 수 있

3) Croisset: 플로베르는 청년 시절에 이미, 그의 집안의 땅이 있는 이 작은 마을에 칩거하면서 작품을 쓰고 대부분의 인생을 보냈다.

4) Littré(1801-1881): 실증주의의 정신이 철저했던 철학자, 문헌학자. 그

고, 사람들이 그들의 말을 경청한다는 것입니다. 우리의 구원은 이제 〈정통적(正統的)인 귀족〉, 다시 말해서 수효(數爻) 이외의 것으로 구성될 마조리티 majority에 달려 있습니다」(1871년)

「만일 프랑스가 요컨대 군중에 의해서 지배되지 않고 유력자들의 권력하에 있다면 과연 이런 꼴이 되었으리라고 생각하십니까? 만일 하층 계급을 계몽하려고 하지 말고 상류 계급을 교육하는 데 전념했던들……」(크루아세, 1870년 8월 3일, 수요일)

7 가령 르사주[5]는 『절름발이 악마』에서 라 브뤼예르 La Bruyere의 『성격론』과 라 로슈푸코 La Rochefoucauld의 『잠언집(箴言集)』을 〈소설화〉했다. 다시 말해서 가는 이야기 줄거리로 그 내용을 엮어놓은 것이다.

8 서간체 소설은 내가 방금 언급한 수법의 한 변종에 지나지 않는다. 편지는 사건의 주관적 이야기이다. 편지는 그것을 쓴 사람, 즉 행위자인 동시에 주관적 증인이기도 한 그 사람을 상기시킨다. 사건으로 말하자면, 그것이 비록 최근의 것이라 해도 이미 재고(再考)와 설명의 과정을 겪은 것이다. 편지가 항상 전제로 삼고 있는 것은 사실(가까운 과거에 속하는 것)과 그 이야기(사후에, 그리고 한가한 시간에 한 것) 사이의 어긋남이다.

9 그것은 회화(繪畫)를 회화에 의해서 파괴하려던 초현실주의자들의 악순환을 뒤집어놓은 것이다. 이 경우에는 문학의 신임장(信任狀)을 문학 자체에서 얻어내려고 하는 것이다.

10 모파상이 『르 오를라 *Le Horla*』를 썼을 때, 즉 그를 위협하는 광증(狂症)에 대해서 이야기했을 때, 그의 어조는 일변했다. 마침내 어떤 일이, 어떤 끔찍한 일이 일어나려는 것이었다. 그는 당황

가 편찬한 불어 사전은 획기적인 업적으로 알려져 있다.

5) Lesage(1668-1747): 소설가, 희곡 작가. 특히 루이 15세의 유년기인 섭정시대(1715-1723)의 사회를 대담하게 풍자했다.

하고 어쩔 줄을 몰랐다. 갈피를 잡을 수가 없었고, 오직 독자를 자신의 공포 속으로 끌고 들어가려고 했다. 그러나 버릇이 이미 몸에 배어 있었다. 광증, 죽음, 역사를 표현하는 데 마땅한 기법을 찾아내지 못했기 때문에, 그는 독자에게 감동을 줄 수 없었다.

11 이러한 수법의 예로서 내가 우선 들고 싶은 것은 희곡(戱曲)의 문체의 야릇한 수용이다. 그것은 19세기 말과 20세기 초에 집 Gyp, 라브당 Lavedan, 아벨 에르망 Abel Hermant[6]과 같은 작가들에게서 나타난다. 소설이 대화체(對話體)로 쓰이고, 인물들의 몸짓과 행동은 이탤릭체로 괄호 안에 기재되었다. 그것은 분명히 연극을 보는 관객의 경우처럼, 독자의 임장감(臨場感)을 자아내기 위한 것이었다. 한데 이러한 수법은 틀림없이 1900년 전후의 세련된 사회에서는 연극이 주된 예술의 장르였다는 것을 의미한다. 그 수법은 또한 원초적(原初的) 주관성의 신화에서 벗어나려는 노력을 제 나름대로 보여준 것이기도 하다. 그러나 주관성을 완전히 포기하고 말았다는 사실은 문제의 해결과는 거리가 멀다는 것을 잘 말해준다. 우선 인접(隣接) 예술에 도움을 요청한다는 것은 약점을 드러내는 것이다. 그것은 자기가 실천하는 예술의 분야 자체에 수단이 부족하다는 증거이다. 다음으로, 작가는 그렇다고 해서 인물의 의식 속으로 들락거리고 독자도 함께 그 속으로 끌어넣는 것을 멈춘 것은 아니다. 다만, 일반적으로 연출을 위한 지시(指示)에 쓰이는 문체나 활자를 이용하여, 인물들의 의식에 깊이 묻혀 있는 내용을 괄호 안에 묶고 이탤릭체로 표기했을 따름이다. 사실 그것은

---

6) 오늘날에는 거의 잊혀진 군소 작가들. Gyp(1849-1932): 여류 소설가. 1900년 전후의 상류 사회를 비판하는 소설들을 썼다.
Henri Lavedan(1859-1940): 극작가, 소설가. 파리의 사람들의 세태를 묘사했다.
Abel Hermant(1862-1950): 풍속 소설가. 보수적인 『프랑스 아카데미 문법』(1932)의 주된 저자.

장래성 없는 시도에 불과했다. 그런 시도를 한 작가들은 소설을 현재 시제(現在時制)로 씀으로써 그 혁신을 가져올 수 있다는 것을 은연히 예감하기는 했다. 그러나 이 혁신은 우선 〈설명적〉 태도를 포기하지 않고서는 불가능하다는 것을 그들은 이해하지 못했던 것이다.[7]

그보다도 더 진지했던 것은 슈니츨러 Schnitzler[8]의 내적 독백(內的獨白)을 프랑스로 도입하려는 시도였다(그것과는 전혀 다른 형이상학적 원리를 가지고 있는 조이스 Joyce의 영향에 대해서는 언급하지 않으려 한다. 라르보 Larbaud[9]는 조이스의 영향을 내세우고 있지만, 내가 보기에는 특히 『월계수는 잘렸다』[10]와 『엘제 양(孃)』의 영향을 받

7) 사르트르가 여기에서 시사한 바와 같이, 현재 시제를 쓰는 소설이 〈설명적 태도〉에서 완전히 벗어나서, 의식과 사물을, 그리고 그 관계를 현장적(現場的)으로 포착하려는 기도로서, 이른바 〈새로운 리얼리즘〉의 이름으로 1950년대 중반부터 두드러지게 나타난 것은 주지의 사실이다. 그런 점에서 이 발언은 어느 정도 예언적인 가치를 지니는 것이며, 사르트르 자신이 일기체라는 형식을 빌려 현재 시제를 실험한 소설 『구토』는 문학사에서 중요한 지위를 차지한다. 그러나 사르트르는 이 원주의 마지막에서 말하고 있듯이, 그때까지만 해도 과거 시제가 소설의 본류(本流)라고 생각하고 있었던 것 같다.

8) Arthur Schnitzler(1862–1931): 오스트리아의 희곡 작가, 소설가. 19세기 말의 빈의 분위기하에서의 사랑과 죽음을 세련된 필치로 그렸다. 『엘제 양 *Fräulein Else*』(1924)은 노인의 부당한 성적 요구에 응할 수밖에 없었던 처녀의 내적 드라마를 독백의 형식으로 표상한 중편소설이다.

9) Valéry Larbaud(1881–1957): 문명과 풍토의 다양성을 발견하는 것을 겨냥한 세계주의 cosmopolitisme의 작가. 그러나 다른 한편으로 청소년의 내면의 자아를 추구한 소설을 썼다. 조이스 James Joyce를 프랑스에 알린 것도 그의 공적의 하나이다.

10) *Les lauriers sont coupés*(1888): 에두아르 뒤자르댕 Edouard Dujardin (1861–1949)의 소설. 인물의 하루의 의식 상태를 표출하기 위해서 문학사상 처음으로 내적 독백의 기법을 사용했다. 조이스는 청년 시절에 읽은 이 소설에서 영향을 받은 것으로 알려져 있다.

은 것 같다). 그것은 요컨대 원초적 주관성의 가설을 극단까지 몰고 가고, 관념론을 절대화시킴으로써 리얼리즘으로 넘어가려는 것이었다.

개입자(介入者) 없이[11] 독자에게 제시된 현실은 이미 나무나 재떨이와 같은 사물 그 자체가 아니라, 사물을 보는 의식이다. 〈현실적인 것〉은 이미 표상(表象)에 지나지 않는다. 그러나 표상은 무매개적인 소여(所與)로서 제시된 것이기 때문에 절대적 현실이 된다. 이 수법의 결함은 우리를 개인적 주관성 속에 가두고, 따라서 상호주관적(相互主觀的)인 세계를 존립시킬 수 없다는 점에 있다. 그것은 또한 사건과 행동의 지각(知覺)을 희석(稀釋)시켜 버린다는 결함도 있다. 그런데 사실과 행위의 공통적인 특징은 양자가 모두 주관적 표상에서 벗어난다는 점에 있다. 주관적 표상은 그 결과를 포착하긴 하지만, 그 생생한 움직임을 포착할 수는 없다. 마지막으로, 의식의 흐름을 일련의 낱말들(비록 뒤틀린 낱말일망정)로 환원하는 것은 어떤 트릭 없이는 불가능한 일이다. 만일 말이 본래 언어를 초월하는 현실을 〈의미화하기〉 위한 매개물로서 주어진다면, 더할 나위 없을 것이다. 그럴 경우에는 말은 그 존재가 잊혀지고, 의식을 대상으로 쏠리게만 할 것이다.

그러나 말이 〈정신적[12] 현실〉로서 주어지는 경우, 다시 말해서 작가가 글을 쓰면서 말을 양의적(兩義的)인 현실로 취해, 한편으로는 그 객관적 본질에 따라 외부의 것을 지시하는 기호로 삼는 동시에, 다른 한편으로는 그 형태적 본질을 가진 사물로, 즉 정신의

11) 내적 독백에 있어서는 외부의 존재가 지각의 대상으로서 개입하지 않는다. 여기에서부터 내적 독백의 기법에 대한 사르트르의 비판이 시작된다.

12) 여기에서 〈정신적〉이라는 말은 〈생리적 physiologique〉에 대립하는 psychique(psychic)를 번역한 것으로, 〈심적 현상에 관련된〉의 뜻이다.

직접적 소여로 보는 경우에는, 우리는 그 작가가 양단간에 어느 한쪽을 선택하지 않은 것을 탓할 수 있을 것이다.[13] 또한 수사학적 법칙을 오인한 점에 대해서도 탓할 수 있는데, 그 법칙이란 기호를 사용하는 문학의 분야에 있어서는 오직 기호〈만을〉 사용해야 하며, 만일 의미화하려는 〈현실〉이 〈말〉인 경우에는 그것을 다른 말로 제시해야 하는 것이다. 그뿐 아니라 또 한 가지 탓할 수 있는 것은, 정신적인 삶의 가장 풍요로운 부분은 〈침묵에 싸여 있다〉는 사실을 망각했다는 점이다. 우리는 내적 독백이 그후 어떤 운명에 처했는지 알고 있다. 우선 그것은 〈수사학적인 것〉이 되었다. 즉 침묵으로 옮겨놓건 말로 옮겨놓건 간에, 내적(內的)인 삶을 시적(詩的)인 것으로 전환시켰다. 그리고 오늘날에는 소설가의 〈여러 수법 중의〉 하나가 되었다. 진실이기에는 너무 관념적이며, 완전하기에는 너무 사실적인 내적 독백은 주관주의적 기법의 극치이다. 오늘날의 문학이 그 자체를 의식하게 된 것은 그 기법에 있어서이며 그 기법을 통해서였다. 다시 말해서 오늘날의 문학은 내적 독백의 기법을, 객관적인 것을 향해서 그리고 수사적인 것을 향해서 이중으로 지양(止揚)한 것이다.[14] 그러나 그렇게 되기 위해서는 역사적 상황의 변화가 있어야 했다.

두말할 필요도 없이 소설가는 오늘날에도 여전히 과거 시제(過去時制)를 사용하고 있다. 독자로 하여금 역사를 현장적(現場的)으로 체험하게 하는데 필요한 것은 단순히 동사의 시제의 변화가 아니라, 이야기의 기법의 혁명인 것이다.[15]

---

13) 사르트르가 기본 전제로 삼고 있는 언어관에 따라서, 달리 말하면 말을 산문으로서 쓰느냐, 혹은 시적(詩的)으로 쓰느냐 하는 것을 선택해야 한다는 것.

14) 〈객관적인 것〉은 산문과 관련되고, 〈수사적인 것〉은 시와 관련되는 것이다.

15) 이야기의 기법의 혁명: 사르트르는 사물을 의식에 주어지는 그대로 나

타내려는 이른바 현상학적 기술, 상이한 장면의 동시적 전개, 관점의 차이를 알리는 다원적 시점 등, 특히 미국 작가들의 소설의 기교와 영화의 수법을 도입해서, 종래의 과거 시제로 된 소설들의 인식론적, 존재론적 한계를 넘어서려고 했다. 이 점에 관해서는 303-309쪽에 더 구체적으로 서술되어 있다.

4 1947년의 작가의 상황

내가 이야기하려는 것은 프랑스 작가에 관해서이다. 그들은 부르주아로 남아 있는 유일한 작가이다. 150년에 걸친 부르주아의 지배가 파손하고 속화(俗化)하고 무두질한 언어, 안도와 안락의 작은 숨소리와 같은 〈부르주아 정신〉이 배어 있는 그런 언어를 제 언어로 삼을 수밖에 없는 유일한 작가이다.

미국의 작가라면, 책을 쓰기 전에 육체 노동도 하고, 또 그 후에도 다시 그런 일로 되돌아가는 수가 자주 있을 것이다. 한 소설을 내고 또 다른 소설을 내는 사이에는, 그의 일터는 농장에, 작업장에 또는 거리에 있게 된다. 그는 문학이 자기의 고독을 선언하기 위한 수단이라고 생각하는 것이 아니라, 도리어 고독에서 벗어나기 위한 기회라고 생각한다. 그는 공포와 분노에서 풀려나고 싶다는 엉뚱한 욕망에 끌려서 맹목적으로 글을 쓴다. 그것은 미국 중서부의 농부의 아내가 제 마음을 털어놓기 위해서 뉴욕 방송국의 아나운서 앞으로 편지를 쓰는 것과도 흡사하다. 그가 바라는 것은 영예(榮譽)라기보다도 우애(友愛)이다. 그가 자신의 독창성을 창출하는 것은 전통에 거역하기 위해서가 아니라, 전통이 없기 때문이다. 그래서 극단적인 대담성이 어떤 점에서는 소박한 꼴로 표출되기도 한다. 그의 눈에는 세계가 새롭고 모든 것은 이제부터 이야기되어야 할 판이다. 그 자신보다 앞서서 하늘을 노래하고 추수를 노래한 사람은 아무도 없었던 것으로 생각되는 것이다. 그는 뉴욕에 나타나는 일이 거의 없다. 어쩌다가 나타난다 해도 그곳을 달음박질해서 지나가 버린다. 또는 스타인벡 Steinbeck[1)]처럼 글쓰기를 위해서 석 달 동안 틀어박히고 그후 1년 간은 다시 나타나지 않는다. 그는 1년 간을 길에서, 작업장에서, 혹은 술집에서 보내는 것이다. 하기야 미국 작가도 〈길드〉나 문인협회 따위에 소속되지만, 그것은 오직 물질적인 이익을 위해서이다. 그는 다른 작가들과 연대 관계(連帶關係)를 갖고 있지 않으며, 넓디넓은 그 대륙에 흩어져 사는 일이 흔하다.[1] 무슨 단체나 협회 따위를 만들 생각은 꿈에도 하지 않는다. 그는 한동안 인기를 모으다가 사라지고, 마침내 망각되고 만다. 그러다가도 새로운 책을 가지고 다시 나타나고는 또다시 잠적하고 만다.[2] 이렇듯 여남은 번이나 덧없는 영예와 잠적을 되풀이하면서, 그는 몸소 모험을 찾아 뛰어드는 노동의 세계와 중산 계급의 독자들(나는 미국에 부르주아지가 존재한다는 것을 매우 의심스럽게 생각하기 때문에, 그들을 감히 부르주아라고 부르지는 않겠다)[2)] 사이에서 떠돈다. 한데 매우 생경

1) John Steinbeck(1902–1968): 미국의 소설가. 민중, 특히 농민의 생활상을 그려 자본주의의 횡포를 고발했다. 『생쥐와 인간 *Of Mice and Men*』(1937), 『분노의 포도 *The Grapes of Wrath*』(1939) 등의 대표작이 있다. 1962년 노벨 문학상을 수상했다.

2) 사르트르는 부르주아지라는 말을, 그 자체의 굳어진 이데올로기와 풍

하고 매우 거칠고 매우 미숙하고 매우 불안정한 이 중산층의 독자들은 내일이면 그들이 읽는 작가와 마찬가지로 어디론가 사라져버릴 것이다.

영국에서는 지식인이 우리들만큼 집단에 통합되어 있지는 않다. 그들은 중심에서 벗어나고 다소 껄끄러운 계층을 형성하고, 다른 부류의 사람들과는 별로 어울리지 않는다. 그것은 우선 그들이 우리와 같은 행운을 누리지 못했기 때문이다. 우리보다는 한결 훌륭한 먼 옛날의 선배들이 프랑스 대혁명의 선구자였던 덕분으로, 한 세기 반이 지난 오늘날 역시, 지배 계급은 영광스럽게도 우리를 다소나마 두려워하고, 우리를 정중히 다루고 있다. 그러나 런던에 사는 우리의 동료들은 그런 영광된 추억을 가지고 있지 못해서, 아무도 그들을 두려워하지 않고, 그들을 무해무익(無害無益)한 존재라고 생각한다. 둘째로, 살롱 중심의 생활이 우리의 영향을 퍼뜨리는 데 안성맞춤이었던 것과는 달리, 클럽 중심의 생활은 그들의 영향의 전파에 썩 적절한 것이 못 된다. 남자들끼리 모이는 그들은 서로 존경하고, 사업이나 정치나 여자나 말〔馬〕에 대해서 환담을 나누지만, 문학을 화제로 삼는 일은 결코 없다. 이와 반대로 책 읽기를 교양의 한 가지로 삼아온 우리의 주부(主婦)들은, 그들이 마련한 모임을 통해서 정치가, 금융가, 장군들과 같은 사람을 문인에게 접근시키는 데 도움이 되었다. 영국 작가들은 궁핍한 것을 덕으로 생각한다. 그리고 그 기이한 풍속을 더욱 부각(浮刻)하기라도 하려는 양, 사회의 구조 때문에 별수없이 겪게 된 고립 상태

습을 갖춘 불변(不變)의 지배적 사회 계급이라는 뜻으로 사용한다. 이런 의미에서라면, 사회적 가동성(可動性)이 격심한 미국의 중산층에 대해서 이 말을 쓸 수 없다는 그의 견해에는 분명히 일리가 있다.

를, 마치 자진해서 선택한 것처럼 내세우려 한다. 이탈리아에서는, 원래 큰 지위를 차지한 일이 없던 부르주아지가 그나마 파시즘과 패전(敗戰)으로 말미암아 영락하고, 그런 가운데서 작가는 가난과 열악한 보수에 시달리고, 너무 넓고 거창해서 난방과 가구조차 갖출 수 없는 폐허 같은 저택에 살면서, 다루기 힘든 너무나 허식적인 왕족(王族)의 언어와 씨름하고 있는데, 그런 이탈리아의 작가의 상황조차도 우리의 상황과는 판이한 것이다.

따라서 우리는 세계에서 가장 부르주아적인 작가들이다. 주거 환경이 좋고 옷가지도 단정하게 입을 수 있다. 단지 식사가 썩 좋지는 않지만, 그 사실에조차 의미가 있다. 부르주아는 음식에 있어서는 노동자보다 씀씀이를 줄이고, 그 대신 의복과 주거에 한결 많은 돈을 소비해야 하는 것이기 때문이다. 게다가 모든 작가가 부르주아 문화에 젖어 있다. 프랑스에서는 대학 입학 자격 시험에 합격하는 것이 부르주아가 되기 위한 면허장인데, 최소한 그 자격도 얻지 못하고 글을 쓰려고 덤비는 것은 용납될 수 없는 일이다. 다른 나라에서는 눈빛이 흐려진 편집광(偏執狂)들이 어떤 상념에 끌려서, 그들을 등뒤에서 사로잡아 결코 마주 볼 수 없는 그런 상념에 끌려서, 몸을 뒤틀고 발버둥을 치곤 한다. 그리고 갖은 애를 쓰다가 마침내는 그들의 집념을 종이 위에 쏟아놓고 잉크와 함께 말라버리도록 한다.[3]

그러나 우리는 최초의 소설을 쓰기도 전에 벌써 문학에 익숙해진다. 나무가 뜰에서 자라듯, 책이 문명화된 사회에서 자라

---

3) 가령 도스토예프스키나 카프카와 같은 작가.

는 것이 당연한 것으로 생각해 온 것이다. 가령 우리가 열네 살의 나이에, 저녁 공부를 하다가, 혹은 학교 운동장에서 뛰어놀다가, 갑자기 작가로서의 천직(天職)을 발견하게 된 것은 라신이나 베를렌을 너무나 좋아했기 때문이다.[4] 작품을 만든다는 것은 자못 지겹고 예측할 수 없고, 우리의 체액(體液)이 찐득찐득 묻은 괴물과 씨름하는 것인데, 그런 작업에 미처 손을 대기도 전에, 우리는 이미 완성된 문학을 먹고 자랐던 것이다. 그래서 우리의 미래의 글들이, 이미 나온 남들의 글처럼 완결된 상태에서 우리 머리에서 솟아나와, 당당히 사회의 인정을 받고 세간의 축성(祝聖)이라는 영예를 지녀, 요컨대 국가의 보물처럼 대접받으리라는 소박한 생각을 품어왔다. 우리에게는 한 편의 시의 종국적인 변신(變身)은, 영원한 생명을 위한 그 마지막 치장은, 삽화가 들어 있는 호화판으로 나오는 것, 그러고 나서는 펄프와 잉크의 산뜻한 냄새를 마치 시신(詩神)의 향기인 양 풍기고, 녹색 천의 등을 지닌 장정판(裝幀版)의 책에 작은 활자로 인쇄되는 것, 그리하여 손가락에 잉크를 묻힌 꿈꾸는 자식들, 미래의 부르주아지가 될 그 자식들을 감동시키는 것이다. 문화를 불사르겠다고 나선 브르통 자신도, 어느 날 교실에서 선생이 말라르메의 시를 읽어주었을 때 최초의 문학적 충격을 느꼈다. 한마디로 해서 우리의 작품의 최종 목적은 1980년대의 프랑스 문학의 강의를 위한 텍스트를 공급하는 데 있다고 오랫동안 생각해 왔다. 그리고 처녀작을 내고 넉넉히 5년만 지나면 모든 동료 작가와 악수를 나눌 수 있게 되었다.

중앙집권제의 나라에서 사는 우리는 모두 파리로 몰려들었

4) 누구보다도 사르트르 자신이 그렇다. 자서전 『말 *Les Mots*』 참조.

다. 바쁜 미국 사람은 재수만 좋다면 24시간 내에 우리 모두와 만날 수 있고, 운라,[5] 유엔, 유네스코, 밀러 Miller 사건,[6] 원자폭탄 등에 관한 우리의 의견도 24시간 내에 알 수 있게 된다. 자전거를 잘 타는 사람이라면, 역시 24시간 내에 아라공으로부터 모리악으로, 베르코르로부터 콕토로 달려가고, 몽마르트르에서는 브르통을, 뇌이이에서는 크노를, 퐁텐블로에서는 빌리[7]를 만날 것이다. 그리고 양심적 문제에 관해서 무슨 발언을 하는 것이 우리의 직업적 의무의 일부를 이루고 있으니까, 그는 트리에스테를 티토에게 반환할 것인가, 자르 지방을 병합(併合)할 것인가, 미래의 전쟁에서 V3을 사용할 것인가 하는 따위에 관한 찬반 여부를 담은 성명서, 청원서, 항의문 등을 돌릴 수 있을 것이다.[8] 우리는 이런 문제에 신경을 씀으로써, 우리가

---

5) UNRRA: United Nations Relief and Rehabilitation Administration, 연합국 난민구제기관. 제2차 세계대전으로 생긴 재해 지역의 구제를 위해서, 1943년에 연합국들 사이에서 설치된 기관이다. 1947년 이후에는 WHO, UNICEF로 개편되었다.

6) Affaire Miller: 1947년 〈사회적, 도덕적 행동 연합 Cartel d'action morale et sociale〉이라는 보수 단체가 Henry Miller의 작품을 풍기 문란죄로 고발한 일이 있었고, 이에 대해서 여러 문인들이 그를 옹호하고 나섰다. 사르트르 역시 이 옹호에 가담했다.

7) 저명한 문인의 예로 든 사람들.

Louis Aragon(1897–1982): 시인, 소설가. 초현실주의운동의 주역의 한 사람인 동시에 대표적인 저항시인이다. 후기에는 소련의 정책에 적극적으로 동조했다.

François Mauriac(1885–1970): 대표적 카톨릭 작가.

Jean Cocteau(1889–1963): 다재다능했던 모더니스트. 문학뿐만 아니라 연극과 영화에서도 중요한 역할을 했다.

Raymond Queneau(1903–1976): 시인, 소설가. 유머와 환상이 가득 찬 작품을 썼으며, 부단한 언어적 실험을 이어나갔다.

André Billy(1882–1971): 비평가.

지명은 그 문인들이 거주하던 파리 시내 또는 근교의 지역.

시대를 등지지 않는 인간이라는 것을 보여주고 싶어하는 것이다. 비록 자전거로 돌아다니는 사람이 없다고 해도, 소문이 24시간 내에 우리 패거리 사이를 한 바퀴 돌고, 그것을 퍼뜨린 장본인에게로 더 과장되어 되돌아온다. 누구나 우리 모두를, 적어도 대부분을, 어떤 카페나 플레이아드 음악회나, 혹은 특별히 문학적인 행사가 있는 경우에는 가령 영국 대사관에서 만날 수 있다. 간혹 우리들 중의 한 사람이 과로해서 시골로 내려가겠다고 알리면, 모두들 그를 보러 가서, 그것이 최상의 방법이라느니 파리에서는 글을 쓸 수 없다느니 하면서 그를 달래고, 선망과 축원(祝願)으로 그를 배웅한다. 우리는 노모(老母) 때문에, 젊은 애인 때문에, 또는 급한 용무 때문에, 도시에 묶여 있다고 한탄하면서 말이다. 한편 그는 그의 시골집의 사진을 찍으려는 《삼디수아르*Samedi-soir*》의 기자들과 함께 떠난다. 그러나 권태를 못 이겨 되돌아와서는 이렇게 말한다. 「결국 파리 밖에는 있을 만한 곳이 없군」 유복한 집안에서 태어난 시골 출신의 작가들이 지방주의 문학을 하러 오는 곳도 파리이다. 북아프리카 문학의 어엿한 대표자들이 알제Alger에 대한 향수를 표명하기 위해서 선택한 곳도 역시 파리이다.[9]

---

8) 제2차 세계대전 직후에 있었던 문제들의 예.

Trieste: 북부 이탈리아의 도시. 1945년에 Tito가 지배하던 유고슬라비아의 유격대가 점령했으나, 1947년 이후로는 UN의 보호령이 되었으며, 1954년 이탈리아로 반환되었다.

Sarre(독일어로 Saar): 독일 서부의 지역. 철과 석탄의 산지로서, 프랑스와 독일 간에 여러 번 그 귀속이 쟁점이 되었다. 1945년 프랑스가 점령했고, 10여 년 간 줄다리기가 있은 후, 1959년 완전히 독일의 영토로 결정되었다.

V3: 제2차 세계대전중 독일이 개발하고 사용한 장거리 미사일 V2를 더욱 발전시킨 미래의 미사일을 상정해서 붙인 이름이다.

우리의 길은 이미 깔려 있는 것이다. 시카고에 와 살게 된 아일랜드 사람이 무슨 집념에 사로잡혀 있다가 별안간 글쓰기를 최후의 수단으로 작정하는 경우에는, 그가 새로 시작하려는 인생은 다른 어떤 것과 비교할 수 없는 매우 불안한 것이다. 그것은 말하자면 스스로 오랫동안 갈아야 할 한 덩어리의 검은 대리석이다. 그 반면에 우리는 소년 시절부터 위대한 작가들이 보여준 인상적이고 교훈적인 선례(先例)를 알아왔다. 벌써 중학 3학년쯤 되면, 비록 아버지가 우리의 장래의 천직에 대해서 반대하지 않는 경우에라도, 만일 완강한 반대에 부딪힌다면 어떻게 대답해야 하는지 잘 알고 있다. 천재적 작가가 인정을 못 받고 지내는 기간은 얼마 동안이 합당(合當)한지, 영예를 누리게 되는 것은 몇 살 때가 정상인지, 몇 명의 정부를 갖고 불행한 연애 사건은 몇 번이나 겪어야 하는지, 정치에 관여하는 것이 과연 바람직한지 또 언제 관여해야 하는지를 알고 있는 것이다. 그런 모든 것이 책에 적혀 있으니까 그것을 잘 유념하면 되는 셈이다. 이미 20세기가 시작할 무렵, 로맹 롤랑 Romain Rolland은 『장크리스토프』[10]에서 한 모범을 보여주었는데, 그것은 몇몇 유명한 음악가들의 거동을 결합시키면 제법 그럴싸한 인간상(人間像)을 만들어낼 수 있다는 것이다. 그러나 다른 설계도를 꾸밀 수도 있다. 우선 랭보처럼 인생을 시작하고는 30대가 되면 괴테를 본받아 질서로 회귀(回歸)할 기세를 보인 후에, 50세에는 졸라처럼 공적(公的)인 문제에 뛰어드는 것[11]도 나쁘지 않을

9) Alger: Algérie의 수도. 그 부근에서 태어나 파리에서 본격적으로 문필생활을 하기 시작한 카뮈에 대한 암시일지도 모른다.

10) *Jean-Christophe*(1903-1912): Romain Rolland(1866-1944)의 대표적 대하소설. 한 음악가가 정신적 영웅이 되어가는 과정을 그렸다.

11) Zola가 드레퓌스 사건에 적극적으로 간여한 사실을 가리킨다.

터이다. 그러고 나서는 네르발처럼, 바이런처럼, 혹은 셸리처럼 죽음을 선택할 수 있을 것이다.[12] 그렇지만 물론 이런 에피소드 하나하나를 극한까지 〈실현〉시키려는 데 목적이 있는 것은 아니다. 마치 진솔한 재단사가 유행에 맹종(盲從)하지 않고 유행을 넌지시 보여주듯이, 그런 에피소드를 〈넌지시 보여주기〉만 하려는 것이다.

이렇듯 전형적이며 모범적인 풍모를 인생에 주려는 신중한 사람들이 우리 주위에는 몇 명 있는데, 그중에는 유명한 작가도 섞여 있다. 한데 그 목적은 책의 내용으로 볼 때는 신통치 않은 재능이 적어도 거동을 통해서만은 찬란하게 드러나게 하려는 데 있다. 이런 범례(範例)와 요령의 덕분으로, 작가라는 직업은 어느 정도는 업적에, 또 어느 정도는 오랜 경력에 힘입어 출세할 수 있는 멋있으면서도 안정된 직업이라고 어려서부터 여겨져 왔다. 하기야 작가는 성인, 영웅, 신비주의자, 모험가, 점쟁이, 마귀, 천사, 마술사, 가해자, 희생자 등, 별의별 것이 다 될 수 있으리라. 그러나 그는 무엇보다도 먼저 부르주아이다. 그런 고백을 하는 것 자체는 부끄러운 일이 아니다. 다만 작가들이 서로 다른 점이 있다면, 그것은 작가마다 이 공통적 상황을 인정하고 그것에 대처(對處)해 나가는 방식이다.

사실, 현대 문학을 전체적으로 조감(鳥瞰)하고 싶다면, 3세대를 구별해도 좋을 것이다. 제1세대는 1914년의 제1차 세계대

12) 예사롭지 않게 죽은 문인들의 예. Nerval은 정신 병원에 갇혀 있다가 거리에서 목매어 자살했고(1855), Byron은 그리스 독립군에 참여했으나 말라리아로 객사했으며(1824), Shelley는 대해에서 폭풍우에 휩쓸려 익사했다(1822).

전이 터지기 이전부터 작품 활동을 시작한 작가들의 세대이다. 그들은 오늘날 실질적으로 활동을 마감한 사람들이며, 그들이 앞으로 발표할 작품이 비록 걸작이라 하더라도 그들의 영예에 큰 보탬이 되지는 않을 것이다. 그렇지만 그들은 여전히 살고 생각하고 판단하고 있으며, 그들의 존재는 주류는 아니지만 결코 무시할 수 없는 문학적 경향을 결정한다. 내가 보기에 가장 중요한 사실은, 그들이 그 인격과 작품을 통해서 문학과 부르주아 독자 사이의 화해의 길을 열었다는 것이다. 우선 그들의 대부분은 글을 파는 것과는 전혀 다른 방법으로 수입의 대부분을 마련했다는 점에 주목해야 한다. 지드와 모리악은 지주(地主)이고, 프루스트는 금리(金利) 생활자이며, 모루아[13]는 실업가 집안 출신이다. 또 어떤 작가들은 자유 직업에서 시작해서 문학의 길로 들어섰다. 뒤아멜은 의사, 로맹[14]은 교수, 클로델과 지로두는 직업 외교관이었다. 그들이 글쓰기를 시작했던 시대에는, 문학은 저질(低質)의 성공을 겨냥하지 않는 이상, 밥벌이가 될 수 없었기 때문이다. 제3공화국하에서는, 문학은 정치와 마찬가지로 부업에 지나지 않았고, 비록 그것이 주업(主業)이 되었다 해도, 그런 일은 후일의 결과일 따름이었다. 사실, 대체적으로 보아서 문인과 정치인은 동일한 배경을 가지고 있었

---

13) André Maurois(1885–1967): 소설가, 평론가. 전통적 수법의 소설로 극단에 치우치지 않는 삶의 지혜를 부각시키려 했다.

14) Jules Romains(1885–1972): 소설가. 대하소설 『선의의 사람들 *Les Hommes de bonne volonté*』(1932–1947)에서, 그가 주창한 일체주의(一體主義)Unanimisme의 이론에 따라 시대의 전체상을 묘사하려고 시도했다.

Georges Duhamel(1894–1966): 소설가. Romains과 함께 일체주의의 운동을 전개했다. 기계화되어 가는 사회에서 휴머니즘이 부활하기를 바랐다.

다. 조레스와 페기는 같은 학교의 출신이며, 블럼과 프루스트는 같은 잡지에 글을 썼다.[15] 바레스는 문학운동과 선거운동을 동시에 했다. 이리하여, 작가는 자신을 순수한 소비자로 생각할 수 없게 되었다. 그는 생산을 다스리고, 부(富)의 분배를 관장하고, 혹은 공무원 노릇을 하면서 국가에 대한 의무를 걸머졌다. 요컨대, 그의 자아의 일부는 부르주아지와 철저하게 통합되어 있는 것이다. 그의 행동, 직업적 관계, 책무, 관심, 그 모든 것이 부르주아적이다. 그는 팔고 사고 명령하고 복종한다. 예절과 의식(儀式)이 지배하는 마술적인 동아리로 끼여들었다. 그 시대의 어떤 작가들은 인색하다는 소문이 자자한데, 글에서는 그 반대로 낭비의 미덕을 구가(謳歌)하고 있다. 나로서는 그런 소문이 과연 옳은지 모르지만, 적어도 그들이 돈의 가치를 알고 있다는 증거는 될 것이다. 우리가 앞서 언급했던 작가와 독자 사이의 괴리는 이제 작가 자신의 의식 속에 존재하게 되었다.

상징주의가 지나간 지 20년이 되었지만, 작가는 아직도 예술의 절대적 무상성(無償性)에 대한 의식을 잃지 않고 있었다. 그러나 그와 동시에 목적과 수단, 수단과 목적이라는 공리주의적인 고리 속에 끼여들게 되었다. 그는 생산자인 동시에 파괴자이다. 퀴베르빌에, 프롱트냑에, 엘뵈프[16]에 머무를 때는, 혹은 미

---

15) Jean Jaurès(1859–1914): 철학자, 정치가, 사회주의자. 프랑스 사회당의 창설에 진력했다.

Charles Péguy(1873–1914): 시인. 실리주의에 반대하면서, 열렬한 종교적, 애국적 논설을 쓰기도 했다. 제1차 세계대전에서 전사했다. 이 두 사람은 프랑스의 명문 대학인 파리 고등사범학교 Ecole normale supérieure 출신이었다.

Léon Blum(1872–1950): 문필가, 정치가, 사회당 당수. 그는 초기에 프루스트와 같이 동인지 *Le Banquet*(향연)를 창간하고, *La Revue blanche*와 같은 잡지에도 함께 기고했다.

국의 백악관에서 프랑스를 대표할 때는[17] 부르주아적인 근엄한 태도를 준수해야 하지만, 일단 원고지 앞에 앉게 되면 당장에 부정(否定)의 정신과 잔치의 분위기를 되찾는다는 모순 속에서 산다. 그는 부르주아의 이데올로기를 전적으로 포용(包容)할 수도 없고, 또한 자신이 소속한 그 계급을 무작정 고발할 수도 없다.

그런데 작가를 이런 난처한 입장에서 구해 준 것이 있으니, 그것은 곧 부르주아지 자신이 변화했다는 사실이다. 부르주아지는 이미 재화(財貨)의 절약과 소유에만 골몰하는 그런 억척 같은 신흥 계급이 아니다. 졸부가 된 농부와 재산을 모은 장사치의 자식과 손자들은 태어날 때부터 이미 부자이다. 그들은 돈을 쓸 줄을 알았다. 그래서 공리주의의 이데올로기는 결코 사라진 것은 아니지만, 적어도 표면으로 나타나지는 않게 되었다. 100년 간의 계속된 지배가 전통을 만들어낸 것이다. 지방의 대저택에서, 혹은 멸망한 귀족으로부터 사들인 성(城)에서 유년 시절을 보낸 부르주아들은 시적(詩的)인 깊이를 터득했다. 소원 성취한 〈재산가들〉은 분석 정신에 의지하려는 경향이 적다. 그들 역시 이제는 그들의 지배권의 근거를 종합 정신에서 찾으려 한다.[18] 이리하여 종합적인 연관, 즉 시적인 연관이 소유자와 소

---

16) Cuverville : 지드의 농장이 있던 곳(원래는 부인의 재산).
Frontenac : 모리악의 고향이며 포도주로 유명한 보르도 부근의 시골. 그의 집안의 농지가 있던 곳.
Elbeuf : 모루아의 고향. 그는 실업가 집안 출신이며, 그 지방은 모직물로 유명하다.

17) 참고로, 사르트르는 1945년 *Combat*지(紙)의 특파원으로 미국에 처음으로 갔을 때, 루스벨트 대통령을 만난 일이 있다.

18) 분석 정신 esprit analytique / 종합 정신 esprit synthetique : 사르트르가 이미 여러 번 사용한 이 말의 뜻에 관해서 간단한 설명을 첨가해 둔다. 분석 정신은 어떤 복합적 현상들을 변하지 않는 단순한 요소들로 환원하

유물 사이에 설정된다.

그것을 보여준 사람이 바레스이다. 그에 의하면 부르주아는 그의 재산과 한 몸이 되어 있는 사람이다. 제 고향에만, 제 땅에만 머물러 있으면, 부드럽게 굽이치는 시골의 전야(田野)와 하늘거리는 은빛의 포플러 나뭇잎과 신비하게 천천히 살쪄가는 대지와 빠르고 변덕스럽게 변하는 예민한 하늘의 기운이 그의 심신(心身)으로 스며들 것이다. 부르주아는 세계를 차지하면서 그 깊은 곳까지도 차지한다. 이제 그의 영혼은 지하(地下)를, 갱도를, 광맥을, 금광을, 석유층을 지니게 된다. 따라서 〈가담파(加擔派)〉[19]에 합류한 작가에게는 그가 갈 길이 명시되어 있는 셈이다. 그는 자기 자신을 구하기 위해서 부르주아지의 영혼을 구하려는 것이다.

물론 작가는 공리주의의 이데올로기를 섬기기는커녕, 필요하다면 그것을 준엄하게 비판한다. 그러나 부르주아의 영혼은 그

여 설명할 수 있다는 생각이다. 인간의 경우에는 그 개인적, 집단적 존재를, 모든 인간이 보편적으로 가지고 있다고 전제된 요소들(이른바 인간성)로 환원시켜 이해하려는 입장이다. 이와 반대로 종합 정신의 견지에서 볼 때는, 하나의 총체는 그것이 어떤 것이든 간에 그 부분의 산술적 총화와는 다른 것이다. 여기에서는 이미 구성된 존재의 환원 불가능성과 본질적인 특이성(特異性)이 강조된다. 가령 한 사회 계급은 그 성원들의 합계와는 전혀 다른 실체이다. 일반적으로 말해서 사르트르는 종합 정신에 중점을 두고 있는 것 같으나, 분석 정신이 수행할 수 있는 신화 파괴의 기능을 무시하는 것은 아니다. 가령, 우리가 이미 텍스트를 통해서 본 바와 같이, 18세기에 부르주아지가 귀족 계급의 특권을 부정하기 위해서 분석 정신을 적용하여, 계급을 초월한 동질적 인간성의 존재를 부각시킨 점을 그는 긍정적으로 평가하고 있으며, 또한 나치즘과 같은 잘못된 종합 정신의 허구를 파괴하기 위해서는 분석 정신이 동원되어야 했다고 지적하고 있다(305-308쪽 참조).

19) Ralliés: 프랑스 정치사에서, 1875년 이후 제3공화국에 가담한 옛날의 왕당파(王黨派)와 나폴레옹 3세의 제2제정파의 사람들을 일컫는다.

가 편안한 마음으로 예술을 하기에 필요한 그 모든 무상성과 정신성을 위한 희한한 온실의 구실을 한다. 그가 19세기에 전취(戰取)한 상징적 귀족주의를, 자기 자신이나 동업자의 것으로만 삼지 않고, 부르주아 전체에게 펼치려는 것이다.

1850년경에 나온 어느 미국 작가의 소설을 보면, 미시시피강을 건너는 증기선에 앉아 있는 노경의 대령(大領)의 모습이 나온다. 그는, 주위에 있는 선객들의 영혼 깊숙한 곳에는 무엇이 도사리고 있을까 하고 한순간 자문해 보려고 한다. 그러나 이윽고 그 생각을 떨쳐버리면서 대충 이렇게 말한다. 「인간이 제 속을 너무 깊이 파보는 것은 좋은 일이 아니지」 그런 것이 제1세대의 부르주아지의 반응이었다. 그러나 1900년경의 프랑스에서는 정반대의 일이 생긴다. 사람의 마음을 어느 정도 깊이 파내려가 보면, 신(神)의 흔적을 찾아낼 수 있는 것으로 생각되었다. 에스토니에[20]의 말로는, 누구에게나 은밀한 삶이 있다. 우체국 직원도 대장장이도 기술자도 지방 관청의 출납계장도 그들 나름대로의 외로운 한밤의 잔치를 베풀고, 몸을 태우는 정열과 화려한 불꽃이 그들의 마음에 깊이 깃들여 있다. 이 작가와 그 이외의 수많은 작가를 통해서, 우표 수집이나 동전 수집 역시 초월적 세계에 대한 향수의 표현이며 보들레르적인 불만의 표현[21]이라는 것을 우리는 배우게 된다. 인간에 대한 우정이나 여자에 대한 사랑이나 권력에 대한 애착을 단념하지 않고서는, 그런 동전을 모으는 데 시간과 돈을 바칠 수 있겠느냐는 말

---

20) Edouard Estaunié(1862–1942): 소설가. 인간과 환경의 관계를 살피고, 내심에 묻혀 있는 정서를 그려냈다. 대표작은 『숨어 있는 삶 *La Vie secrète*』(1908)이다.

21) 176쪽 역주 99) 참조.

이다. 게다가 우표를 수집하는 것만큼 무상적(無償的)인 행위가 또 어디 있겠는가? 누구나 다빈치나 미켈란젤로가 될 수 있는 것은 아니다. 그러나 앨범의 장밋빛 판지 위에 쓸모없는 우표를 붙이는 것, 그것은 아홉 시신(詩神)들 모두에게 바치는 감동적인 찬사이며,[22] 또한 파괴적인 소비의 본질 그 자체이다.

어떤 작가들은 또 부르주아의 사랑이 신을 향한 절망적인 호소라고 생각했다. 간통보다 더 초월적이고 더 비통한 것이 달리 있겠는가? 성교가 끝났을 때 입 안에 남아도는 잿맛, 그것은 부정(否定)의 극치이자 모든 쾌락에 대한 이의 제기가 아니고 무엇이겠는가? 또 다른 작가들은 한술 더 떴다. 그들은 부르주아의 허약성에서가 아니라 도리어 그 미덕에서 신적(神的)인 광기의 씨를 찾아냈다. 초현실주의자들의 온갖 기행조차 오히려 점잖아 보이게 할 정도의 그런 터무니없고 교만한 고집을, 한 집안의 어머니의 억압되고 희망 없는 생활에서 찾아본 작가가 있었다. 어떤 젊은 작가는 세대가 다르면서도 그런 거장들의 영향을 받았고, 그의 거동으로 판단해 볼 때 그후 생각을 바꾼 것 같은데, 그가 하루는 내게 이렇게 말했다. 「부부간의 충실성보다 더 터무니없는 내기가 또 있을까요? 그것은 악마뿐만 아니라 신에 대해서조차 도전하겠다는 게 아닐까요? 그것보다 더 광적(狂的)이고 더 장대한 신성 모독(神聖冒瀆)이 있다면 가르쳐주시죠」

이런 발언의 계략은 금방 꿰뚫어볼 수 있다. 그것은 위대한 파괴자들의 입장 그 자체를 뒤흔들어 놓겠다는 것이다. 그는 누가 돈 주앙을 내세우면 오르공[23]으로 응대한다. 숱한 여자들을

22) 아홉 시신: 시신의 수효는 시대에 따라 달라지는데, 헤시오도스 Hesiodos는 아홉 명으로 생각했다.

유혹하는 것보다는 한 가정을 지켜 나가는 것이 더 용기 있고 뻔뻔하고 절망적인 행동이라는 말이다. 또 누가 랭보를 내세우면 그는 크리잘로써 응대한다. 모든 감각의 조직적인 착란을 실천하는 것보다는, 우리가 보는 의자를 의자라고 단언하는 것이 더 거만하고 악마적이라는 말이다.[24] 하기야 우리의 지각(知覺)의 대상이 되는 의자는 개연적인 것에 불과하며, 그것이 의자라고 단언하기 위해서는 무한으로 비약을 해서 한없는 상호부합적(相互符合的)인 표상들을 상정하지 않으면 안 될 것이다.[25] 또한 부부간의 사랑의 맹세도 알 수 없는 미래로 향하는 모험일 것이다. 한데 인간이 마음의 안정을 위하여 시간을 뛰어넘으면서 하는 이러한 추리, 필요하고 말하자면 자연스러운 추리를, 마치 가장 대담한 도전처럼, 가장 절망적인 이의(異議)처럼 제시할 때 궤변이 시작되는 것이다.

아무튼 내가 지금 이야기하고 있는 작가들은 이런 궤변을 써서 명성을 얻었다. 그들은 새로운 세대를 상대로 하여, 생산과 소비 사이에, 건설과 파괴 사이에 엄밀한 등가성(等價性)이 있다고 설명했다. 질서는 영원한 축제이며 무질서는 가장 따분한 단조로움이라는 것을 보여주었다. 그들은 일상 생활 속에서 시를 발견하고, 덕행(德行)을 매력적인 것으로, 심지어는 불안스러운 것으로 만들어보였고, 부르주아의 행적을 신비하고 선정

---

23) Don Juan: 〈돈 후안〉의 프랑스식 발음. 몰리에르의 동명(同名) 희곡의 주인공. 희대의 탕아이면서도 비관주의적이며 냉혹하게 종교를 비판했다.
Orgon: 몰리에르의 *Tartuffe*에 나오는 인물. 유복한 부르주아이며 완고한 신자(信者)인 그는 위선자인 타르튀프에게 농락되어 자신을 덕스럽고 강력한 존재로 착각한다.

24) Rimbaud: 177쪽 역주 101) 참조.
Chrysale: 132쪽 역주 50) 참조.

25) 플라톤적인 에이도스eidos를 빗대어서 하고 있는 말이다.

적인 미소로 가득 찬 긴 소설로 각색했다. 그것이 독자들이 요구한 전부였다. 자신은 이해 관계 때문에 정직하고 겁이 많기 때문에 덕스럽고 습관 때문에 정숙할 따름인데도, 누가 자기의 그런 거동을 두고 직업적인 유혹자나 대로상의 강도보다도 더 대담하다는 말을 해준다면 그것은 기분 좋은 일이다. 나는 1924년경에 문학에, 특히 현대 작가들에 심취한 어떤 양가(良家)의 청년과 알게 되었다. 그는 계제에 따라서는 객기를 부리고 술집의 시가 유행할 때는 그런 시에 빠져들고 또 야단스럽게 정부(情婦)를 꿰차고 다니더니, 아버지가 세상을 떠나자 집안에서 경영하는 공장으로 얌전하게 되돌아오고 다시 〈정도(正道)〉를 걷기 시작했다. 그러고는 많은 유산을 받은 처녀와 결혼하고는 그녀를 속이지 않았다. 혹시 간혹 속이는 일이 있더라도, 그것은 여행중이나 좀도둑처럼 하는 짓에 지나지 않았으며, 요컨대 가장 충실한 남편 노릇을 한 것이다. 한데 결혼할 무렵에 그는 독서를 통해서, 자신의 인생을 정당화시켜 줄 수 있을 신조(信條)를 얻어내고, 하루는 내게 이렇게 써 보냈다. 「모든 사람처럼 행동해야 하면서도 아무도 닮지 말아야 합니다」 이 간단한 말은 의미심장하다. 내가 그런 말을 가장 비루한 수작이며 온갖 자기 기만의 변명이라고 생각한다는 것을 여러분은 넉넉히 짐작할 것이다. 그러나 그 말에는 우리 작가들이 독자에게 고취한 도덕이 제법 잘 요약되어 있다. 그들은 그런 말로서 우선 자기 자신을 정당화했다. 모든 사람처럼 행동해야 한다는 것, 그것은 관례에 따라서 엘뵈프의 모직물이나 보르도의 포도주를 파는 것,[26] 지참금 많은 규수를 아내로 삼는 것, 부모와 장인 장

26) 232쪽 역주 14) 참조.

모와 장인 장모의 친구들을 자주 찾아가 보는 것이다. 한편, 아무도 닮지 말아야 한다는 것, 그것은 파괴적이면서도 정중한 미문(美文)으로 자신의 영혼과 가족의 영혼을 구하는 것이다.

나는 이런 종류의 작품들을 총칭하여 알리바이의 문학이라고 부르려 한다. 그것은 고용된 작가의 문학과 급속히 자리를 바꾸어서 들어앉았다. 벌써 제1차 세계대전 이전부터 지배 계급이 필요로 했던 것은 찬사(讚辭)가 아니라 알리바이였다. 알랭 푸르니에[27]가 보여주는 신비는 알리바이였다. 부르주아적인 요정 이야기의 계보는 그에게서 비롯된 것이다. 어느 경우에서나 모든 독자를, 가장 부르주아적인 영혼의 어둑어둑한 지점까지 어림짐작으로 인도하는 것이 목적이었다. 모든 꿈이 합쳐져서 불가능을 지향하려는 안타까운 욕망으로 녹아들고, 가장 일상적인 생활의 일들이 마치 상징처럼 체험되고, 현실이 상상에 의해서 침식되고, 인간 전체가 거룩한 부재(不在)로만 인식되는 그런 지점말이다. 어떤 사람들은 아를랑[28]이 『낯선 땅』의 저자인 동시에 『질서』의 저자이기도 하다는 것을 이상하게 생각했지만, 그것은 조금도 이상한 일이 아니다. 왜냐하면 그의 초기 작품의 인물들이 느끼는 불만은, 오직 엄격한 질서 속에서 느끼기 때문에 뜻이 있는 것이니까 말이다. 그들은 결코 결혼 제도나 직업이나 사회적 규율에 대해서 반항하려는 것이 아니다. 그들이 내세우는 향수는 결국 그 무엇을 지향(指向)하려는 것이

---

27) Alain Fournier(1886-1914): 소설가. 『몬 대장 *Le Grand Meaulnes*』(1913)으로 널리 알려져 있다. 신비로운 모험에 끌리는 소년을 그린 시적인 소설이다.

28) Marcel Arland(1899-1986): 소설가. 인간 내심의 복잡한 감정을 분석하고 그 드라마를 부각시킨 작품들을 썼다. 여기에 언급된 소설의 원명은 각각 *Terres étrangères*(1922, 처녀작), *L'Ordre*(1929, 공쿠르 상 수상작).

아니기 때문에 전혀 충족될 수 없는 성질의 것인데, 그들의 수작은 그런 향수에 의해서 사회적 질서를 교묘하게 넘어서 보려는 것이다. 이리하여 질서는 오직 초월을 위해서 있지만, 아무튼 반드시 있어야 할 것이다. 그래서 질서는 정당화되고 단단히 재건(再建)된다. 질서를 무력으로 무너뜨리는 것보다는 꿈꾸는 듯한 우수(憂愁)를 통해서 거부하는 것이 더 좋기 때문이다.

후에 당혹감으로 변질하게 되는 지드의 불안에 대해서도, 신이 없는 빈자리라고 할 만한 모리악의 죄에 대해서도 같은 말을 할 수 있을 것이다. 항용, 일상 생활을 괄호 속에 넣고는 손도 더럽히지 않고 그 생활을 꼼꼼히 영위하겠다는 것이다. 항용, 인간은 그의 삶보다 더 가치 있는 존재이며, 사랑은 사랑 이상의 것이며, 부르주아는 부르주아 이상의 것임을 증명하려는 것이다. 하기야 위대한 작가들에게는 다른 점이 있기는 하다. 지드나 클로델이나 프루스트를 통해서 우리는 인간의 진실한 체험을, 수많은 인생의 길을 발견하게 된다. 그러나 내가 여기에서 시도한 것은 한 시대 전체의 조감도(鳥瞰圖)의 작성이 아니라, 시대의 풍토를 제시하고 그 신화를 추출하는 것이었다.[3]

제2세대는 1918년 이후에 성년이 된 사람들이다. 이것은 물론 매우 조잡한 구분에 지나지 않는다. 가령 콕토는 이 세대에 속한다고 보는 것이 온당하지만, 그의 초기작은 벌써 제1차 세계대전 이전의 것이었으며, 반대로 마르셀 아를랑은 내가 아는 한에는 휴전(休戰) 전에 처녀작을 발표하지는 않았지만 우리가 위에서 이야기한 작가들과 어떤 유사성이 있는 작가이다. 우리는 전쟁의 진실한 원인을 파악하는 데 30년이 걸렸는데, 그 명백한 부조리는 부정의 정신을 부활시켰다. 티보데가 〈감압(減

歷)의 시대〉[29]라고 멋있게 이름 지은 그 시대에 대해서 나는 자세한 설명은 삼가려 한다. 그것은 불꽃놀이의 시대였다. 그 불꽃들이 모두 떨어지고 만 오늘날에는 그 이야기를 쓴 사람들이 하도 많아서 누구나 모든 것을 알고 있는 것처럼 생각하고 있다. 다만 한 가지 주목해 둘 것이 있다. 그것은 불꽃놀이 중에서도 가장 화려했던 초현실주의가 〈소비자 = 작가〉의 파괴적 전통과 결부되었다는 사실이다. 그 수선스런 부르주아 청년들은 문명 속에서 자라났기 때문에 문명을 파괴하려고 했다.

그들의 주된 적들은 여전히 하이네Heine의 적인 속물들이며, 모니에의 적인 프뤼돔[30]이며, 플로베르의 적인 부르주아였다. 요컨대 그들의 아버지였다. 그러나 그들은 앞서 겪었던 가열(苛烈)한 몇 년 간의 체험[31] 때문에 과격주의로 치달았다. 그들의 선배들은 부르주아지의 공리주의에 대해서 〈소비〉를 내세우며 싸웠을 따름이지만, 그들은 한결 극단적으로 되어, 도대체 인간의 기도가, 다시 말해서 의식적이며 의도적인 삶 자체

29) Albert Thibaudet(1874–1936): 비평가. 베르그송의 영향을 받았다. 문학을 유기적이며 생동적인 상태에서 파악하는 것이 비평의 기능이라고 강조했다. 티보데는 과연 사르트르의 말대로, 제1차 세계대전 이후의 새로운 세대에 관해서 〈감압 décompression〉이라는 단어를 쓰고 있다. 그의 비유를 따르자면, 심해(深海)에 사는 물고기를 해면에 올라오게 하면, 압력의 격감 때문에 부레가 터지는데, 이와 마찬가지로 새로운 세대의 작가들은 이제 전통적 휴머니즘의 압력에서 벗어나서 그 개인적 자아를 〈폭발〉시켜서, 일체의 질서를 무시한 당돌한 시도로 나섰다는 것이다(*Histoire de la littérature française de 1789 à nos jours*, Stock, 1936, 516–517쪽 참조).

30) Henri Monnier(1799–1877): 만화가. Joseph Prudhomme이라는 인물을 창조하여, 그를 등장시킨 일련의 만화에서 자기 만족에 빠진 근엄한 부르주아들의 속물 근성을 풍자했다. 또한 그 인물을 주인공으로 삼은 희극을 스스로 쓰기도 했다.

31) 제1차 세계대전의 체험.

가 공리성(功利性)의 추구라고 몰아붙였다. 이리하여 의식(意識)은 부르주아적인 것이며, 자아(自我)도 부르주아적인 것으로 해석된다. 부정의 작업은 우선 인간의 본성에 대해서, 파스칼이 말했듯이 제1의 습관에 지나지 않는 그 본성에 대해서 실시되어야 한다.[32] 그러기 위해서는 먼저 의식적인 삶과 무의식의 삶 사이에, 꿈과 각성(覺醒)사이에 설정되어 온 관례적인 구별을 없애버리는 것이 필요하다. 바꾸어 말하자면 주관성을 해소시키려는 것이다.

우리의 생각과 정서와 의지가 나타나는 순간에 그것이 우리 자신에게서 비롯된다고 인지될 때, 그리고 그런 것이 우리의 것임이 확실한 반면, 외부 세계가 그것에 부합하는 것은 다만 개연적(蓋然的)일 따름이라고 판단될 때, 주관적인 것이 성립하는 것이다. 한데 초현실주의자는 스토아 학파가 윤리의 기초로 삼은 이러한 겸손한 확실성[33]을 혐오한다. 그런 확실성이 우리에게 한계를 제시하는 동시에, 책임을 부여하기 때문에 싫어하는 것이다. 자아에 대한 의식에서, 따라서 세계 내에서의 자신의 상황에 대한 의식에서 벗어나기 위해서 초현실주의자는 갖은 수단을 다 동원한다. 그는 정신분석학을 받아들인다. 왜냐하면 의식 이외의 다른 곳에서 발생한 기생적인 군더더기가 의식

32) Pascal의 『팡세 *Pensées*』에 다음과 같은 글이 있다. 「아버지들은 자식의 본성적(本性的)인 사랑이 사라지지 않을까 걱정한다. 그렇다면 이 사라지기 쉬운 본성이란 무엇인가? 습관은 제2의 본성이며 제1의 본성을 파괴한다. 그러나 본성이란 도대체 무엇인가? 습관은 왜 본성적인 것이 아니란 말인가? 습관이 제2의 천성인 것과 마찬가지로, 이 본성이라는 것은 제1의 습관이 아닐지 자못 의심스럽다」(Brunschvicg판 93쪽)

33) 스토아파가 강조한 덕의 실천은, 인간이 적어도 자신의 자아만큼은 스스로 통제하고 지배할 수 있다는 것이 분명해야 가능한 것이기 때문이다.

을 침식하고 있다고 보는 것이 정신분석학이기 때문이다. 그는 또한 노동에 대한 〈부르주아적 관념〉을 배격한다. 왜냐하면 노동은 추측과 가정과 기도를, 따라서 주관에 대한 부단한 의존(依存)을 내포하는 것이기 때문이다. 자동기술법은 무엇보다도 주관성의 파괴이다. 자동기술법을 실험해 보면, 어떤 응어리들이 우리의 몸을 경련적으로 뚫고 지나가면서 갈기갈기 찢어놓는 것 같다. 우리는 그 출처를 모르고, 그것이 사물들의 세계 속에서 제자리를 잡기 전에는 인식할 수도 없다. 그리고 그것을 알아보려면 타자(他者)의 눈이 필요하다. 따라서 흔히들 말하듯이 그들은 의식 대신에 그들의 무의식적인 주관성을 들어앉히려는 것이 아니라, 도리어 주체를, 객관적 세계 속에 끼여든 변덕스런 환상으로만 보는 것이다.

그러나 초현실주의자의 제2의 작업은 바로 객관성도 파괴하는 것이다. 그들은 세계를 폭파하려는 것인데, 어떤 다이너마이트도 그럴 만한 파괴력을 가지고 있지 않다. 그리고 다른 한편으로 존재하는 모든 것의 〈현실적〉 파괴는 불가능하다. 파괴한다는 것은 그 모든 것을 한 〈현실적〉 상태로부터 다른 〈현실적〉 상태로 옮겨놓는 것에 불과할 테니까 말이다. 그렇기 때문에 그들은 차라리 어떤 개별적인 대상들만을 부수려 한다. 다시 말하면 그런 대표적인 대상들의 파괴를 통해서 객관성의 구조 자체를 무화(無化)시키려는 것이다. 한데 변질될 수 없는 본질을 이미 갖추고 있는 〈현실적〉인 존재물(存在物)에 대해서 이런 작업을 시도할 수는 물론 없는 일이다. 그러기 때문에 초현실주의자는 객관성이 저절로 제거될 수 있도록 꾸며진 가공적 사물을 산출하려고 한다. 이런 수법의 기본적인 도식을 보여준 사람이 뒤샹[34]인데, 그가 실제로 대리석에서 떼어낸 가짜 설탕 덩어리는 갑자기 뜻하지 않은 무게를 지니게 되었다. 그 무게를 손으로 재어본 관객은 마치 순간적이며 번개 같은 계시에 의해서인 양, 설탕의 객관적인 본질이 저절로 파괴된 것을 느꼈을 것이다. 모든 존재에 관해서 엉뚱하고 거북하고 불안정한 느낌을 관객에게 주어야 했던 것이다. 가령 스푼이 찻잔 속에서 갑자기 녹게 한다거나, 뒤샹이 꾸민 수작과는 반대로 설탕이 수면으로 거슬러 올라 둥둥 떠다니게 한다거나 하는 장난이 그것이다. 그들은 이런 직감(直感)을 이용해서 이 세계 전체가 근본적인 모순으로 나타나기를 바란다. 초현실주의의 그림과 조각은 국부적이며 가공적인 파열을, 우주 전체를 물처럼 새어버리게 하는 수챗구멍과도 같은 그런 파열을 자꾸만 늘려가는 것 이외의 다른 목적을 가지고 있는 것이 아니다. 달리의 망상적-경계적(境界的) 방법[35]은 이런 수법을 극단까지 밀고 나가고 착잡하게 만든 것에 지나지 않는다. 결국 그것도 역시 「현실의 세계에 대한 전적인 불신에 공헌」하기 위한 노력의 일단이다.

문학도 또한 언어에 대해서 같은 운명을 겪게 하고 낱말들의 상충(相衝)을 통해서 언어를 파괴하려고 한다. 이리하여 설탕은

34) Marcel Duchamp(1887–1968): 기존의 조형 예술의 관념과 미학적 규준을 근본적으로 파괴한 화가. 이미 만들어져 있는 일상적이며 비예술적인 사물들을 예술 작품으로 변모시켰다. 수염 달린 모나리자, 〈샘〉이라는 이름의 변기 따위로 유명하며, 브르통에게 〈부정 속의 깊은 예술성〉이라고 격찬받은 그의 작품들은 이른바 팝아트Pop-art를 탄생시켰다.

35) Salvador Dali(1904–1989): 대표적인 초현실주의 화가. 척박한 카탈루냐의 땅을 배경으로 기괴하고 환상적인 사물이나 인체가 부각된 그림이 많다. 그의 〈망상적-경계적 방법 méthode paranoïaque-critique〉은 지각과 상상, 각성과 잠, 의식과 무의식의 경계에서 이미지가 형성되게 하는 방법이며, 그 자신의 말에 의하면, 「정밀성에 대한 가장 제국주의적인 열정을 가지고, 구체적인 불합리의 이미지들을 실현하려는 것이다」.

대리석을 가리키고 대리석은 설탕을 가리킨다. 물렁물렁한 시계[36]는 바로 무르기 때문에 그 자체를 거역한다. 객관적인 것은 무너지고 주관적인 것으로 넘어간다. 왜냐하면 현실로서의 자격을 박탈해 버리기 때문이다. 「외부 세계의 이미지 자체를 불안정하고 덧없는 것으로 보고」, 또한 「그 이미지들을 우리의 정신의 현실에 종속시키기」를 즐기기 때문이다. 그러나 주관적인 것 역시 무너지고 그 배후에는 신비로운 객관성이 나타난다.

한데 현실적인 파괴는 꿈에도 시도되지 않고 이 모든 일이 일어난다. 현실적인 파괴는커녕, 사실은 정반대이다. 수면(睡眠)과 자동기술법으로 자아를 상징적으로 말살하고, 덧없는 객체(客體)의 산출을 통해서 사물을 상징적으로 말살하고, 터무니없는 의미의 산출을 통해서 언어를 상징적으로 말살하고, 회화에 의해서 회화를 파괴하고 문학에 의해서 문학을 파괴하는 초현실주의는, 그런 수단으로 철철 넘치는 존재들을 만들어서 허무를 실현시키려는 야릇한 기도를 추구하는 것이다. 그것은 〈창조〉함으로써, 다시 말하면 이미 있는 그림에 그림을 첨가하고, 이미 나온 책에 책을 첨가함으로써, 파괴하려고 한다. 바로 여기에 그 작품들의 양면성(兩面性)이 있다. 한편으로 각각의 작품은 어떤 형식의, 미지의 존재의, 일찍이 못 본 문장의 발명, 야만적이면서도 희한한 발명이며, 그런 점에서 문화에 대한 의식적인 공헌이라고 말할 수 있다. 그러나 다른 한편으로 각각의 작품은 그 자체를 무화(無化)하면서 현실 전체를 무화하려는 기도이기 때문에, 허무가 그 표면에 아롱진다. 모순들이 한없이 하늘거리는 그런 허무말이다. 그리고 초현실주의자들이

36) Dali의 그림 「끈질긴 기억 Persistance de la Mémoire」 참조.

주관성의 폐허에서 포착하려는 〈정신〉, 자기 파괴적인 사물들의 퇴적(堆積) 위에서만 간신히 엿볼 수 있는 그런 정신 역시 아롱거린다. 그것은 사물들이 응결하면서 서로 없애버리는 속에서 하늘거린다. 그것은 헤겔이 말하는 부정도 아니고 구체화된 부정도 아니다. 또한 다소 비슷하기는 하지만, 허무조차도 아니다. 그것은 차라리 〈불가능〉이라고 부르는 것이 마땅하리라. 달리 말해 보자면 꿈과 깨어남이, 현실적인 것과 허구적인 것이, 객관적인 것과 주관적인 것이 혼합되어 있는 가공의 지점이라고 해도 좋을 것이다.

그것은 혼합이지 종합이 아니다. 왜냐하면 종합은 내적(內的) 모순을 지배하고 다스리는 짜임새 있는 존재로서 나타나는 것이기 때문이다. 그러나 초현실주의는 그런 새로운 것이 나타나면 또다시 거부해야 할 테니까 그 출현을 바라지 않는다. 그것은 실현 불가능한 직관의 추구 때문에 야기되는 짜증스런 긴장 상태를 유지하려고 한다. 랭보는 적어도 호수의 바닥에서 살롱을 보려고 했다.[37] 그러나 초현실주의자는 호수와 살롱을 보게 될 직전(直前)의 상태에 영원히 머무르려고 한다. 혹시 우연히 그것을 만난다 해도 그는 곧 실증을 느끼거나 겁을 먹고는, 문을 꼭 잠그고 자러 가버리는 것이다. 결국 그들은 많은 그림을 그리고 많은 종이에 잉크 칠을 하지만, 진실로 파괴하는 것은 아무것도 없다. 아닌게아니라 브르통은 1925년에 그 점을 인정하면서 이렇게 썼다. 「초현실주의의 직접적 현실은 사물의 외관

37) 『지옥의 한 계절 *Une Saison en enfer*』에 나오는 산문시의 한 대목에 대해 언급한 것. 「나는 소박한 환상에 익숙하게 되었다. 나는 아주 분명하게 보았다, 공장 대신에 회교 사원을, 천사들이 만든 고수(鼓手)의 학교를, 하늘의 길을 달리는 사륜마차를, 호수의 바닥에서 살롱을……」

적, 유형적 질서에 그 어떤 변화를 초래하려는 것이라기보다는 정신상의 한 운동을 창조하려는 것이다」 따라서 이른바 세계의 파괴는 예로부터 철학적 전향(轉向)이라고 불러온 것과 매우 흡사한 주관적 기도의 대상에 불과하다. 밀알 하나도 모래알 하나도 깃털 하나도 손끝에 대지 않으면서 부단히 파괴하는 세계, 그것은 다만 〈괄호 속에 넣은〉 세계일 따름이다.

사람들이 잘 주목하지 못한 일이지만, 초현실주의의 구성물, 그림, 〈시-사물(詩-事物)〉[38]과 같은 것들은, 기원전 3세기의 회의학파(懷疑學派)의 사람들이 끊임없는 〈판단 중지〉를 정당화하기 위해서 이용한 아포리아를, 손으로 제작한 것이다. 카르네아데스와 필론은 이 〈판단 중지〉의 덕분에, 경솔한 가담으로 난처한 처지에 빠지는 일이 없게 되었다는 자신을 얻고는 여느 사람처럼 살았다.[39] 이와 마찬가지로, 초현실주의자들은 세계가 파괴되고 또 파괴의 덕분으로 기적적으로 보존되자, 뻔뻔스럽게도 세계에 대한 엄청난 사랑으로 기울어갔다. 나무, 지붕, 여자, 조가비, 꽃들이 있는 일상(日常)의 세계, 그러나 불가능과 허무가 그림자처럼 깃들인 세계, 그것이 바로 초현실주의적 신비경이라고 부르는 것이다.

---

38) poème-objet: 사물과 글을 결합시키려는 시도. 브르통의 정의를 따르자면, 그것은 「조형 예술과 시의 가능성을 결합하여, 상호간의 자극력을 겨냥하려는 구성」이다. 일례로 브르통은 그림 엽서와 시의 결합을 시도하고 있다.

39) 회의학파의 원조 피론Pyrrhon(B.C. 360-270?)에 의하면, 이 세상에는 확정적인 진리가 없으므로, 마음의 평화를 위해서는 모순들을 그대로 받아들이고 판단을 중지해야 하며(epochè), 또한 행동에 있어서도 어떤 한 가지의 것을 선택할 아무런 합리적인 근거도 없다. Karneades(B.C. 215-129?)와 Philon(B.C. 160-80?)은 후대의 회의론자들. 그러나 후자는 원래의 회의론에서 벗어나 다소 절충적인 주장을 했다.

여기에서 내 머리에 자연히 떠오르는 것이 있다. 그것은 전세대(前世代)의 가담파에 속하는 작가들이 부르주아 생활을 파괴하면서도, 그것을 자못 미묘하게 보존하기 위하여 사용한 〈괄호 속에 넣기〉의 수작이다. 초현실주의의 신비경은 『몬 대장』의 신비경이 더 〈극단화〉된 것이 아니고 무엇이겠는가? 하기야 그 정열은 진지하고, 부르주아 계급에 대한 원한과 증오도 진지하다. 다만 그 입장은 달라지지 않았다. 파괴를 하지 않고, 아니 차라리, 상징적인 파괴를 통해서 자신을 구원하고, 자기의 유리한 입지와 지위를 포기하지 않으면서 원죄(原罪)를 씻겠다는 것이다.

궁극적 문제는 역시 단단한 거점을 마련하는 데 있었다. 선대(先代)보다도 더 야심적인 초현실주의자들은 근본적이며 형이상학적인 파괴에 의지하고, 그 파괴를 통해서 기생적(寄生的) 귀족의 위신보다도 몇백 갑절 더 큰 위신을 스스로 갖추려 한다. 다만 부르주아 계급에서 벗어나는 것이 문제가 아니라, 인간 조건 그 자체를 뛰어넘어야 하겠다는 것이다. 이 양가(良家)의 자식들이 탕진해 버리려고 한 것은 가산(家産)이 아니라 세계이다. 그들은 필요악으로 되돌아오듯 기생적인 삶으로 되돌아와서, 모두들 전원일치로 공부도 직업도 버렸다. 그러나 부르주아의 기생자가 되는 것으로는 전혀 성이 차지 않아서, 인류 전체의 기생자가 되기를 갈망했다. 그들의 계급 이탈(階級離脫)이 아무리 관념적인 것이라 하더라도, 그것은 위로 향하려는 계급 이탈이며, 따라서 그들의 관심사로 보아 노동 계급 내에서 독자가 생긴다는 것은 전혀 불가능하다는 것은 명백한 사실이다.

브르통은 한때 이렇게 썼다. 「마르크스는 세계를 바꿔야 한다고 말했다. 랭보는 인생을 바꿔야 한다고 말했다. 이 두 구호는 우리에게는 오직 한 가지의 것이다」[40] 이 말은 그들이 부르주아 지식인임을 여실히 말해 주는 것이다. 문제는 그 두 가지 변화의 선후 관계를 아는 데 있기 때문이다. 투쟁적 마르크스주의자가 보기에는 오직 사회적 변혁만이 감정과 사고의 근본적 변혁을 가져온다는 것이 의심의 여지 없는 사실이다. 만일 브르통이 혁명적 행동의 권외에서, 그리고 그것과 병행해서 자기의 내적 체험을 추구할 수 있다고 생각한다면, 그것은 처음부터 어불성설(語不成說)이다. 왜냐하면 그것은, 적어도 몇몇 사람들에게 있어서는, 정신의 해방이 억압 속에서도 가능하다고 말하는 것과 다름없으며, 따라서 혁명을 시급하지 않은 것으로 보려는 것이기 때문이다. 바로 이 점은 혁명가들이 에픽테토스[41]에게 대해서 항상 지향해 온 비판이며, 또한 최근에도 폴리체르[42]가 베르그송에 대해서 지향한 비판이기도 하다. 만일 방금 인용한 브르통의 발언이, 사회적 상황과 내적 생활의 점진적이며 상호관련적인 변화를 주장하려는 것이라고 옹호하는 사람이 있다면, 나는 또 하나의 구절을 인용해서 대답하고자 한다. 「삶과 죽음, 현실적인 것과 상상적인 것, 과거와 미래, 전달될 수 있는 것과 전달될 수 없는 것, 높은 것과 낮은 것 따위가 모순

40) 〈문화의 옹호를 위한 작가회의〉(1935)에서 한 말.

41) Epictetos(50–130?): 스토아파의 철학자. 논리적인 것보다 실천적인 면에 관심을 두고, 현세의 고통에 대한 무관심과 형제애를 강조했다.

42) Georges Politzer(1903–1942): 헝가리 출신의 심리학자, 철학자. 마르크스주의의 입장에서 베르그송을 주관주의적 심리주의자로 혹독하게 비판했다. 『베르그송주의, 즉 철학적 기만 *Le Bergsonisme: une mystification philosophique*』(1926)

된 것으로 지각(知覺)되기를 멈추는 그러한 정신적 지점이 존재한다는 것을, 우리는 모든 점으로 보아 믿을 수 있다……. 바로 이 지점을 확정하려는 희망 이외의 것에서 초현실주의자의 활동의 동기를 찾으려는 것은 쓸데없는 짓이다」[43]

한데 이 말은 그가 부르주아 독자보다도 노동자 독자와 한결 격리되어 있다는 것을 선언한 것이 아니겠는가? 왜냐하면 투쟁에 참여한 프롤레타리아는 그 기도를 성취하기 위해서는 매순간마다 과거와 현재를, 현실적인 것과 상상적인 것을, 삶과 죽음을 구별할 필요가 있기 때문이다. 브르통이 그런 대립항(對立項)을 열거한 것은 우연이 아니다. 그것들은 모두 행동의 범주이며, 혁명적 행동은 다른 어떤 행동보다도 그런 범주화를 필요로 하기 때문이다. 이리하여 초현실주의는, 공리적인 것의 부정을 과격화하여 그 부정을 일체의 기도와 의식적 삶의 거부로 변형시킨 것과 마찬가지로, 무상성(無償性)이라는 해묵은 문학적 요구를 과격화하여, 행동의 범주의 파괴를 통해서 행동 자체를 거부하려는 것이다. 이것이 바로 초현실주의의 정적주의(靜寂主義)이다.[44] 정적주의와 영구적 폭력, 그것은 동일한 입장의 상보적(相補的)인 양상이다. 초현실주의자는 어떤 기도를 구상하는 수단을 스스로 박탈해 버렸기 때문에, 그의 행동은 즉각적인 충동으로 낙착된다. 무상적 행위의 순간성(瞬間性)을 내세우는 지드의 윤리가 더 어둡고 더 둔중한 꼴로 재생한 것이다. 그것은 결코 놀라운 일이 아니다. 모든 기생적인 삶에

---

43) 「초현실주의 제2선언」에서 한 말.

44) quietism: 17세기의 기독교적 신비주의. 일체의 외적 활동을 삼가고 마음을 완전히 수동적 자세로 유지함으로써 신과의 합일을 염원해야 한다는 주장.

는 정적주의가 깃들여 있고, 소비가 좋아하는 템포는 순간이기 때문이다.

그러면서도 초현실주의는 혁명적이라고 자처하고 공산당에 손을 뻗친다. 한 문학적 유파가 조직적인 혁명운동을 공공연히 내세운 것은 왕정복고(王政復古)[45] 이후 처음 있는 일이다. 그 이유는 분명하다. 1848년에 2월 혁명이 터지자, 보들레르가 오픽 장군의 집에 불을 지를 기회가 왔다고 생각했듯이,[46] 아직 청년이었던 그 작가들은 특히 가족을, 장군인 삼촌을, 사촌인 신부를 없애버리기를 바랐다. 그들의 출신이 빈민인 경우에는, 그 나름대로 또 부러움이나 두려움과 같은 콤플렉스를 청산해야만 했다. 그들은 또한 외부적 구속에 대해서 반항한다. 막 끝난 전쟁의 결과에 대해서, 검열, 군복무, 세금, 군벌이 지배하는 국회, 기만적 언사에 대해서 반항한다. 그들은 모두가 콩브[47]나 전전(戰前)의 급진주의자에 못지않은 반교권주의자(反教權主義者)들이며, 또한 식민주의나 모로코 전쟁[48]을 혐오한다는 고결성(高潔性)을 보인다. 이러한 분노와 혐오는 급진적 부정이라는 개념으로 추상적으로 표현될 수 있는 것인데, 그것

45) Restauration(1814): 나폴레옹 1세의 실각과 아울러 수립된 루이 18세의 정권. 사르트르가 〈왕정복고 이후 처음〉이라고 말한 것은 아마도 18세기의 계몽주의자들의 정치적 투쟁을 염두에 두고 있기 때문일 것이다.

46) 보들레르가 총을 들고 나서서는 계부(繼父)인 Aupick 장군을 쏘아 죽이러 가겠다고 외쳤다는 이야기.

47) Emile Combes(1835-1921): 정치가. 급진주의자로서, 국회의장과 내각총리를 맡았다. 국가와 교회의 분리, 즉 정교분리(政教分離)를 맹렬하게 주장했고, 1905년에 그것이 공식화된 데에는 그의 공이 크다.

48) 1925-1926년에 걸쳐, 프랑스와 스페인의 연합군이 그들의 보호령인 모로코의 반란을 무력으로 분쇄한 일.

은 더더구나 특별히 의도하지 않더라도 부르주아 계급에 대한 부정으로 연장될 성질의 것이다. 그리고 오귀스트 콩트Auguste Comte가 잘 지적한 것처럼, 청년 시절이란 무엇보다도 형이상학적인 시절이므로, 그들의 반항이 보여준 형이상학적이며 추상적인 표현은 그들이 즐겨 선택한 표현임이 분명하다. 다만 그것은 또한 세계에 대해서 아무 작용도 가하지 못하는 그런 표현일 따름이다.

하기야 그들은 몇몇 산발적인 폭력 행위를 곁들일 때도 있었지만, 그런 변덕스런 행위는 기껏해야 스캔들을 불러일으키는 효과만을 낼 수 있을 뿐이다. 그들이 바라는 최상의 것은, 쿠클럭스 클랜[49]을 모범으로 삼아, 못마땅한 자들을 처벌하는 비밀 결사를 만드는 것이다. 그래서 자기들의 정신적 체험의 외곽(外廓)에서, 남들이 구체적 파괴를 위해 실력 행사를 해주었으면 하는 것이 그들의 종국적 소원이다. 요컨대 그들이 바라는 것은 폭력의 부단한 행사를 현세적(現世的) 기능으로 삼는 그런 이상 사회의 성직자가 되는 것이다.[4] 이리하여 그들은 바셰와 리고의 자살[50]을 모범적인 행위로서 찬양하고, 무상(無償)의 학살(「군중을 향하여 권총을 난사하는 것」)[51]을 가장 단순한 초현실주의적 행위라고 제시하고 나서는 황화론(黃禍論)[52]에 의지한

49) Ku Klux Klan: 남북전쟁 때에 생긴 미국의 폭력적인 비밀 결사. 흑인과 유태인을 배격하는 극단적인 국가주의를 내세웠다. 오늘날에는 세력이 미미하다.

50) Jacques Vaché(1896–1919): 기존 질서에 대한 전면적인 반항을 내걸던 청년. 아편을 과다하게 복용하고 자살했다. 브르통에게 큰 영향을 주었다.
Jacques Rigaut(1899–1929): 초현실주의자. 자살은 가장 순수하고 환상적인 행위라고 주장하다가 세번째 시도에서 성공했다.

51) 181쪽 역주 108) 참조.

52) Péril jaune, Yellow peril: 황색 인종이 잔악한 침략, 대량적인 이민 또

다. 그들은 그러한 잔혹하고 국부적인 파괴 행위와 자기들이 내세운 시적(詩的)인 무화 작업(無化作業) 사이의 근본적 모순을 보려 들지 않았던 것이다. 사실, 파괴가 부분적일 경우에는, 그것은 언제나 긍정적이며 더 일반적인 목적을 달성하기 위한 〈수단〉이 되는 것인데, 초현실주의는 오직 그 수단에만 머무르고 그것을 절대적 목적으로 삼아, 그 이상 앞으로 나가기를 거부한다. 한데 그들이 꿈꾸는 전체적 무화(無化)는 반대로 그것이 전체적이라는 바로 그 이유 때문에 아무에게도 해가 되지 못한다. 그것은 역사의 피안에 자리잡은 절대이며 시적인 허구이다. 아시아 사람이나 혁명가들의 입장에서 보자면, 그들이 사용할 수밖에 없는 폭력적 수단을 정당화해 주는 목적이 있는 것인데, 초현실주의의 허구는 그런 목적마저 없애야 할 현실의 일부로 보는 것이다.

한편 공산당은 부르주아의 경찰에 쫓기고, S.F.I.O[53]에 비해서 수적으로 한결 열세이며, 아득한 미래에나 권력을 잡을 희망밖에는 없고, 갓 태어났을 뿐이라서[54] 그 전술 역시 불확실해서, 아직도 부정의 단계에 머물러 있었다. 그 과제는 대중을 획득하고, 사회주의자들 사이에 세포를 조직하고, 반 공산당의 집단으로부터 끌어낼 수 있는 분자들을 입당시키는 것이었다. 그 지적(知的) 무기는 비판이었다. 따라서 초현실주의를 일시적

는 경제적, 정치적 지배를 통해서 다른 인종, 특히 유럽의 백인종을 굴종시킬 것이라는 위기 의식을 말한다. 청일(清日)전쟁 때에 독일의 빌헬름 2세가 그 위협을 강조한 이후 널리 퍼졌다.

53) Section Française de l'Internationale Ouvrière, 사회주의 인터내셔널 프랑스 지부. 1905년에 창립되었으며, 프랑스 사회당의 전신이다.

54) 프랑스 공산당은 겨우 1920년이 되어서야 Section française de l'Internationale communiste(S.F.I.C. 공산주의 인터내셔널 프랑스 지부)라는 이름으로 탄생했다.

인 동맹자로 삼는 것을 마다하지는 않았지만, 일단 필요가 없어지면 그 관계를 끊어버릴 생각이었다. 왜냐하면 초현실주의의 본질을 이루는 부정이, 공산당으로서는 하나의 단계에 불과하기 때문이다. 공산당은 오로지 부르주아 계급의 와해를 촉진한다는 점에서가 아니라면, 자동기술법이나 유도된 수면(睡眠)이나 객관적 우연[55] 따위를 단 한 순간이라도 받아들이기를 거부한다. 이리하여 18세기 작가들의 요행이었던, 지식인과 피압박 계급 사이의 이해 관계의 공통성이 다시 성립된 것 같았지만, 그것은 외모에 불과하다. 초현실주의자는 프롤레타리아 독재에는 거의 무관심하고 순수한 폭력으로서의 혁명을 절대적인 목적으로 보는 반면에, 공산주의는 권력의 장악을 목적으로 삼고 이 목적에 의해서 폭력을 정당화시키는데, 여기에 양자간의 오해의 근원이 있는 것이다.

더더구나 초현실주의와 프롤레타리아의 연줄은 간접적이며 추상적이다. 작가의 힘은 독자에게 미치는 직접적 영향에 있다. 다시 말에서 글을 통하여 유발하는 분노와 열정과 명상에 있다. 디드로, 루소, 볼테르는 부르주아지와 부단히 관계를 유지했는데, 그것은 부르주아지가 그들의 글을 읽어주었기 때문이다. 그러나 초현실주의자는 프롤레타리아 중에 어떠한 독자도 가지고 있지 않다. 기껏해야 공산당과, 아니 차라리 당내의 지식인들과 외부적 접촉을 가지고 있다. 그들의 독자는 다른 곳에, 즉 유식한 부르주아지 쪽에 있다. 한데 공산당도 그 점을 잘 알고

55) Hasard objectif: 우연으로 일어난 일이 어떤 필연적인 징표로 생각되는 것. 브르통에 의하면, 그런 우연적인 사건은 세계가 한순간 인간의 갈망에 화답해 주는 현상이며, 「인간의 무의식과 연결되는 외적인 필연성이다」. 브르통 자신의 작품 *Nadja*(1928)는 그 구체화이다.

있으며, 지배 계급 사이에 교란(攪亂)이 조성되도록 하기 위해서 초현실주의자들을 단순히 이용했을 따름이다. 이리하여 그들의 혁명적 선언은 순전히 이론적인 것에 지나지 않는다. 그런 선언들이 그들의 태도의 변화를 가져온 것도 아니고, 노동자들 사이에서 단 한 사람의 독자를 획득하거나 그 어떤 반향을 불러일으키지도 못했기 때문이다. 그들은 자기들이 매도하는 계급의 기생자(寄生者)이며, 그들의 반항은 혁명의 주변에 머물러 있었을 따름이다. 브르통은 마침내 그런 사정을 인정하고, 성직자로서의 독립을 되찾으려 했다. 그는 나빌[56]에게 이렇게 쓰고 있다. 「정치 권력이 부르주아의 수중에서 프롤레타리아의 수중으로 넘어가는 것을 바라지 않는 사람은 우리들 중에 아무도 없다. 그러나 그때까지는 내적(內的) 인생의 체험이 추구되어 나가야 하고, 이를 위해서는, 비록 마르크스주의적인 것일망정 일체의 외부적 통제가 배제되는 것이 당연하다는 것이 우리의 생각이다……. 그 두 문제는 본질적으로 다른 것이다」

이 대립이 첨예화(尖銳化)된 것은 소련과 그 추종자인 프랑스 공산당이 건설적 조직의 단계로 접어들었을 때이다. 원래가 〈부정적〉인 상태로 머무를 수밖에 없는 초현실주의는 공산당에게서 등을 돌린다. 그러자 브르통은 트로츠키파에 접근한다. 그것은 다름아니라, 궁지에 몰리고 소수화(少數化)된 트로츠키파는 아직도 비판적 부정의 단계에 머물러 있었기 때문이다. 한편 트

56) Pierre Naville(1904-1993): 노동 문제를 주로 다룬 사회학자. 초현실주의운동의 초기 단계에 참여했다. 그러나 그 운동이 프롤레타리아 혁명운동과 직접적으로 결부되어야 한다고 주장해서 논의가 비등했다. 여기에서 사르트르가 언급하고 있는 것은 나빌의 주장에 대한 브르통의 반론이다.

로츠키파는 그들 나름대로 초현실주의자를 이용하여 분열의 수단으로 삼는다. 이 점에 대해서는, 브르통에게 준 트로츠키의 편지를 보면 의심의 여지가 없다.[57] 만일 제4인터내셔널[58] 역시 건설적 단계로 이행했다면, 마찬가지로 그들 사이는 갈리고 말았을 것이다.

이렇듯, 프롤레타리아에 접근하려던 부르주아 작가의 최초의 시도는 유토피아적이며 추상적인 상태에서 벗어나지 못했다. 왜냐하면 부르주아 작가는 대중이 아니라 동맹자를 찾으려 했고, 현실적인 것과 정신적인 것의 구별을 유지하고 강화했으며, 성직(聖職)이라는 한계 내에 머물렀기 때문이다. 따라서 부르주아지에 대항한다는 초현실주의와 공산당 사이의 원칙적인 합의는 형식주의를 넘어서는 것이 못 된다. 그들을 결부시킨 것은 부정성(否定性)이라는 형식적 관념이다. 그러나 공산당의 부정성은 일시적인 것이다. 다시 말해서 그것은 사회의 재조직이라는 거대한 기도에 필요한 한 역사적 계기일 따름이다. 이에 반해서 초현실주의의 부정성은, 누가 그것을 두고 뭐라고 하더

---

57) 아마도 1938년 12월 22일의 편지. 브르통은 그해 여름에 멕시코에서 트로츠키와 만나서 Fédération internationale de l'Art révolutionnaire indépendante(F.I.A.R.I. 독립적 혁명예술의 국제연합)를 만들었는데, 트로츠키는 이 편지에서 몇몇 작가들이 소련의 앞잡이 노릇을 하고 있다고 비난하고, 예술의 혁명적 이념은 예술가 자신의 내적 자아에 대한 변함없는 믿음에 있다고 강조하면서, F.I.A.R.I.에 대한 기대를 표명하고 있다. 이것은 사르트르가 지적한 것처럼, 초현실주의자들을 소련이 지배하는 공산당으로부터 갈라놓기 위한 것이었음에 틀림없다.

58) 제4인터내셔널: 트로츠키가 1937년에 멕시코에서 창설하였다. 스탈린에 반대하는 공산주의자들을 결속시켜 세계혁명을 겨냥하려 했으나 실패했다.

라도, 역사의 밖에 위치한다. 즉, 순간과 영원 속에 동시에 위치한다. 그것이 인생과 예술의 절대적 목적이다. 정신이 그의 괴물들에 대해서 싸우는 것과 프롤레타리아가 자본주의에 대해서 싸우는 것 사이에는 동질성(同質性)이 있고, 적어도 그 상호적 상징화에 있어서 유사성이 있다는 말을 브르통은 어디에서인가 하고 있다. 이것은 결국 프롤레타리아의 과업이 〈거룩한 사명〉이라고 말하는 것과 같다. 악(惡)을 괴멸하는 천사들의 군단으로 생각된 바로 그 계급, 그러나 공산당이 초현실주의의 일체의 접근에 대해서 마치 방벽처럼 지켜주고 있는 그 계급은, 작가들에게는 사실상 거의 종교적인 신화일 따름이다. 그것은 작가들의 양심의 안정을 위해서, 1848년에 선의의 작가들에 대해서 〈민중〉의 신화가 연출했던 것과 똑같은 역할을 하는 것이다.

초현실주의 운동의 독특성은 모든 것을 한꺼번에 차지하려는 데 있다. 상향적인 계급 이탈, 기생적 생활, 귀족주의, 소비의 형이상학, 그리고 혁명 세력과의 동맹. 이 시도의 역사는 그것이 실패로 돌아갈 수밖에 없다는 것을 보여주었다. 그러나 50년 전만 해도 그런 시도는 아예 생각할 수조차 없었으리라. 그때라면, 부르주아 작가가 노동 계급과 맺을 수 있는 유일한 관계는 노동 계급을 위해서, 그리고 그 계급에 관해서 쓰는 것이었으리라. 한데, 지적(知的) 귀족주의와 피압박 계급 간의 잠정적인 동맹을 맺는다는 생각을 한순간이나마 할 수 있게 된 것은 새로운 요인이 출현했기 때문이다. 다름아니라 공산당이 중산 계급과 프롤레타리아 사이에서 매개자(媒介者)로서의 역할을 했기 때문이다.

문학적 유파와 정신적 단체와 교회와 비밀 결사를[5] 뒤범벅한 애매한 모습을 지닌 초현실주의가 전후(戰後)의 여러 산물 중의 하나에 불과하다는 것은 나도 잘 안다. 따라서 모랑 Morand[59]이나 드리외 라 로셸 Drieu la Rochelle이나 그 이외의 많은 작가들에 대해서도 언급하는 것이 마땅하리라. 그러나 우리가 브르통, 페레, 데스노스[60]의 작품을 가장 대표적인 것으로 생각한 것은, 다른 모든 작품이 동일한 특징들을 함축하고 있기 때문이다.

모랑은 전형적인 소비자이며 여행자이며 과객(過客)이다. 그는 회의학파(懷疑學派)와 몽테뉴 Montaigne가 보여준 고래의 방법에 따라, 여러 민족의 전통들을 서로 접촉시켜서 뭉개버린다. 마치 게들을 한 바구니에 넣듯이 그런 전통들을 한 통 속에 넣어서, 별다른 설명도 없이 서로 쥐어뜯게 한다. 요컨대 초현실주의자들의 감마점(點)[61]과 매우 가까운 어떤 감마점에 도달하여, 풍습, 언어, 관심의 차이를 없애버리고, 총체적인 무차별 상태를 만들려는 것이다. 여기에서는 〈속도〉가 망상적-경계적 방법[62]의 역할을 한다. 『사랑의 유럽』은 철도에 의해서 여러

---

59) Paul Morand(1888-1976): 소설가. 1920년대의 교통혁명(비행기, 여객선, 호화 열차)에 힘입어 세계를 돌아다니면서 이국적 취향을 부각시켰다. 그러나 후기에는 그런 기계 문명에 대해서 비판적이었다.

60) Benjamin Péret(1899-1959): 초현실주의운동에 끝끝내 충실했던 시인.
Robert Desnos(1900-1945): 이 시인은 자동기술법, 최면 상태 등을 실험했으나, 낭만주의적인 꿈의 세계를 지향하고 현실과의 조화를 추구했다. 1929년 이후로는 브르통과 갈라섰다. 사르트르는 사실에 있어서는 지금까지의 진술에서 이 두 시인을 염두에 두었거나 그들에 대해서 언급한 일은 없으며, 거의 전적으로 브르통을 중심으로 이야기해 왔다.

61) point gamma: 원래 춘분점(春分點)이라는 뜻이지만, 여기에서는 차이가 없어지고 모든 것이 달라지지 않는 어떤 경지를 비유적으로 의미하려는 것 같다.

나라들을 뭉개버리고, 『오로지 지구만을』[63]은 비행기에 의해서 여러 대륙을 뭉개버리려는 것이다. 모랑은 아시아 사람들을 런던에, 미국 사람들을 시리아에, 터키 사람들을 노르웨이에 가져다 놓는다. 마치 몽테스키외가 페르시아 사람들의 눈을 빌렸듯이,[64] 그는 그런 사람들의 눈을 빌려서 우리의 풍습을 보게 하는데, 이것은 그 풍습의 존재 이유를 아예 없애버리는 가장 확실한 수단이다. 그러나 이와 동시에 그 방문자들 역시 그들의 원래의 순수성을 많이 잃고 벌써 제 고장의 풍습에 완전히 등을 돌리는데, 그렇다고 해서 우리의 풍습을 완전히 받아들이지도 못하는 꼴이 되도록 소설이 만들어진다. 바로 이러한 변신의 단계에 있어서, 그들의 자아(自我)는 저마다 이국적(異國的)인 화려한 풍취와 우리의 합리주의적인 기계 문명이 서로 물어뜯는 싸움터가 되고 만다. 그러나 번쩍거리는 액세서리와 유리 장신구와 야릇하고 화려한 이름들을 잔뜩 지닌 모랑의 소설들은 이국 정서(異國情緒)의 조종을 울린 것이다. 그것은 지방색을 뭉개버리려는 모든 문학의 기원이다. 우리가 어린 시절에 꿈꾸었던 먼 나라의 도시들은 거기에 사는 사람들의 눈에는 못 견디게 싱겁고 일상적인 것으로 묘사된다. 마치 우리의 눈과 마음에는 생라자르 역[65]과 에펠 탑이 그렇듯이 말이다. 또한 지난 세기의

---

62) 245쪽 역주 35) 참조.

63) *Europe galante, Rien que la terre*: 모랑의 중편소설들.

64) Montesquieu는 그의 서간체 소설 『페르시아 사람의 편지 *Lettres persanes*』(1721)에서, 프랑스에 온 두 페르시아 사람의 시각을 빌려, 당시의 정치 제도와 풍습에 대해서 날카로운 비판을 가하고 있다. 이 소설 자체는 여기에서 사르트르가 말하는 바와 같은 그런 평준화 내지는 의미 소거(消去)의 기능을 수행하려는 것은 결코 아니었다.

65) Gare Saint-Lazare: 파리의 철도역의 하나.

여행자들이 그토록 경건하게 묘사해 보인 의식(儀式)의 이면에는 희극과 술책과 신앙의 결핍만이 있는 듯이 암시된다. 그리고 동양이나 아프리카의 다채로운 아름다움을 보여주려는 낡은 수작의 밑에는 기계 문명과 자본주의적 합리주의가 깔려 있다는 것을 폭로한다.

결국 남은 것은 어디에서나 똑같고 단조로운 세계뿐이다. 나는 이런 수법의 깊은 의미를 어느 때보다도 절실히 느낀 일이 있었는데, 그것은 1938년 여름의 어느 날 모가도르와 사피[66] 사이에서였다. 그때 내가 탄 장거리 버스는 베일을 걸친 채 자전거의 페달을 밟고 있던 한 회교도 여인을 앞질러 갔다. 자전거를 탄 회교도 여인, 그것은 초현실주의자들도 모랑도 다 같이 내세울 수 있는 자기파괴적(自己破壞的)인 대상이다. 자전거의 정밀한 메커니즘은, 그 베일 쓴 여인이 지나가는 것을 보고 떠올리게 되는 느릿한 하렘의 꿈을 뭉개버린다. 그러나 이와 동시에 그녀의 그린 눈썹 사이에, 좁은 이마의 뒤에 남아도는 육감적이며 마술적인 그림자가 자전거의 메커니즘을 부정한다. 그리하여 자본주의가 가져온 획일화의 배후에 피안의 세계가 존재하는 것을, 비록 구속과 패배를 맛보았을망정 그 세계가 여전히 생생하게 마술적으로 존재하는 것을 예감케 한다. 과거의 환영이 되어버린 이국 정서, 초현실주의적인 불가능, 부르주아적 불만족, 이 세 가지 경우에 있어서 현실은 무너지고, 현실의 배후에서 모순적인 것이 가져오는 짜증스런 긴장을 유지하려는 것이다. 작가 겸 여행가인 사람들의 경우에는 그 수작은 분명하다. 그들은 이국 정취를 없애버린다. 사람은 항상 어떤

---

66) Mogador: 현재의 Essaquira.
Safi: 모로코 대서양 연안의 소도시.

다른 사람에 대해서 이국적인데, 그렇게 되기가 싫기 때문이다. 그들은 그들의 역사적 〈상황〉에서 벗어나기 위해서 전통과 역사를 파괴한다. 그들은 가장 명철한 의식이라도 항상 어느 곳에 묶여 있다는 것을 잊어버리고, 추상적인 국제주의에 의해서 허구적인 해방을 꾀하고, 보편주의에 의해서 초탈적(超脫的)인 귀족주의를 실현하기를 바라는 것이다.

드리외[67]도 때로는 모랑처럼 이국 정서에 의한 자기 파괴를 시도한다. 그의 한 소설을 보면, 알람브라[68]가 단조로운 하늘 아래서 메마른 시골의 공원이 된다. 그러나 사물과 사랑의 문학적 파괴를 통해서, 20년 간의 광태(狂態)와 쓰라린 체험을 통해서 그가 추구해 온 것은 자기 자신의 파괴이다. 그는 속 빈 트렁크였고 아편쟁이였으며, 결국은 죽음의 현기증에 끌려 국가사회주의로 귀착하고 말았다. 『질』[69]은 그의 인생에 관한 더럽고도 번지르르한 소설인데, 그것은 드리외가 초현실주의자들의 적인 동시에 형제라는 것을 여실히 보여준다. 그의 나치즘 역시 전세계의 대란(大亂)에 대한 바람에 지나지 않았고, 브르통의 공산주의와 마찬가지로 전혀 실효가 없는 것이었다. 두 사람은 모두 성직자에 불과했고, 다 같이 순박하고 초탈한 태도로 현세와의 관계를 맺었던 것이다. 그러나 더 건강했던 것은 초현실주의자들이다. 그들의 파괴의 신화의 이면에는 엄청나고 희한한 삶의 욕동(欲動)이 숨어 있다. 그들은 모든 것을 없애버리기

67) 91쪽 역주 29) 참조.

68) 43쪽 역주 34) 참조.

69) *Gilles*(1939-): 『우리들의 일그러진 청춘』이라는 제목으로 한국어 번역이 나와 있다(정명환, 이평우 공역, 중앙일보사).

를 바라지만, 자기들 자신은 제외시킨다. 병이나 나쁜 버릇이나 마약과 같은 것을 자못 경계한 그들의 태도가 그것을 분명히 말해 준다. 그 반면에 드리외는 침울하고 더 진정(眞正)해서, 자신의 죽음을 생각했다. 그는 자기증오로 말미암아 제 나라와 인간을 증오했다.

그러나 그들은 모두 절대의 탐구로 나선 사람들이다. 그리고 사면이 상대적인 것으로 둘러싸여 있기 때문에 절대를 〈불가능〉과 동일시했다. 그들은 모두 신세계의 예언자냐 혹은 구세계의 청산자(清算者)냐 하는 두 가지 역할 사이에서 망설였다. 그러나 전후의 유럽에서는 재생의 징조보다는 퇴폐의 징조를 알아보기가 더 쉬웠기 때문에, 그들은 다 같이 청산자가 되기로 작정했다. 그리고 그들의 양심을 가라앉히기 위해서, 삶은 죽음에서 태어난다는 헤라클레이토스의 옛 신화를 들먹였다. 양자가 모두, 움직이는 세상에서 움직이지 않는 유일한 것으로 상상된 어떤 감마점에 홀려 있었는데, 거기에서는 파괴가 희망 없는 순수한 파괴이기 때문에, 절대적인 건설과 동일하다는 것이었다. 모두가 종류 여하를 불문하고 온갖 폭력에 현혹되었다. 폭력에 의해서 인간을 인간 조건에서 해방시키기를 바랐기 때문이다. 그래서 극단적인 정당(政黨)에 접근했다. 그런 정당들에 어떤 묵시록적(默示錄的) 비전이 있는 것으로 공연히 넘겨짚으면서 말이다. 그러나 기대는 어긋났다. 혁명은 이루어지지 않았고, 나치즘은 패배하고 말았다.

그들은 절망이 아직도 사치였던 안락하고 헤픈 시대에 살고 있었던 것이다. 그들은 조국이 아직도 승리자로서의 교만을 떨고 있었기 때문에 조국을 단죄하고, 평화가 길게 이어지리라고 믿었기 때문에 전쟁을 고발했다. 그러나 모두가 1940년의 재앙의 희생자였다. 왜냐하면 행동할 때가 왔는데도, 아무도 그 태세를 갖추고 있지 않았기 때문이다. 어떤 사람들은 자살하고 다른 사람들은 망명의 길에 올랐다. 망명에서 돌아온 자들은 우리들 사이에서 다시 망명하고 있다. 그들은 풍요로운 시대에는 파탄의 예언자로서 날뛸 수 있었지만, 궁핍한 시대에는 이미 아무 할 말도 없기 때문이다.[6]

산길이나 사막길에서보다도 아버지의 집에서 희한하고 엉뚱한 것을 발견하는 〈가담파〉에 속하는 방탕아들의 외곽(外廓)에, 절망을 부르짖는 유명한 테너들의 외곽에, 아버지의 집으로 돌아오라는 종소리가 울리지 않아 아직도 방탕하는 둘째아들들의 외곽에, 조촐한 휴머니즘의 꽃이 피어났다. 프레보, 피에르 보스트, 샹송, 아블린, 뵈클레르[70]는 브르통이나 드리외와 거의 같은 연배이다. 그들의 데뷔는 찬란했다. 보스트가 아직도 고등학교 학생이었을 때 코포[71]는 그의 희곡 「머저리」를 상연했

70) Jean Prévost(1901–1944): 민중주의에 가까운 소설들을 썼다.
Pierre Bost(1901–1975): 소설가. 우리에게 널리 알려진 『금지된 장난』(1952)을 비롯한 많은 시나리오를 쓰기도 했다.
André Chamson(1900–1983): 소설가. 시대의 여러 문제를 다루기도 했으나, 어린 시절의 시골을 중심으로 삼은 지방주의적 작품이 주류이다.
Claude Aveline(1901–1992): 소설가. Anatole France의 제자. 악덕과 순수성의 갈등을 그린 작품들을 썼다.
André Beucler(1898–?): 러시아 출신의 소설가, 시나리오 작가. 불안한 심정과 환상적인 것이 교차하는 심리를 묘사했다(사르트르가 예시한 이 작가들은 André Chamson을 제외한다면 오늘날 거의 읽히지 않는다).

71) Jacques Copeau(1879–1949): 배우, 연출가. 1913년 극단 Compagnie du Vieux-Colombier를 창립하여, 리얼리즘의 인습을 청산하고 극예술에 고

다. 프레보는 고등사범학교 재학시에 벌써 유명해졌다. 그러나 이렇게 영광의 길을 걷기 시작했는데도 그들은 겸손했다. 그들은 자본주의의 요정 노릇을 하는 데 취미를 느끼지도 않았고 저주(詛呪)된 작가나 예언자가 되려고도 하지 않았다. 프레보는 무엇 때문에 글을 쓰느냐는 질문을 받자, 「생계를 위해서」라고 대답했다. 당시에는 나는 그 말에 충격을 받았다. 왜냐하면 19세기의 거창한 문학적 신화의 잔재가 아직 내 머리에 남아돌았기 때문이다. 하기야 프레보의 말은 옳지 않다. 우리가 글을 쓰는 것은 생계를 위해서가 아니다. 그러나 내가 안이(安易)한 빈정거림이라고 생각했던 그 말에는 냉혹하게, 명철하게, 그리고 필요하다면 비위에 거슬리게 생각하려는 의지가 배어 있었다.

악마주의와 천사주의에 대한 철저한 반동으로서, 그런 작가들은 성인(聖人)도 짐승도 아닌, 오직 인간이 되려고 했다. 아마도 낭만주의 이후 처음으로, 그들은 소비의 귀족으로서가 아니라, 제본공(製本工)이나 레이스 직공과 같은 실내 노동자로서 자기 자신을 생각했다. 그들이 문학을 하나의 직업으로 생각한 이유는, 가장 비싼 값을 내겠다는 사람들에게 그들의 상품을 팔 특권을 얻기 위한 것이 아니라, 반대로 노동하는 사회 속에 비굴하지도 교만하지도 않게 다시 자리잡기 위해서였다. 직업이란 습득의 과정을 겪는 것이며, 직업에 종사하는 사람은 고객을 멸시할 권리를 갖지 않는다. 그래서 그들 역시 독자와의 화해의 바탕을 마련했다. 자기가 천재라고 생각하거나 천재로서의 권리를 내세우기에는 너무나 정직한 그들은 영감보다도 노력을 믿었다. 아마도 그들에게는 자신의 운수에 대한 엉뚱한

유한 참신한 효과를 지향했다.

자신감이, 위인들의 특징이 되어 있는 당치않고 맹목적인 교만이 결핍되어 있었다.[7] 그들은 모두 제3공화국이 그 미래의 관리들에게 베푼 그런 강력한 공리적 교양을 지닌 사람들이었다. 그렇기 때문에 그들은 거의 모두가 국가 공무원, 국회 사무처 요원, 교수, 미술관장 따위가 되었다. 그러나 그들의 대부분은 부유한 집안의 출신이 아니었기 때문에 부르주아 전통의 수호(守護)를 위해서 자신의 지식을 활용하려는 생각은 품지 않았다. 그들은 결코 〈역사적〉 재산을 향유(享有)하듯 그들의 교양을 향유한 것이 아니라, 교양이란 인간이 되기 위한 귀중한 수단의 하나라고만 생각했다.

그런데 그들이 역사를 증오하는 정신적 지도자로 삼은 것이 알랭[72]이었다. 알랭과 마찬가지로, 도덕적 문제는 어느 시대에나 똑같다고 믿는 그들은 사회를 순간적인 단면도(斷面圖)로만 보았다. 그들은 역사학과 마찬가지로 심리학도 적대시하고, 사회적 부정(不正)에 민감하긴 하지만 계급 투쟁을 믿기에는 너무나 데카르트적이다. 그래서 그들의 유일한 관심은 의지와 이성을 의연(毅然)히 행사함으로써, 정념과 정념이 가져오는 과오에 대해서, 신화에 대해서 싸우며, 인간으로서의 그들의 직업을 이어나가는 것이었다. 그들은 파리의 노동자, 직인, 소시민, 회사원, 부랑인(浮浪人)과 같은 하찮은 사람들을 사랑했고, 그런 사람들의 개인적 운명을 이야기하려고 했기 때문에, 때로는 민중주의(民衆主義)[73] 쪽으로 치우치는 꼴을 보이기도 했다. 그러

---

72) Alain(1868-1951): 철학자, 문필가. 합리주의적인 사고의 소유자로서, 과도한 정념이나 감각적 혼란에 빠져들지 않게 하는 예지(叡智)를 중시했다. 행복론, 문학론, 미술론 등 여러 흥미 있는 저서를 남겼다.

73) 10쪽 역주 2) 참조.

나 자연주의의 아류인 민중주의와는 다르게, 그들은 사회적, 심리적 결정론이 그 가난한 생활의 올을 짜고 있는 것이라고는 결코 보지 않았다. 또한 사회주의적 리얼리즘과도 다르게, 그들의 주인공들이 사회적 억압의 희망 없는 희생자라고 보려고도 하지 않았다. 모든 경우에 있어서 이 도덕주의자들은, 의지와 인내와 노력의 중요성을 드러내려고 애쓰고, 실의(失意)를 잘못으로, 성공을 장점으로 제시했다. 그들은 예외적인 운명의 인물을 다루는 일은 별로 없었고, 어떠한 역경에서도 인간이 되는 것이 가능하다는 것을 보여주려고 했다.

오늘날 그들 중의 몇몇은 죽었고, 살아 있는 사람들은 침묵 속에 잠겨 있거나 가뭄에 콩나듯 작품을 내놓는다. 아주 조잡하게 말해 보자면, 이 부류의 작가들은 찬란한 출발을 보이고, 1927년경에는 〈30세 미만의 클럽〉을 형성하기까지 하면서도, 거의 모두가 도중하차한 사람들이다. 물론 개인적인 사정들이 있어서 그랬지만, 이 사실은 매우 충격적인 것이어서 더 일반적인 설명이 필요하다. 사실, 그들은 재능도 영감도 부족했던 것이 아니며, 또한 우리의 견지(見地)에서 보자면 선구자들이었다고 해서 마땅하다. 그들은 작가의 거만한 고독을 포기하고 독자를 사랑했다. 기득의 특권을 정당화하려고도 하지 않았다. 그리고 죽음이나 불가능한 것에 대한 명상에 빠져들기는커녕, 우리에게 생활의 규칙을 베풀려고 했다. 그들은 많은 독자를, 초현실주의자들보다는 분명히 한결 많은 독자를 가졌다. 그렇지만 우리가 양대전간(兩大戰間)의 지배적인 문학적 경향들에 대해서 하나의 명칭을 부여해야 한다면, 우리의 머리에 떠오르는 것은 역시 초현실주의이다. 그렇다면 그 작가들의 실패의 원인은 어디에 있었던가?

비록 역설적으로 들릴지 모르지만, 그 실패는 그들이 선택한 독자에 기인한다는 것이 나의 생각이다. 1900년경에, 근면하고 자유주의적인 프티 부르주아지는 드레퓌스 사건에서 승리한 것을 기회로[74] 자기 자신을 의식하기 시작했다. 그들은 반교권주의(反教權主義), 공화주의, 반인종주의, 개인주의, 합리주의, 진보주의를 내세웠다. 그들은 그들의 제도를 자랑스러워하고, 그 수정은 받아들일지언정, 그것을 전복하는 것은 용납하지 않는다. 프롤레타리아를 멸시하지 않을 뿐더러, 자신이 프롤레타리아와 매우 가깝다고 느끼기 때문에 그것을 억압할 생각도 하지 않는다. 그들은 평범하게, 또 때로는 넉넉지 못하게 산다. 그러나 큰 재산을 모으거나 당치않은 권세를 누리려고 하기보다는, 매우 좁은 범위 내에서 형편을 개선하기를 바란다. 그들은 무엇보다도 생활해 나가기를 바란다. 그들의 경우에 생활해 나간다는 것, 그것은 직업을 선택하는 것, 양심적으로 그리고 심지어 정열적으로 직업에 몸을 바치는 것, 일을 하면서도 어느 정도의 자주성(自主性)을 유지하는 것, 정치적 대표자들을 효과적으로 다루는 것, 국가의 일에 관해서 자유롭게 의사 표시를 하는 것, 자녀를 위엄 있게 기르는 것을 의미한다. 그들은 돌연한 사회적 상승을 경계한다. 그리고 행복이 벼락처럼 떨어지기를 늘 갈망하던 낭만주의자들과는 반대로, 세상의 흐름을 바꾸기보다는 차라리 극기(克己)의 미덕을 발휘하기를 바란다.

74) Dreyfus 사건에서의 승리: 유태인 배척운동과 국가주의적인 편견에서 비롯된 이 사건에 대한 판결을 바로잡으려는 투쟁이 최종적으로 결실을 맺어, 드레퓌스가 결국 무죄로 판정되고 복권된 것은 1905년의 일이다.

그런 점에서 그들은 데카르트파[75]이다. 〈중간층〉이라는 매우 합당한 이름이 붙게 된 이 계급은, 모든 일에 있어서 지나쳐서는 안 되며, 최상의 것만 바라면 얻을 것도 못 얻는다고 자식들에게 가르친다. 그들은 노동자의 요구 사항이 엄밀히 직업적 차원의 것에 한정되어 있는 경우에는 그 편을 든다. 그들은 그랑 부르주아지와는 달리 과거도 전통도 가지고 있지 않기 때문에, 또한 노동자 계급과도 달리 미래에 대한 거창한 희망도 없기 때문에, 역사나 역사 의식과 멀다. 신은 믿지 않으나, 궁핍의 감수(甘受)에 뜻을 줄 만한 매우 엄격한 율법은 필요하기 때문에, 그들의 지적 관심의 하나는 비종교적 도덕을 마련하는 것이었다.

이 중간 계급에 전적으로 속한다고 할 수 있는 대학은 뒤르켐, 브룅슈비크,[76] 알랭과 같은 사람들의 손을 빌려, 바로 그런 노력을 20년 동안 해왔지만, 성공하지는 못했다. 이 교수들은 우리가 지금 언급하고 있는 작가들에게 직접 간접으로 스승이 되는 사람들이었다. 프티 부르주아 출신의 그 청년들은 프티 부르주아 출신의 선생들의 교육을 받고 소르본이나 특과(特科) 대학[77]에서 프티 부르주아적인 직업에 종사할 채비를 갖추고는, 다

75) 데카르트가 『방법서설 *Discours de la methode*』 제3부에서 내세웠던 세 번째 준칙은 다음과 같은 말로 시작되어 있다. 「나의 세번째 준칙은 운명보다도 나 자신을 극복하려고 애쓰고, 세계의 질서보다도 나의 욕망을 바꾸려고 애쓰도록 하자는 것이었다」

76) Emile Durkheim(1858-1917): 프랑스 근대 사회학의 기초를 닦은 사람. 사회적 현상은 개인의 심리를 넘어선 집단적 차원의 것이라고 밝혔다.
Léon Brunschvicg(1869-1944): 실증주의와 형이상학을 다 같이 배격하고, 이성이 부단한 창조를 가능케 하는 지배적 원리라고 보았다.

77) grandes écoles: 일반 대학의 테두리 밖에서, 국가의 실무를 관장할 엘리트를 양성할 목적으로 설립된 특수 고등교육 기관. 고등사범학교, 공과대학, 행정대학 등이 여기에 속한다.

시 자기들의 계급으로 되돌아와서 글을 쓰기 시작했다. 더 정확히 말하자면, 그들은 자신의 계급을 한 번도 떠난 일이 없었다. 누구나 그 계율(戒律)은 잘 알고 있지만 아무도 그 원리를 찾아내지는 못한 그러한 도덕을, 그들은 알쏭달쏭하게 개량하고 각색해서 장편소설이나 단편소설에 옮겨놓았다. 그들은 아름다움과 모험을 강조하고, 또 〈직업〉이 준엄하고 위대한 것이라고 강조했다. 그들이 찬양한 것은 열광적인 사랑이 아니라, 부부간의 정분이며 결혼이라는 공동 기업이었다. 직업, 우정, 사회적 연대 의식, 스포츠 따위가 그들이 휴머니즘의 기초로 삼은 것이었다. 이리하여 프티 부르주아지는 벌써 급진사회당[78]이라는 그들의 정당을, 인권연맹[79]이라는 상호 부조(相互扶助)의 조직을, 프리메이슨이라는 비밀 결사를, 《뢰브르》라는 일간지를, 《마리안》[80]이라는 상징적인 제목을 지닌 문예주간지를 가지고 있었다. 샹송, 보스트, 프레보, 그리고 그들의 동류 작가들은 공무원, 교원, 고급 회사원 또는 의사를 독자로 삼아 글을 썼다. 말하자면 문학을 급진사회주의적인 것으로 만든 것이다.

---

78) Parti radical-socialiste: 당명만으로 보아서는 급진적인 사회주의를 표방하는 좌익정당 같으나, 사실은 의회주의, 반교권주의, 개인주의, 사유재산제, 점진적 개혁을 옹호하는 중산 계급의 정당.

79) Ligue des Droits de l'homme: 드레퓌스 사건을 계기로 창설(1898)된 프랑스의 기구. 주로 급진사회당과 긴밀한 연계를 가져왔다.

80) L'Œuvre: 1902년에 창간되고 1944년에 폐간된 신문. 급진사회당의 정치 이념을 기간으로 삼았으나 제2차 세계대전중에는 독일에게 협력하였다.

Marianne: 이 주간지(1932년 창간)의 이름이 상징적이라는 것은, 그것이 나폴레옹 3세의 독재 정권(제2제정, 1852-1870)을 전복시키려는 공화주의의 비밀 결사의 별명이었기 때문이다. 더 거슬러 올라가서 말하면, 이 이름은 1792-1794년 간에 프랑스 서남부 지방에서 모자를 쓴 여성의 이미지를 공화국의 상징으로 삼은 데서 유래한다.

한데, 급진주의[81]는 제2차 세계대전의 큰 희생자가 되었다. 그것은 벌써 1910년에 그 강령을 실현하고 그후 30년 동안 그 힘에 실려서 지속되어 왔다. 그러나 그 대변자가 되는 작가들을 발견했을 때는 그것은 이미 시대에 뒤진 것이 되었다. 그리고 오늘날에는 완전히 자취를 감추었다. 급진주의적 정치는 일단 행정직의 개혁과 정교분리(政敎分離)를 이루고 나서부터는 기회주의밖에는 될 수가 없었으며, 일시적이나마 자체 유지를 위해서는 사회적 평화와 국제적 평화가 필요했다. 한데 25년 사이에 두 번이나 일어난 전쟁과 계급 투쟁의 격화는 너무나 엄청난 것이었다. 급진당은 견뎌내지 못했다. 그리고 이런 상황 변화의 희생이 된 것은 당(黨)보다도 더욱 그 정신이었다.

그 작가들은 제1차 세계대전에 참여하지 않았고 또 제2차 세계대전이 도래하는 것을 예견하지도 못했다. 그들은 인간에 의한 인간의 착취라는 현실을 믿으려 하지 않았고, 자본주의의 사회에서 정직하고 겸허하게 사는 것이 가능하다는 신념에 매달렸다. 그리고 그들 자신과 차후에 그들의 독자가 된 사람들의 출신 계급으로 볼 때, 역사적 감각을 가질 수 없었고, 그렇다고 해서 어떤 형이상학적 절대에 대한 느낌을 그 대신 갖는 것도 불가능했다. 그러한 작가들인 만큼, 그들은 특히 비극적인 시대에 살면서도 비극적 감정을 품지 못했다. 유럽 전체가 죽음의 위협에 직면해 있는데도 죽음을 의식하지 못했으며, 인간을 전락시키려는 가장 파렴치한 시도가 곧 전개될 찰나에도 악(惡)의 존재를 몰랐던 것이다. 선과 악의 양쪽에 걸쳐 예외적(例外

81) 여기에서 말하는 radicalisme은 위의 역주 78)에서 언급한 당명의 경우처럼, 중산 계급을 대변하고 사회 개량주의를 겨냥하는 정치적 입장을 말한다.

的)인 운명이 만들어지고 있던 상황 속에서도, 그들은 범용하고 위대성 없는 인생의 이야기만을 하는 것이 정직한 짓이라고 생각했다. 시적 재생(詩的再生)의 전야(前夜)에——하기야 그 재생은 현실이라기보다는 외관에 불과했지만[82]——말똥말똥했던 그들은 시의 원천의 하나인 자기 기만(自己欺瞞)을 제 속에서 증발시켜 버렸다. 일상 생활에서 마음의 기둥이 될 수 있었고, 또한 제1차 세계대전중에도 아마 그런 기둥이 되어주었을 그들의 도덕은, 이제 닥쳐온 대재난(大災難)을 감당하기에는 불충분했다. 이런 시대에는 사람들은 에피쿠로스[83]나 스토이시즘 쪽으로 끌려가는데, 그 작가들은 스토아파도 에피쿠로스파도 아니었다.[8] 사람들은 또한 어떤 불합리한 힘에 의지하려고도 하는데, 그들은 이성(理性)의 한계 너머로 내다보기를 거부했다.

이리하여 역사는 유권자들로 하여금 급진당에게 등을 돌리게 한 것과 마찬가지로, 그들에게서 독자를 빼앗아갔다. 그들은 그들의 지혜로서는 유럽의 광란(狂亂)에 대처할 수가 없어서 혐오감에 싸여 침묵하고 말았다는 것이 내 생각이다. 20년 동안 문인이라는 직업에 종사했지만, 불행한 운명이 닥치자 우리에게 아무 할 말도 없었기 때문에 헛수고만 한 꼴이었던 것이다.

이제 남은 것은 제3세대, 즉 패전(敗戰) 후에, 혹은 전쟁 직

82) 초현실주의를 비꼬아서 하는 말.

83) Epikouros(B.C. 342–271?): 그리스의 철학자. 최고의 선은 쾌락에 있다고 했다. 그러나 그것은 감각에 끌리는 육체의 쾌락이 아니라, 죽음의 공포조차 벗어난 평온한 정신의 낙(樂)을 말한다.

전에 글을 쓰기 시작한 우리의 세대이다. 그러나 나는 이 세대에 대한 이야기를 하기에 앞서, 그것이 출현하게 된 풍토부터 이야기하려고 한다. 우선 문학적 풍토를 살펴보자. 우리의 하늘에 잔뜩 깔려 있었던 것은 가담파와 과격파와 급진파였다. 이 별들은 각각 제 나름대로 지상(地上)에 영향을 미쳤고, 그 영향들이 서로 결합되어서 문학에 관한 가장 야릇하고 가장 비합리적이고 가장 모순된 관념을 우리들 주위에 만들어놓았다. 그것이 시대의 객관적 정신에 속해 있었기 때문에 내가 〈객관적〉이라고 부르려는 그 관념을, 우리는 시대의 공기와 함께 들이마셨다. 그 작가들은 자기들이 서로 다르다는 것을 무척이나 애써서 강조했지만, 그들의 작품은 독자의 정신 속에서 공존하여 서로 전염하는 꼴이 되었다. 게다가 그들 사이의 차이가 깊고 분명하다 하더라도, 또한 공통점이 없지 않았다. 하기야 급진파는 진보적 좌익의 편에 서고, 과격파[84]는 혁명적 좌익의 편에 섰지만, 양자에게 모두 역사에 대한 관심이 없었다는 것은 놀라운 일이다. 전자(前者)는 키에르케고르적인 반복(反復)[85]의 차원에, 후자는 순간의 차원에, 다시 말해서 영원과 무한히 작은 현재와의 터무니없는 종합의 차원에 위치하고 있었다. 역사적 압력이 우리를 짓누르고 있던 그 무렵에, 다만 가담파의 문학

---

84) 여기에서 사르트르가 말하는 과격파extrémistes는 주로 초현실주의자들, 또는 초현실주의와 갈라섰지만 그 흔적을 간직하고 있는 작가나 시인을 뜻하는 것으로 보인다.

85) Kierkegaard의 경우, 〈반복〉이란 과거의 것의 되돌아옴이다. 그러나 그것은 단순한 회귀가 아니라, 개인의 소원과 노력에 의해서, 상실되었던 초월적인 것이 재획득되는 것을 의미한다. 그러나 사르트르는 여기에서 그런 깊은 뜻에서 이 말을 급진파의 태도에 적용하고 있는 것이 아니라, 다만 그들은 미래에 대한 역사적 비전을 가지고 있지 않고 과거의 가치에 묶여 있었다는 뜻에서 비유적으로 쓰고 있는 것 같다.

만이 다소나마 역사에 대한 관심을 보이고 역사적 감각을 가지고 있었다. 그러나 기득(旣得)의 특권의 정당화에 초점이 맞추어져 있었기 때문에, 그들은 사회의 발전에 있어서, 현재에 대한 과거의 작용만을 보았을 따름이다.

우리는 오늘날 그러한 역사의 거부의 이유를 아는데, 그것은 사회적인 이유이다. 초현실주의자들은 성직자였고, 프티 부르주아지에게는 전통도 미래도 없었으며, 그랑 부르주아지는 정복(征服)의 단계에서 벗어나 이제는 자체 유지만을 염두에 두게 되었다. 그러나 이러한 여러 가지 태도가 혼합되어 하나의 객관적 신화가 만들어졌는데, 그것은 문학이란 영원한 주제나 적어도 비현실적인 주제를 택해야 한다는 것이었다. 게다가 우리의 선배들은 단 하나의 소설의 수법만을 가지고 있었을 뿐이다. 그것은 다름아니라 19세기 프랑스에서 이어받은 수법이다. 한데 우리가 앞서 본 것처럼,[86] 그것은 사회에 대한 역사적 견지에 더없이 적대적(敵對的)인 것이다.

가담파와 급진파는 전통적 수법을 이용했다. 급진파의 경우에는, 그들이 도덕주의자이며 주지주의자(主知主義者)였고, 세상의 일들을 인과율(因果律)로 풀려고 했기 때문이다. 반면에 가담파의 경우에는 전통적 수법이 그들의 기도에 도움이 되었기 때문이다. 그 수법은 변화를 철두철미(徹頭徹尾)하게 부정함으로써, 부르주아 도덕의 영속성을 더욱 선명히 부각시켰다. 허황된 소란이 가라앉은 후에는 단단하고도 신비한 질서를, 확고부동한 시(詩)의 존재를 그 배후에서 엿볼 수 있게 해준 것이

86) 192-197쪽 참조.

그 수법이었고, 그들은 작품을 통해서 그것을 밝히기를 바랐던 것이다. 그 수법의 덕분으로 이 새로운 엘레아파(派)[87]는 시간과 변화에 항거해서 글을 썼고, 선동가나 혁명가들이 미처 행동으로 나서기도 전에, 그런 행동은 이미 과거의 것임을 보여 줌으로써 그들의 기를 꺾어버렸다.

우리가 그 수법을 알게 된 것은 그들의 책을 읽었기 때문이며, 그것은 처음에는 우리의 유일한 표현 수단이었다. 우리가 글을 쓰기 시작했을 무렵에, 어떤 역사적 사건을 소설의 대상으로 삼을 수 있는 〈최적(最適)의 시점〉이 언제인지를 계산해 본 사람들이 있었다. 사건이 지난 지 50년 후는 너무 긴 것 같았다. 그때까지 살아남아 있을 수는 없기 때문이다. 10년 후는 너무 짧다. 충분한 거리를 확보할 수 없기 때문이다. 그래서 우리는 문학이란 시기(時機)를 어기는 성찰(省察)의 영역이라는 생각 쪽으로 서서히 기울게 된 것이다.

방금 언급한 적대적인 집단들은 더구나 서로 동맹 관계를 맺곤 했다. 급진파는 때로는 〈가담파〉에 접근했다. 요컨대 그들은 다 같이 독자와 화해하고 독자의 요구를 충실하게 충족시켜 주려는 공통적인 야심을 가지고 있었다. 하기야 그들의 독자는 상당히 다르기는 하지만, 한쪽으로부터 다른 쪽으로 부단히 왕래하는 것이 가능했다. 그래서 가담파의 독자 중의 좌익(左翼)은 급진파 독자의 우익을 형성하는 식이었다. 다른 한편으로 급진파 작가들은 가끔 정치적 좌익 세력과 잠시나마 동반자(同伴者)가 되기도 하고, 또한 급진사회당이 인민전선(人民戰線)[88]에 가

87) Elea파: Xenophanes, Parmenides, Zenon 등으로 대표되는 철학자들. Ionia파와는 대조적으로, 존재의 동일성과 불변성을 강조했다.

담했을 때는 모두들 〈방드르디〉[89]에 협력하기로 결정하기도 했지만, 문학적 극좌파, 즉 초현실주의자들과 동맹을 맺은 일은 결코 없었다.

이와 반대로 그 과격파들은 반가운 일은 아니었지만 가담파와 공통점을 가지고 있었다. 그들이 다 같이 생각하기에, 문학의 대상은 표현할 수 없는 어떤 초월적인 것이며, 따라서 문학은 본질상 실현될 수 없는 것의 상상적 실현이다. 이런 점은 특히 시에서 잘 드러난다. 급진파 작가들은 시를 문학에서 추방한 것이나 다름없었는데, 이에 반해서 〈가담〉파는 그들의 소설을 시로 채색(彩色)한다. 이것은 현대문학사의 가장 중요한 사실 중의 하나이며 사람들은 과연 그 점에 주목했지만, 그 이유를 따져보지는 않았다. 그것은 다름아니라, 아무리 부르주아적이고 일상적인 생활에 빠질망정, 시적 피안(詩的彼岸)을 완전히 망각할 수는 없다는 것을, 그들 부르주아 작가는 한사코 증명하고 싶었고, 자기들이 바로 그런 부르주아 시의 촉매라고 생각했기 때문이다.

다른 한편으로 과격파는 예술 활동의 모든 형식을 시에, 다시 말해서 터무니없는 파괴의 피안에 동화(同化)시켰다. 우리가 글을 쓰기 시작했던 무렵에, 이런 경향은 장르의 혼동에 의해서, 그리고 소설의 본질에 대한 오해에 의해서 객관적으로 드러났다. 심지어는 오늘날에도 산문 작품에 시적 정취(詩的情趣)가 결여되어 있다고 나무라는 비평가들이 드물지 않다.

---

88) Front populaire: 1934–1936년 간에, 격심해진 파시즘 세력의 위협에 대항하여 형성된 좌익 정당들의 연합. 1936년 총선거에서 승리하여 약 2년 간 집권했다.

89) *Vendredi*: 〈금요일〉의 뜻. 인민전선을 지지하는 작가들이 1935년에 창간한 문예 신문.

이러한 문학은 모두 테제 문학[90]이다. 왜냐하면 그 작가들이 아무리 격렬하게 그렇지 않다고 항변하더라도 그들은 다 같이 어떤 이데올로기를 옹호하고 있기 때문이다. 과격파와 가담파는 형이상학을 증오한다고 공언한다. 그러나 인간은 스스로 자신을 감당하기에는 너무나 크며, 그 존재가 하도 엄청나서, 심리적, 사회적 인과 관계에서 벗어난다는 그들의 줄기찬 주장을 무엇이라 불러야 한단 말인가?

급진파로 말하자면, 그들은 착한 마음으로 문학을 할 수는 없다고 선언하지만, 그들의 주된 관심은 도학자(道學者)적인 것이다. 이러한 경향은 객관적으로는 문학의 개념에 관한 엄청난 요동으로 나타난다. 문학은 순수한 무상성(無償性)이라는 생각과 문학은 교훈이라는 생각이 대극(對極)을 이룬다. 한편으로는 문학은 자신을 부정하고 그 잿더미에서 재생(再生)함으로써만 존재하며, 그것은 언어의 피안에 위치하는 불가능한 것, 표현할 수 없는 것이라는 생각이 있고, 다른 한편으로는 문학은 일정한 독자를 지향(志向)하고, 그들의 욕구를 계발(啓發)하는 동시에 충족시키려고 애쓰는 엄준한 직업이라는 생각이 있다. 그것은 테러인 한편 수사학이기도 하다.[91]

그래서 비평가들이 나서서, 그들에게 편리하도록 그런 상반된 개념을 통합하려고 시도한다. 이리하여 우리가 앞서 이야기한 메시지[92]라는 개념이 발명된다. 의당히 모든 것이 메시지로 취급된다. 지드의, 샹송의, 브르통[93]의 메시지가 있다. 그러나

90) littérature à thèse: 특정한 이데올로기를 명시적으로 옹호하려는 문학. 〈명제문학〉, 〈경향문학〉이라고 번역할 수도 있을 것이다.

91) 206쪽 역주 136) 참조.

92) 38-44쪽 참조.

93) 이 세 작가는 각각 가담파, 급진파, 과격파의 대표로서 거명된 것이다.

그것은 물론 작가들 자신이 말하려던 것이 아니라, 비평가들이 제멋대로 해석한 것에 불과하다. 이런 연유에서 앞서 언급한 이론에 가하여 새로운 이론이 태어난다. 그 자체를 부정하는 미묘한 작품들, 도중에서 멈추어 서는 자신 없는 안내자와도 같은 말들로 되어 있어서 독자가 저 혼자 여정(旅程)을 이어나가야 하는 작품들, 진실이 언어와는 아득히 멀리 떨어져서 미분화의 침묵 속에 존재하는 그런 작품들의 경우에는, 작가가 뜻하지 않고 쓴 내용이 가장 중요한 기여(寄與)가 된다는 것이다.

이리하여 한 작품이 아름다운 것은 어떤 점에서이건 간에 오직 작가 자신에게서 벗어날 때라는 이야기가 된다. 작가가 부지중에 자기 자신을 묘사할 때, 그의 작중인물들이 그의 손아귀에서 벗어나서 제멋대로 굴도록 내버려둘 때, 그의 펜에서 태어나는 말들이 일종의 독립성을 유지할 때, 그 작가는 가장 훌륭한 작품을 창조한다는 것이다. 만일 부알로Boileau가 살아나서, 오늘날의 비평가들이 신문 문예란(文藝欄)에 노상 쓰는 다음과 같은 비판을 읽는다면 기절초풍할 것이다.[94]

「그 작가는 자기가 말하려는 것을 너무나 잘 알고 있다. 그는 너무나 말똥말똥하고, 말들이 너무나 쉽사리 솟아난다. 그는 자기가 쓰고 싶은 것만을 쓴다. 그는 자기의 주제에 끌려가는 일이 없다」

한데 불행히도 이 점에서는 모든 작가들이 같은 생각이다. 가담파로서는, 작품의 본질은 시에 있고 따라서 피안에 있다. 그리고 그 본질은 어느 틈에 살금살금 작가 자신의 손아귀에서

---

94) Boileau(1636-1711): 프랑스 고전문학 이론의 대표자. 그는 작가가 제 상념을 또렷하게 다스릴 것을 강조했으며, 그에 의하면, 「마땅하게 구상된 것은 분명하게 표출되고, 그 표현을 위해서 말들이 쉽게 떠오른다」.

빠져나간다는 점, 즉 악마(惡魔)의 몫에 있다.[95] 초현실주의자들이 보기에는 가치 있는 유일한 글쓰기의 방법은 자동기술법이다. 심지어 급진파 작가들까지도 알랭에 뒤이어서 다음과 같은 점을 강조한다. 그것은 즉, 한 작품은 집단적 표상(集渣的表象)이 되기 전에는 결코 완결되지 않는다는 것, 그리고 그때 작품은 여러 세대의 독자들이 담아넣은 모든 의미로 말미암아, 착상(着想) 당시에 비해 무한히 많은 것을 지니게 된다는 것이다.

하기야 이런 생각은 옳은 것이며, 결국 작품의 성립에 있어서의 독자의 역할을 부각시키려는 것이다. 그러나 당시에는 그것은 혼란을 증가시켰을 따름이다. 요컨대 이 모순들로부터 태어난 객관적 신화가 있는데, 그것은 오랜 생명을 지닌 모든 작품에는 그 자체의 비밀이 있다는 것이다. 그 비밀이 창작 과정상의 비밀이라면 그나마 알 만한 이야기이다. 그러나 그런 이야기가 아니다. 비밀이 시작되는 것은 수법이나 의도가 끝났을 때이다. 그때 마치 파도 위로 떨어지는 햇살처럼, 저 위에서 어떤 것이 솟아나와 예술 작품에 반사하고 부서진다. 한마디로 해서 순수시(純粹詩)로부터 자동기술법에 이르기까지 문학적 풍토는 플라토니즘으로 기울고 있었다. 그 시대는 신앙 잃은 신비주의의 시대, 아니 차라리 자기 기만(自己欺瞞)적인 신비주의의 시대였던 만큼, 문학의 주된 흐름은 작가로 하여금 자신의 작품 앞에서 물러서게 하는 것이었다. 마치 정치의 흐름이 그로 하여금 정당 앞에서 물러서게 했듯이 말이다. 프라 안젤리코[96]는 무

95) 소설가가 주제나 인물을 다스리지 못하고 도리어 끌려가며, 그의 속에는 악마가 들어앉아 있다는 생각을 표명한 대표적인 사람은 앙드레 지드이다. 특히 『사전꾼들의 일기 *Journal des Faux-Monnayeurs*』(1927) 참조.

릎 꿇은 자세로 그림을 그렸다고 한다. 만일 그것이 사실이라면, 많은 작가들이 프라 안젤리코와 비슷하다. 그러나 그들은 그 화가보다 한술 더 떴다. 왜냐하면 무릎 꿇고 쓰기만 하면 좋은 글을 쓸 수 있다고 생각했기 때문이다.

우리가 아직도 고등학교의 의자에 앉아 있거나 소르본의 대강의실에서 수강하고 있었을 때에는, 피안(彼岸)의 두터운 그늘이 문학을 덮고 있는 중이었다. 우리는 불가능한 것, 순수한 것, 불가능하고 순수한 것이 남긴 쓰디쓴 환멸을 체험했다. 우리는 자신이 불만족에 시달리는 자이며 또 반대로 소비(消費)의 아리엘이라고 번갈아 느꼈다. 예술을 통해서 인생을 구원할 수 있다고 생각하다가도, 다음 학기가 되면 우리에게는 어떠한 구원도 없고 예술이란 우리의 파멸의 명확하고 절망적인 결산서(決算書)라고 생각하게 되었다. 테러와 수사학 사이에서, 순교로서의 문학과 직업으로서의 문학 사이에서 흔들렸던 것이다. 만일 우리가 그 당시에 쓴 것을 세심하게 읽어줄 사람이 있다면, 이런 여러 유혹의 흔적을 무슨 상흔처럼 재발견할 것임에 틀림없다.[97] 그러나 그것은 시간을 허비하는 결과밖에는 되지 않으리라. 왜냐하면 우리는 이미 그런 글과는 아득히 떨어져 있기 때문이다. 다만 작가는 실지로 글을 쓰면서 글쓰는 법에 대

---

96) Fra Angelico(1388?-1455): 이탈리아의 화가. 수도사였던 그는 항상 경건한 마음으로 그림을 그렸고, 그의 종교화의 인물들은 성스러운 존재들이다.

97) 이 글에서 〈우리〉라는 말은 〈나〉를 겸손하게 말하기 위한 수사이다. 『병자의 천사 *L'Ange du morbide*』(1923)를 비롯한 자신의 초기 작에 관해 언급한 것이다. 졸고, 「구역 이전」(김화영 편, 『사르트르』, 고려대학교 출판부, 1990, 49-108쪽 참조).

한 자신의 생각을 서서히 다져 나가는 것인데, 일반 독자는 전 세대의 문학관에 의지한다. 그리고 비평가 역시 20년이 지난 오늘날에야 그것을 이해하고, 동시대의 작품을 판단하는 시금석으로 이용하게 된 것을 크게 다행한 일로 여긴다.

게다가 양대전간(兩大戰間)의 문학은 간신히 연명하고 있는 처지이다. 바타유Bataille의 〈불가능한 것〉에 관한 언설(言說)은 초현실주의의 가장 하찮은 독설만한 가치도 없고, 소비에 관한 그의 이론은 지난날의 큰 축제의 희미한 메아리에 불과하다.[98] 레트리즘[99]은 다다이즘의 현란함을 싱겁게 그리고 고지식하게 모방해 보려는 대용품일 따름이다. 거기에는 열정은 없고, 다만 꼼꼼하게 작업하여 어서 유명해지려는 저의(底意)만이 있을 뿐이다. 앙드레 도텔[100]도, 마리우스 그루Marius Groult도 알랭 푸르니에Alain Fournier에는 못 미친다. 지난날의 초현실주의자

---

98) Georges Bataille(1897–1962): 사상가, 비평가. 그는 금제(禁制)를 위반하는 행위와 언어, 특히 죽음과 성(性)의 극한까지 이르는 행위와 언어에서 삶의 궁극적인 뜻을 찾으려 했다. 한데, 욕망과 죽음의 극점에서 실현될 삶의 진실을 실현시키려 한다는 것은 〈불가능한 것〉을 실현시키려는 것이라고 바타유는 말한다. 한편 그는 1933년에 쓴 『소비의 관념 *La notion de dépense*』에서, 부의 소비는 삶의 불꽃을 피워올리는 것이며 그것을 통해서 존재의 정상으로 오르게 된다고 주장했다. 그러나 사르트르는 그의 대표작의 하나인 『내면의 체험 *L'Expérience intérieure*』(1943)에 대해서 언급하면서, 그의 태도는 신의 죽음이 남긴 공허를 채우기 위한 새로운 신비주의에 불과하다고 비판하고 있다(「새로운 신비주의자 Un nouveau mystique」, *Situations I*에 수록).

99) Lettrisme: 문자주의. 1945년 Isidore Isou가 시작한 문학운동. 낱말의 뜻을 배제하고, 문자의 배치나 의성음에 의한 음악적 효과를 중시하려는 운동이었다.

100) André Dhotel(1900–1991): 소설가. 일상적 현실 속에서 신비로운 것을 찾아가려는 소년들의 이야기를 쓴 『이를 수 없는 나라 *Le pays où on n'arrive pas*』(1955)가 대표작.

들은 공산당에 입당했다.[101] 마치 생시몽주의자들[102]이 1880년경에 대기업의 이사진(理事陣)에 끼여들었듯이 말이다. 콕토에게도, 모리악에게도, 그린[103]에게도 도전자가 없었다. 반면에 지로두에게는 수많은 도전자가 있었으나, 모두가 범용했다. 급진파의 작가들은 대부분 침묵하고 말았다. 괴리(乖離)가 생겼기 때문이다. 그러나 그것은 19세기의 커다란 문학적 전통이었다고 할 수 있을 작가와 독자 사이의 괴리가 아니라, 문학적 신화와 역사적 현실 사이의 괴리였다.

우리는 우리의 최초의 책들이 나오기 이전인 1930년부터[104] 벌써 그 괴리를 느꼈다.[9] 대부분의 프랑스 사람들이 그들의 역사성을 발견하고 어리둥절했던 것이 바로 그 무렵이다. 하기야, 인간이 세계사의 한복판에서 내기를 해서 이기고 지고 한다는 것을, 그들은 학교에서 배우기는 했지만, 그런 사정을 자기들 자신에게 적용해 보지는 않았다. 그들은 역사적이 된다는 것이 죽은 사람들의 경우라고만 어렴풋이 생각해 왔다. 과거의 삶

---

101) Aragon, Eluard, Péret와 같은 사람들을 두고 하는 말이다. 그러나 아라공을 제외한다면 다른 사람들은 제명되었거나 탈당했다.

102) Saint-Simon은 그의 유토피아의 구상에 있어서 공업화에 큰 기대를 걸었다. 한데 1880년대의 프랑스는 눈부신 과학의 발전과 공업화의 시대였고, 생시몽을 따르고 오귀스트 콩트를 읽어온 사람들은 이런 시대의 기운을 반기고 그것에 적극적으로 가담했다. 가령 졸라의 『돈 *L'Argent*』을 보면, 미구에 유토피아가 실현된다는 꿈을 안고 당시의 기업 활동에 뛰어드는 인물이 주인공으로 나온다.

103) Julien Green(1900–): 카톨릭 작가. 인간의 내면의 괴로움을 집요하게 추구하는 소설들을 썼다. 『인간이란 괴물 *Léviathan*』(1929)을 비롯하여 몇몇 작품이 한국어로 번역되어 있다.

104) 사르트르 자신으로 말하자면, 최초의 저서는 『상상력 *Imagination*』(1936)이며, 문학 작품으로 나온 최초의 책은 『구토』(1938)이다.

을 돌아볼 때 충격을 느끼는 것은, 그 삶이 항상 큰 사건들을 목전(目前)에 두고——예상을 넘어서고 기대를 어기고 계획을 뒤엎고 지난 세월을 새롭게 조명하는 그런 큰 사건들을 목전에 두고 전개되어 왔다는 점이다. 한데 바로 이 점에 기만이 있고 변함없는 속임수가 있는 것이다. 아내가 죽은 후 그녀의 애인들에게서 온 편지를 발견한 샤를 보바리는, 행복한 부부 생활인 줄만 알고 〈이미 살았던〉 20년의 세월이 단번에 무너져 내리는 것을 느끼는데, 사람은 모두 샤를 보바리와 같은 존재이다.[105)]

그러나 비행기와 전기의 세기에 사는 우리는 그런 종류의 충격을 당하리라고는 생각하지 않았다. 우리가 그 무슨 사건의 〈목전에 있는〉 것 같지는 않았고, 도리어 역사의 마지막 격동을 〈막 넘어섰다〉는 어렴풋한 자랑을 품고 있었다. 비록 때로는 독일의 재무장(再武裝)에 불안을 느끼기도 했지만, 우리는 길게 뻗은 곧은 길로 들어섰다고 믿고 있었으며, 우리의 생활은 오직 개인적 사정에 의해서만 좌우되고, 과학의 발전과 행복한 개혁에 의해서 지탱되리라고 확신했다.

한데 1930년부터는 세계적 불황, 나치즘의 대두, 중국의 격변, 스페인 전쟁 등이 우리의 눈을 뜨게 했다. 바로 발밑에서 땅이 꺼질 것 같았고, 갑자기 〈우리에게도 역시〉 커다란 역사적 속임수가 시작된 것이다. 세계 대평화(大平和)의 최초의 몇 년이 이제 별안간 양대전간(兩大戰間)의 마지막 수년으로 생각되어야 할 판국에 이르렀다. 우리가 그 동안 반겼던 모든 약속이 사실은 위협이었음을 깨달을 수밖에 없었고, 우리가 살아온 나날이 그 진모(眞貌)를 드러낸 것이다. 우리는 아무런 경계도 하

105) 『보바리 부인』 제3부 제11장의 마지막 장면.

지 않고 하루하루를 보냈다. 그런데 그 하루하루의 시간은 우리가 모르는 사이에 신속하게, 그리고 느긋한 외모에도 불구하고 어김없이, 우리를 새로운 전쟁으로 내몰아 갔다. 우리의 개인 생활은 우리의 노력, 우리의 장점과 단점, 우리의 행운과 액운, 그리고 극소수의 사람들의 선의와 악의에 따라 좌우되는 것으로만 알고 있었는데, 이제 그런 개인 생활의 사소한 부분마저도 은연한 집단적인 힘에 의해서 지배되고, 가장 사적(私的)인 경우조차도 세계 전체의 사정을 반영하는 것같이 생각되었다.

그러자 우리는 갑자기 우리가 〈상황 속에 처해 있다〉는 것을 깨달았다. 우리의 선배들이 그토록 애써 시도하려고 했던 초탈(超脫)은 불가능한 것이 되고 말았다. 미래에 부각(浮刻)되고 있던 것은 집단적 모험이며, 그것은 〈우리의〉 모험이었다. 그리고 바로 그 모험이 후일 우리의 세대(그중에는 아리엘도 캘리반[106]도 있었지만)의 특징이 되었다. 미래의 어둠 속에서 그 무엇이 우리를 기다리고 있었다. 우리가 이 세상에서 사라지기 직전인 마지막 순간에, 무슨 섬광처럼 우리의 모습을 자신에게 비춰줄 그 무엇이 기다리고 있었다. 우리의 행위의 비밀도, 우리의 가장 내밀한 목소리의 비밀도, 우리의 전방(前方)에 있었다. 우리의 이름들이 새겨질 재난(災難) 속에 있었다.

이제 역사가 우리에게로 역류한 것이다. 우리가 만지는 모든 것에서, 우리가 숨쉬는 공기에서, 우리가 읽는 책에서, 우리가 쓰는 책장에서, 심지어 사랑에서, 우리는 역사의 맛과 같은 것을 느꼈다. 삶의 매순간은, 우리가 그것을 향유하려는 바로 그

---

106) Caliban: Ariel(106쪽 역주 14) 참조)과 함께 셰익스피어의 『폭풍우 *Tempest*』에 나오는 야수적이며 추악한 괴물.

찰나에, 교묘하게 사라지고 말았다. 우리가 절대적인 것처럼 신바람 나게 살아온 〈현재〉의 순간순간은 보이지 않는 죽음의 엄습(掩襲)을 겪고, 아직도 태어나지 않은 자들의 시선에 의해서 다른 차원의 뜻을 띠고, 바로 눈앞에 현존하면서도 말하자면 〈이미 지나가 버린 것〉같이 보였다. 그러니 이제 자기 파괴적인 대상들을 끈질기게 만들 필요가 어디 있었겠는가? 더구나 쇳덩이와 불덩이에 의한 파괴가 초현실주의를 포함한 모든 것을 위협하고 있던 그때에, 아무것에도 손찌검조차 못한 초현실주의적인 파괴가 무슨 아랑곳 있었단 말인가?

내가 알기로는 〈회화의 파괴〉를 그림으로 그렸던 것은 미로[107]이다. 그러나 소이탄(燒夷彈)은 그림과 그림의 파괴를 한꺼번에 파괴해 버릴 수 있었던 것이다. 또한 우리는 부르주아지의 그 우아한 미덕(美德)을 더 이상 자랑할 수도 없게 되었다. 그러기 위해서는 그 미덕이 영원하다는 신념이 필요했는데, 도대체 프랑스의 부르주아지가 당장 내일도 존속(存續)할 수 있을지조차 어떻게 알 수가 있었겠는가? 또한 전쟁중에도 과연 인간으로 남을 수 있을지 아는 것이 우리의 가장 큰 관심사가 되었던 판국에, 급진파 작가들처럼 평화시대에 신사다운 생활을 영위하는 방법을 가르칠 생각을 할 수는 없는 일이었다.

역사의 압력은 여러 국가들 간의 상관 관계를 우리에게 돌연히 보여주었다. 상하이(上海)에서 일어난 사건[108]은 우리의 운명에 대한 강타였다. 그러나 역사의 압력은 이와 동시에, 본의 아

107) Joan Miro(1893~1983): 화가. 야수파, 입체파를 거쳐 초현실주의운동에 가담하여, 꿈에 의해서 변모된 환상적 사물들을 그렸다.

108) 아마도 1927년에 상하이에서 일어난 장개석(蔣介石)의 반공 쿠데타를 가리키는 듯. 열강 세력이 개입하고 국민당과 공산당의 분열로 낙착된 이 사건은 말로의 『인간조건 *La Condition humaine*』(1933)의 배경이 되었다.

니게도 우리 자신의 존재를 한 국민이라는 집단의 차원에서 새삼 생각하게 만들었다. 우리 선배들의 여행, 그들의 화려한 이국 취미, 거창한 관광 여행의 격조(格調) 따위는 결국 겉치레에 불과하다는 것을 인식하지 않을 수 없었다. 그들은 도처에서 프랑스를 앞세우고 다닌 것이다. 그들은 프랑스가 전쟁에서 이겼고, 그 화폐의 환율(換率)이 유리했기 때문에 여행할 수 있었다. 프랑화(貨)의 뒤를 좇아서, 프랑화처럼 취리히나 암스테르담보다는 세빌리아나 팔레르모로 진출했다.

한편, 우리가 세계를 돌아다닐 수 있을 나이가 되었을 때는, 각국의 경제 자립 정책 때문에 거창한 관광 여행의 소설들은 사멸하고 말았고, 또한 여행이 신바람 나는 것도 아니었다. 우리의 선배들은 세계를 획일화하려는 변태적인 취미에 끌려, 세계 도처에서 자본주의의 흔적을 보고는 좋아했다. 그러나 우리가 세계를 돌아다녔다면, 한결 더 분명한 획일성을, 즉 대포의 획일성을 도처에서 아주 쉽사리 발견했으리라. 그뿐만 아니라, 여행을 하건 안하건 간에, 우리의 조국을 위협하는 갈등에 직면한 이상, 우리는 이미 세계 시민이 아니었다. 스위스 사람이 될 수도, 스웨덴 사람이 될 수도, 또 포르투갈 사람이 될 수도 없었기 때문이다. 우리의 작품 자체의 운명이 위기에 처한 프랑스의 운명과 직결되어 있었다. 우리의 선배들은 바캉스를 즐기는 사람들을 위해서 썼지만, 우리가 이제 독자로 삼으려는 사람들로서는 바캉스는 이미 끝난 것이기 때문이다. 그 독자는 우리의 동류자(同類者)들, 우리처럼 전쟁과 죽음을 기다리고 있는 사람들로 구성되어 있었다. 여가 없는 그 독자들, 줄곧 단 하나의 걱정에 시달리고 있는 그 독자들에게 합당한 주제는 단 하나밖에 없었다. 우리가 써야 했던 것은 그들의 전쟁과 그들의 죽음에 관해서였다. 역사 속으로 무참히 끼여든 우리는 역사성의 문학을 할 수밖에는 없는 궁지로 몰린 것이다.

그러나 우리의 입장이 독특했던 것은, 전쟁과 점령(占領)이 우리를 들끓는 세계 속으로 빠뜨리면서도, 상대성(相對性) 그 자체 속에서 절대적인 것을 재발견하지 않을 수 없게 만들었다는 점이라고 나는 생각한다. 우리의 선배들로서는 만인을 구한다는 것이 행동 강령이었다. 괴로움은 벌충될 수 있고, 일부러 나쁜 짓을 하려는 사람은 없고, 인간의 마음속을 헤아릴 수는 없는 것이며, 신의 은총은 모든 사람의 몫이라고 그들은 생각했기 때문이다. 이것은 결국, 만사를 뒤범벅으로 만들어놓기만 했던 초현실주의적 극좌파의 경우를 제외하고는, 문학이 일종의 도덕적 상대주의의 수립을 겨냥했다는 이야기가 된다.

기독교도들은 이미 지옥의 존재를 믿지 않았다. 죄는 신이 깃들이지 않은 자리를 의미했고, 육체적 사랑은 신에 대한 빗나간 사랑일 따름이었다.[109] 한편 민주주의는 모든 의견을, 심지어는 그것을 공공연히 파괴하려는 의견조차도 용인하기 때문에, 학교에서 가르치는 공화주의(共和主義)적 휴머니즘은 관용을 으뜸가는 덕목으로 삼았다. 모든 것을, 심지어는 불관용(不寬容)마저도 용인했다. 어리석기 짝없고 천하기 짝없는 생각에서조차 어떤 숨은 진실을 가려내야 한다는 것이었다. 어용 철학자인 레옹 브룅슈비크는 평생을 두고 동화(同化), 통일, 통합의 작업을 이어나가고, 세 세대에 걸친 후배들을 형성했는데, 그의 생각으로는 악(惡)과 과오는 분리와 제한과 유한성(有限性)

109) 특히 모리악의 『테레즈 데케루 *Thérèse Desqueyroux*』나 『사랑의 사막 *Le Désert de l'amour*』과 같은 소설을 두고 하는 말일 것이다.

이 만들어낸 겉모양에 지나지 않아서, 체제와 집단을 갈라놓는 경계선을 제거해 버리면 자연히 없어진다는 것이었다.

급진파는 진보를 질서의 발전이라고 생각하는 점에서 오귀스트 콩트의 후예였다. 그러니까 마치 그림찾기 속에 사냥꾼의 모자가 그려져 있듯이 질서가 이미 잠재적으로 존재하고, 문제는 다만 그것을 발견하는 것뿐이었다. 그들은 그 발견을 위해서 시간을 보냈고, 그것이 그들의 정신적 훈련이었다. 그들은 그럼으로써 모든 것을, 우선 무엇보다도 그들 자신의 존재를 정당화했다.

다만 마르크스주의자들만은 억압과 자본주의적 제국주의와 계급 투쟁과 비참한 생활의 현실을 인식했다. 그러나 내가 다른 곳에서 지적한 것처럼, 유물변증법은 선과 악을 한꺼번에 증발시켜 버리는 결과를 가져왔으며, 남는 것은 다만 역사적 과정뿐이다.[110] 더군다나 스탈린의 공산주의는 개인에게 중요성을 부여하지 않기 때문에, 개인의 괴로움과 그 죽음조차도 권력 장악의 시기를 촉진하는 데 도움이 되기만 하면 벌충될 수는 있는 것으로 생각한다. 이렇듯 버림받은 악의 개념은 반유태주의자, 파시스트, 우익적 무정부주의자와 같은 몇몇 선악 이원론자들[111]의 수중으로 넘어가서, 그들의 원한과 욕망과 역사에 대한 몰이해(沒理解)를 정당화하는 수단으로 이용되었다. 그런 연

110) 1946년에 발표된 『유물론과 혁명 *Matérialisme et révolution*』을 가리키는 말이다. 이 글에서 사르트르는 인간의 주체성과 자유를 배제하는 유물변증법은 진실한 혁명의 철학이 될 수 없다고 비판한다. 이 비판은 후일 『변증법적 이성비판 *Critique de la Raison dialectique*』(1960)으로 발전했다.

111) manichéistes: 마니교도. 이 세계는 선과 악의 두 가지의 원리에 의해서 지배되어 있다고 믿었던 종파. 널리 선악 이원론자라는 보통 명사로 전용되고 있다.

유로만 보아도 악이라는 개념은 불신의 대상이 되기에 충분했다. 철학적 관념론의 경우에나 정치적 현실주의의 경우에나, 악은 중대한 것이 못 되었던 것이다.

그러나 우리는 악을 중대하게 생각하지 않을 수 없게 되었다. 우리는 고문(拷問)이 일상적 사실이 되어버린 시대에 살게 되었지만, 그것은 우리의 잘못도 자랑도 아니다. 샤토브리앙, 오라두르, 소세 거리, 튈, 다카우,[112] 아우슈비츠, 그 모든 것은 우리에게 다음과 같은 것을 가르쳐주었다. 악은 단순한 외모(外貌)가 아니라는 것, 악의 원인을 알았다고 해서 그것이 없어지지는 않는다는 것, 악과 선의 대립은 막연한 생각과 분명한 생각의 대립과는 다르다는 것, 악이란 치유할 수 있는 정념(情念)이나, 극복할 수 있는 두려움이나, 용서할 수 있는 일시적 미망(迷妄)이나, 계몽할 수 있는 무지(無知)의 산물이 아니라는 것, 라이프니츠는 찬란한 햇빛을 위해서는 어둠이 필요하다고 말했지만, 악은 그런 식으로 이상주의적 휴머니즘으로 전환되고 통합되고 환원되고 동화될 수 있는 성질의 것은 결코 아니라는 것을 가르쳐주었다.

악마는 순수하다고 일찍이 마리탱[113]이 말한 적이 있다. 순수

112) Châteaubriant: 제2차 세계대전중 독일군이 정치범 수용소를 설치했던 프랑스의 소도시.
Oradour : 1944년 독일군이 저항운동자들에 대한 보복으로 600여 명의 무고한 사람들을 학살한 곳.
Rue des Saussaies: 파리의 거리 이름. 여기에 있던 프랑스 경찰청 건물에서, 1944년 독일군이 저항자들을 고문했다.
Tulle: 1944년 독일군이 99명의 인질을 목매달아 죽인 도시.
Dachau: 1933년부터 1945년까지 강제 수용소가 있던 독일 서남부의 도시.

하다는 것은, 어떤 다른 것이 섞여 있지도 않고 어떤 용서도 없다는 것이다. 우리는 이 끔찍하고 돌이킬 수 없는 순수성을 알게 되었다. 그것은 가해자와 희생자 사이의 긴밀한 관계, 거의 성적(性的)인 관계에서 터져나온다. 고문은 무엇보다도 상대방을 전락시키기 위한 기도이다. 어떤 고통을 겪게 되건 간에, 그 고통을 더 이상 감당할 수 없어서 입을 열어야 하는 순간을 최후의 선택으로 결정하는 것은 결국 희생자 자신이다. 고문이 보여주는 기막힌 아이러니는, 희생자가 굴복하고 말 때는 자신의 인간성을 자의적(自意的)으로 부정하여 가해자의 공범(共犯)이 되고, 자진해서 전락의 구렁텅이로 빠져든다는 점에 있다.[114] 한데, 가해자는 그것을 미리 알고 그 좌절의 순간을 노린다. 그것은 다만 필요한 정보를 얻어내기 위해서만이 아니라, 고문을 한 것이 옳았으며 인간이란 채찍질로 다스려야 할 짐승이라는 것이 다시 한번 확인될 수 있기 때문이다. 이리하여 가해자는 제 이웃에서 인간성을 말살하려고 한다. 그러나 그 반작용으로 자신의 인간성 역시 말살하고 만다. 신음하고 땀에 젖고 더럽혀진 희생자, 살려달라고 애원하고 욕정에 빠진 여인처럼 숨가쁘게 허덕이면서 완전히 몸을 내맡기는 희생자, 나쁜 짓을 하고 있다는 의식이 마치 목에 매단 돌덩이처럼 더욱더 깊은 나락으로 제 몸을 빠져들게 하기 때문에, 모든 것을 털어놓을 뿐더러 미친 듯이 배반으로 치닫는 희생자——가해자는 그것이 자신의 모습이기도 하며, 자기가 괴롭히고 있는 것은 희생자인 동시에

---

113) Jacques Maritain(1882–1973): 프랑스에서 토미즘Thomism을 대표하는 철학자. 기독교적 인도주의를 제창했다.

114) 이 점에 대해서는 『존재와 무*L'Etre et le néant*』, 473–474쪽 참조. 또한 희곡 『무덤 없는 사자들*Morts sans sépulture*』(1946)에서도 이 주제가 어느 정도 다루어지고 있다.

또한 자기 자신인 것을 알고 있다. 만일 그가 자기로서는 그런 완전한 전락에서 벗어나기를 바란다면, 우리의 끔찍한 약점을 코르셋처럼 꽉 조일 어떤 철석같은 명령을 맹목적으로 믿는 것, 다시 말해서 인간의 운명을 비인간적인 힘의 손아귀에 맡기는 것 이외에는 다른 도리가 없는 것이다.

한순간 고문하는 자와 고문받는 자가 융합하는 때가 온다. 그 시점에서 가해자는 단 한 사람의 희생자를 통해서 인간 전체에 대한 증오를 쏟아낼 수 있고, 희생자는 자기의 치욕을 극한까지 밀고 나감으로써만 그것을 견뎌내고, 모든 사람을 미워함으로써만 자기 자신에 대한 혐오를 견뎌낼 수 있게 되는 것이다. 그후 가해자는 교수형을 당할지도 모른다. 한편 희생자는 만일 살아남는다면, 명예를 회복할 것이다. 그러나 자유로운 두 인간이 인간적인 것의 파괴에 함께 가담한 그 악의 미사를 누가 지워버릴 수 있단 말인가? 우리가 먹고 자고 사랑을 나누는 동안에도 파리의 곳곳에서 그런 미사가 진행되고 있다는 것을 우리는 알고 있었다. 우리는 이 거리 저 거리에서 터져나오는 외침소리를 들었고, 자유롭고 주체적인 의지(意志)의 산물인 악은 선과 마찬가지로 절대적인 것임을 이해했다.

과거를 돌이켜보고는, 이런 고통과 치욕이 평화로 가는 길의 하나였다고 생각할 행복한 시대가 아마도 어느 날 도래할지도 모른다. 그러나 우리는 역사가 이미 끝난 시점에 처해 있었던 것이 아니다. 우리는 앞서 말한 것처럼 〈상황 속에 처해 있었고〉, 시시각각의 삶이 우리에게는 다른 무엇으로도 환원될 수 없는 것으로 여겨졌다. 그래서 우리는 본의 아니게도, 선남선녀(善男善女)들에게는 충격적으로 비칠 결론——악은 벌충할 수 없는 것이라는 결론에 이르렀다.

그러나 다른 한편으로 대부분의 저항자(抵抗者)들은 얻어맞고 불살리고 눈알이 뽑히고 육신이 쪼개져도 입을 열지 않았다. 그들은 자신을 위해서, 우리를 위해서, 그리고 심지어는 그들의 가해자를 위해서, 악의 고리를 끊고 인간적인 것을 재천명했다. 그들은 증인도 도움도 희망도, 또 많은 경우에 신앙조차 없이 그렇게 했다. 그들로서 중요했던 것은 인간에 대한 믿음이 아니라 그 믿음을 향한 의지(意志)였다. 모두가 그들의 용기를 꺾을 것뿐이었다. 그들의 주위의 모든 징조도, 그들을 굽어보는 얼굴들도, 그들 속에 깃들인 괴로움도, 다 같이 그들에게 이런 생각을 품게 했다. 그들은 벌레에 지나지 않고, 인간은 모두 바퀴벌레나 쥐며느리가 꾸는 불가능한 꿈일 따름이며, 그들 역시 모든 사람처럼 벌레가 되어서 깨어나리라는 생각을.

그러니 이제 인간은 수난의 육신(肉身)을 지니고, 벌써 그들 자신을 배반하려는 궁지에 몰린 상념(想念)을 지닌 채, 그리고 무로부터 출발해서 아무 대가(代價)도 없는 절대적 무상성(無償性) 속에서 새로 창조되어야 할 것이었다. 우리가 수단과 목적, 여러 가지의 가치, 또 선호(選好)해야 할 것들을 판별하는 것은 인간적인 것의 테두리 안에서만 가능한 것인데, 그들은 아직도 세계 창조의 시점(時點)에 있었고, 세계에는 과연 동물계 이상의 그 무엇이 깃들일 것인지를 오직 독단적으로 결정해야 했기 때문이다. 그들은 침묵했고, 그들의 침묵에서 인간이 탄생했다. 우리는 알고 있었다. 하루에도 시시각각으로, 파리의 구석구석에서, 인간이 100번이나 무너지고 다시 일어서곤 한다는 것을. 이런 형고(刑苦)가 뇌리에서 사라지지 않아, 우리는 「만일 내가 고문을 당한다면 어떻게 할 것인가?」 하고 자문하지 않는 날이 없었다. 이 유일무이(唯一無二)한 질문은 필연적으로 우리를 우리 자신과 인간적인 것의 경계로 몰고 가고, 인간성이 부인되는 노 맨즈 랜드no man's land와 인간성이 솟아나고 창조되는 불모의 사막 사이에서 동요하게 만들었다.

우리보다 바로 앞서서 이 세상에 태어나서, 우리에게 그들의 문화와 지혜와 풍습과 격언을 물려주었던 사람들, 우리가 사는 집을 짓고, 위인들의 동상으로 거리를 장식했던 사람들은 조촐한 미덕(美德)을 실천하면서 온대 지방(溫帶地方)에서 살았다. 비록 잘못을 저질렀다 해도 그들은 제 밑으로 더 큰 죄인을 발견하지 못할 정도로 그렇게 깊은 나락으로 떨어져 본 일도 없고, 또 반대로 훌륭한 일을 했다고 해도 제 위로 더 훌륭한 사람을 찾아보지 못할 정도로 그렇게 드높이 올라가 본 일도 없었다. 그들은 눈이 닿는 데까지 다른 사람들과 만났다. 그들이 늘 입에 올리고 또 우리가 그들에게서 배운 속담──가령 「바보도 항상 자기를 칭찬해 주는 더 큰 바보를 만난다」든지, 「사람은 언제나 자기보다 못난 자를 필요로 한다」는 따위의 속담 자체도, 또 아무리 불행해도 더 큰 불행이 있는 법이라고 하면서 비통한 심정을 달래는 방식 자체도, 모두 그들의 인간관을 말해준다. 즉, 그들은 인간을 자연적이며 무한한 환경으로 보고, 그 환경에서 벗어날 수도 없고 그 경계를 가늠할 수도 없다고 생각했던 것이다.

그들은 인간 조건을 파헤쳐 보지도 않고 태평하게 죽어갔다. 그렇기 때문에 그들의 작가들은 〈평균적 상황〉의 문학을 베풀어주었다. 그러나 우리의 가장 가까운 친구들이, 만일 체포되면, 전락과 영웅적 행위의 양자 중의 하나를, 다시 말해서, 그 너머로는 아무것도 없는 그런 인간 조건의 양극단 중의 하나를 선택할 수밖에 없게 된 판국인 이상, 우리는 이미 인간으로 존재한다는 것을 〈자연스럽게〉 생각할 수는 없었다. 그들이 만일 비겁하고 배반자가 되면, 모든 다른 사람들은 그들 이상의 존재가 될 것이며, 반대로 영웅적 행위를 한다면, 모든 다른 사람들은 그들 이하의 존재가 될 터였다. 이 후자(後者)의 경우가 더 많았는데, 그들은 인간성을 무한한 환경으로 느끼지는 않았다. 그것은 그들 내부에 있는 가냘픈 불꽃, 오직 그들이 홀로 일게 해야 하는 그런 불꽃이었다. 그 불꽃은 그들이 가해자에 대해서 내세우는 침묵 속에서 피어올랐다. 그들의 주위에는 비인간적인 것과 알 수 없는 것이 마치 북극의 광막한 밤처럼 깔려 있어서, 볼 수조차 없었고, 육신을 에는 얼음장 같은 추위를 통해서만 그것을 겨우 짐작할 수 있었다.

우리 아버지의 세대는 증인(證人)과 모범(模範)을 가지고 있었다. 그러나 그 고문당하는 사람들에게는 그런 것이 이미 존재하지 않았다. 생텍쥐페리 Saint-Exupéry는 위험한 임무를 수행하면서, 「내가 나 자신의 증인이다」라고 말한 일이 있었다. 그것이 바로 그들의 경우이기도 했다. 인간의 고뇌가 시작되고 또한 인간이 고독에 시달리며 피땀을 흘리기 시작하는 것은, 자기 자신 이외의 증인이 없을 때이다. 그때 인간은 고난의 밑바닥까지 가고, 인간으로서의 조건을 극한까지 체험한다. 물론 우리가 모두 다 그런 고뇌를 스스로 겪었다는 것은 결코 아니다.[115] 그러나 그 고뇌는 위협처럼, 약속처럼, 우리 모두의 뇌리에서 사라지지 않았다.

5년 동안 우리는 귀신에 홀린 듯이 살았다. 그리고 우리는

---

115) 이 말에는 사르트르의 자기 변명이 내포되어 있는 것인지도 모른다. 그는 저항운동에서 적극적인 역할을 한 일이 없다는 것이 일반적인 견해이다.

작가라는 직업을 경망하게 생각하지는 않았기 때문에, 그 홀림의 상태는 지금도 우리의 글에 반영되어 있다. 다시 말해서 우리는 극한 상황(極限狀況)의 문학을 하려고 나섰던 것이다. 그렇다고 해서, 바로 그 점에서 우리가 선배 작가들보다 더 훌륭하다고 주장하려는 것은 결코 아니다. 정반대로 블록 미셸 Bloch-Michel은 《현대》지(誌)에서, 중대한 상황에서는 하찮은 상황에서보다 도리어 덕목(德目)이 덜 필요하다고 말한 바 있고, 그는 그런 말을 해도 좋을 만큼 떳떳하게 행동한 사람이다. 나로서는 그의 말이 과연 옳은지, 또 제수이트가 되기보다는 얀세니스트[116]가 되는 것이 더 좋은 것인지 판단할 처지에 있지는 않다. 내 생각으로는 양자가 모두 어느 정도 필요하겠지만, 한 사람이 동시에 두 가지가 될 수는 없다.

우리가 얀세니스트인 것은 시대가 그렇게 만들었기 때문이다. 그리고 시대는 우리로 하여금 우리의 한계를 체험하게 했기 때문에, 우리는 모두 형이상학적 작가들이라고 말하고 싶다. 아마도 우리들 중에는 그런 호칭을 아예 거부하거나, 혹은 조건부(條件附)로 받아들일 사람들이 많을 것이다. 그러나 그것은 오해에서 비롯된 것이다. 왜냐하면 형이상학이란, 체험을 무시한 추상적 관념에 관한 무익한 논의가 아니라, 인간 조건의 전체를 내부로부터 껴안으려는 생생한 노력이기 때문이다.

마치 토리첼리 Torricelli가 대기의 압력을 발견했듯이, 상황에

116) Jansénistes: 주로 17세기에, Jansenius(1585–1638)가 주창한 교설을 따르는 사람들. 신의 은총은 인간의 한정된 이성으로는 판단할 수 없는 신비라고 주장하여, 당시의 지배적인 세력을 형성하고 있던 제수이트파에 맞섰다. 1641년, 교황청에 의해서 이단설로 배격되었으나, 그 신봉자들은 굽히지 않았으며, 파스칼의 『프로뱅시알』(36쪽 역주 23) 참조)은 제수이트의 교설을 논박한 대표적 고전이다.

밀려 역사의 압력을 발견할 수밖에 없었던 우리들, 시대의 냉혹한 시련 때문에 고독에 빠져들어, 인간 조건의 극한을, 그 부조리를, 삶을 초월하는 그 암흑(暗黑)을 응시했던 우리들—— 우리들에게는 하나의 임무가 있다. 우리는 그 임무를 감당하기에 충분한 힘이 없을지도 모르지만(한 시대가 재능의 부족으로 말미암아, 예술과 철학을 이룩하지 못한 것은 처음 있는 일이 아니다), 그것은 형이상학적 절대와 역사적 사실의 상대성을 접합하고 융합하는 문학을 창조하는 것이며, 나는 다른 더 좋은 명칭이 없기 때문에, 그 문학을 〈중대한 상황의 문학〉이라고 불러두려고 한다.[10] 그것은 영원한 것을 향해서 도피하려는 것도 아니며, 또한 그 답답한 자슬라프스키 Zaslavski 씨가 《프라우다》에서 〈역사적 과정〉이라고 부른 것 앞에서 체념하고 마는 것도 아니다.

우리 시대가 우리에게 제기하는 문제, 그리고 끝끝내 〈우리 자신의〉 문제로 남을 문제는 그런 것과는 다른 차원의 것이다. 그것은 우리가 역사 속에서, 역사에 의해서, 그리고 역사를 위해서 어떻게 인간이 될 수 있느냐는 문제이다. 우리의 독자적이고 환원(還元) 불가능한 의식과 우리의 상대성 사이의 종합, 다시 말해서 독단적(獨斷的) 휴머니즘과 퍼스펙티비즘[117] 사이의 종합은 가능한 것인가? 도덕과 정치의 관계는 어떤 것인가? 우리 속에 깊이 깃들인 의도(意圖)와 아울러 우리의 행위의 객관적 결과에 대해서 책임을 질 수 있는 것인가? 우리는 불가피한 경우에는 이런 문제들을, 철학적 반성을 통해서 추상적으로 다루어볼 수도 있을 것이다. 그러나 우리는 그런 문제들을 체험하

117) perspectivisme: 회화의 원근법처럼, 세계는 항상 특정한 시점에서 상대적으로 포착될 수 있을 따름이라고 주장하는 인식론상의 상대주의.

려고 한다. 다시 말해서 소설이라는 허구적이면서도 구체적인 체험을 통해서, 우리의 사상을 활성화하려고 한다. 한데 우리가 애초부터 가지고 있던 수법은, 내가 앞서 지적한 것처럼, 그 목적이 우리의 기도와는 정반대되는 것이었다. 그것은 안정된 사회에서의 개인 생활의 우여곡절(迂餘曲折)을 이야기하도록 특별히 마련된 것이어서, 변함없는 세계 내부에서 일어나는 어떤 특수한 체제의 굴곡, 진전, 퇴화(退化), 완만한 해체를 기록하고 묘사하고 설명해 줄 수는 있었다. 그러나 1940년부터는 우리는 벌써 태풍의 한가운데에 처해 있었다. 우리가 그 속에서 방향을 잡으려고 할 때 느닷없이 마주친 것은, 한결 더 복잡한 차원의 문제였다. 바로 2차 방정식이 1차 방정식보다 복잡한 것과 마찬가지로 말이다. 우리의 과제는 여러 국부적(局部的)인 체계와 그것을 포괄하는 전체적 체계와의 관계를 서술하는 것이었다. 그것도, 부분적인 체계들과 전체적 체계가 다 같이 움직이고 있고, 그 움직임들이 서로 영향을 주는 양상을 파악하면서 서술하는 것이었다.

전전(戰前)의 프랑스 소설이 보여주는 안정된 세계에서는, 작가는 절대적 정지(靜止)를 나타내는 감마점(點)에 위치하여, 인물의 움직임을 가늠하기 위한 고정된 표점(標點)을 가지고 있었다. 그러나 한창 변전하고 있는 체계 속에 휘말려든 우리는 상대적 움직임밖에는 알 길이 없었다. 우리의 선배들이 역사의 권외에 있다고 믿고, 산정(山頂)으로 단번에 뛰어올라 거기에서 사건들의 진상을 판단할 수 있었던 것과는 반대로, 우리는 상황에 끌려 시대 속으로 함입(陷入)하고 말았다. 그러니 이렇듯 시대 속에 끼여든 이상, 어떻게 시대를 전체로서 조감(鳥瞰)할 수 있었겠는가? 우리는 〈상황 속에 처해 있었기〉 때문에, 우리가 써보려고 생각한 유일한 소설은 내재적(內在的)인 화자도 전지적(全知的)인 증인도 없는 〈상황의〉 소설이었다. 요컨대 우리의 시대를 밝히기 위해서는 소설의 수법을 뉴턴Newton의 역학으로부터 일반화(一般化)된 상대성 원리로 옮겨놓아야 했다. 우리의 소설에 등장할 인물들은 반은 명철하고 반은 흐릿한 의식을 가진 존재들——사람에 따라 그중의 어느 쪽에 더 공감(共感)을 느낄 수는 있겠지만, 다 같이 외부의 사건이나 자기 자신에 대해서 어떤 특별한 견지도 가질 수 없는 그런 존재들이었다. 각자(各自)가 자신을 포함한 모든 인간에 대해서 내리는 여러 평가와, 모든 사람이 각자에 대해서 내리는 여러 평가의 착잡하고 모순된 짜임새가 그 실체(實體)를 이루는 존재들, 그리고 운명의 변화를 가져오게 하는 것이 자신의 노력인지 과오인지 아니면 세상의 흐름인지, 결코 제 내부에서 스스로 가늠하지 못하는 그런 존재들을 우리는 제시해야 했다.

결국, 모든 곳에 의심과 기다림과 미완성만을 그대로 남겨놓고, 독자로 하여금 스스로 추측하게 만들어야 했다. 플롯이나 인물에 관한 작가의 견해는 많은 다른 견해 중의 하나에 불과하다는 느낌을 각각의 독자에게 일깨우고, 결코 작가 자신이 독자를 인도하거나 제 감정을 짐작하게 만들지 말아야 했다.

그러나 다른 한편으로 방금 말한 바와 같이 우리의 역사성은 처음에는 절대적인 것을 박탈한 것처럼 보였지만, 도리어 그것을 복원(復元)시켰다. 왜냐하면 우리는 그 역사성을 매일매일 체험해 나갔기 때문이다. 우리의 기도와 정념과 행위는 이미 이루어진 역사의 견지에서 볼 때는 설명이 가능하고 또 상대적인 것이었지만, 그것들은 현재의 고독과 불확실성과 위험에 비추어볼 때는 다른 어떤 것으로도 환원될 수 없는 밀도를 지닌 것이었다.[118] 장차 역사가들은 우리가 시시각각으로 열병에 걸린 듯 살아가고 있는 이 시간을 전체적으로 조감(鳥瞰)하고, 우리의 미래의 입장에서 우리의 과거를 밝히고, 우리의 기도의 가치를 그 결과에 따라서, 우리의 의도의 성실성을 그 성공 여부에 따라서 판정하리라는 것을 우리는 모르는 바 아니었다. 그러나 우리 시대의 불가역성(不可逆性)은 우리만의 것이었고, 우리는 이 불가역적인 시대 속에서 암중모색으로 자신을 구하거나 상실할 수밖에 없었다. 무릇 사건들이 마치 강도들처럼 우리를 덮쳤다. 우리는 이해할 수 없는 것, 견딜 수 없는 것과 대치(對峙)하면서 인간으로서의 과업을 이어나가고, 내기를 하고, 확증도 없이 추측하고, 불확실성 속에서 계획을 짜고, 희망 없이 버텨 나가야만 했다. 후대의 사람들은 우리의 시대에 대해서 설명을 가할 수 있을지도 모른다. 그러나 누가 무엇이라고 해도 우리로서는 이 시대는 설명할 수 없는 것이다. 오직 우리만이 알고, 우리가 죽어야만 사라질 이 쓰디쓴 시대의 입맛을 가시게 해줄 사람은 아마도 없을 것이다.

우리 선배들의 소설은 사건을 과거 시제(過去時制)로 이야기

---

118) 인간은 오직 역사 속에서 존재하지만, 그것은 역사에 의해서 이루어지는 피동적 존재가 아니라, 역사의 과정 속에서 주체적 개인으로서 자신을 선택해 나가는 존재라는 생각은, 사르트르가 평생을 두고 지켜온 생각이다. 그렇기 때문에 그는 한편으로는 공식적인 마르크스주의(사르트르 자신의 말을 빌리자면 〈정체된 마르크스주의〉)와 대립하고 다른 한편으로는 구조주의와 대립한다. 「만일 우리가 개인에게 있어서, 그리고 자신의 삶을 만들어 나가고 자신을 객관화하는 그의 기도에 있어서, 근원적인 변증법적 움직임을 보기를 거부한다면, 아예 변증법을 포기하거나 혹은 변증법을 역사의 내재적인 법칙으로 삼아야 할 것이다」(『방법의 문제 *La Question de méthode*』, coll. Idées, 224쪽 참조)

했고, 시간적인 계기(繼起)를 통해서 논리적이며 보편적인 관계나 영원한 진실을 감지하게 했다. 사소한 변화조차도 벌써 설명이 가는 것이었고, 모든 체험은 이미 반성된 과거로서 주어졌다. 아마도 이런 수법은 200년 후에 1940년의 전쟁에 관한 역사소설을 쓰려고 하는 작가에게는 합당한 것일지도 모른다. 그러나 우리가 우리 자신이 앞으로 써야 할 글에 대해서 생각해 볼 때는, 다음과 같이 확신하게 되는 것이었다. 즉, 만일 사건에 대해서 그 생생한 현장성(現場性)과 애매성과 의외성(意外性)을, 시간에 대해서 그 흐름을, 세계에 대해서 그 위협적이면서도 화려한 불투명성(不透明性)을, 그리고 인간에 대해서 그 기나긴 인내를 부여하지 못한다면, 어떠한 예술도 진실로 우리의 예술이 될 수 없을 것이라고.

우리는 죽은 세계보다 당신들이 우월(優越)한 위치에 있다고 말하면서 독자들을 기쁘게 해줄 생각은 없었다. 우리가 원한 것은 독자의 목덜미를 잡는 것이었다. 모든 인물이 함정이 되고, 독자가 그 함정에 걸려들고, 마치 한 절대적이며 숙명적인 세계로부터 똑같이 절대적인 또 하나의 세계로 빠져들듯이, 한 의식으로부터 또 하나의 의식으로 빠져드는 것이 우리의 바람이었다. 독자가 소설의 주인공들의 불확실성을 자신의 불확실성으로 삼고, 그들의 불안을 자신의 불안으로 느끼고, 그들의 현재(現在)에 압도되고, 그들의 미래의 무게에 허리가 휘고, 마치 정복할 수 없는 높은 절벽과 같이 그들의 지각(知覺)과 감정을 지니게 되기를 우리는 바랐다. 결국, 주인공들의 기분 하나하나에, 그들의 정신의 움직임 하나하나에, 인류 전체가 내포(內包)되어 있다는 것, 또한 그런 하나하나의 기분과 움직임들이 현재성과 현장성을 지니며 역사의 한가운데서 전개되면서, 그리고 미래에 의한 현재의 부단한 왜곡(歪曲)에 항거하면서, 악으로의 숙명적인 전락이 되거나 혹은 반대로 어떠한 미래도 부정할 수 없는 선으로의 상승이 된다는 것을, 독자가 느끼기를 바란 것이다.

우리가 카프카의 작품들과 미국 소설가의 작품들을 성공작으로 생각한 것은 바로 그러한 이유 때문이다. 카프카에 관해서는 이미 많은 이야기가 나왔다. 그가 묘사하려던 것은 관료 체제이며, 질병의 악화이며, 동(東)유럽에 있어서의 유태인의 조건이며, 도달할 수 없는 초월의 탐구이며, 또 은총이 없는 시대의 은총의 세계라는 따위의 지적이 있어왔다. 그것은 모두 옳은 말이며, 결국 카프카가 그리려고 한 것은 인간 조건이었다고 나는 잘라 말하고 싶다. 그러나 우리가 특히 깊은 인상을 받은 것이 있었다. 그것은, 부단히 계속되다가도 더 나쁜 결과만을 남기며 느닷없이 끝나고 재판관이 누구인지 포착할 수 없는 그런 재판을 통해서, 고소 내용을 알아보려는 피고들의 헛된 노력을 통해서, 애써서 꾸몄지만 변호인에게 불리하게 역전(逆轉)되어 도리어 유죄의 증거물의 하나가 되고 마는 변론을 통해서, 그리고 인물들이 열심히 살아가지만 딴곳에 그 열쇠가 있는 터무니없는 현재의 시간을 통해서, 우리는 역사를 인식하고, 또 역사 속에서 우리 자신을 인식했다는 것이다.[119]

우리는 이제 플로베르와 모리악으로부터 멀리 떨어져 있었다. 적어도 카프카에게는, 기만당하고 바닥부터 구멍난 숙명, 그

119) 여기에서 사르트르는 역사적 상황과의 관련에서 카프카가 깊은 인상을 주었다고 말하고 있지만, 애초의 깊은 인상은, 바로 그 다음의 발언에서 시사되고 있는 것처럼, 신의 죽음이 가져온 형이상학적 문제의 차원의 것이었던 것 같다. Beauvoir, *La Force de l'âge*, 193쪽, Sartre, *Aminadab*, *Situations I*, 122-142쪽 참조.

러면서도 세심하게, 교묘하게, 겸허하게 체험해 나간 숙명을 제시해 주는 독자적인 수법이 있었다. 모든 현상(現象)의 돌이킬 수 없는 진실을 표현하고, 또 우리로서는 결코 도달할 수 없을 또 하나의 진실이 그런 현상 너머로 존재한다는 것을 예감하게 해주는 그런 수법이 있었다. 우리는 물론 카프카를 모방할 수도 없고 새로운 카프카가 될 수도 없다. 다만 그의 책에서 귀중한 격려를 얻고 다른 곳으로 찾아 나서야 했다.

미국 작가로 말하자면, 우리가 감동을 느낀 것은 그들의 잔혹성(殘酷性)이나 비관주의 때문이 아니었다. 그들을 통해서, 우리는 우리가 역사 속에서 길을 잃었듯이 너무나 광막한 대륙에서 길을 잃고 어찌할 바를 모르는 인간들을 인식했다. 이해할 수 없는 사건들에 휘말린 당혹감과 고립감을, 전통도 없이 임시변통으로 표현하려고 시도하는 인간들을 인식했다. 포크너 Faulkner, 헤밍웨이 Hemingway, 도스 파소스 Dos Passos가 프랑스에서 많이 읽힌 것은 스노비즘 때문이 아니었다. 적어도 처음에는 그렇지 않았다. 그것은 우리 문학의 방어 반사(防禦反射)[120]의 소산이었다. 종래의 수법과 신화로서는 역사적 상황에 대처할 수 없을 것이기 때문에 위기 의식을 느낀 우리 문학은 새로운 사태[121]하에서 그 기능을 수행하기 위해서 외국의 방법을 이식한 것이다.[122]

---

120) réflexe de défense: 문자 그대로는 〈마비된 사지(四肢)의 자동 반사〉를 의미한다.

121) 사태: conjonctures의 번역. 텍스트에는 conjectures(추측)로 오식되어 있는 것을 *Les Temps modernes*에 실린 원문에 따라 바로잡았다.

122) *Situations I*에 수록된 두 글, "'Sartoris' par W. Faulkner" 및 "A propos de John Dos Passos et de '1919'". 그들로부터 받은 영향에 관해서는 Beauvoir, *Cérémonie des adieux*, 252-255쪽. 또한 Hemingway의 영향에 관해서는 Beauvoir, *La Force de l'âge*, 144-145쪽 참조.

이리하여 독자들과 직면(直面)하려던 바로 그 시점에서, 우리는 선배와 절연하는 형편이 되었다. 우리의 선배들은 문학적 관념론을 선택해서, 어떤 특권적인 주관성을 통하여 사건을 제시했다. 우리가 보기에는, 역사적 상대주의는 모든 주관성의 선험적 등가성(等價性)을 상정함으로써,[11] 생생한 사건들의 가치를 전적(全的)으로 복원했는데, 문학에 있어서는 절대적 주관주의를 통해서 독단적 리얼리즘으로 되돌아가게 했던 것이다. 그들은 그들의 이야기 속에 작가가 존재한다는 것을 명시적으로 혹은 암묵적(暗默的)으로 상기시킴으로써, 이야기한다는 그 철없는 기도에 적어도 외견상으로나마 정당성을 부여할 수 있다고 생각했다. 반대로 우리가 바란 것은 우리의 책들이 제 스스로의 힘으로 허공에 버티고 서 있는 것이었다. 말들이 그것을 적은 작가를 향해서 뒤돌아서는 것이 아니라, 도리어 작가로부터 잊혀지고 고립되고 인지되지 않는 상태가 되어서, 증인 없는 세계의 한가운데로 독자를 내모는 썰매처럼 되는 것이었다. 요컨대 우리의 책이 우선 인간의 산물(産物)처럼 존재하는 것이 아니라, 사물처럼 나무처럼 사건처럼 존재하는 것이 우리의 소원이었다.[123)] 우리가 신의 섭리(攝理)를 우리의 세계에서 쫓아냈듯이, 그것을 우리의 작품에서도 쫓아내려고 한 것이다. 우리는 형식이나 심지어 내용에 의해서가 아니라, 존재의 밀도(密度)에 의해서 미(美)를 정의하려고 했던 것으로 나는 생각한다.[12]

·

〈회고적〉 문학은 사회의 전체에 대하여 작가가 그것을 위로

---

123) 이 부분은 218쪽 원주 **11**에서 말한 〈소설 기법의 혁명〉에 관한 구체적인 서술이다.

부터 내려다보는 입장을 취한다는 것을 의미하고, 이미 끝난 역사의 견지에서 이야기하기를 선택한 사람들은 그들의 육체와 역사성과 시간의 불가역성(不可逆性)을 부정하려고 애쓴다는 것을 나는 지적했다. 영원을 향한 이 비약은 내가 언급한 바 있는 작가와 독자 사이의 괴리가 가져온 직접적 결과이다. 이와 반대로 절대적인 것을 역사 속으로 재통합하려는 우리의 결심은 급진파와 가담파의 작가들이 이미 시도했던 작가와 독자의 화해를 더욱 단단하게 하려는 노력을 수반한다는 것을 쉽사리 이해할 수 있으리라.

작가가 영원으로 가는 길이 터 있다고 믿는 경우에는, 그는 유아독존(唯我獨尊)이 되어, 저 밑에서 우글거리는 천한 군중에게는 전할 수 없는 광명을 홀로 누린다.[124] 그러나 사람이란 고상한 감정만으로 제 계급에서 벗어날 수는 없고, 특권적인 의식도 전혀 존재하지 않으며, 시문(詩文)은 귀족 서임장(貴族敍任狀)이 아니라는 것을 작가가 인식하게 되는 경우가 있다. 또한 사람은 시대에 등을 돌리고 시대를 넘어섰다고 생각할 때 가장 뼈아프게 시대의 충격을 겪는다는 것, 따라서 우리가 시대를 초월하는 것은 시대에서 도피할 때가 아니라 그것을 바꾸기 위해서 스스로 걸머질 때, 다시 말해서 가장 가까운 미래를 향해서 시대를 넘어설 때라는 것을 이해하게 되는 경우가 있다.[125] 그럴 때에는 작가는 모든 사람을 위해서, 그리고 모든 사람과 함께 쓴다. 왜냐하면 그가 자신의 수단으로 해결하려는 문제는 모든 사람의 문제이기도 하기 때문이다. 아닌게아니라, 우리들 중에서 지하 신문(地下新聞)[126]에 협력한 사람들은

124) 특히 보들레르를 염두에 두고 한 말일 것이다.

125) 209쪽 역주 137) 참조.

그들의 논설을 통해서 공동체 전체에 호소했다. 그러나 우리는 충분한 준비가 되어 있지 않았고, 또 일을 능란하게 꾸며 나가지도 못했다. 다시 말해서 저항문학은 괄목할 만한 성과를 가져오지 못했다. 그러나 그 체험의 덕분으로 우리는 어떤 것이 구체적 보편자[127]의 문학이 될 수 있는지를 예감할 수 있었던 것이다.

방금 언급한 익명의 논설들에서 우리는 대체로 말해서 순수한 부정(否定)의 정신만을 행사할 수 있었을 뿐이었다. 완연한 억압과, 그 억압이 자체 유지를 위해서 날마다 날조했던 신화들과 직면해서는, 정신성(精神性)은 곧 거부일 수밖에는 없었다. 대부분의 경우 그 논설들의 주제는 어떤 정치적 행위를 비판하고, 자의적(恣意的)인 조치를 고발하고, 어떤 개인이나 선전에 대해서 경각심을 불러일으키는 것이었다. 그리고 간혹 강제 수용소로 끌려간 사람이나 총살당한 사람을 찬양하는 일이 있었는데, 그것은 그들이 〈노〉라고 말할 수 있는 용기가 있었기 때문이다. 유럽, 인종, 유태인, 반(反)볼셰비키 십자군(十字軍)과 같이, 그들이 밤낮으로 우리의 머릿속에 박아넣으려던 막연하고 종합적인 개념들에 대해서, 우리는 그런 것들을 분쇄할 수 있는 유일한 무기인 전통적인 분석 정신을 일깨워야 했다. 이런 점에서 우리의 기능은 18세기 작가들이 그토록 훌륭하게 수행한 기능의 조촐한 메아리와 같은 것이었다. 그러나 우리의

126) 독일군의 점령시대에 생긴 지하 신문을 말한다. 대표적인 것으로 *Combat*(카뮈가 창간)와 *Liberation*.

127) Universel concret: 208쪽의 정의에 따르자면, 〈특정한 한 사회에 사는 사람들 전체〉, 즉 초시대적 차원에서 생각된 전체적 인간과 대조되는 것.

처지는 디드로나 볼테르와는 달랐다. 우리는, 다만 억압적 행위에 대한 수치심을 불러일으키기 위해서일망정, 문학적 허구를 통해서가 아니면 억압자에게 호소할 수 없었기 때문에,[128] 그리고 억압자들과 내왕한 일도 결코 없었기 때문에, 18세기 작가들처럼, 우리의 직업을 행사함으로써 피억압자의 신분으로부터 벗어날 수 있으리라는 환상을 품을 수는 없었다.

그 대신, 억압의 와중에 있던 우리는 우리 자신과 똑같이 억압당하고 있는 집단을 위해서 그들의 분노와 희망을 대변해 주었다. 만일 우리가 더 운이 좋고 더 능란하고 더 재주 있고 더 많은 응집력이 있고 더 정력적이었다면, 점령된 프랑스에 관한 내적 독백(內的獨白)을 쓸 수 있었을지도 모른다. 하지만 비록 그렇게 할 수 있었다 해도, 크게 자랑삼을 만한 것이 못 되었으리라. 그 당시에 국민전선(國民戰線)[129]은 그 성원들을 직업별로 편성하고 있었는데, 우리들 중에서 각자의 전문 분야를 통해서 저항운동을 하던 사람들은, 의사, 기술자, 철도원 등이 우리들보다 한결 중요한 일을 하고 있다는 것을 모를 수가 없었으니 말이다.

그것은 어떻든 간에, 문학적 부정의 정신이라는 연면(連綿)한 전통의 덕분으로 우리가 쉽게 가질 수 있었던 그러한 태도는 해방 이후에는 체계적인 부정으로 변질하고, 작가와 독자 사이의 괴리를 또다시 극단화시킬 위험이 있었다. 우리는 전쟁을 하고 있었기 때문에, 탈영(脫營), 복종의 거부, 고의적인 열차 탈

128) 아마도 1943년에 독일 점령군 당국의 허가하에 상연된 자신의 희곡 『파리떼 *Les Mouches*』를 염두에 두고 하는 말일 것이다.

129) Front National: 1941년 5월에 조직된 가장 큰 저항운동 단체.

선, 수확물의 방화, 인명에 대한 위해(危害) 등, 모든 파괴적 형식을 찬양했다. 그러나 이제 전쟁은 끝났다. 만일 우리가 그런 행위를 그대로 이어나갔다면, 우리는 초현실주의자들의 집단을 비롯하여, 예술을 영원하고 철저한 소비(消費)의 한 형식으로 삼는 모든 사람들과 한패가 되었으리라. 그러나 1945년은 1918년과는 다르다. 유럽을 지배한다고 생각하면서 포식하고 승리에 취한 프랑스에 대해서, 홍수라도 나라고 저주(詛呪)한 것은 멋있는 짓이었다.[130] 과연 대홍수가 초래되었다. 그렇다면 이제 또 파괴할 것이 무엇이 남았겠는가? 제1차 세계대전 직후의 형이상학적인 대파괴는 기쁨 속에서, 일시에 터져나온 폭발 속에서 이루어졌다. 그러나 오늘날에는 다시 전쟁의 위협이 있고 기아와 독재의 위협이 있다. 우리는 아직도 엄청난 압력을 겪고 있는 것이다. 1918년은 잔치였다. 20세기 동안 쌓아온 문화와 재산으로 환희의 횃불을 밝힐 수가 있었다. 그러나 오늘날 횃불은 저절로 꺼지고 다시 지펴지지 않을 판국이다. 잔치의 계절은 곧 되돌아올 것 같지가 않다.

이러한 궁핍한 시대에는 문학은 너무나 덧없는 소비의 운명에 자신의 운명을 결부시키기를 거부한다. 풍요로운 억압 사회에서는 사치가 문명의 증거로 보이기 때문에, 예술을 지상(至上)의 사치로 생각할 수 있다. 그러나 오늘날 사치는 그 거룩한 성격을 상실했다. 암시장(暗市場)은 사치를 사회 해체의 한 현상이 되게 했고, 사치는 그 매력의 절반을 이루어주던 〈과시적(誇示的) 소비 conspicuous consumption〉[131]의 양상을 상실했다.

---

130) 제1차 세계대전 후의 일. 여기에는 초현실주의자들의 언행에 대한 암시도 포함되어 있다.

131) 이 말은 텍스트에 영어로 나와 있다.

소비하는 사람은 숨고 스스로 고립한다. 그는 사회 계급의 정상(頂上)이 아니라 그 주변에 있다. 순수 소비의 예술은 이제 허공에 떠 있을 따름이리라. 그것은 이미 요리나 복장이 주는 알찬 기쁨과도 무관하리라. 기껏해야 몇몇 특권자들에게 고독한 도피와 자독적(自瀆的)인 향락의 구실이 되고 감미로운 생활을 그리워하는 기회를 베풀어주는 것이리라.

유럽 전체가 무엇보다도 재건(再建)에 매달리고 무릇 나라들이 수출을 위해서 생활 필수품조차 내핍(耐乏)하고 있을 때, 카톨릭 교회처럼[132] 모든 상황에 적응하면서 어떻게든지 자구책(自救策)을 세우려는 문학은 다른 또 하나의 면모를 보이고 있다. 그것은 즉 다음과 같은 문학관이다. 「글을 쓴다는 것은 사는 것이 아니다. 반대로 고요히 가라앉은 세계에서 플라톤적인 본질이나 미(美)의 원형을 관조(觀照)하기 위해서 삶에서 도피하는 것도 아니다. 또한 그것은 우리의 배후에서 느닷없이 나타난 미지의 알 수 없는 말들에 의해서 마치 칼침을 맞듯 난자당하는 것도 아니다. 그것은 단순히 직업을 행사하는 것이다. 수련 과정과 꾸준한 작업과 직업 의식과 책임감을 요구하는 그런 직업을 행사하는 것이다」

한데, 그 책임이라는 것은 우리가 발견한 것이 아니다. 그렇기는커녕, 작가는 100년 전부터, 순수한 상태에서, 선악(善惡)의 피안에서, 말하자면 죄악 이전의 처지에서 자신의 예술에 빠져들기를 꿈꾸어왔다. 우리의 책임이나 의무가 있다고 해도, 그것은 사회가 우리에게 방금 떠맡긴 것일 따름이다. 사회는 우리를 매우 무서운 존재로 생각하는 모양이다. 그것은 적

132) 특히 교황청이 제2차 세계대전중에 중립적 입장을 취한 것을 시사하는 것이다.

(敵)과 협력한 실업가는 석방했지만, 같은 죄를 저지른 우리의 동업자에게는 사형을 선고한 것으로 보아도 알 수 있다. 오늘날 들려오는 말로는, 대서양 장벽[133]에 관해서 떠들기만 했던 것보다는 그것을 구축한 것이 나았다고들 한다. 나는 그런 소리에 특별히 분개하지는 않는다.

사회 집단이 우리와 같은 작가들에 대해서 무자비한 태도를 보이는 것은 우리가 순수한 소비자이기 때문이다. 한 작가를 총살해 버리면 부양할 인구가 한 사람 주는 셈이 된다. 반대로 가장 하찮은 생산자라도 그가 사라지면 국가에 한결 큰 손실이 될 것이다.[13] 나는 물론 그것이 정당한 일이라고 말하려는 것은 아니다. 도리어 이런 사고 방식은 가지가지의 악폐(惡弊)와 검열과 박해의 길을 열어놓는 것이 된다. 우리는 우리의 직업에 어떤 위험이 따른다는 것을 도리어 기쁘게 생각해야 한다. 우리가 숨어서 글을 쓰고 있었을 때는 우리의 위험은 근소(僅少)했고, 인쇄소의 사람들이 큰 위험에 노출되어 있었다. 나는 그것을 부끄럽게 생각한 일이 많았다. 그리고 이 사실은 말하자면 언어의 감축(減縮)을 꾀해야 한다는 것을 우리에게 가르쳐주었다. 한마디 한마디의 말이 생명을 좌우하는 상황에서는 말을 절약해야 하며, 반주까지 붙이려고 늑장을 부려서는 안 된다. 가장 긴요한 이야기만 짧게 해야 하는 것이다. 1914년의 전쟁은 언어의 위기를 재촉했지만,[134] 1940년의 전쟁은 언어의 가치를 다시 드높였다고 말하고 싶다. 그러나 이제 우리의 이름을 다시 적을

133) le mur de l'Atlantique: 1941–1944년에 독일이 연합군의 상륙을 저지하기 위해서 영불해협으로부터 북해에 걸쳐 대서양 연안에 마련한 방어선. 완성하지는 못했다.

134) 22쪽 역주 9) 참조.

수 있게 된 지금에 와서는, 우리는 위험을 스스로 걸머지는 것이 바람직하다. 아무튼 지붕 까는 사람은 늘 더 큰 위험을 무릅쓰는 것이니 말이다.

생산을 강조하고 소비를 최소한의 필수품으로 제한하는 사회에서는, 문학 작품은 물론 무상적(無償的)인 것일 수밖에는 없다. 비록 작가가 작품을 창조하는 데 바치는 노고를 강조하고, 그 노고 자체가 기술자나 의사의 일과 똑같이 힘드는 것이라는 점을 정당하게 지적한다 하더라도, 창조된 작품이 어떤 〈재물〉과 동등시(同等視)될 수는 결코 없다는 것은 여전히 사실이다. 한데, 이 무상성은 우리를 슬프게 하기는커녕 도리어 우리의 자랑이며, 우리는 그것이 자유의 이미지라는 것을 알고 있다.

예술 작품이 무상적인 것은, 그것이 절대적 목적이며, 수용자에 대해서 정언명령(定言命令)으로서 주어지기 때문이다. 따라서 예술 작품은 그 자체로서는 생산 활동이 될 수도 없고 또 그렇게 되기를 바라지도 않지만, 그 대신 생산하는 사회의 자유로운 의식이 되고자 한다. 다시 말해서, 옛날에 헤시오도스[135]가 그랬듯이, 생산 활동을 생산자에게 자유의 입장에서 반영해 주고자 한다. 물론 그 진저리나는 노동문학(피에르 앙프Pierre Hamp[136]가 그것의 가장 해롭고 따분한 대표자였지만)과의 연줄을 다시 맺어보자는 것은 아니다. 그러나 방금 말한 바와 같은 반

---

135) Hesiodos: 고대 그리스의 시인. 도덕적, 교훈적 목적에서 시를 썼다. 그는 『노동과 나날』에서, 노동이 모든 인간의 공통적인 의무임을 강조하고, 농촌의 고단하면서도 경건한 일상 생활을 찬양했다.

136) Pierre Hamp(1876~1962): 소설가. 육체 노동자와 장인들의 고달픈 생활을 예찬한 작품들을 썼다. 『인간의 고역*La Peine des hommes*』이라는 총칭으로 27권의 소설을 집대성했다.

영은 호소인 동시에 초월이므로, 이 시대의 사람들에게 그들의 〈노동과 나날〉을 보여줌과 아울러, 그 생산 활동의 원칙과 목적과 내적 구조를 밝혀주어야 하는 것이다.

부정(否定)이 자유의 일면이라면 또 하나의 면은 건설이다. 한데 우리 시대의 역설은, 건설적 자유가 어느 때보다도 더욱 의식화될 판국에 이르고 있으면서도, 이토록 깊이 소외된 일은 아마도 일찍이 없었다는 점에 있다. 노동이 이토록 왕성한 생산성을 보이면서도, 생산품과 생산의 의미가 이토록 완전히 노동자들로부터 박탈당한 일은 일찍이 없었다. 〈만드는 인간 Homo Faber〉이 스스로 역사를 만들고 있다는 것을 이토록 철저하게 이해하면서도, 역사 앞에서 이토록 무력감을 느낀 일도 일찍이 없었다.

우리의 역할은 너무나 분명하다. 즉, 문학이 부정성(否定性)이라는 차원에서 할 일은, 노동의 소외에 대해서 항의하는 것이다. 그리고 문학이 창조이며 초월이라는 점에서는, 그것이 할 일은 인간을 〈창조적 행동〉의 측면에서 제시하고, 보다 나은 상황을 향해서 현재의 소외를 초월하려는 인간의 노력에 협력하는 것이다. 소유, 행위, 존재가 인간이라는 현실의 기본적 범주인 것이 사실이라면,[137] 소비의 문학은 존재와 소유 사이의 관계를 고찰하는 데 그쳤다고 말할 수 있다. 그 문학은 감각을 향락과 결부시켰는데, 그것은 철학적으로 허위이다.[138] 그들은

137) 과연 『존재와 무』의 제4부는 〈Avoir, Faire et Etre〉라는 제목으로 되어 있다. 그러나 이 세 가지의 범주에 대한 고찰은 존재론적 차원에서의 논의이며, 그 사회적, 집단적 차원에서의 고찰은 후일 『변증법적 이성비판』에서 이루어졌다.

138) 「감각은 주관적인 것과 대상적인 것으로 혼성된 관념이다. 그것은 우선 대상으로부터 출발해서 착상(着想)되고, 그 다음으로는 주체에 적용

또한 가장 잘 향락할 줄 아는 자가 가장 짙게 사는 자라고 생각했다. 『자아예찬』에서 『세계의 소유』에 이르기까지, 그리고 『지상의 양식』과 『바르나보트의 일기』[139]에 있어서도, 존재한다는 것은 소유한다는 것이다. 바로 이러한 향락에서 태어난 예술 작품은 그 자체가 향락이며 혹은 향락의 약속이라고 주장한다. 이리하여 한 바퀴 돌아 제자리로 돌아오게 된 것이다.

우리는 이와 반대로 역사적 상황이라는 견지에서 〈존재〉와 〈행위〉의 관련을 밝혀야만 하는 형편에 처하게 되었다. 인간의 존재는 행위에 따라, 자신을 만들어 나가는 그 행위에 따라 결정되는 것인가? 노동이 소외되어 있는 현재의 사회에서도 역시 그런 것인가? 〈무엇을〉 할 것인가? 〈오늘날〉 어떤 목적을 선택할 것인가? 그리고 〈어떻게〉 할 것인가? 어떤 수단을 사용할 것인가? 폭력을 바탕으로 삼고 있는 사회에서 목적과 수단의 관계는 어떤 것인가?

이러한 문제에 관심을 집중하는 작품은 우선 독자를 즐겁게 해주는 것을 목표로 삼을 수는 없다. 그것은 비위를 거스르고, 불안을 초래하고, 수행해야 할 과업처럼 읽혀지기를 요구하고, 결론 없는 탐구로 향하게 하고, 결말이 불확실한 체험에 참여하

된 관념이다. 그것은 사실상 존재하는지 아니면 다만 이론상 존재하는지 알 수 없는 사생아적인 존재이다. 감각이란 심리학자들의 순전한 몽상의 산물이며, 의식과 세계의 관계에 관한 모든 진지한 이론으로부터 단연코 배제되어야 한다」(*L'Etre et le néant*, 378쪽 참조)

139) *Culte de Moi*(1888–1891): 바레스의 3부작.
La Possession du monde(1919): Duhamel의 평론집.
Les Nourritures terrestres(1895): 지드의 산문.
Journal de Barnabooth(1913): Larbaud의 소설. 여기에서 말하는 〈소유〉란, 물질적 소유가 아니라. 세계가 베푸는 기쁨을 감각적으로 〈향유〉하는 것을 의미한다.

게 한다. 고뇌와 질문에서 태어난 그런 작품들은 독자에게 향락의 대상일 수가 없고, 똑같은 고뇌와 질문으로서 존재하는 것이다. 만일 우리가 성공한 작품을 만든다 해도, 그것은 오락거리가 아니라 집념(執念)의 소산일 따름이리라. 그것은 〈구경하기〉 위해서가 아니라 바꾸기 위해서, 세계를 제시할 것이다. 그러면 닳고 닳을 정도로 만지고 냄새 맡아온 이 낡은 세계는 손해를 보기는커녕, 새롭게 태어날 것이다.

쇼펜하우어 이래로 많은 사람들은 인간이 권력 의지를 잠재울 때야 비로소 사물들이 자못 당당하게 제 모습을 드러낸다고 생각해 왔다.[140] 다시 말해서 사물은 한가한 소비자들에 대해서만 그 비밀을 계시한다는 것이다. 따라서 사물을 가지고 무엇을 〈하려고〉 하지 않을 때에만, 사물에 대해서 〈글을 쓰는 것〉이 허용된다는 이야기이다. 사실 지난 세기의 그 지루한 묘사는 유용성(有用性)의 거부였다. 그것은 세계에 손을 대는 것이 아니라, 세계를 눈으로 꿀꺽 삼켜버리려는 것이었다. 작가는 부르주아 이데올로기와 반대되는 입장에 서서, 사물에 대해서 이야기할 어떤 특별한 순간을 선택했다. 그것은 시선(視線)이라는 가는 줄을 제외하고는, 작가와 사물들을 맺어놓은 모든 구체적 연줄이 끊어지는 순간, 사물들이 그가 보는 앞에서 서서히 해체되어, 절묘한 감각을 자아내는 풀린 꽃다발처럼 되는 순간이었다.

그것은 인상(印象)의 시대였다. 이탈리아의 인상, 스페인의

140) 권력 의지가 없을 때 사물들이 제 모습을 나타낸다는 생각은 사실 쇼펜하우어로부터 비롯된 것이 아니라, 고래로 모든 철학적, 종교적 관조(觀照)의 기초에 깔려 있는 것이다. 사르트르 자신의 『구토』를 보더라도, 그 주인공이 〈우연성〉이라는 사물의 본체를 파악할 수 있는 것은 그가 일체의 기도에서 벗어나 있기 때문이다.

인상, 동양의 인상의 시대였다. 문학자가 꼼꼼하게 섭취한 풍경을 그려보이는 것은 언제냐 하면, 소화(消化)되기 직전과 소화의 시작이 겹치는 애매한 순간이었다. 주관성이 대상물에 침투했지만, 그 산(酸)이 대상물을 녹이기 시작하기 이전의 순간, 들과 숲이 아직도 들과 숲으로 머무르면서도 벌써 심정(心情)에 의해서 물들여진 순간이었다. 부르주아의 책에는 반질반질하게 유약을 바른 세계가 깃들여 있었다. 별장 생활자를 위한 그런 세계는 우리에게 기껏해야 얌전한 기쁨이나 고상한 우수(憂愁)를 베풀어주었다. 우리는 창 밖으로 그 풍경을 내다볼 뿐이며, 그 안에 자리잡고 있는 것은 아니다. 한데 소설가가 그런 풍경 속에 농부(農夫)들을 가져다 놓는 경우에는, 그들은 산의 쓸쓸한 그림자나 반짝이는 강물과는 어울리지 않는다. 그래서 열심히 땅을 갈아엎는 그 농부들의 모습을, 나들이옷을 입은 꼴로 그려놓는 것이다. 안식일(安息日)의 세계에 잘못 끼여든 이 농부들은, 마치 장 에펠[141]이 그린 한 만화에서 프뤼보가 안내해 온 한림회원(翰林會員), 「내가 그림을 잘못 알고 들어온 것 같군」 하고 변명하는 그 한림회원과도 흡사하다. 혹은 그 농부들마저 사물로, 그리고 동시에 심상(心象)[142]으로 변신시켜 버린 것인지도 모른다.

우리의 경우에는 〈행위〉가 〈존재〉를 밝혀준다. 동작 하나하나가 대지(大地)에 새로운 모습을 그려보이고, 기술과 도구는

141) Jean Eiffel(1908–1982): 정치적 풍자 만화의 작가. Pruvost는 그의 만화의 주인공.

142) Amiel(1821–1881)의 말, 「모든 풍경은 심상이다. Un paysage quelconque est un état d'âme」 참조.

제각기 세계를 향해서 열린 의미를 나타낸다. 사물들은 그것을 사용하는 방법 여하에 따라서 허다한 모습을 띤다. 우리는 세계를 소유하려는 사람들의 편이 아니라, 세계를 바꾸려는 사람들의 편이며, 세계는 오직 그것을 바꾸려는 기도 앞에서만 그 존재의 비밀을 드러내는 것이다. 하이데거Heidegger의 말을 빌리자면, 우리가 장도리에 대해서 가장 잘 아는 것은, 무엇을 박기 위해서 그것을 사용할 때이다. 마찬가지로 못에 대해서 가장 잘 아는 것은 벽에 못질을 할 때이며, 벽에 대해서 가장 잘 아는 것도 거기에 못을 박을 때이다.

생텍쥐페리는 우리에게 길을 열어보였다. 조종사에게는 비행기가 지각 기관(知覺器官)이라는 것을 그는 보여주었다.[14] 시속 600킬로미터로 날면서 상공에서 새롭게 조망할 때, 산맥은 서로 얽힌 뱀들이다. 산들은 몸을 움츠리고 검게 변모하고, 시커멓게 불탄 그 울퉁불퉁한 머리를 하늘로 쳐들어, 해치고 들이받으려고 한다. 속도는 그 수렴력(收斂力)으로 말미암아, 대지라는 옷의 주름들을 그 주위에 모으고 압축한다. 그래서 산티아고가 파리의 근처로 튀어오르고, 만사천 피트의 높이에서는 산안토니오를 뉴욕 쪽으로 끌어당기는 은연한 인력이 철로(鐵路)처럼 반짝인다.

생텍쥐페리가 나오고 헤밍웨이가 나온 이후인 지금, 우리는 감히 어떻게 객관적으로 묘사할 생각을 할 수 있겠는가? 우리는 사물을 행동 속으로 젖어들게 해야 한다. 독자가 사물의 존재의 밀도를 측정하는 것은, 그것이 인물들과 갖게 되는 실천적 관계의 다양성(多樣性) 여하에 따라서이다. 밀수꾼과 세관원과 빨치산으로 하여금 산을 기어오르게 하고, 비행사로 하여금 그 상공을 나르게 해보아라.[15] 그러면 산은 이러한 여러 연관된 행동으로부터 솟아나고, 마치 도깨비 상자에서 튀어오르는 인형처럼 당신의 책에서 튀어오를 것이다. 이렇듯 세계와 인간은 〈기도〉를 통해서 밝혀진다. 그리고 우리가 말할 수 있는 모든 기도는 〈역사를 만든다〉는 단 하나의 기도로 귀착한다. 이제 우리는 〈헥시스〉의 문학을 버리고 〈프락시스〉의 문학을 시작해야 하는 순간까지 인도(引導)된 것이다.[143]

역사 속에서 전개되고 역사에 작용하는 행동으로서의 프락시스, 다시 말해서 역사적 상대성과 도덕적 및 형이상학적 절대의 종합으로서의 프락시스, 그리고 프락시스를 통해서 밝혀지는 적대적(敵對的)이고도 우애적(友愛的)이며, 끔찍하고도 하찮은 이 세계——이것이 우리의 주제이다. 그러나 우리가 이 까다로운 길을 스스로 선택했다고 말하려는 것은 아니다. 우리들 중에는 아름답고 비통한 사랑의 소설을 구상하고 있다가 영원히 포기하고만 사람들도 분명히 있을 것이다. 문제는 시대를 선택하는 것이 아니라, 시대 속에서 자신을 선택해야 하는 것이기 때문이다.

이제 태어나려는 생산의 문학은 그것과 대립되는 소비의 문학을 잊게 할 수는 없을 것이다. 그것은 소비의 문학보다 우월(優越)한 지위에 올라서려는 야심을 가지고 있지 않고, 또 아마도 결코 그것에 필적(匹敵)할 수조차 없을 것이다. 생산의 문학이 현실의 바닥까지 파헤칠 수 있고, 글쓰기라는 예술의 본질

143) hexis: 사르트르는 exis로 잘못 표기하고 있다. 인간의 정신과 행위의 습관적이며 굳어진 도식.
praxis: 역사적, 사회적 목표와의 관련하에서 생각된 의식적 행동.

을 실현시킨다고 주장할 사람은 아무도 없을 것이다. 심지어 그것은 머지않아 자취를 감출지도 모른다. 우리에 뒤이어 온 세대의 태도는 애매해 보인다. 그들의 소설 중에는 도둑질하듯 벌이는 슬픈 축제(祝祭)와 같은 것이 많다.[144] 그것들은 독일군 점령 당시, 공습경보의 사이사이에 에로산 포도주[145]를 마시며 전전(戰前)의 레코드의 소리에 맞추어서 춤추던 젊은이들의 서프라이즈 파티 surprise party를 연상시킨다. 그렇게 된다면 혁명은 실패할 것이다. 그리고 비록 프락시스의 문학이 성공적으로 자리잡는다 해도, 그것은 헥시스의 문학과 마찬가지로 미구에 사라지고 다시 헥시스의 문학이 되돌아올 것이다. 그리하여 아마도 앞으로 수십 년에 걸쳐서 양자(兩者)의 교체가 반복되리라. 이것은 우리가 프랑스 대혁명에 비해 한결 더 중요한 또 하나의 대혁명에서 결정적으로 실패하고 말리라는 것을 의미할 것이다. 문학이 궁극적으로 그 본질을 이해하고, 프락시스와 헥시스를, 부정과 건설을, 행위와 소유와 존재를 종합하여, 진실로 〈총체적 문학〉이라는 이름에 마땅하게 될 수 있는 것은, 오직 사회주의적 집단이 이루어졌을 때의 일일 것이다. 그때까지는 우리의 땅을 갈자.[146] 해야 할 일이 있으니까 말이다.

---

144) 어떤 작가를 두고 말하는 것인지 분명하지 않다. 그러나 『나날의 포말 *Les Ecumes des jours*』(1947)과 같이 환상적인 것과 깊은 슬픔이 함께 있는 소설을 쓴 Boris Vian(1920-1959)을 생각하고 있는 것인지도 모른다. 더구나 그는 1946년부터 *Les Temps modernes*에 글을 발표했고, 사르트르의 특별한 관심의 대상이었다.

145) vin de l'Herault: 에로는 프랑스 서남부지방의 강. 그 부근에서는 싸고 질 좋은 포도주가 생산된다. 제2차 세계대전중에 그 지방은 독일군의 점령 지역이 아니었다.

146) 볼테르의 *Candide*의 마지막 장면에 나오는 말. 인생과 사회의 우여곡절을 두루 체험한 주인공의 이 발언을 통해서, 볼테르는 미래가 어떻게

사실, 문학을 자유로서 인식하는 것, 소비를 증여(贈與)로서 대치하는 것, 과거의 작가들의 귀족적인 낡은 거짓말을 포기하는 것, 그리고 우리의 작품을 통해서 집단 전체에게 민주주의적 호소를 던지려고 하는 것이 전부가 아니다. 그 이외로, 누가 우리의 책을 읽는 것인지, 현재의 사태로 볼 때 〈구체적 보편자〉를 위해서 쓰려는 우리의 욕구는 한낱 유토피아적인 발상에 지나지 않는지를 따져보아야 한다. 만일 우리의 소원이 실현된다면, 20세기의 작가는 피억압 계급과 억업 계급의 사이에서, 18세기의 작가가 부르주아지와 귀족 계급의 사이에서 차지했던 것과 유사한 입장, 리처드 라이트Richard Wright가 흑인과 백인의 사이에서 차지했던 것과 유사한 입장을 차지할 것이다. 피억압자와 마찬가지로 억압자에 의해서도 읽히고, 억압자에 반대하여 피억압자를 위한 증인이 되고, 억압자의 진실한 모습을 외부와 내부로부터 보여주고, 피억압자와 함께 그리고 피억압자를 위해서 억압을 의식화(意識化)하고, 건설적이며 혁명적인 이데올로기의 형성에 공헌하는 작가가 될 것이다. 그러나 불행하게도 우리는 시대착오적인 희망에 끌리는 일이 많다. 프루동과 마르크스의 시대에 가능했던 것은 오늘날 이미 가능한 것이 아니다. 그러니 문제를 처음부터 다시 검토하고, 우리의 독자층에 대해서 편견 없는 성찰을 해야 한다.

이 점에서 볼 때, 작가의 입장이 이토록 역설적(逆說的)이었던 일은 일찍이 없었다. 그 입장은 가장 모순된 특징으로 이루어져 있는 것처럼 보인다. 긍정적으로 보자면, 외양(外樣)이 찬란하고 크나큰 가능성이 열려 있고, 요컨대 매우 부럽게 살고 있는 것

될지 모르지만 우선 세상을 위해서 할 수 있는 일을 하자는 실제적인 도덕을 천명하고 있다.

같다. 그러나 부정적 측면에서 보자면, 오직 문학이 죽어가고 있다는 것 한 가지뿐이다. 그것은 작가에게 재주가 없다거나 선의(善意)가 없어서가 아니라, 오늘날의 사회에서는 문학이 이미 아무 할 일도 없기 때문이다. 우리가 프락시스의 중요성을 인식하고, 〈총체적〉 문학이 무엇인지를 가늠할 수 있게 된 바로 그 때, 우리의 독자는 와해되어 사라져버린 것이다. 우리는 이제 문자 그대로 누구를 위해서 써야 하는지를 모르게 된 것이다.

언뜻 생각하기에는, 만일 과거의 작가가 우리를 본다면 우리의 처지를 분명코 부러워할 것처럼 여겨진다.[16] 「우리는 보들레르가 겪은 괴로움으로부터 이득을 보고 있다」고 언젠가 앙드레 말로가 말한 일이 있다. 나는 그 말이 전적(全的)으로 옳다고는 생각하지 않는다. 그러나 보들레르가 독자를 못 얻고 죽은 반면에, 우리는 미처 진가를 발휘하지도 못하고, 또 앞으로 그럴 수 있을지조차 알 길이 없는데도, 전세계에 걸쳐서 독자를 가지고 있다. 그런 것을 생각하면 얼굴이 붉어지지만, 요컨대 우리 자신의 탓은 아니다. 모든 것은 상황의 소산이다. 전전(戰前)의 경제 자립 정책과, 뒤미처 온 전쟁 때문에, 국내의 독자는 외국 작품의 연간(年間) 수입량의 혜택도 얻지 못했다. 한데 오늘날에는 그것을 벌충하느라고 갑절의 양을 소화하고 있다. 이 점에 있어서만은 압력이 빠져나가고 있다. 그리고 여러 국가들이 여기에 참여하고 있다. 내가 다른 곳에서도 말한 바 있지만, 패전(敗戰)하거나 황폐한 나라들은 얼마 전부터 문학을 수출 품목(輸出品目)으로 삼기 시작했다. 공공 기관들이 관여하고 나서부터는, 이 문학 시장은 확대되고 공식화되었다. 여기에서도 덤핑(가령 미국의 해외판), 보호무역주의(캐나다와 중부 유럽의 몇

몇 나라들), 국제 협약과 같은 통상적(通常的)인 절차가 적용되었다. 여러 나라들이 〈다이제스트 판〉으로, 즉 그 이름이 말하듯이 이미 소화(消化)된 문학으로, 문학적 암죽으로 상대국을 서로 범람시키고 있다. 단적으로 말해서, 시문(詩文)도 영화와 마찬가지로 산업화된 예술로 되어가고 있는 중이다. 우리는 물론 그 덕을 보고 있다. 콕토, 살라크루, 아누이[147]의 희곡이 도처에서 상연되고 있다. 출간 후 3개월도 안 되어 예닐곱 나라 말로 번역된 많은 작품들의 예를 얼마든지 들 수도 있다.

그러나 이런 호황은 겉모양일 뿐이다. 우리의 작품을 읽는 독자가 뉴욕이나 텔아비브에 있을지 모르지만, 파리에서는 용지(用紙)가 부족해서 발행 부수가 제한되었다. 그 결과 독자가 늘었다기보다는 차라리 분산되었다고 말해야 할 것이다. 아마 네댓 외국에서 1만 명이 우리의 작품을 읽고 또 우리나라에서도 역시 1만 명이 읽고 있는지도 모른다. 이렇듯 2만의 독자가 있다면, 전전(戰前)의 표준으로 볼 때, 얼마만큼은 성공한 셈이 된다. 그러나 이러한 세계적인 명성은 우리 선배들이 누린 국내의 명성보다 한결 불안정한 것이다. 용지 생산이 늘고 있는 것은 나도 안다. 그러나 때를 같이하여, 유럽의 출판은 위기에 봉착하고 있다. 따라서 판매 부수에는 변화가 없는 것이다.

---

147) Armand Salacrou(1899~1989): 극작가. 초현실주의로부터 부르주아 코미디에 이르기까지 작품이 다양하다. 그러나 알 수 없는 모험에 끼여든 인간의 괴로움을 부각한 데에 특징이 있다.

Jean Anouilh(1910~1987): 극작가. 순수성의 향수에 끌리면서도 현대의 사회와 생활에서 그것을 이룰 수 없는 비극이 그의 주제를 이룬다. 그의 대표작의 하나인 『안티고네 *Antigone*』(1944)는 우리나라에서도 자주 상연되었다.

비록 우리가 프랑스 밖에서 유명하다 하더라도 기뻐할 이유는 없을 것이며, 그것은 실속 없는 영광에 지나지 않으리라. 여러 나라들은 산과 바다에 의해서 갈려 있는 이상으로, 경제적, 군사적 잠재력(潛在力)의 차이에 의해서 갈려 있다. 한 사상은 그런 잠재력이 높은 나라로부터 낮은 나라로, 가령 미국으로부터 프랑스로, 〈내려갈〉 수는 있지만 〈거슬러 오르지는〉 못한다. 물론 신문도 많고 국제적 접촉도 많아서, 미국 사람들도 유럽에서 주장되는 문학 이론이나 사회 이론에 관한 이야기를 마침내 듣게 될 것이다. 그러나 그 이론들은 거슬러 오르면서 힘이 빠진다. 잠재력이 낮은 나라에서는 독살스러웠던 이론들도 정상에 오르게 되면 기운을 잃고 만다. 미국의 지식인들은 유럽의 여러 사상을 꽃다발처럼 엮어서 잠시 그 냄새를 맡다가는 내던져버린다. 왜냐하면 그 꽃다발은 다른 풍토에서보다도 미국에서 더 빨리 시들기 때문이다. 러시아로 말하자면 여기저기에서 채집해서, 제 나라의 양분(養分)으로 쉽게 전환시킬 수 있는 것만을 취한다. 유럽은 정복되고 망하고 자신의 운명을 좌지우지할 수 없게 되었다. 그러기에 그 사상들은 제 테두리에서 벗어나지 못하는 것이다. 사상이 교환되는 유일한 구체적 회로는 영국, 프랑스, 북유럽의 나라들, 그리고 이탈리아이다.

사실, 우리의 책이 읽힌다기보다도 우리의 평판이 더 널리 퍼져 있다. 스스로는 바라지 않는데도, 우리는 새로운 수단들에 의해서, 새로운 입사각(入射角)을 통해서 여러 사람들과 접촉하게 된다. 하기야 책은 여전히 적의 진지를 일소(一掃)하고 점령하는 중보병(重步兵)이다. 그러나 문학은 또한 비행기, V_1, V_2[148]따위를 갖추고 있어서, 결정적인 영향은 못 주면서도 멀리까지 날아가서 불안을 자아내고 성가시게 굴 수가 있다. 우선 신문이 그렇다. 한 작가는 1만 명의 독자를 겨냥하고 쓰는 것이 보통이었다. 한데 오늘날에는 주간지의 비평란(批評欄)이 작가에게 주어진다. 그러면 그 작가는 아무 가치 없는 글을 쓰더라도 30만의 독자를 갖는 셈이 된다. 그 다음으로는 라디오가 있다. 나의 희곡 중의 하나인 『닫힌 방』[149]은 영국에서는 검열에 걸려 상연되지 못했지만, BBC가 네 번이나 방송했다. 영국의 무대에서는, 비록 성공했다는 있을 수 없는 가정을 세워보더라도, 2만 내지는 3만 이상의 관객을 동원할 수는 없었을 것이다. 한데 BBC의 연극 방송은 내게 자동적으로 50만의 관객을 마련해 준 것이다. 마지막으로 영화의 경우가 있다. 프랑스에서는 4백만의 사람들이 영화관을 드나든다. 금세기(今世紀) 초에 폴 수데[150]가 앙드레 지드에게, 자기의 작품들을 한정판으로 낸다고 비난한 것을 기억하는 사람이 있겠지만, 영화화된 『전원교향곡』[151]의 성공을 보면 그간의 사정이 얼마나 달라졌는지를 짐작할 수 있을 것이다.

다만 문예란(文藝欄)을 담당한 그 작가가 갖고 있는 30만 명의 독자 중에서, 그가 재능을 최대한으로 발휘한 책을 사 보겠다는 사람은 기껏 수천 명에 지나지 않을 것이다. 그리고 그 이

148) V1, V2: 제2차 세계대전중에 독일군이 사용한 장거리 폭탄.
149) *Huis clos*(1944): 〈지옥은 타인이다〉라는 유명한 말이 나오는 이 희곡은 프랑스에서는 큰 성공을 거두고, 미국에서도 호평을 받았으나, 영국에서는 검열의 대상이 되었다.
150) Paul Souday(1869–1929): 평론가.
151) *La Symphonie pastorale*: 지드의 이 소설은 1946년 Jean Delannoy 감독에 의해서 영화화되었다.

외의 사람들은 주간지의 제2면에서 골백 번이나 보았기 때문에 그의 이름을 알고 있을 따름이리라. 마치 어떤 노폐물 제거약(除去藥)의 이름을 신문의 제12면에서 골백 번이나 보아서 알고 있듯이 말이다. 만일 『닫힌 방』을 극장에 가서 구경하려던 영국 사람들이 있었다면, 그들은 신문 기사나 방송에 나온 비평을 믿고, 제 나름대로 작품을 판단하기 위해서 일부러 갔을 것이다. 이와 반대로 BBC의 청취자들은 라디오의 스위치를 켰을 때, 그 희곡이 무엇인지 모르고 또 나의 존재조차도 모르고 있었다. 그들은 다만 여느 때와 마찬가지로 목요일의 연극 방송을 들으려고 했을 따름이다. 그리고 방송이 끝나기가 무섭게, 과거에 들었던 방송과 마찬가지로 잊어버리고 말았다.

영화관에서는 관객은 우선 인기 배우들에게 끌리고, 그 다음으로는 감독의 이름에, 그리고 마지막으로 작가의 이름에 끌린다. 어떤 사람들의 머리에는 최근에야 지드의 이름이 무슨 강도처럼 뚫고 들어갔으리라. 그러나 그 이름은 미셸 모르강[152]의 아름다운 얼굴과 야릇하게 결부되어 있다고 나는 확신한다. 하기야 영화의 덕분으로 작품이 수천 권이나 팔리는 일이 있었지만, 이 새로운 독자들의 눈에는, 작품이 다소간을 막론하고 영화의 충실한 주석(註釋)처럼 보이는 것이다. 작가가 더 많은 독자를 획득함에 따라서, 독자와의 접촉은 도리어 더 엷어진다. 작가는 그가 행사하는 영향이 제 본뜻과 다르다는 것을 알게 된다. 그의 생각은 다르게 수용되고 왜곡되고 속화(俗化)되고, 권태와 실의에 잠긴 사람들에 의해서 더욱더 무관심하게, 그리고 더 회의적으로 받아들여진다. 그런 사람들은 작가가 그들의 〈고

---

152) Michèle Morgan(1920–): 『전원교향곡』에서 주인공 Gertrude의 역할을 맡은 유명한 여배우.

향의 말〉로 이야기해 주지 못하기 때문에 문학을 아직도 심심풀이로 생각하는 것이다. 남는 것은 다만 이름에 붙어 다니는 상투적 구절들뿐이다. 그리고 우리의 평판은 우리의 책보다, 다시 말해서 크고 작은 그 가치보다 한결 더 멀리 퍼지는 것이기 때문에, 일시적인 인기를 얻었다고 해서 그것이 구체적 보편자의 각성(覺醒)의 징조라고 생각해서는 안 된다. 그것은 도리어 문학적 인플레이션의 징조일 따름이다.

이런 일은 대수로운 것이 아닐지도 모른다. 요컨대 정신을 바짝 차리기만 하면 될 테니까 말이다. 결국 문학이 산업화(産業化)하는 것을 막는 것은 우리에게 달려 있는 것이다. 그러나 더 나쁜 사태가 있다. 우리에게는 독자들은 있으나 공중(公衆) public이 없는 것이다.[17] 1780년에는 오직 억압 계급만이 이데올로기와 정치 조직을 가지고 있었다. 부르주아지에게는 정당도 자아 의식도 없었는데, 작가는 군주 정치와 종교의 낡은 신화(神話)를 비판하면서, 그리고 자유, 정치적 평등, 인신보호령(人身保護令)[153)]과 같은 주로 소극적 내용을 담은 몇몇 기본 관념을 제시하면서, 직접 그 부르주아지를 위해서 일했다. 1850년에는, 의식화되고 체계적인 이데올로기를 갖춘 부르주아지의 앞에서, 프롤레타리아는 다만 헛되고 절망적인 분노에만 휩싸여 있을 뿐, 아직도 형체가 잡히지 않고 또렷한 자아 의식도 없었다. 제1인터내셔널[154)]이 프롤레타리아에게 영향을 주었다 해도, 그것은 표면뿐이었다. 모든 일이 이제부터 시작되어야 할

---

153) Habeas corpus: 1679년 영국에서 제정된 것. 구금(拘禁)의 정당성 여부를 조사하여 인신을 보호할 목적으로, 피구금자를 출두시킨 영장.
154) 201쪽 역주 130) 참조.

형편이었고, 작가는 노동자들에게 직접적으로 호소할 수도 있었으리라. 우리가 앞서 본 것처럼 작가는 그 기회를 놓치고 말았다. 그러나 그는 적어도 부르주아적인 가치에 대한 부정적 태도를 보임으로써, 자신의 인식이나 의도와는 상관없이 피억압 계급의 이익에 이바지한 것이 되었다.[155)]

이리하여 그 두 경우에 있어서 다 같이 작가는 억압자에 반대하여 피억압자의 편이 되고 피억압자의 의식화를 도울 수 있도록 상황이 펼쳐졌던 것이다. 다시 말해서 문학의 본질이 역사적 상황의 요청과 일치했다. 그러나 오늘날에는 사태가 뒤집혔다. 억압 계급은 그의 이데올로기를 상실했고, 그 자아 의식은 흔들리고, 그 경계(境界)는 명확히 규정될 수 없는 것이 되었다. 그래서 자신의 사정을 털어놓고 작가에게 도움을 요청하고 있다. 이와 반대로 피억압 계급은 당에 꽉 끼여들고 엄격한 이데올로기의 갑옷 속에 갇혀, 폐쇄된 집단이 되어가고 있다. 그 계급과의 접촉은 이미 중개자(仲介者) 없이는 불가능하다.

부르주아지의 운명은 유럽의 지배적 세력 및 식민주의와 결부되어 있었다. 그러나 유럽이 자신의 운명을 지배할 수 없게 된 지금, 부르주아지도 그 식민지를 잃어가고 있다. 이제는 루마니아의 석유나 바그다드의 철도를 차지하기 위해서는 작은 왕국(王國)들 간의 전쟁을 도발하면 되는 그런 판국이 아니다.

---

155) 사르트르는 19세기 후반기의 작가들이 부르주아에 대해서 보인 부정적 태도에 관하여 양면적인 해석을 하고 있다. 그는 제3장에서는 그 부정성 자체가 부르주아적이었음을 강조한 바 있다. 그러나 이 양면적 해석은 모순되는 것이라고는 할 수 없다. 왜냐하면 여기에서 언급되고 있는 〈프롤레타리아를 위한 공헌〉은 그 부정성의 동기나 목적이 아니라, 작가들 자신의 의도와 관계없는 결과를 두고 하는 말이기 때문이다.

장차 충돌이 생기면, 구세계(舊世界) 전체를 동원해도 공급할 수 없을 산업력이 필요할 것이다. 다 같이 부르주아적이 아니고 또 다 같이 유럽에 속해 있지도 않은 두 세력이 세계를 차지하기 위한 경쟁을 하고 있다. 한쪽이 승리하면 국가주의와 국제적 뷰로크라시를 가져올 것이다. 다른 쪽의 승리는 추상적 자본주의의 도래를 의미한다. 모두가 공무원이 되거나 피고용자가 될 것이다. 부르주아지는 어느 쪽으로 흡수되는 것이 좋을지 부질없는 생각이나 가져보는 것이 기껏이다. 부르주아지는 유럽 역사의 한 시기를, 다시 말해서 기술과 도구의 발전의 단계를 대표했지만, 세계적 규모의 존재가 될 수는 없었다는 것을 오늘날 그들 스스로 알고 있다. 게다가, 자신의 본질과 사명에 관해서 품어왔던 감정도 흐려지고 말았다. 경제적 위기가 그들을 흔들고 파고들고 침식하여, 균열과 변질과 내부적 붕괴를 결정적인 것으로 만들었다. 어떤 나라에서는 부르주아지는 폭탄으로 내부가 날아가 버린 건물의 앞면처럼 서 있고, 다른 나라에서는 그 대부분의 벽면이 무너져서 프롤레타리아로 흡수되어 버렸다. 오늘날 우리는 부르주아지를 재산의 소유에 의해서 규정할 수 없다. 왜냐하면 재산은 나날이 더욱 그 손아귀에서 새어나가기 때문이다. 그것은 또한 정치적 권력에 의해서도 규정될 수 없다. 왜냐하면 부르주아지는 거의 어디서나 프롤레타리아 출신의 새로운 사람들과 정치 권력을 나누어 가지고 있기 때문이다. 피억압 계급이 자신의 상태를 의식화하기 전에 보였던 그런 무정형적(無定形的)이고 곤죽 같은 양상은 오늘날 부르주아지의 특징이 되어 있다.

프랑스에서는 중공업의 시설과 조직을 두고 볼 때, 부르주아지가 50년이나 뒤떨어져 있다는 것을 알게 되었다. 그래서 우리의 출생률(出生率)의 위기가 문제시되고, 그것이 부정할 수 없는 퇴행(退行)의 징조로 알려져 있다. 아울러, 암시장과 독일군의 점령 때문에, 부(富)의 40퍼센트가 신흥 부르주아지의 수중으로 넘어갔는데, 이들은 옛날의 부르주아지가 가졌던 그런 풍습도 원칙도 목적도 가지고 있지 않다.

패망했으나 아직도 억압적인 유럽의 부르주아지는 고식적(姑息的)으로 미봉책을 쓰면서 지배하고 있다. 이탈리아에서는 교회가 빈곤을 달래주는 덕분으로 노동자들을 억누르고 있다. 다른 곳에서는 부르주아지는 기술 요원과 행정 요원을 공급함으로, 자신의 존재를 불가결한 것으로 만들어놓고 있다. 또 다른 곳에서는 아직도 분할(分割)하면서 지배하고 있다. 한데, 무엇보다도 국가주의적 혁명의 시대는 끝났다. 그리고 혁명적 정당들은 그 벌레 먹은 골격(骨格)을 전복하기를 바라기는커녕, 심지어 그 와해를 막으려고 애쓰고 있다. 무너지는 소리가 나자마자 외국이 간섭해 올 것이며 세계적 충돌로 발전할 수도 있겠는데, 러시아는 아직 그것을 감당할 준비가 되어 있지 않기 때문이다.[156] 모든 사람의 관심의 대상이 되고, 미국, 교회, 심지어는 소련이 주는 흥분제를 마시고, 외교적 장난의 변덕스런 운명에 끌려다니는 부르주아지는, 외부 세력의 도움 없이는 그 권력을 유지할 수도 상실할 수도 없는 것이다. 그것은 현대 유럽의 〈병자〉이며, 그 단말마(斷末魔)의 괴로움은 오래 계속될지도 모른다.

---

156) 종전 후 소련은 자국의 안전을 지키는 것을 당면 목표로 삼았다. 그렇기 때문에 자본주의 세력과의 타협을 모색하고, 1947년 1월에는 스탈린은 자본주의와 공산주의의 공존이 가능하다고 선언했다. 서유럽 국가들의 공산당도 이 방침에 따라 혁명 노선을 포기했다.

그 결과 그 이데올로기는 무너져 내린다. 부르주아지는 일을 내세워서 소유를 정당화했다. 또한 소유되는 사물의 효능을 소유자의 정신에 배어들게 하는 완만한 삼투 작용(滲透作用)에 의해서 정당화했다. 부르주아지가 보기에, 재산의 소유는 하나의 공적(功績)이며 가장 훌륭한 자기 수양이다. 한데 소유는 상징적이며 집단적인 것이 되어가고, 이에 따라서 사람이 소유하는 것은 이미 사물이 아니라 기호(記號)이며 또한 기호의 기호가 된다. 따라서 일과 공적을 연결시키고 향유(享有)를 수양과 연결시키려는 논법(論法)은 시효를 상실하고 말았다. 트러스트에 대한 원한과 추상적 소유에서 유래되는 괴로운 심정 때문에 많은 사람들이 파시즘 쪽으로 경사했다. 그들의 소원대로 파시즘은 도래했다. 그리고 트러스트 대신에 통제 경제를 가져오더니, 파시즘 자체는 사라지고 통제 경제만이 남았다. 그래서 부르주아들은 아무것도 얻은 것이 없었다. 그들이 여전히 소유하고 있다고 해도, 그들의 태도는 거칠 뿐이며 기쁨이 있는 것이 아니다. 이러다가는 곧 지쳐서, 부(富)가 정당화될 수 없는 현실이라고 스스로 인정할지도 모르는 형편이 되었다. 그들은 이미 신념을 상실한 것이다.

그렇다고 해서 그들은 민주주의 체제에 여전히 큰 신뢰를 두고 있는 것도 아니다. 그 체제는 그들의 자랑이었지만, 최초의 공격을 받자마자 무너지고 말았다. 그리고 국가사회주의도 그들이 가담하려는 순간에 무너지고 말았기 때문에, 이제는 공화제(共和制)도 독재 체제도 믿지 않게 되었다. 또한 진보에 대한 신념도 이미 사라졌다. 그들이 상승 계급일 때는, 진보는 쓸모있는 개념이었다. 그러나 이제 그들의 계급이 쇠퇴일로(衰退一路)에 있는 이상, 그런 것은 그들로서는 이미 아무 소용이 없다. 앞으로는 다른 사람과 다른 계급들이 세상의 진보를 이루어 나가리라는 생각을 하니 원통하기 짝없다. 그들의 일이 물질과의 직접적 접촉으로 이루어지지 않는 것은 전과 다름없지만, 두 차례에 걸친 세계대전으로 말미암아 그들은 피로와 피와 눈물과 폭력과 악(惡)을 발견하게 되었다. 폭탄은 비단 그들의 공장을 파괴했을 뿐만 아니라, 그들의 이상주의에 금이 가게 했다. 공리주의는 저축(貯蓄)의 철학이었다. 인플레이션과 파산의 위험 때문에 저축이 걱정스럽게 되면, 공리주의는 모든 뜻을 상실한다.

하이데거는 「세계는 못 쓰게 된 도구의 지평선에서 그 진모(眞貌)를 나타낸다」는 뜻의 말을 한 일이 있다. 우리가 도구를 사용하는 것은 일정한 변화를 산출하기 위해서인데, 이렇게 산출된 변화는 그것 자체가 더 중요한 다른 변화를 얻기 위한 수단이다. 그리고 이런 연쇄 관계가 계속되어 나간다. 이리하여 우리는 끝을 알 수 없는 수단과 목적의 연쇄 속에 끼여 있고, 목전의 세부적인 행동에 지나치게 열중하기 때문에, 그 종국적 목적을 따져보지를 못한다. 한데, 도구가 부서지게 되면, 행동이 중단되고 수단과 목적의 연쇄 관계 전체가 갑자기 눈앞으로 튀어오른다. 부르주아의 경우에도 마찬가지이다. 그들의 도구가 못 쓰게 되면, 그들은 연쇄 관계를 목격하고 자신의 목적의 무근거성(無根據性)을 인식한다. 그들이 그 목적을 무턱대고 믿고, 고개를 수그려서 가장 가까운 고리에 매달려 일하던 동안에는, 그들의 존재는 정당화될 수 있었다. 그러나 이제 그 목적의 정체(正體)가 눈 속으로 파고들게 된 이상, 부르주아는 자신의 존재가 정당화될 수 없다는 것을 발견한다. 세계 전체의 진실한 모습이, 그리고 세계 속에서의 그의 버림받은 상태가 밝

혀진다. 이리하여 고뇌가 탄생한다.[18]

고뇌만이 아니라 수치심도 탄생한다. 부르주아를 그들 자신의 원칙에 따라 판단하려는 사람들이 보기조차도, 그들이 세 번 배반한 것은 분명하다. 뮌헨 회담 때에, 1940년 5월에, 그리고 비시 정부하에서.[157] 하기야 그들은 다시 정신을 차렸다. 처음에는 비시 정부를 지지했던 많은 사람들이 1942년부터는 저항 운동에 가담했다. 그들은 부르주아 국가주의의 이름 아래서 점령군과 싸우고, 부르주아 민주주의의 이름 아래서 나치즘과 싸워야 한다는 것을 이해했다. 사실인즉, 공산당은 1년 이상이나 주저했고, 교회는 해방될 때까지도 주저했다. 그러나 공산당과 교회는 그들의 신봉자들에게, 과거의 잘못을 잊으라고 지시할 만큼 단단한 힘과 통일성과 규율을 가지고 있다. 그러나 부르주아지는 무엇 하나 잊지 못했다. 그들은 자기가 가장 자랑스러워한 자식이 주었던 상처를 아직도 지니고 있다. 페탱을 종신금고형(終身禁錮刑)에 처함으로써, 부르주아지는 자신을 감금한 것이나 다름없다고 느끼는 것이다. 장교이며 카톨릭 교도이며 부르주아 출신이었던 폴 샤크[158]라는 사람은, 역시 카톨릭 교도이

157) 부르주아지의 타협적인 현실 수용의 태도를 예시하기 위해서 언급한 역사적 상황.

뮌헨회담: 1938년 9월 뮌헨에서 있었던 영국, 프랑스, 독일, 이탈리아 네 나라의 정상 회담. 여기에서 영국과 프랑스는 그해 3월에 일어났던 독일의 체코 지방 침공을 기정 사실로 인장하는 협정을 히틀러와 맺었다. 두 나라의 국민은 그것을 굴욕으로 받아들이기는커녕, 도리어 평화의 희망으로 보았다.

1940년 5월: 히틀러가 서부 전선에서 전면 공격을 감행해서, 프랑스가 자랑하던 마지노선 Ligne Maginot이 순식간에 돌파되었다. 프랑스의 결정적 패배의 시작.

비시 정권: 내각 수반이 된 Pétain 원수가 독일에 정식으로 항복하고 중부 지방의 Vichy에 세운 괴뢰 정부.

며 부르주아 출신인 육군 원수의 명령에 맹목적으로 복종했기 때문에, 역시 카톨릭 교도이며 부르주아 출신인 장군(將軍)의 정부하에서 부르주아 법정에 서게 되었는데,[159] 그는 재판중에 쉴새없이 「알 수 없는 일이로군」 하고 중얼거렸다. 한데, 부르주아지도 바로 이 말을 스스로 되뇌어봄직하다.

미래도 무슨 보장도 정당성도 없이 사분오열(四分五裂)된 부르주아지는 객관적으로는 〈병자〉가 되고, 주관적으로는 불행의식(不幸意識)의 단계에 들어섰다. 많은 사람들이 방황하고, 도피의 두 가지 형태인 노여움과 공포 사이에서 우왕좌왕하고 있다. 그중의 엘리트들은, 연기처럼 흩어져 버리기가 일쑤였던 재산은 못 지킬망정, 적어도 법(法)의 보편성, 표현의 자유, 인신보호령과 같은 부르주아의 진정한 소득물은 끝내 지키려고 애쓰고 있다. 바로 그런 사람들이 우리의 공중(公衆)을 형성한다. 그들이 우리의 〈유일한〉 공중이다. 그들은 옛 책들을 읽으면서, 문학이란 본질적으로 민주주의적인 자유의 편에 서 있다는 것을 이해했다. 그들은 문학 쪽으로 향해 서서, 생존과 희망의 이유를, 새로운 이데올로기를 베풀어주기를 간청하고 있다. 18세기 이후 작가에 대해서 이렇게 큰 기대를 건 일은 일찍이 없었을 것이다.

그러나 우리는 그들에게 아무 할 말이 없다. 그들은 본의는 아니겠지만 억압 계급에 속해 있다. 아마도 희생자이며 무고한

158) Paul Chack: 퇴역 장교이며 신문 기자였던 반공주의자. 그는 대독협력(對獨協力)의 죄로 사형 선고를 받았다.

159) 육군 원수는 Pétain을 가리키고, 장군은 1944년 9월, 해방된 프랑스에서 임시 정부의 수반이 된 De Gaulle을 가리킨다.

존재이겠지만, 그래도 역시 폭군이며 죄인이다. 우리가 할 수 있는 모든 것은 그들의 불행 의식을 우리의 거울에 비추는 것, 다시 말해서 그들의 원칙의 해체(解體)를 좀더 촉진시키는 것이다. 그들의 잘못이 벌써 저주(詛呪)처럼 된 지금, 그들에게 그 잘못을 새삼 탓해야 한다는 매정한 임무를 떠맡게 된 것이다. 우리는 자신이 부르주아이기 때문에, 부르주아의 고뇌를 알고 그 찢겨진 영혼을 지녀왔다. 그러나 불행 의식의 본질은 불행한 상태에서 벗어나기를 바라는 것이기 때문에, 우리는 우리의 계급의 테두리 안에 편안히 머무를 수가 없다. 그리고 기생적(寄生的)인 귀족의 외모를 차리면서 단번에 계급 이탈을 할 수는 이미 없기 때문에, 우리는 우리의 계급의 매장인(埋葬人)이 되어야 한다. 비록 우리 자신이 함께 묻히게 되더라도 말이다.

우리는 노동 계급 쪽으로 지향하고 있다. 그들은 1780년대의 부르주아지가 그랬듯이, 오늘날의 작가에게 대해서 혁명적 공중이 될 수 있을 것이다. 하기야 아직도 잠재적 공중이지만, 그 현존성(現存性)이 짙게 느껴진다. 1947년의 노동자는 사회적, 직업적 교양을 갖추고, 기술과 노동 조합과 정치의 문제를 다루는 신문을 읽고, 자기 자신과 세계에 있어서의 자신의 위치를 자각하고, 모스크바, 부다페스트, 뮌헨, 마드리드, 스탈린그라드에서, 그리고 저항운동을 통해서, 우리 시대의 온갖 모험을 체험해 왔다. 우리가 글쓰기라는 예술을 통하여 부정(否定)과 창조적 초월이라는 두 측면에서 자유를 발견하고 있는 한편으로, 노동자는 억압으로부터 영원히 자기 자신을 해방하고 그럼으로써 동시에 만인을 해방하려고 애쓰고 있다. 그들이 피억압자로서 존재할 때, 문학은 그들에게 분노의 대상을 비추어주고, 반대로 생산자이며 혁명가라는 차원에서는, 그들은 프락시스의 문학의 특출한 주체가 되는 것이다.

우리는 항의하고 건설하는 의무를 노동자와 함께 나누어 가지고 있다. 우리가 우리의 역사성을 발견하고 있는 한편, 노동자는 역사를 만들어 나가는 권리를 요구하고 있다. 우리는 아직도 그들의 언어에 익숙하지 않고, 그들 역시 우리의 언어에 익숙하지 않다. 그러나 우리는 이미 노동자에게 다가갈 방편을 알고 있다. 앞으로 언급하겠지만, 매스 미디어를 획득해야 하는데, 그것은 크게 어려운 일은 아니다. 또한 노동자는 러시아에서는 작가 자신과 토론하고 있으며, 독자와 작가와의 새로운 관계가(그것은 수동적이며 여성적인 기다림도 아니고 전문가의 비평도 아니다) 그쪽에서 출현했다는 것을 우리는 알고 있다. 나는 프롤레타리아의 〈사명〉이라는 것을 믿지 않으며, 또한 프롤레타리아가 특별한 은총(恩寵)을 받고 있다고도 믿지 않는다. 그것은 옳을 수도 옳지 않을 수도 있는 사람들, 방황하기도 하고 흔히 속임수를 당하기도 하는 사람들로 이루어져 있다. 그러나 문학의 운명은 노동자 계급의 운명과 연결되어 있다는 말을 하는 데 주저해서는 안 된다.

불행하게도, 우리가 공중으로 삼아야 할 그 사람들과 우리는 한 나라 안에서 철의 장막에 의해서 갈려 있다. 그들은 우리의 호소를 한마디도 들어주지 않을 것이다. 대부분의 프롤레타리아는 단일(單一) 정당에 묶이고 그들을 고립시키는 선전(宣傳)에 둘러싸여서, 출입문도 창문도 없는 닫힌 사회를 형성하고 있다. 오직 공산당만이 좁디좁은 유일한 통로가 되어 있다. 그렇다면 작가는 그 당에 참여하는 것이 바람직할 것인가? 만일 시민으로서의 신념에서, 혹은 문학에 대한 염증(厭症) 때문에 그렇게 한다면, 그 선택은 알 만한 일이다. 그러나 작가의 처지를 지키면서 공산당원이 될 수 있을 것인가?

프랑스 공산당은 소련의 정책을 답습하고 있다. 왜냐하면 사회주의적 조직의 윤관을 알 수 있는 것은 오직 그 나라에서만이기 때문이다. 그러나 러시아가 사회혁명을 시작한 것은 사실이지만, 아직도 그것을 완성하지 못했다는 것 역시 사실이다. 산업의 후진성, 간부 요원의 부족, 대중의 무지(無知) 때문에, 러시아는 단독으로 사회주의를 실현할 수 없었고, 또한 범례(範例)를 보임으로써 다른 나라가 사회주의를 채택하게 만들 수조차 없었다. 모스크바에서 시작된 혁명운동이 만일 다른 나라로 퍼져 나갈 수 있었다면, 그것은 지반을 넓혀 나감에 따라서 바로 러시아 내부에서 계속 발전했을 것이다. 그러나 그 운동은 러시아의 국경 내에 갇혀, 방어적(防禦的)이며 보수적인 국가주의로 응결되고 말았다. 왜냐하면 이미 얻은 결과를 한사코 지켜야 했기 때문이다. 노동자 계급의 메카가 된 러시아는 그 역사적 사명을 떠맡는 것도 또 그것을 부인(否認)하는 것도 다 같이 불가능하다는 것을 알았다. 그것은 제 나라의 일로만 되돌아가서,[160] 간부 요원의 양성에 애쓰고, 산업의 후진성을 벌충하고, 혁명의 정체를 말해 주는 권위주의적인 체제에 의해서 버텨 나갈 수밖에 없었다. 러시아를 표방하여 프롤레타리아의 도래를 준비하고 있던 유럽의 정당들은 어디에서든 공세(攻勢)로 나올 만큼 강력하지는 못했기 때문에, 러시아는 그들을 자기 방

---

160) 1924년 이래로 스탈린이 내세운 이른바 일국 사회주의.

어를 위한 전진 기지(前進基地)로서 이용했다. 그러나 유럽의 정당들이 대중의 편에 서서 러시아에 봉사할 수 있는 것은 혁명적 정치를 함으로써만 가능한 것이었고, 또한 러시아는 언제라도 정세만 호전되면 유럽의 프롤레타리아를 지도하겠다는 희망을 결코 버리지 않고 있었다. 그렇기 때문에 러시아는 유럽의 공산당들에게 적기(赤旗)와 신념(信念)을 일임했다. 이리하여 세계혁명의 세력은 피한(避寒)중에 있는 혁명의 현상 유지를 위해서 그 방향이 전환된 것이다.

그러나 프랑스 공산당에게 인정해 주어야 할 것이 있다. 공산당이 비록 먼 장래일망정 폭동에 의한 권력 장악의 가능성을 진심으로 믿었던 동안에는, 그래서 부르주아지를 약화시키고 S.F.I.O.[161] 내에 세포 조직(細胞組織)을 만들려고 했던 동안에는, 그것은 자본주의의 제도와 체제에 대해서, 자유의 외모(外貌)를 갖춘 부정적 비판을 행사할 수 있었다. 1939년 이전에는 모든 것이 공산당에게 도움이 되었다. 공격적 책자, 풍자, 암흑소설, 초현실주의적인 폭력, 식민지 경영 방식에 관한 끔찍한 증언 따위가 그것이다. 그러나 1944년 이후부터는 모든 것이 악화(惡化)되었다. 유럽의 쇠퇴(衰退)가 상황을 단순하게 만들었던 것이다. 소련과 미국이라는 두 강국만이 건전한 상태로 남았는데, 서로 상대방에게 겁을 주고 있다. 그리고 누구나 알다시피, 공포로부터 분노가 태어나고 분노로부터 충돌이 태어난다. 한데 두 나라 중에서 약한 것은 소련이다. 20년 전부터 두려워하던 전쟁을 치르고 나자, 소련은 또다시 시기를 기다려야만 했다. 우선은 군비 경쟁에 다시 뛰어들고 국내적으로는 독재

161) 254쪽 역주 53) 참조.

를 강화하고 대외적으로는 동맹국과 종속국(從屬國)과 진지(陣地)를 확보해야만 하게 된 것이다.

혁명의 전술은 외교로 변질했다. 유럽을 제 편으로 끌어넣어야 하기 때문이다. 그래서 부르주아지를 달래고 동화(童話)로 잠재워서, 그들이 겁을 먹어 앵글로색슨의 진영으로 뛰어드는 것을 기어코 막아야 한다. 《위마니테》지(紙)[162]는 한때 「노동자를 만나는 모든 부르주아는 겁을 먹어야 한다」고 쓴 일이 있는데, 그런 시대는 이미 지나갔다. 유럽에서 공산당원들이 이토록 큰 세력을 가진 일은 일찍이 없었지만, 또한 이토록 혁명의 가능성이 희박한 때도 일찍이 없었다. 혹시 어느 곳에서 공산당이 권력 장악을 위해서 불의(不意)의 일격을 가할 계획을 세운다 해도 그것은 미연에 방지될 것이다. 앵글로색슨들은 무력에 의존하지 않고서라도 그런 음모를 분쇄할 무수한 수단을 가지고 있다. 그리고 소련도 그 시도를 고운 눈으로 보지는 않을 것이다. 요행히 폭동이 성공한다 하더라도, 그것은 제자리에서 명맥을 유지할 뿐, 번져 나가지 못할 것이다. 설사 기적적으로 번져 나간다손 치더라도, 그것은 제3차 세계대전의 계기가 되고 말 것이다. 따라서 공산당원들이 각자의 나라에서 준비하고 있는 것은 이미 프롤레타리아의 도래(到來)가 아니라 오직 전쟁뿐이다. 만일 그 전쟁에서 소련이 이기면 유럽에 그 체제를 확대시키고, 모든 나라들은 곯은 열매처럼 떨어지리라. 그러나 반대로 패배하면 소련도 공산당도 끝장이다. 그래서 대중의 신뢰를 상실하지 않으면서도 부르주아지를 안심시키는 것, 겉으로는 공세적인 태세(態勢)를 보이면서도 부르주아지의 지배를

162) *Humanité*: 1904년 창간. 원래는 사회당의 신문이었으나, 1920년 이후 공산당의 기관지가 되었다.

묵인하는 것, 위험한 짓을 하지 않으면서도 지도적 지위를 유지하는 것, 이것이 프랑스 공산당의 정책이다. 우리는 1939년과 1940년 사이에는 전쟁으로 향하는 사태의 악화의 증인이며 희생자였지만, 오늘날에는 혁명적 상황의 악화를 목격하고 있는 것이다.

그렇다면 작가는 대중의 곁으로 다가가기 위해서 공산당에 봉사해야 할 것인가? 누가 지금 이 질문을 던진다면 나는 아니라고 대답하겠다. 스탈린식의 공산주의의 정책은 문학이라는 직업의 정직한 수행과 양립할 수 없는 것이다. 혁명을 꾀하는 정당은 아무것도 잃을 것이 없는 법이다. 한데 프랑스 공산당에게는 잃어도 좋은 것과 아껴야 할 것이 따로 있다. 당장의 목표는 더 이상 폭력으로 프롤레타리아 독재를 성사시키는 것이 아니라, 위험에 처한 러시아를 지켜주는 것이기 때문에, 프랑스 공산당은 오늘날 애매한 모습을 보이고 있다. 그것이 공식적으로 내세우는 이론과 목적으로 보아서는 진보적이고 혁명적이지만, 그 수단에 있어서는 보수적이 되었다. 미처 권력을 장악하기도 전에, 그들은 벌써 오래전부터 권력을 차지한 사람들, 권력이 수중에서 새어 나가는 것을 느끼고는 그것에 매달리려는 그런 사람들의 정신적 태도와 논법과 기교를 보여주고 있다. 조제프 드 메스트르와 가로디 씨의 사이에는 재능상의 큰 차이에도 불구하고 공통점이 있다.[163] 게다가 더 일반적으로 말하자

---

163) Joseph de Maistre(1753–1821): 철저한 보수주의자로서, 프랑스 대혁명에 반대하고 절대군주제도를 옹호했다.

Roger Garaudy(1913–): 프랑스 공산당 중앙위원을 지냈다. 당의 공식적 견해를 표명해 왔으나 1968년의 체코 사태에 대해서 취한 태도 때문

면, 공산주의자들이 쓴 글을 아무것이나 되는 대로 들추어보기만 해도, 무수한 보수적 수법을 발견할 수 있다. 그들은 되풀이하면서, 겁을 주면서, 은근히 협박하면서, 상대를 멸시하듯 힘있게 단언하면서, 논증(論證)하지도 않으면서 논증한다는 수수께끼 같은 암시를 던지면서, 설득하려고 한다. 그리고 하도 거만하고 무조건적(無條件的)인 확신을 표명하기 때문에, 그것은 모든 토론을 단번에 뛰어넘어 사람들을 홀리게 하고 마침내 멀리 번져 나간다. 그들은 반대자에게 대답해 주는 일이 없다. 반대자는 믿어서는 안 되는 인간으로 되어 있다. 그런 사람은 경찰이나 정보원이거나 파시스트라는 것이다. 증거를 대라고 해도 결코 대지 않는다. 그 증거는 끔찍하며 많은 사람을 다치게 한다는 핑계에서. 만일 당신이 알고 싶다고 고집을 써도, 그 정도로 해두고 자기들의 고발을 액면 그대로 믿으라고만 대답한다. 「무리하게 증거를 대게 하면 안 돼요. 당신 자신이 난처하게 될 테니까」

요컨대 공산주의 지식인은 비밀의 증거물을 구실삼아 드레퓌스를 단죄(斷罪)한 참모본부(參謀本部)와 똑같은 태도를 취하는 것이다. 물론 그들은 반동 분자들의 마니케이즘으로 되돌아가는 것이지만, 세상을 다른 원칙에 따라 둘로 나눈다. 모라스[164]에게 유태인이 그렇듯이, 스탈린주의자에게는 트로츠키파(派)가 악의 권화(權化)이며, 트로츠키파에게서 나오는 것은 모두가

에 제명당했다. 그는 이미 1945년 말에 사르트르의 문학을 〈무덤 파는 자의 문학〉이라고 매도했다. 사르트르가 여기에서 Garaudy를 Joseph de Maistre와 비교한 것은 그의 교조주의를 조롱하기 위한 것이다.

164) Charles Maurras(1868-1952): 국가주의적인 견지에 섰던 평론가, 정치가. 극우운동 단체인 Action française를 만들고, 제2차 세계대전중에는 Pétain 정부를 지지했다.

반드시 나쁜 것이다. 그와 반대로 어떤 종류의 타이틀을 소유하는 것은 은총을 받은 것과 다름없다. 가령 「결혼한 여자는 반드시 정숙하다」는 조제프 드 메스트르의 말과 「공산주의자는 우리 시대의 〈변함없는〉 영웅이다」라는 《악시옹 *Action*》지(紙)[165]의 한 특파원의 말을 비교해 보라. 공산당 안에 영웅들이 있다는 것을 나는 누구보다도 먼저 인정하겠다. 그러나 뭐라고? 결혼한 여자에게는 결코 약점이 없다고? 「없다. 왜냐하면 신 앞에서 결혼했기 때문이다」 그렇다면 이와 마찬가지로 공산당에 들어가기만 하면 모두가 영웅이 된단 말인가? 「그렇다. 왜냐하면 공산당은 영웅들의 당이기 때문이다」 그런데 만일 때로는 변절(變節)을 하는 공산당원의 이름을 들면 무엇이라고 대답할까? 「그런 사람은 〈진실한〉 공산당원이 아니다」

19세기에는 글을 쓴다는 죄를 부르주아가 탓하지 않게 하기 위해서는 온갖 보증을 하고 모범적인 생활을 해야만 했다. 왜냐하면 문학은 본질적으로 이단(異端)이기 때문이다. 한데, 오늘날 달라진 것이 있다면, 그것은 다만 작가를 수상한 자로 여기는 것이, 프롤레타리아의 공식적 대표자로서의 공산주의자들이라는 점이다. 공산주의 지식인으로 말하자면, 그는 비록 그 언행(言行)이 완벽하다 하더라도 어떤 근원적 결함을 가지고 있다. 그것은 그가 당에 〈자유로운 의사로〉 들어갔다는 것이다. 그의 입당(入黨)의 결심을 가져오게 한 것은 『자본론』을 읽으면서 한 반성, 역사적 상황에 대한 비판적 검토, 날카로운 정의

165) *Action*: 프랑스 공산당이 인수한 좌익 주간지. 그러나 공산당의 공식적 기관은 아니었다. 1944년 9월에 창간되고 1952년 5월 재정난으로 폐간되었다.

감, 고매(高邁)한 마음가짐, 연대성에 대한 관심이었다. 한데 이런 모든 것은 달갑지 않은 독립적 기질을 말해 주는 것이다. 그는 자유로운 선택으로 입당했으므로, 언제든지 당을 떠날 수 있을 것이다.[19] 그는 자신의 출신 계급의 정치를 비판하고 당에 들어왔기 때문에, 자기가 새로 결연(結緣)한 계급의 대표자들의 정치에 대해서도 비판을 가할 수 있을 것이다. 이리하여 그의 새로운 인생이 시작된 바로 그 행동에 저주(詛呪)가 깃들이고, 이 저주는 그의 평생을 무겁게 짓누를 것이다. 카프카가 그려보인 재판, 판사가 누구인지도 모르고 서류는 비밀에 붙여지고 최종 판결은 항상 유죄 선고뿐인 그런 재판과 흡사한 긴 재판이 그의 입당의 순간부터 시작된다.

한데 여기에서는 여느 법정과는 달라서, 보이지 않는 고발자들이 그의 범죄의 증거를 대는 것이 아니라, 피고인 그 자신이 자기의 무죄를 입증하지 않으면 안 된다. 그가 쓰는 모든 것은 그에게 불리한 자료가 될 수 있고 또 그 자신도 그것을 알고 있기 때문에, 그의 작품은 모두 공산당의 이름으로 던지는 공적(公的)인 호소인 동시에, 자기 자신의 입장을 위한 비밀스런 변론이라는 이중적인 성격을 띤다. 밖에 있는 독자들의 눈에는 일련(一連)의 단호한 주장과 같이 보이는 모든 것이, 당내(黨內)의 재판관들의 눈에는 자기 정당화를 위한 겸손하고 서투른 시도(試圖)로 보이는 것이다. 그리고 그의 글이 〈우리의 눈에는〉 가장 멋있고 가장 효과적으로 보일 때야말로, 그가 가장 큰 죄를 짓는 것이 될지도 모른다. 때로는 우리가 보기에, 그가 당내에서 서열이 오르고 대변자가 된 것 같으며, 또 그 자신도 그렇게 생각하는 수가 있지만, 그것은 테스트이거나 기만에 불과하다. 그 서열은 위조된 것이기 때문이다. 자신은 높이 올랐다고 생각하지만, 사실 그대로 바닥에 있는 것이다. 그가 쓴 글을 골백 번 읽어보아도, 당신은 그 글의 중요성이 진실로 어느 정도인지 가늠하지 못할 것이다. 가령 《스 수아르》지(紙)에서 외국정치란(外國政治欄)을 담당하고 있던 니장[166]은 우리의 유일한 구원의 기회가 불소조약(佛蘇條約)의 체결에 있다는 것을 증명하려고 정성을 다했는데, 바로 그 무렵에, 그를 떠들게 내버려두었던 비밀 재판관들은 리벤트로프와 몰로토프의 회담[167]을 벌써 알고 있었던 것이다.

그렇다고 해서, 만일 공산주의 지식인들이 시체처럼 복종함으로써 만사가 해결된다고 생각한다면 그것은 오해이다. 그에게는 재치 있고 신랄하고 명철하고 창의력이 있는 것이 요청되기 때문이다. 그러나 당은 그런 재질(才質)을 요청하는 동시에 바로 그것을 탓하는 것이다. 왜냐하면 바로 그런 재질 때문에 죄를 저지르기가 쉽기 때문이다. 그렇다면 어떻게 비판 정신을 발휘할 수 있단 말인가? 이리하여 과오(過誤)는 마치 열매 속의 벌레처럼 그의 내부에 애초부터 깃들여 있는 것이다. 그는 독자에게도 그의 재판관에게도 또 그 자신에게도 흡족할 수가 없다. 그는 모든 사람의 눈에, 그리고 자신의 눈에도, 진실을 더러운

166) Paul Nizan(1905–1940): 소설가. 사르트르의 대학 동창생. 1927년 공산당에 가입하여 적극적으로 활동했으나, 독소(獨蘇) 불가침조약(1939)이 체결되자 배신감을 느끼고 탈당했다. 『호위견 *Les Chiens de garde*』(1932)은 부르주아 지식인을 통렬히 비판한 평론집이다. 사르트르는 니장과 자신과의 관계, 그리고 공산당과의 관계에 대해서 자세한 이야기를 남겨놓았다(*Situations I*, 130–188쪽). *Ce Soir*: 당시 공산당에서 발행하던 석간신문.

167) Ribbentrop: 히틀러 정권의 외무장관.
Molotov: 소련의 외무장관. 이 두 실무자 사이에서 비밀 교섭이 진행되어, 1939년 8월에 독소(獨蘇) 불가침조약이 체결되었다.

물에 비춤으로써 변형(變形)시키는 것과 같은 죄 많은 주관성에 지나지 않는다. 한데 이 변형은 소용이 닿는 것이다. 독자는 작가에게서 비롯된 것과 소위 〈역사적 과정〉에 의해서 작가가 쓰지 않을 수 없게 된 것을 구별하지 못하기 때문에, 작가를 탓하는 것이 언제나 가능하게 된다. 작가가 제 일을 하면서 손을 더럽힌다는 것은 당연한 것으로 받아들여지고 있다. 그리고 그는 공산당의 정책을 그날그날 표현하는 의무가 있기 때문에, 그 정책이 변경된 지 오랜 후에도 그 글들만은 여전히 남는다. 그래서 가령 스탈린주의의 반대자들이 그 주의의 모순이나 변덕을 드러내고 싶을 때는 그 글들을 참조하는 것이다. 이리하여 작가는 다만 〈사전에 유죄 판결을 받은 자〉일 뿐만 아니라, 그의 이름이 당의 과오와 결부되어 있기 때문에, 과거의 모든 잘못을 짊어지게 된다. 그는 모든 정치적 숙청(肅淸)의 속죄양인 것이다.[168]

그러나 공산주의 지식인은 만일 자기의 재질을 억제할 줄 알고, 재질에 끌려 너무 멀리 갈 위험이 있을 때는 그것을 붙잡아매는 법을 배운다면, 오랫동안 당 내에서 버티는 것이 불가능

168) 『더러운 손 *Les mains sales*』(1948)은 비록 작가의 경우는 아니지만, 지식인 당원이 공산당의 예측 불가능한 정책 변경 때문에 당하는 난처한 처지를 형상화해 놓은 것이다. 그러나 후일의 사르트르는 이 문제와 관련하여 『문학이란 무엇인가』에서와 동일한 입장에서 공산당을 한결같이 비난한 것은 아니다. 공산당의 정책 변경은 역사적 상황으로 말미암아 불가피한 것이며, 따라서 지식인의 성실성과 현실적 정치 사이의 모순 역시 불가피하다는 것을, 그는 인정하고 들어간다. 그리고 1950년 이후의 몇 년 동안은 도리어 지식인의 편을 떠나고, 공산당을 〈노동 계급의 필연적인 표현〉으로 보면서 그 정책을 거의 전폭적으로 지지하는 쪽으로 기울어진다. *Les communistes et la paix*(*Situations VI*) 참조.

한 것도 아니다. 하지만 시니시즘에 끌려서는 안 된다. 시니시즘은 선의(善意)와 마찬가지로 중대한 악덕이다. 그에게 필요한 것은 모르는 척하는 기술이다. 그는 무엇을 보아서는 안 되는지를 알아야 한다. 그리고 본 것을 적당히 잊어버려서 그것에 관해 결코 쓰지 말아야 한다. 그러나 동시에 앞으로는 보는 것을 아예 피할 수 있도록 하기 위해서 필요한 만큼은 기억하고 있어야 한다. 비판을 멀리 밀고 나가는 것도, 그것을 멈추어야 할 마땅한 지점을 결정하기 위해서이다. 다시 말해서 앞으로는 그 지점을 넘어서 보려는 유혹에서 벗어나기 위해서, 그 지점을 넘어서 보아야 하는 것이다. 그러나 그런 전향적(前向的) 비판과는 연줄을 끊고, 그것을 괄호 속에 묶어두고, 그 효과는 전무(全無)라고 생각할 줄 알아야 한다. 요컨대, 스물까지는 셀 줄 알지만, 그 이상을 세는 능력을 야릇하게도 갖추고 있지 못한 어떤 원시인들처럼, 인간의 정신이 마술적인 경계에 의해서, 안개에 의해서, 사방으로 한정되어 있다는 것을 늘 염두에 두고 있어야 하는 것이다. 그리고 그는 이 인공적(人工的) 안개를 그 자신과 반갑지 않은 명증(明證) 사이에 퍼뜨릴 태세를 늘 갖추고 있어야 하는데, 우리는 그것을 한마디로 자기 기만(自己欺瞞)이라 부르려 한다.

하지만 그것만으로는 아직도 불충분하다. 그는 교리(教理)에 대해서 너무 자주 이야기하지 않도록 조심해야 한다. 교리를 완전히 드러내는 것은 좋은 일이 아니다. 카톨릭 교도에게 성서(聖書)가 그렇듯이, 마르크스의 저작은 정신적 지도자 없이 접근하면 위험한 것이다. 어떤 세포 조직에도 정신적 지도자가 한 사람씩 있다. 그러니 무슨 의심이나 걱정이 생기면 그에게 의논해야 한다.

또한 소설이나 무대에, 너무 많은 공산주의자들을 등장시켜서도 안 된다. 그 인물들에게 결점이 있으면, 독자나 관객의 호감을 못 살 것이며, 만일 반대로 완벽하면 따분해질 것이다. 스탈린주의의 정치가들은 문학 작품에 자기의 이미지가 반영되는 것을 전혀 원치 않는다. 왜냐하면 초상(肖像)을 그린다는 것은 그 자체가 벌써 이의 제기(異議提起)이기 때문이다. 그러니까 그런 인물을 다룬다 하더라도, 〈영원한 영웅〉을 반측면상(半側面像)으로 그리거나, 이야기의 끝에 가서나 영웅을 나타나게 하거나, 혹은 도데가 『아를르의 여인』에서 그렇게 했듯이,[169] 그 존재를 도처에서 암시하면서도 결코 드러내지 않는 수법을 써야 하는 것이다. 그뿐만 아니라, 될 수 있는 대로 혁명을 화제에 올리지 않게 해야 한다. 왜냐하면 자칫 혁명을 시대적으로 한정하기가 쉽기 때문이다. 부르주아지와 마찬가지로 유럽의 프롤레타리아도, 자신의 운명을 스스로 지배하는 것이 아니다. 역사는 다른 곳에서 씌어지기 때문이다. 그들의 옛 꿈을 천천히 사라지게 하고, 반란(反亂)의 전망 대신에 전쟁의 전망이 슬그머니 들어앉도록 해야 한다.

그러나 작가가 이 모든 지시(指示)에 순응한다 하더라도, 사랑을 받게 되는 것은 아니다. 육체 노동자가 아닌 그는 결국 쓸데없는 식구에 불과하다. 작가 자신도 그것을 알고, 열등 감정 때문에 괴로워한다. 제 직업을 수치스럽게 여기기까지 하고, 노동자들 앞에서 굽실거리려고 애쓴다. 마치 1900년경에 쥘 르메트르[170]가 장군들 앞에서 애써 굽실거렸듯이 말이다.

---

169) L'Arlésienne: 단편소설에서도 또 그것을 번안한 희곡에서도 〈아를르의 여인〉은 사랑의 대상으로서 다만 상기되고 언급되어 있을 뿐, 직접 등장하지는 않는다.

그러는 동안, 마르크스주의의 교리는 신성불가침(神聖不可侵)한 것으로 치부되어, 도리어 시들어버렸다. 내부에서의 논쟁(論爭)이 없기 때문에, 그것은 어리석은 결정론으로 전락하고 말았다. 마르크스, 엥겔스, 레닌은 원인에 의한 설명이 변증법적 과정에 의해서 지양(止揚)되어야 한다는 말을 골백 번이나 했다. 그러나 변증법이란 카톨릭의 교리문답(敎理問答)과 같이 정식화(定式化)될 수는 없는 것이다. 소박한 과학주의가 도처에 만연되고, 일련의 인과 관계를 직선적으로 늘어놓음으로써 역사를 해명하려고 한다. 프랑스 공산주의의 최후의 위대한 인물이라고 할 수 있는 폴리체르Politzer는 전쟁이 일어나기 얼마 전에, 마치 내분비선(內分泌腺)이 호르몬을 분비하듯이 「뇌가 사고를 분비한다」고 가르치도록 강요받았다. 그리고 오늘날 공산주의 지식인이 역사나 인간의 행동을 해석하려고 할 때는, 이해 관계의 법칙과 기계론에 기반을 둔 결정론적 심리학을 부르주아의 이데올로기에서 빌려온다.

그러나 더 나쁜 일이 있다. 오늘날 프랑스 공산당의 보수주의는 그것과 모순되는 기회주의와 중첩되어 있다. 그들은 소련을 지켜야만 할 뿐만 아니라, 또한 부르주아지에 대해서 배려(配慮)해야 하는 것이다. 그래서 가족, 조국, 종교, 도덕과 같은 부르주아지의 언어를 사용한다. 하지만 그렇다고 해서 부르주아지를 약화시키는 작업을 단념한 것은 아니기 때문에, 부르주아

170) Jules Lemaître(1853–1914): 인상주의를 대표하는 비평가. 정치적으로는 국가주의적 입장에 섰다. 드레퓌스 사건 때에는 군부에 협조하여 반드레퓌스파에 속했고, 극우 단체인 악시옹 프랑세즈Action française에 가담했다.

지의 원칙을 그들 이상으로 섬기는 척하면서 그 지반을 흔들어 놓겠다는 것이다. 한데, 이 전술은 서로 모순되는 두 보수주의를 겹쳐놓는 결과를 가져왔다. 그것은 다름아니라 유물론적 형식주의와 기독교적 도덕주의이다. 하기야 그것은 다 같이 동일한 감정적 태도를 전제(前提)로 삼고 있는 것이기 때문에, 논리를 내던지기만 하면 금세 한쪽으로부터 다른 쪽으로 쉽사리 옮아갈 수가 있다. 다시 말해서 위험에 처한 입지에 한사코 매달리고, 토론을 거부하고, 공포를 분노로 가장하면 되는 것이다.

그러나 지식인이란 〈또한〉 논리를 사용하는 것을 바로 그 본질로 삼고 있는 사람이다. 그렇기 때문에 당은 지식인에게 모순을 사이비 논리로 호도하기를 요구한다. 그는 화합(和合)할 수 없는 것을 화합시키도록 갖은 애를 쓰고, 서로 배척하는 사상들을 억지로 접합시키고, 멋있는 문체로 번쩍번쩍 덧칠을 해서 용접한 자리를 가려야 한다. 가령, 프랑스의 역사를 부르주아지로부터 훔쳐내고, 위대한 페레와 꼬마 바라와 성자(聖者) 뱅상 드 폴[171]과 데카르트를 접합시켜야 한다.

공산주의 지식인의 처지는 딱하기도 하다. 그들은 자신의 출신계급의 이데올로기에서 벗어났으나, 그들이 선택한 계급 내에서 그 이데올로기와 다시 만난 것이다. 이번에는 일, 가족, 조국과 같은 단어를 조소(嘲笑)하기는커녕 도리어 찬양해야 한다.

171) le grand Ferré: 4세기의 애국자. 처음에는 농민반란에 끼여들었으나, 백년전쟁 때에 영국군을 무찌른 전공으로 유명하다.

le petit Bara(Joseph Barra, 1779-1793): 프랑스 혁명 때의 고적대 대원. 왕당파의 습격을 받고 체포되었을 때, 국왕 만세를 외치기를 거부하고 도리어 공화국 만세를 외쳐서 살해당했다는 이야기의 주인공.

Saint Vincent de Paul(1581-1660): 시골의 가난한 사람들을 위한 선교와 자선 활동에 전념한 신부.

나는 그들이 물어뜯고 싶을 때가 많으리라고 상상한다. 그러나 그들은 사슬로 묶여 있다. 기껏해야 어떤 망령(亡靈)들을 보고 짖어대는 것, 혹은 자유로운 처지에 그대로 남아 있으면서도 어떤 것도 대변하지 못하는 작가들에 대해서 짖어대는 것만이 허용되어 있을 뿐이다.

그러나 그중에는 유명한 작가들이 있다고 항변하는 사람이 있을 것이다. 물론이다. 그들에게 재능이 있었다는 것은 나도 인정한다. 하지만 그들은 이미 재능이 없어졌는데, 그것은 우연일까? 나는 앞서 예술 작품이 절대적 목적이며, 부르주아 공리주의와는 본질적으로 상치(相馳)하는 것이라고 말한 바 있다. 그렇다면 그것은 공산주의적인 공리주의와는 부합할 수 있다는 말이겠는가? 진정한 혁명적 정당 내에서는 예술 작품의 개화(開花)에 적합한 풍토가 조성될 수 있을 것이다. 왜냐하면 인간의 해방과 계급 없는 사회의 도래는 예술 작품과 마찬가지로 절대적 목적이며, 예술 작품이 그 자체의 요청(要請) 내에 반영할 수 있는 무조건적(無條件的)인 요청이기 때문이다. 그러나 프랑스 공산당은 오늘날 수단의 고약한 순환(循環) 속으로 빠져들고 말았다. 즉, 요긴한 진지(陣地)를, 다시 말해서 수단을 획득하기 위한 수단을 차지하고 지켜야 하는 것이다. 목적이 멀리 물러갈 때, 아득한 곳까지 수단들만이 벌레떼처럼 우글거릴 때는, 예술 작품도 역시 수단이 되고 사슬에 묶이고 만다. 그 목적과 원칙은 외적(外的)인 것이 되고 외부의 지배를 받는다. 그것은 이미 어떠한 내적(內的) 요청도 지니지 않고, 인간을 복부(腹部)나 그 아랫도리로만 파악한다. 작가는 재능의 겉껍질, 다시 말해서 번쩍거리는 말들을 찾아내는 기술은 간직하겠지만, 그

의 내부에서는 이미 어떤 것이 죽었으며, 문학은 선전으로 변질했다.[20]

그런데도 공산당원이며 그 선전 요원인 가로디 씨는 나를 무덤 파는 자라고 비난한다. 나는 그 모욕적인 언사를 그에게 되돌려줄 수 있겠지만, 차라리 나 스스로 그런 비난을 걸머지고 싶다. 만일 내게 그럴 만한 힘이 있다면, 나는 문학이 가로디 씨가 설정한 목적을 위해서 이용되는 것을 방치하느니, 차라리 문학을 매장해 버리겠으니까 말이다. 도대체 무덤 파는 사람이 어떻단 말인가? 그들은 정직한 사람들이고 분명히 노동 조합에 가입하고 있으며, 아마도 공산당원일지도 모른다. 나는 하인이 되기보다는 차라리 무덤 파는 사람이 되련다.

우리는 아직도 자유롭기 때문에 공산당을 지키는 개들 틈에 끼이지는 않으려 한다. 재능의 유무(有無)는 우리 마음대로 되는 것이 아니지만, 일단 글을 쓴다는 직업을 선택한 이상, 우리는 문학에 대해서 책임이 있으며, 문학이 소외의 상태로 다시 떨어지느냐 아니냐는 것은 오로지 우리에게 달려 있는 것이다. 어떤 사람들이 가끔 주장하는 바에 따르면, 우리의 책들은 프롤레타리아를 위해서도 자본주의를 위해서도 나서지 못하는 프티 부르주아지의 망설임을 반영하고 있다고 한다. 그것은 거짓말이다. 우리의 입장은 분명하다. 그러나 이런 말에 대해서 그들은 또 이렇게 응수한다. 우리의 선택은 비효과적이고 추상적이며, 혁명 정당에 가입하지 않으면 그것은 지식인의 유희에 불과하다고. 나도 그 점을 부정하려는 것은 아니다. 그러나 공산당은 이미 혁명 정당이 아닌 것을 어찌하랴! 공산당을 통하지 않으면 노동자 계급과의 접촉이 거의 불가능하다는 것은 오늘날의 프랑스에서는 과연 사실이다. 그러나 정신나간 사람이 아니고서는 노동자 계급의 대의(大義)를 공산당의 입장과 동일시(同一視)할 수는 없다. 설사 우리가 시민으로서 어떤 엄밀히 한정된 상황하에서 공산당의 정책에 찬동하여 투표한다 하더라도, 그것은 우리가 공산당을 위해서 붓을 놀려야 한다는 것을 의미하는 것은 아니다.

만일 진실로 부르주아지냐, 공산당이냐 하는 양자택일(兩者擇一)이 문제가 된다면, 선택은 불가능하다. 우리는 〈오직〉 억압 계급만을 위해서 쓸 권리가 없는 동시에, 또한 양심의 가책과 자기 기만을 지닌 채 작업하기를 요구하는 정당과 연대 관계를 맺을 권리도 없는 것이다.

만일 공산당이 〈좌익에 의해서 포위 공격을 당하는 것〉이 두려운 나머지, 내키지 않으면서도, 모든 피억압 계급의 열망을 집약(集約)하고, 그들의 요청에 불가피하게 끌려서 월남(越南)의 평화[172]나 인금 인상과 같은 조치를 주장한다면(지금까지는 그런 정책을 피하려고 갖은 애를 써왔지만), 우리는 부르주아지에 반대하고 공산당의 편에 설 것이다. 그러나 어떤 부류의 선의(善意)의 부르주아들이, 정신성(精神性)이란 자유로운 부정인 동시에 자유로운 건설이라는 것을 인정하는 한에서는, 우리는 공산당에 반대하여 그런 부르주아들의 편에 설 것이다. 또한 경화(硬化)되고 기회주의적이고 보수적이고 결정론적인 이데올로기가 문학의 본질 그 자체와 맞서게 된다면, 우리는 공산당에

172) 1945년 제2차 세계대전이 끝나자, 월남에는 호지민을 대통령으로 삼은 공화국이 수립되었으나, 프랑스는 인도차이나 반도를 지배하기 위하여 1946년 괴뢰 정권을 세워 양국 관계가 악화, 1936년 12월부터 전면전으로 들어갔다. 1954년 월남의 승리로 종전되었다.

대해서도 부르주아지에 대해서도 반대할 것이다. 이렇게 되면 우리는 모든 사람에 반대하여 쓴다는 것, 개별적 독자는 있지만 공중(公衆)은 없다는 것이 분명해진다. 자신의 계급과의 인연을 끊으려 하지만 여전히 부르주아적인 습성을 간직하고 있고, 공산당의 장벽 때문에 프롤레타리아와 갈려 있고, 또한 귀족주의적인 환상에서 벗어난 부르주아인 우리는 여전히 허공에 떠 있고 우리의 선의는 아무에게도, 심지어 우리들 자신에게도 소용이 없을 것이다. 우리는 공중을 발견할 수 없는 시대에 들어선 것이다.

더욱 나쁜 일은, 우리가 흐름에 역행(逆行)하면서 쓰고 있다는 것이다. 18세기의 작가들은 역사를 만들어 나가는 데 공헌할 수 있었다. 왜냐하면 그 당시의 역사적 전망은 혁명이었기 때문이며, 또한 억압을 종식시킬 수 있는 다른 수단이 없다는 것이 증명되었을 때는, 작가는 혁명의 편을 들 수 있고 또 들어야 했기 때문이다. 그러나 오늘날의 작가는 어떠한 경우라도 전쟁을 긍정(肯定)할 수는 없는 것이다. 왜냐하면 전쟁의 사회적 구조는 독재이고, 전쟁의 결과는 항상 위험하고, 그것은 결국 소득보다는 손해가 한결 크며, 전시(戰時)의 문학은 세뇌 공작에 동원됨으로써 소외당하기 때문이다. 우리의 역사적 전망은 전쟁이다. 그리고 우리는 앵글로색슨의 진영과 소련의 진영 중의 한 쪽을 선택하도록 요청되어 있지만, 그 어느 쪽과 제휴(提携)하여 전쟁 준비를 하는 것을 거부한다. 그렇기 때문에 우리는 역사의 밖으로 내몰리고 사막에서 떠돌고 있는 것이다.

우리에게는 항소심(抗訴審)에서 이기리라는 환상조차 남아 있

173) 172쪽 역주 95) 참조.

지 않다.[173] 아마도 항소심은 열리지 않을 것이다. 후세에 있어서 우리의 작품의 운명은 우리의 재능이나 노력에 달려 있는 것이 아니라, 미래의 분쟁의 결과에 달려 있다는 것을 우리는 알고 있다. 만일 소련이 승리한다고 하면, 우리는 완전히 침묵에 묻혀 다시 한번 죽는 꼴이 될 것이다. 그리고 만일 미국의 승리를 가정해 보면, 그들은 우리들 중의 최고의 작가도 문학사(文學史)라는 항아리 속에 가두어 넣고 다시는 거기에서 꺼내보지 않을 것이다.

그러나 가장 암울한 상황을 분명하게 파악한다는 것은 벌써 낙관주의적인 행위이다. 사실, 그것은 그런 상황이 〈사고의 대상이 될 수 있다는 것〉, 다시 말해서 우리가 어두운 숲속에서처럼 길을 잃고 있기는커녕 도리어 정신으로나마 거기에서 벗어날 수 있다는 것, 그 상황을 감제(瞰制)하고 넘어설 수 있다는 것, 그것에 직면하여 비록 절망적인 결심일망정 결심을 할 수 있다는 것을 의미한다. 모든 교파(教派)가 우리를 배격하고 파문하는 이때에, 글을 쓴다는 예술이 숱한 선전의 틈새에 끼여서 그 고유의 효력을 상실한 것처럼 보이는 이때에, 우리의 참여는 시작되어야 하는 것이다. 우리의 참여란 문학의 요청에 무엇을 덧붙이려는 것이 아니라, 비록 희망이 없더라도 오직 그 모든 요청을 섬기려는 것이다.

(1) 우선 〈잠재적〉 독자, 즉 우리의 글을 지금은 읽지 않지만 장차 읽을 수 있는 사회층을 살펴보려 한다. 우리가 초등학교 교사 중에 많은 독자를 가지고 있다고는 생각하지 않는데, 그것은 유감이다. 과거에는 그들이 문학과 대중 사이의 매개자의

역할을 한 일이 있었다.[21] 오늘날에는 그들 중의 많은 사람이 벌써 선택을 했다. 그들은 각자의 선택에 따라서 아동(兒童)들에게 기독교 이데올로기를, 혹은 스탈린의 이데올로기를 전파하고 있다. 그러나 아직도 망설이고 있는 사람들도 있다. 한데 우리가 겨냥해야 할 것은 바로 그들이다. 의심이 많으면서도 늘 기만당하고, 일시적 미망(迷妄) 때문에 파시즘의 선동가들에 금세 추종하는 프티 부르주아지에 관해서는 많은 사람들이 썼다. 그러나 선전 책자를 제외한다면, 그들을 〈위해서〉 쓴 일이 많다고는 생각하지 않는다.[22] 한데 이러한 프티 부르주아지에게는 그중의 어떤 구성원(構成員)들을 통해서 접근하기가 쉬운 것이다. 그리고 더 멀리에는 분간하기 어렵고 또 접촉하기는 더 어려운 민중의 층이 있다. 그것은 공산주의에 가담하지 않은 사람들, 혹은 그 전열(戰列)에서 이탈하여 체념과 무관심 속에 빠지거나 갈피를 잡기 어려운 불만 속에 빠질 위험이 있는 사람들이다. 그 이외로는 다른 독자를 생각할 수 없다. 농민은 1914년보다는 다소 낫다고 하지만 여전히 책을 거의 읽지 않고, 노동자 계급은 빗장이 걸려 있다. 이것이 문제의 여건(與件)들이다. 그것은 결코 고무적인 것이 아니지만, 받아들일 수밖에 없는 것이다.

(2) 이러한 잠재적 독자들 중의 일부를 어떻게 현실적 독자 속으로 편입시키느냐 하는 문제가 있다. 책은 제 힘으로 움직이는 것이 아니다. 그것은 책장을 펼치는 사람에게만 작용하며, 저절로 펼쳐지는 것이 아니다. 그렇다고 해서 〈통속화〉를 일삼을 수는 없다. 그럴 경우에는 우리는 화(禍)를 자초(自招)하는 꼴이 될 것이다. 문학이 선전이라는 암초를 피해 가도록 하겠다면

서, 어김없이 그 암초에 부딪히게 하는 결과를 가져올 것이다. 따라서 새로운 수단에 의지해야 한다. 한데 그것은 이미 존재한다. 이미 미국 사람들은 그것에 〈매스 미디어〉라는 이름을 붙여 놓았다. 신문, 라디오, 영화, 그런 것들은 잠재적 독자를 획득하기 위한 진정한 방편이다. 물론 우리는 기우(杞憂)를 가라앉혀야 한다. 책이 가장 고귀하고 가장 오래된 형식이라는 데에는 이론(異論)의 여지가 없고, 결국은 책으로 돌아와야 한다는 데에도 이론의 여지가 없다. 그러나 라디오의, 영화의, 신문 논설의, 르포르타주의 〈문학적〉 기술이 존재하는 것이다. 통속화할 필요는 전혀 없다. 영화는 본질상 군중(群衆)에게 이야기하고, 군중에 대해서, 그들의 운명에 대해서 이야기한다. 라디오는 식탁에 앉거나 자리에 누운 사람을 기습(奇襲)한다. 그들이 가장 고삐를 풀고 있을 때, 거의 생리적으로 고독에 잠겨 있을 때 기습한다. 오늘날 라디오는 그런 상황을 이용하여 사람들을 우롱한다. 그러나 그것은 또한 그들의 선의(善意)에 가장 잘 호소할 수 있는 순간이기도 하다. 이런 순간에는 그들은 사회인으로서의 연기(演技)를 아직 안하거나 이미 안하고 있다. 우리는 벌써 그들의 마음속으로 뚫고 들어간 것이다. 따라서 이제는 이미지로 이야기하고, 우리가 책에 담아온 사상을 새로운 언어로 옮겨놓는 기술을 배워야 한다.

그러나 스크린이나 라디오 프랑스의 방송을 위해서 우리의 작품을 번안(飜案)하자는 것은 아니다. 영화를 위해서, 방송을 위해서 직접 써야 하는 것이다. 한데, 내가 앞서 언급한 난점은 라디오와 영화가 기계라는 점에서 유래한다. 이런 시설은 막대한 자본을 요구하므로, 국가의 수중이나 보수적인 주식 회사의 수중에 들어가 있는 것은 오늘날 불가피한 일이다. 그것을 운영하는 사람들과 작가와의 관계는 오해(誤解)를 통해서 성립된다. 작가는 그들이 그의 창작 작업을 요구한다고 생각하지만, 그들은 실상 그런 작업을 필요로 하는 것이 아니라, 다만 돈벌이가 될 수 있는 그의 이름만을 요구하는 것이다. 그러나 작가는 사업적 감각이 없는 사람이라서, 작업은 차치(且置)하고 이름만을 팔도록 그를 결심시키는 것은 일반적으로 불가능한 일이다. 그렇기 때문에 그들은 그나마 작가가 재미있는 것을 써서 주주(株主)들의 이익을 보장하거나, 또는 국가의 정책을 위해서 설득하고 봉사하도록 유도하려고 애쓴다. 양단간에, 그들은 좋은 작품보다는 나쁜 작품이 더 성공한다는 것을 통계를 통해서 작가에게 보여주고, 대중의 저속한 취미를 알리면서 그것을 따라달라고 청한다. 그리고 작품이 완성되면, 그것이 더없이 저속하다는 것을 완전히 확인하기 위해서, 하찮은 사람들의 검토에 맡기는데, 이들은 정도가 높은 것은 가위질해 버린다.

한데, 우리의 투쟁이 전개되어야 하는 것은 바로 그 점이다. 대중에 영합하기 위해서 비하(卑下)하기는커녕, 정반대로 대중에게 본래적인 요청을 밝히고, 점차로 그들을 끌어올려, 스스로 읽고 싶은 마음이 생기도록 해야 하는 것이다. 겉으로는 양보를 해서 우리가 꼭 필요한 존재처럼 만들고, 또 가능하다면 안이(安易)한 성공을 통해서 우리의 입지를 다져야 한다. 그 다음으로는 정부 행정의 무질서와 어떤 제작자(製作者)들의 무능력을 이용하여 그들의 무기를 거꾸로 그들에게 돌려대야 한다. 그때 작가는 미지의 세계로 나서게 된다. 그는 어둠 속에서 그가 모르는 사람들에게, 여태껏 거짓말만 듣고 지내온 사람들에게 이야기하게 된다. 그는 그들의 분노와 근심을 대변할 것이다. 어떠한 거울에도 반영되지 않았던 사람들, 소경처럼 웃고 우는 것만을 배운 사람들이 작가를 통해서 갑자기 자신의 모습과 직면(直面)하게 될 것이다. 이러한 일로 말미암아 문학의 가치가 떨어진다고 누가 감히 주장할 수 있겠는가? 나는 도리어 문학이 얻는 바가 크다고 생각한다. 일찍이 산수(算數)의 전체였던 정수(整數)와 분수는 오늘날 수의 과학의 한 작은 영역에 불과하다. 책도 마찬가지이다. 만일 언젠가 〈총체적 문학〉이라는 것이 성립된다면, 그것은 그 자체의 무리수와 대수와 허수(虛數)를 가질 것이다. 매스 미디어의 산업이 예술과 아무런 관계도 없다고 말해서는 안 된다. 인쇄술도 요컨대 일종의 산업이었고, 과거의 작가들은 우리를 위해서 그것을 정복(征服)했다. 우리가 매스 미디어를 전적(全的)으로 이용하게 되리라고는 생각하지 않지만, 우리의 후대를 위해서 그 정복을 시작하는 것은 좋은 일이 될 것이다. 아무튼 분명한 것은, 만일 우리가 매스 미디어를 이용하지 않는다면, 단지 부르주아만을 위해서 쓴다는 상황에 체념할 수밖에 없다는 것이다.[174)]

(3) 선의의 부르주아, 지식인, 초등학교 교사, 비공산주의 노동자와 같은 여러 다른 부류의 사람들에게 동시에 접근할 수 있다고 치더라도, 어떻게 하면 그들을 하나의 공중으로, 다시

---

174) 사르트르 자신이 『내기는 끝났다 *Les jeux sont faits*』(1947)와 『톱니바퀴 *L'Engrenage*』(1948)와 같은 시나리오를 쓰기도 했다. 그러나 그는 매스 미디어의 이용 가능성에 대해서 밝은 전망만을 가진 것은 결코 아니다. 그는 이미 앞에서도(321-323쪽 참조), 그것이 가져올 수 있는 왜곡을 이야기한 바 있다. 또한 『변증법적 이성비판』에서는 그것이 자본가들에 의해서 이용되고 조종되는 상황을 구체적으로 지적하고 그것을 불가피한 것으로 보고 있다.

말해서 독자, 청중, 관객의 유기적 통일체(統一體)로 만들 수 있을 것인가?

읽는 사람은 말하자면 그 일상적 인격(人格)의 껍질을 벗고, 그의 원한이나 공포나 선망에서 벗어나서, 가장 높은 자유의 경지로 올라선다는 것을 상기하자. 이 자유는 문학 작품을 절대적 목적으로 삼고, 또 문학 작품을 통해서 인류 전체를 절대적 목적으로 삼는다. 자유는 그 자체에 대해서, 작가에 대해서, 또 가능한 독자에 대해서 무조건적인 요청으로서 정립(定立)된다. 따라서 그것은 모든 경우에 있어서 인간을 수단으로서가 아니라 목적으로서 대하라는 칸트적인 〈선의〉와 동일한 것이 될 수 있다. 이리하여 독자는 칸트가 〈목적의 왕국〉[175]이라고 이름 지은 선의의 합주(合奏)에 참여하게 되고, 서로 안면이 없는 수만 명의 독자들이 지상(地上)의 방방곡곡에서 매순간마다 그 합주를 유지해 나가는 데 공헌한다.

그러나 이 이상적인 합주가 구체적 사회로 실현되기 위해서는, 두 가지 조건이 충족되어야 한다. 첫째로, 독자들은 저마다 인류의 개별적 원형(原型)이라는 점에서 서로에 대하여 가져온 원리적(原理的) 인식을 지양(止揚)하고, 이 세계 한가운데에 있는 육체적 현존(現存)으로서의 자신들의 존재에 대한 직관이나 적어도 예감을 지녀야 한다. 둘째로, 그 추상적인 선의는 고독한 상태로 머무르거나, 혹은 일반적인 인간 조건에 관하여 아무에게도 감동을 주지 못하는 호소를 허공에 던지는 대신에, 구체적인 사건들을 계기로 현실적인 관계를 서로 맺게 해야 한다. 다시 말해서, 그런 초시간적(超時間的)인 선의는 그 순수

---

175) 87쪽 역주 26) 참조.

성을 간직하면서도 〈자신을 역사화〉하고, 형식적인 요청을 실질적이며 한정된 요구로 변화시켜야 한다. 그렇지 못하면 목적의 도시는 우리 각자에게 있어서 책을 읽는 동안만 지속할 따름이다. 즉, 상상적 체험에서 현실적 생활로 다시 옮아가면서 우리는 묵시적(默示的)이며 아무 기반도 없는 그 추상적 공동체를 망각하고 말 것이다. 바로 여기에서 내가 읽기의 두 본질적 기만이라고 부르려는 것이 비롯된다.

젊은 공산주의자가 『오렐리앵』을 읽고, 기독교도인 학생이 『인질』을 읽으면서 잠시 미적(美的) 희열을 느낄 때,[176] 그들의 감정에는 보편적 요청이 내포되어 있고, 목적의 왕국이 보이지 않는 성벽으로 그들을 둘러싼다. 그러나 이와 동시에 그 작품들은 구체적인 집단에 의해서——이 경우에는 전자(前者)는 공산당에 의해서, 후자는 신자들의 공동체에 의해서——지탱되고 있으며, 그 집단이 작품을 비준(批准)하고 그 행간(行間)에서 자신의 존재를 나타내는 것이다. 가령 한 신부가 강단에서 그 이야기를 하고, 《위마니테》지(紙)가 그 작품을 추천하는 따위이다. 그렇기 때문에 책을 읽는 그 학생은 결코 외롭지 않다. 책은 성스러운 성격을 띠고 예배의 도구가 된다. 그리고 책 읽기는 의식(儀式)이 되고, 다름아닌 성체배수(聖體拜受)가 된다.

이와 반대로 한 사람의 나타나엘이 『지상의 양식』을 펼치고[177] 그 글에 흥분해서, 당장에 뭇 사람의 선의를 향해 동일한 무력한 호소를 던진다고 하자. 그러면 마술적으로 불러내려는 목적의 도시가 과연 출현할지도 모른다. 그러나 그의 열정은 본질적

---

176) *Aurélien*(1945): 아라공의 소설.
L'Otage(1909): 클로델의 희곡.
177) 41쪽 역주 31) 참조.

으로 고독한 상태에 머무른다. 이 경우에는 읽기가 〈분리적(分離的)〉이기 때문이다. 독자는 가족과 그를 둘러싸고 있는 사회에 대해서 반항하게 된다. 과거와도 또 미래와도 단절하여, 지금 이 순간에 현존하는 벌거숭이의 자아(自我)로 환원된다. 그는 자신의 가장 특별한 욕망을 인식하고 헤아리기 위해서 자아의 내부로 깊숙이 내려가기를 배운다. 필경, 세계의 어느 다른 곳에서 다른 나타나엘이 같은 읽기와 같은 열정에 빠져 있겠지만, 그것은 우리의 나타나엘에게는 관심 밖의 일이다. 그 메시지는 오직 그에게만 보내진 것이고, 그 해독(解讀)은 내면적 삶의 행위이며 고독 속에서의 시도이다. 그리고 결국에는 책을 내던지고, 작가와 독자를 잇는 상호적 요청의 협약을 파기하도록 종용(慫慂)되므로,[178] 그는 자기 자신밖에는, 분리된 존재로서의 자기 자신밖에는 발견하지 못하는 꼴이 된다. 우리는 뒤르켐을 따라, 클로델의 독자들의 연대성은 유기적이며, 지드의 독자들의 연대성은 무기적이라고 말할 수 있으리라.

그러나 이 두 가지 경우에 다 같이 문학은 가장 중대한 위험에 봉착한다. 책이 성스러운 것일 경우에는, 그것은 그 자체의 의도나 아름다움을 통해서 종교적인 힘을 발휘하는 것이 아니라, 마치 증인(證印)을 얻는 것처럼 외부로부터 그 힘을 얻는다. 그리고 이 경우에 읽기의 본질적 계기(契機)는 일체감에 있기 때문에, 즉 공동체로의 상징적 통합에 있기 때문에, 씌어진 작품은 비본질적인 것으로 옮아간다. 다시 말하자면 진정 의식

178) 『지상의 양식』의 끝에서, 지드는 그가 이상적 독자로 설정한 나타나엘에게 이 책마저 내던지고 자기의 곁을 떠나서 완전히 자유롭게 되라고 권고한다.

(儀式)의 〈도구〉로 되어버린다. 니장의 예가 그것을 분명히 말해 준다. 공산주의자였던 그의 책은 공산주의자들에 의해서 열렬하게 읽혔다. 그러나 그가 탈당(脫黨)하고 죽은 지금으로서는 어떠한 스탈린주의자도 그의 책을 다시 거들떠볼 생각을 안할 것이다. 편견으로 가득 찬 그들의 눈에는 니장은 배반의 이미지 그 자체에 지나지 않는다. 그러나 『트로이의 목마』와 『음모(陰謀)』[179]의 독자는 1939년에는 모든 자유인의 공산당 가입을 위한 무조건적이며 초시간적인 호소를 던졌다. 반면에, 그 작품들의 성스러운 성격은 이와 반대로 조건부(條件附)이며 일시적이어서, 작가가 파문당할 때는 오염된 제물처럼 그것을 내던질 가능성이, 또 공산당이 그 정책을 바꿀 경우에는 아예 망각해 버릴 가능성이 내포되어 있었다. 한데 이 모순되는 두 가지 결과는 읽기의 뜻마저도 파괴하고 마는 것이다.[23] 이것은 전혀 놀라운 일이 아니다. 왜냐하면 우리가 앞서 본 것처럼 공산주의 작가 자신이 글쓰기의 뜻 그 자체를 무너뜨려 버리기 때문이다. 결국 한 바퀴 돌아 원점으로 돌아온 셈이다.

그렇다면 우리는 우리의 책이 몰래, 거의 숨어서 읽히게 되는 것에 만족해야 할 것인가? 예술 작품들은 고독한 영혼들의 밑바닥에서 마치 아름다운 금빛의 악덕(惡德)처럼 익어가야 하는 것인가? 나는 이 점에서도 모순을 찾아낼 수 있다고 생각한다. 우리는 예술 작품에서 인류 전체의 현존성(現存性)을 발견한 바 있다. 읽기란 독자가 작가 및 다른 독자들과 맺는 관계이다. 그렇다면 읽기가 어떻게 격리(隔離)로의 길이 될 수 있단 말인가?

---

179) *Le Cheval de Troie*(1934), *La Conspiration*(1938): 니장의 소설들.

우리는 우리의 공중이 아무리 많더라도, 그들이 개별적 독자의 병렬 상태(竝列狀態)로 환원되거나, 그 통일성이 당이나 교회의 초월적 행동에 의해서 부여되는 것을 바라지 않는다. 읽기는 신비로운 일체감이나 자독 행위(自瀆行爲)가 아니라, 동지적(同志的)인 교합(交合)의 관계라야 한다. 다른 한편으로, 추상적인 선의에 순전히 형식적으로 의지하는 것은 각자를 원초적인 고독 속에 내버려두는 것임을, 우리는 알고 있다. 그러나 그것으로부터 출발하는 것 이외에는 도리가 없다. 만일 이 도선(導線)을 잃어버리면, 우리는 갑자기 선전의 잡목림에서, 혹은 〈제멋에 겨워하는〉 문체(文體)의 이기적인 쾌락의 한가운데서 헤매게 될 것이다. 따라서 우리는 목적의 왕국을 구체적이며 열린 사회로 전환시켜야 하는데, 그것은 우리의 작품의 내용을 통해서 이루어진다.

목적의 왕국이 힘없는 추상적인 것으로 머무르는 것은, 그것이 역사적 상황의 객관적 변화 없이는 실현될 수 없기 때문이다. 내 생각에는 칸트도 그것을 잘 알고 있었던 것 같다.[180] 그러나 칸트는 어떤 때는 도덕적 주체의 순수한 주관적 변화에 기대하다가도, 또 어떤 때는 이 지상(地上)에서 선의와 만난다는 것에 절망하고 있었다. 하기야 미(美)의 관조는 인간을 목적으

180) 〈목적의 왕국〉에 관한 칸트의 생각은 사르트르가 해석하는 것과는 다른 것 같다. 칸트는 그것이 실현 가능한 것으로 본 것이 아니라, 여러 실천적 준칙들의 정당성을 판별하기 위한 규준으로 삼은 것이다. 「목적론에서는, 목적의 왕국은 현존하는 것을 설명하기 위한 이론적 이념이다. 도덕의 경우에서는, 목적의 왕국은 하나의 실천적 이념이고, 현존하지는 않으나 우리의 행동에 의해서 실현될 수 있는 것을 바로 이 이념에 따라 성취한다」(정진 역, 『도덕철학원론』, 을유문고, 1970, 108쪽)

로 삼으려는 순전히 형식적인 의도를 우리에게 불러일으킬 수 있을지도 모른다. 그러나 우리 사회의 기본적인 구조가 아직도 억압적인 점으로 볼 때, 그 의도는 결국 실천에는 소용없는 것이 되고 말 것이다.

우리 시대의 도덕적 역설은 다음과 같은 것이다. 만일 내가 어떤 특별한 사람들을, 가령 나의 아내, 자식, 친구, 또는 길에서 만난 가난한 사람들을 절대적 목적으로 삼는다면, 그리고 그들에 대한 나의 모든 의무를 수행하기에 열중한다면, 나는 내 인생을 거기에 바치게 되어, 계급 투쟁, 식민주의, 반유태(反猶太)주의와 같은 시대의 부정(不正)을 〈간과〉하고, 결국은 〈선을 행하기 위해서 억압을 이용하는〉 꼴이 되고 말 것이다. 그뿐만 아니라, 억압은 개인과 개인 사이의 관계에도 존재하고, 또 더 미묘하게 나의 의도 그 자체에도 존재하는 것이기 때문에, 내가 실천하려는 선은 그 바닥부터 왜곡되어 있고, 결국 근원적인 악으로 변질될 것이다. 그러나 이와 반대로 혁명운동에 투신하는 경우에는, 나는 개인적 관계를 위한 여가를 못 가질 뿐만 아니라, 행동의 논리로 말미암아, 대부분의 사람을, 심지어는 내 동료를, 수단으로 삼는다는 더 나쁜 처지에 빠지게 될 것이다.

이에 반하여, 만일 우리가 미적(美的) 감정에 잠재적으로 내포되어 있는 도덕적 요청으로부터 시작한다면, 그것은 좋은 출발점이 된다. 독자의 선의를 〈역사화〉하는 것이 필요한 것이다. 다시 말해서, 가능하다면, 우리 작품의 형식적 구성을 통해서 어느 경우이든 인간을 절대적 목적으로 삼으려는 독자의 의도를 자극하고, 또한 우리의 글의 〈주제〉를 통해서 그런 의도가 이웃으로, 다시 말해서 세계의 피억압자들로 지향(指向)되도록 해야 하는 것이다. 그러나 이에 덧붙여 작품의 내용 그 자체를 통해서, 오늘날의 사회에서는 구체적 인간을 목적으로 삼는 것이 불가능하다는 것을 보여주지 않는다면, 우리는 아무 일도 못한 꼴이 되고 말 것이다. 이리하여 우리는 독자의 손을 끌고 나가서, 그가 바라는 것은 인간에 의한 인간의 착취의 폐지라는 것을 터득하고, 또한 미적 직관(美的直觀)을 통해서 쉽게 설정된 목적의 왕국은 기나긴 역사적 진전의 끝에 가서야 접근할 수 있는 이상일 따름이라는 것을 터득할 때까지 그를 인도해야 한다. 바꾸어 말하자면, 우리는 구체적인 목적의 사회가 장차 도래하는 데 기여하기 위해서, 독자의 형식적 선의를 전환시켜, 특정한 수단을 통하여 〈이 세계〉를 변화시키겠다는 구체적이며 실질적인 의지(意志)가 되게 해야 하는 것이다. 왜냐하면 오늘날의 시대에 있어서는 선의는 불가능하기 때문이다. 아니, 차라리, 선의는 선의를 가능하게 하려는 의도일 따름이며, 그 이외의 다른 것이 될 수가 없기 때문이다.

그런 이유에서, 우리의 작품에 표명되지 않으면 안 될 특별한 〈긴장〉이 생기는데, 그것은 내가 리처드 라이트에 관해서 언급했던 바와 같은 긴장을 상기시킨다. 왜냐하면 우리가 공중으로 삼으려는 사람들의 일부는 아직도 개인 대 개인의 관계에만 그 선의를 내바치고 있고, 또 다른 일부는 피억압 계급에 속해 있는 이유로, 모든 수단을 다하여 그들의 운명의 물질적 개선을 얻어내려는 노력에만 몸을 바쳐왔기 때문이다. 따라서 전자(前者)에게는 목적의 지배가 혁명 없이는 실현될 수 없다는 것을, 후자에게는 혁명이란 목적의 왕국을 준비하기 위해서만 존재한다는 것을 가르쳐주어야 한다. 우리가 끝끝내 버텨 나간다면, 바로 이 변함없는 긴장이 우리의 공중의 통일성을 실현시켜 줄 것이다. 요컨대 우리는 우리의 글을 통해서 개인의 자유〈와 아울러〉 사회주의 혁명을 위해서 투쟁해야 하는 것이다. 흔히들 그 두 가지는 상치되는 것이라고 말해 왔다. 그러나 우리의 과제는 그것이 서로 연루(連累)되어 있다는 것을 끈질기게 보여주는 데 있다.

우리는 부르주아 출신이며, 이 계급은 우리에게 정치적 자유와 인신보호령 등, 그것이 전취(戰取)한 가치를 가르쳐주었다. 우리는 우리의 문화와 생활 양식과 현실적 공중으로 볼 때, 부르주아로 남아 있다. 그러나 이와 동시에, 역사적 상황은 계급 없는 사회의 건설을 위해서 프롤레타리아와 합류할 것을 우리에게 재촉하고 있다. 지금으로서는 프롤레타리아가 사상의 자유에 대해서 별로 관심이 없는 것이 사실이다. 그들에게는 더 시급한 과업이 있기 때문이다. 다른 한편으로, 부르주아지는 〈물질적 자유〉라는 말이 무엇을 의미하는지 아예 모르겠다는 기색이다. 이리하여 이 두 계급은 각각 이율배반(二律背反)의 한쪽 항(項)에 대해서 무지하기 때문에, 적어도 이 점에 있어서는 마음이 불편할 것이 없다.

그러나 우리들 작가로서는 지금으로서는 매개(媒介)할[181] 만한 것이 아무것도 없지만, 그래도 역시 매개자로서의 상황에 처해 있다. 두 계급 사이에 끌려 있는 우리는 그 이중의 요청을 마치 수난(受難)처럼 겪도록 선고되어 있는 것이다. 그 요청은

---

181) médiatiser: 텍스트에는 méditer(숙고하다, 명상하다)로 되어 있고, 《현대》지의 원문에는 médier로 되어 있다. 그러나 méditer는 문맥에 맞지 않고, médier라는 동사는 존재하지 않는다. médiatiser(매개하다)로 바로잡아야 할 것이다.

우리 시대의 드라마인 동시에, 우리의 개인적인 문제이기도 하다. 하기야 우리를 찢어놓고 있는 이 이율배반은 우리가 청산하지 못한 부르주아 이데올로기의 잔재가 아직도 우리들 속에 남아 있어서 생긴 것일 따름이라고 말하는 사람이 물론 있을 것이다. 또 다른 한편으로는 우리가 혁명이라는 시류(時流)를 따르고, 본래 문학의 목적이 될 수 없는 것에 문학을 종속시키려 한다고 말하는 사람도 있으리라. 그런 비판은 별것이 아니다. 그러나 우리들 중에서 불행 의식에 시달리는 사람들의 경우에는 이런 목소리가 서로 상반되는 반향을 번갈아 불러일으킬지도 모른다.

그러니 다음과 같은 점을 명심해 두어야 할 것이다. 우리의 부르주아적 기원을 더 완전히 부정하기 위해서는, 형식적 자유를 포기하는 것이 그럴듯한 처사이겠지만, 그것은 글쓰기라는 기도를 근본적으로 불신(不信)하는 것이 되리라. 다른 한편으로 편안한 마음으로 〈순수문학〉을 하기 위하여, 물질적 요구에 대해서 아예 무관심하게 되는 것이 더 간단할지도 모르지만, 그렇게 되면 우리는 억압 계급 이외의 독자를 획득하는 것을 체념해야 할 것이다. 따라서 우리는 우리 자신을 위해서, 그리고 우리 자신 속에서, 그 대립을 넘어서야만 한다. 우선 우리는 그것을 넘어설 수 있다는 것을 다짐하자. 문학 자체가 그 증거를 제시해 주고 있다. 왜냐하면 문학은 모든 자유로운 인간에게 호소하는 총체적 자유의 작업이기 때문이며, 그리하여 그 나름대로 창조적 활동의 자유로운 산물로서 인간 조건의 총체성을 드러내기 때문이다. 그리고 다른 한편으로, 전체적인 해결을 구상한다는 것이 우리들 대부분의 능력을 넘어서는 것이라 하더라도, 수많은 세부적(細部的) 종합의 형식으로 대립을 넘어서는 것이 우리의 의무이다. 우리는 날마다 작가로서의 생활을 통해서, 논설과 책을 통해서 입장을 밝혀 나가야 한다. 형식적 자유와 물질적 자유의 효과적인 종합으로서의 총체적 자유의 권리를 지도 원리로 간직하면서 말이다. 이 자유가 소설에서, 평론에서, 희곡에서 다 같이 표출되어야 한다. 그리고 우리의 작중인물(作中人物)들이 우리 시대의 인물인 경우에는 그런 자유를 향유(享有)할 수 없겠지만, 적어도, 그런 자유를 누리지 못하는 것이 얼마나 괴로운 것인지를 보여줄 수 있어야 한다.

수려한 문체로 폐단이나 부정을 고발하고, 부르주아 계급의 심리를 부정적(否定的) 각도에서 멋있게 파헤치고, 또 사회주의 정당들을 위해서 펜을 드는 것조차도, 그것만으로는 충분하지 않다. 문학을 살리기 위해서는 〈우리의 문학〉의 입장에 서야 한다. 왜냐하면 문학은 본질적으로 입장의 표명이기 때문이다. 우리는 모든 영역에서 엄격히 사회주의적 원칙에 입각(立脚)하지 않은 모든 해결책을 배척해야 하는 동시에, 사회주의를 절대적 종점(終點)으로 생각하는 모든 교리와 운동을 배격해야 한다. 우리의 생각으로는 사회주의는 완전한 종점이 아니라 시작의 종점이다. 달리 말해 보자면, 그것은 인간이 자유를 소유하게 되는 종점 이전의 마지막 수단이다. 이리하여 우리의 작품들은 부정과 건설이라는 이중(二重)의 양상하에서 공중에게 제시되어야 한다.

우선 부정에 관해서 이야기하자. 17세기 말로 거슬러 올라가는 비평문학의 위대한 전통은 누구나 잘 알고 있다. 그 과업은 각각의 개념에 있어서, 그 자체에 고유한 것과, 전통이나 억압자의 기만이 그것에 덧붙인 것을, 분석을 통해서 분간하는 것이었다. 볼테르와 같은 작가들과 백과전서파(百科全書派)의 사람들은 이 비평의 작업을 그들의 본질적인 임무로 삼았다. 작가의 소재와 도구는 언어이기 때문에, 작가가 그의 도구를 정화(淨化)할 책임이 있다는 것은 당연한 이야기이다. 한데 문학의 이러한 부정적 기능은 다음 세기 동안에 방치(放置)되었다. 왜냐하면 권력을 장악한 계층의 사람들은 필경 과거의 대작가(大作家)가 그들의 뜻에 맞게 설정한 개념들을 이용했기 때문이다. 그리고 그들의 제도, 목표 및 그들이 행사한 억압과 그들이 사용하는 말에 부여한 의미의 사이에는, 처음에는 일종의 균형이 있었기 때문일 것이다. 19세기에는 가령 〈자유〉라는 단어는 오직 정치적 자유만을 가리키고, 그 이외의 모든 종류의 자유에 대해서는 〈무질서〉나 〈방종〉과 같은 말이 사용된 것이 분명하다. 마찬가지로 〈혁명〉이라는 단어도 필연적으로 1789년의 역사적 대혁명과 관련된 말이었다. 그리고 부르주아지는 매우 일반적인 합의에 따라, 그 대혁명의 〈경제적〉 측면을 등한시했으며, 그들의 역사 서술에 있어서, 그라퀴스 바뵈브에 대해서도 또 로베스피에르Robespierre와 마라Marat의 견해에 대해서도 거의 언급을 하지 않고, 그 대신 데물랭과 지롱드당(黨) Girondins에 대해서만 공식적인 존경을 표명했다.[182] 그렇기

182) 부르주아지의 혁명사 서술은 혁명의 본뜻을 어긴 것이라는 뜻에서 하고 있는 말이다. 그들은 구제도에 반대했지만, 또한 과격파의 정책과 노동 계급을 위한 경제 개혁에도 반대하고, 부르주아로 구성된 온건파 지롱드당의 편을 들었다는 것이다.

Gracchus Babeuf(1760-1797): 본명은 François Noël Babeuf. 로마의 그라쿠스 형제의 이름을 본따서 자칭한 이름이다. 총재정부Directoire를 전복하고 공산주의적인 개혁을 실천하려고 했으나 발각되어 사형을 당했다.

Camille Desmoulins(1760-1794): 혁명을 열렬히 지지하는 책자들을 만들었다. 그러나 로베스피에르의 공포정치에 반대하다가 동지인 Danton

때문에 〈혁명〉이라는 말은 그후 성공한 정치적 폭동을 가리키게 되고, 결국 단순한 지배자의 교체만을 가져왔던 1830년과 1848년의 사건에 대해서도[183] 그 명칭을 적용했던 것이다.

이러한 용어의 협소성(狹小性) 때문에, 역사적, 심리적 또는 철학적 현실의 어떤 양상들을 놓치고 말았다는 것은 분명하다. 그러나 그 양상들은 그 자체로서 명백히 드러난 것은 아니었다. 그것은 사회 생활 또는 개인 생활의 실질적인 요소라기보다는 대중이나 개인의 의식에 깃들여 있던 은연한 불안과 관련된 것이었다. 그렇기 때문에 사람들은 말들이 불충분하다는 점보다도, 그 의미가 깨끗하게 정리되고 변함없이 명료하다는 점에 깊은 인상을 받았던 것이다.[184] 18세기에는 『철학사전』[185]을 만든다는 것은 권력 계급을 은연히 침식한 것이었다. 그러나 19세기에는 리트레와 라루스[186]는 실증주의적이며 보수적인 부르주아여서, 사전은 다만 의미의 검증(檢證)과 정착(定着)만을 겨냥했다. 양대전간(兩大戰間)의 문학의 특징이 되어 있는 언어의

과 함께 체포되어 교수대에 올랐다.

183) 각각, Louis-Philippe의 부르주아 왕조를 가져온 7월 혁명과 제2공화국을 성립시킨 2월 혁명을 가리킨다.

184) 바로 사르트르의 『구토』는 우리가 분명한 것으로 알아온 사물의 의미가 사실은 편리한 허구에 지나지 않으며, 그것이 존재의 진실한 모습을 가리고 있다는 것을 밝히려는 데에 가장 중요한 뜻이 있다.

185) *Dictionnaire philosophique*(1764): 『백과전서』와 아울러, 사르트르가 앞에서 말한 18세기의 〈언어의 정화〉의 대표적인 예이다. 614개의 항목으로 되어 있는 이 책에서 볼테르는 정치와 종교상의 지배적 편견에 대한 도전적인 분석을 시도하고 있다.

186) Littré, Larousse: 리트레에 관해서는 216쪽 역주 4) 참조.

Pierre Larousse(1817-1875): 1852년 유명한 라루스 출판사를 차렸고 『19세기 대백과사전 *Grand Dictionnaire universelle du XIXe siècle*』(1863-1876)을 펴냈다.

위기는, 지금까지 등한시되어 오던 역사적, 심리적 현실의 양상들이 그 동안 은연히 무르익어, 갑자기 전면(前面)으로 솟아올라서 생긴 것이다.[187]

한데 우리는 그런 양상을 지칭하기 위해서 옛날과 똑같은 언어적 도구밖에는 가지고 있지 않다. 하기야 그것은 그렇게 큰 문제가 아닐지도 모른다. 왜냐하면 대부분의 경우에는 다만 개념을 심화(深化)하고 정의를 바꾸면 되기 때문이다. 가령 우리는 〈혁명〉이라는 말의 뜻을 되살릴 수 있을 것이다. 즉, 그 단어는 소유권 제도의 변경과 정치적 구성원의 변화와 폭동이라는 수단의 사용을 동시에 내포하는 역사적 현상을 가리켜야 한다고 지적한다면, 우리는 프랑스어의 한 영역의 재생을 시도한 것이 될 것이며, 그 단어는 새로운 생명력을 갖추어 새로운 출발을 하게 될 것이다. 언어에 대해서 시도해야 할 기본적 작업은 볼테르의 세기에는 분석적이었으나, 오늘날에는 종합적인 성격을 띤다는 것을 명심해야 한다. 언어를 넓히고 깊게 만들고 문을 활짝 열어서, 한떼의 새로운 관념들이 도중에 검사를 받으면서도 들어올 수 있게 해야 한다. 그것은 다름아니라 바로 반(反)아카데미즘의 작업이다.

그러나 불행하게도 우리의 과업을 극히 복잡하게 만드는 것이 있는데, 그것은 우리가 선전(宣傳)의 세기에 살고 있다는 사실이다. 1914년에는 적대하는 두 진영이 다만 신(神)을 독차지하려고 다투었다.[188] 그것은 그렇게 중대한 일이 아니었다. 한

---

187) 22쪽 역주 9) 참조.

188) 텍스트에는 〈1941년〉으로 되어 있으나 《현대》지의 원문에는 〈1914년〉으로 되어 있어서 그 쪽을 취했다. 〈신을 독차지하려고 다투었다〉는 것은 그해에 발발한 제1차 세계대전에서 각각 자기의 진영이 신의 편이라고 주장하면서 전쟁의 정당성을 내세운 것을 뜻할 것이다. Folio판은 1741

데 오늘날에는 대여섯의 적대적 진영이 핵심적(核心的) 관념들을 서로 빼앗으려고 다투고 있다.[189] 왜냐하면 그런 관념이 대중에게 가장 큰 영향을 끼칠 수 있기 때문이다. 가령 독일 사람들이 전쟁 전의 프랑스 신문의 외모와 표제어와 기사의 배열과 심지어 활자체조차 그대로 유지하면서도, 우리가 늘 찾아보던 것과는 정반대의 사상을 퍼뜨리기 위해서 어떻게 신문을 이용했는지를 상기해 볼 수 있다.[190] 표면의 색깔이 달라지지 않았으니까, 우리가 알약의 차이를 눈치채지 못하리라고 그들은 기대했던 것이다.

낱말에 관해서도 마찬가지이다. 당파(黨派)마다 말들을 트로이의 목마처럼 앞세우고, 그 19세기적인 의미를 눈앞에서 반짝이게 하기 때문에, 우리는 말들을 들어오게 내버려둔다. 그러나 일단 요소(要所)에 도달하면, 말들은 활짝 열리고 전대미문의 야릇한 의미들이 마치 군대처럼 우리들 속에서 퍼지고, 우리가 미처 정신도 차리기 전에 요새(要塞)가 점령당한다. 그렇게 되면, 이미 대화도 말다툼도 불가능해진다. 브리스 파랭 Brice Parain은 그 점을 잘 알고 있었다. 그는 대충 다음과 같은 말을 한 일이 있다. 「당신이 내 앞에서 자유라는 낱말을 사용하면, 나는 흥분하거나 찬성하거나 반대한다. 그러나 내가 그 말로서 뜻하는 바는 당신이 뜻하는 것과 전혀 다르고, 그래서 우

년으로 기재하고 있으나, 그해에 〈신을 독차지하려고 다툴 만한〉 무슨 특별한 일이 있었던 것 같지는 않다.

189) 미국, 소련, 유럽뿐만 아니라, 독립 투쟁을 하는 식민지와 또한 유태인의 경우에, 그들의 이데올로기와 언어의 개념(가령, 민주주의, 자유, 정의와 같은 개념)이 서로 다르고 그 사이에 알력이 있는 것을 말한다.

190) 제2차 세계대전중 프랑스가 독일군에 의해서 점령되어 있던 시기의 이야기.

리는 공연히 떠들어대는 것이다」 사실 그렇다. 그러나 이것은 현대의 병폐이다. 19세기라면, 리트레 Littré 사전이 우리의 합의의 근거를 마련해 주었을 것이다. 제2차 세계대전 이전에는 우리는 랄랑드의 『철학용어사전』[191]을 표준으로 삼을 수 있었다. 그러나 오늘날에는 중재자가 없다.

더구나 우리는 모두들 공범자이다. 왜냐하면 이러한 관념의 동요는 우리의 자기 기만(自己欺瞞)에 이용되고 있기 때문이다. 그뿐 아니다. 소란한 시대에는 말들이 인간의 대이동(大移動)의 흔적을 보여준다는 것을 언어학자들은 자주 지적한 바 있다. 가령 야만인의 군대가 갈리아 지방을 지나가면,[192] 그 병사들이 토착어(土着語)를 희롱했고, 그것 때문에 말이 오랫동안 왜곡되었다. 우리의 언어는 아직도 나치의 침공의 흔적을 남기고 있다. 〈유태인〉이라는 말은 전에는 인간의 어떤 타입을 가리키는 말이었다. 하기야 프랑스의 반유태주의자가 이 말에 다소 경멸적인 의미를 띠게 했을지는 모르지만, 그런 것을 씻어내기는 쉬운 일이었다. 그러나 오늘날에는 그 말을 사용하는 것을 두려워들 한다. 그것은 협박처럼, 모욕처럼 또는 도발처럼 들린다. 또한 유럽이라는 말은 과거에는 구대륙(舊大陸)의 지리적, 경제적, 역사적 단위를 의미하는 것이었다. 그러나 오늘날에는 게르만주의와 굴종(屈從)의 냄새를 아직도 간직하고 있다.[193] 〈협

---

191) André Lalande(1867–1963): 철학자. 그가 편찬한 『철학용어사전 *Vocabulaire technique et critique de la philosophie*』(1902–1923)은 진화론적 철학관에 대항하여 합리주의의 전통에 입각하고 있다. 이 사전은 그후에도 여러 번 개정되고 증보되었다.

192) 4–6세기에 게르만의 부족들이 남쪽 유럽을 향해서 대이동을 한 것을 가리킨다. Gallia(Gaulle)는 오늘날의 북부 이탈리아, 프랑스, 벨기에 지방이다.

력〉[194]이라는 결백하고 추상적인 말조차 오염되었다.

다른 한편으로, 소련이 정체 상태(停滯狀態)에 있기 때문에, 전전(戰前)의 공산주의자들이 사용했던 말들도 정체 상태에 빠져 들고 말았다. 스탈린주의를 따르는 지식인들이, 생각하는 일을 중도에서 멈춘 것과 마찬가지로, 말들의 의미도 중도에서 멈추어버렸다. 혹은 골목길에서 헤매고 있다. 이 점에서 볼 때, 〈혁명〉이라는 말의 변천은 참으로 뜻깊은 바가 있다. 나는 다른 글에서, 「유지하는 것이야말로 국민혁명의 신조(信條)이다」라는 한 부역(附逆)한 신문 기자의 말을 인용한 일이 있다. 오늘 나는 여기에 「생산하는 것이야말로 진실한 혁명이다」라는 한 공산주의 지식인의 말을 덧붙이고 싶다. 말의 뜻이 터무니없이 흩어져서, 최근 프랑스에서는 「공산당에게 투표하는 것이야말로 사유 재산의 옹호를 위해서 투표하는 것이다」라는 선거용 포스터까지도 등장했다.[24] 또한 오늘날 사회주의자가 아닌 사람이 누가 있겠는가? 모두 좌익 인사(左翼人士)로 구성된 어느 작가회의에서 「사회주의라는 말이 너무나 가치가 떨어졌다」는 이유로, 그들의 선언문에 그 말을 쓰기를 거부한 일을 나는 기억하고 있다.

이렇듯 언어적 현실이 오늘날 하도 복잡한 점으로 비추어볼 때, 그들이 사회주의라는 말을 배격한 이유가 과연 그들의 주

---

193) 유럽이 히틀러의 야망에 짓밟혔던 일.
Germanisme: 여기에서는 Pan-Germanisme을 가리킨다. 비스마르크의 독일 제국이 세계의 모든 독일 민족을 통합하여 세계 제패를 획책한 것. 특히 중부 유럽 및 발칸의 지배를 직접적 목표로 겨냥했다. 그 정책은 대부분 나치스에 의해서 계승되었다.

194) collaboration: 이 단어는 종전 후의 프랑스에서 조국을 등지고 독일에 부역(附逆)한 행위를 가리키는 데 전용되었다.

장대로인지, 혹은 그 말이 아무리 닳아빠졌을망정 역시 무서운 말이기 때문인지는 알 수가 없는 일이다. 그뿐 아니라, 〈공산주의자〉라는 말은 미국에서는 공화당(共和黨)에게 투표하지 않는 모든 미국 시민을 가리키며, 유럽에서 〈파시스트〉라는 말은 공산주의자에게 투표하지 않는 모든 유럽의 시민을 가리킨다. 더욱 갈피를 잡을 수 없는 일이 있다. 프랑스의 보수주의자들은 소련 체제가 인종에 관한 이론이나 반유태주의의 이론이나 전쟁의 이론을 바탕에 깔고 있지 않은데도 불구하고, 그것을 국가사회주의라고 규정하고 있고, 다른 한편으로 좌익의 사람들은 여론의 산만(散漫)한 지배하에 있는 자본주의적 민주국가인 미국을 두고, 그 나라가 파시즘으로 쏠리고 있다고 언명하고 있다.

작가의 기능은 사실을 숨김없이 말하는 데 있다. 말들이 병들어 있다면, 그것을 고치는 것이 우리의 책임이다. 그런데도 많은 사람들은 병을 고치기는커녕, 병에 의지해서 살고 있다. 현대문학은 많은 경우에 언어의 암이다. 〈버터의 말〉[195]이라고 쓴다고 해서 누가 나무랄 수는 없겠지만, 그런 언어를 사용하는 사람은 어떤 의미에서는, 미국을 파시스트라고 부르고, 스탈린주의를 국가사회주의라고 규정하는 사람들과 마찬가지의 짓을 하고 있는 것이다. 특히 내가 알기로는 시적 산문(詩的散文)이라고 불리는 문학적 글쓰기보다 더 나쁜 것은 없다.[196] 그

195) 18쪽 참조. 여기에서도 바타유에 대한 비난이 되풀이되고 있다.

196) 이 책에서 전개된 참여론의 대전제로서, 시와 산문의 구별을 명확히 하려는 사르트르로서는, 〈시적 산문〉이나 〈산문시〉를 비난하는 것은 논리상 일관성이 있는 일이다. 그는 이미 35-37쪽에서도 〈시에 의해서 감염된 산문〉을 공격하고 있다. 그러나 Genet를 논할 때는 그의 산문의 시

것은 은연한 조음(調音)이, 분명한 의미와 모순되는 어렴풋한 뜻으로 이루어진 그런 조음이 주위에서 울리도록 말들을 사용하는 것이다.

마치 초현실주의자들이 주체와 대상을 한꺼번에 파괴하려 했듯이, 허다한 작가들의 목적이 말들을 파괴하는 데 있었다는 것을 나는 알고 있다. 그것은 소비문학(消費文學)의 극점이었다. 그러나 오늘날에는 내가 지적했듯이 건설을 해야 한다. 근자에는 많은 사람들이 브리스 파랭처럼 언어와 현실 사이의 괴리를 한탄하거나, 그렇지 않으면, 문학의 적, 즉 선전의 공범자가 되어 있다. 따라서 작가로서의 우리의 첫째 의무는 언어의 존엄성을 재확립하는 것이다. 결국 우리는 말로서 생각한다. 언어로서 표현하기에 마땅치 않은 어떤 말할 수 없는 아름다움을 우리가 깊이 간직하고 있다고 믿는 것은 어리석은 일이다. 그뿐 아니라, 나는 전달할 수 없는 것이 있다는 주장에 반대한다. 그것은 모두 폭력(暴力)의 원천이다. 우리가 향유하는 확실성을 나누어 가질 수 없다고 생각할 때는, 때려부수고 태우고 목매달고 하는 길밖에는 남지 않는다. 우리의 존재는 우리의 삶을 넘어서는 가치를 가진 것이 아니며, 우리의 존재를 판정하는 기준은 삶이다. 마찬가지로, 우리의 사고(思考)는 우리의 언어를 넘어서는 가치를 가진 것이 아니며, 사고에 관한 판정은 언어를 어떻게 사용하느냐에 따라서 이루어지는 것이다. 우리가

적 특징을 매우 높이 평가하고, 그 점에서 그의 작품의 충격적 효과의 원천을 찾는다(*Saint Genet*, 560-570쪽). 그뿐만 아니라 후일에는 현대 작가를 두고 「산문가라고 자칭(自稱)하는 시인」이라고 말하면서, 시와 동일한 각도에서 산문의 〈물질성〉에 대해서 이야기한다(*Situations VIII*, 432쪽 및 그 이하 참조).

언어의 효험(效驗)을 회복시키기 위해서는 두 가지 작업을 해야 한다. 한편으로는 언어에서 우연적인 의미를 제거하기 위한 분석적 정화 작업(淨化作業)과, 다른 한편으로는 언어를 역사적 상황에 적응할 수 있게 하기 위한 종합적 확장 작업(擴張作業)이 그것이다. 한 작가가 이 작업을 위해서 심혈을 기울인다 하더라도, 그의 일생만으로는 부족할 것이다. 그러나 우리 모두가 함께 전력을 바치면 큰 어려움 없이 그 일을 수행할 수 있을 것이다.[197)]

그뿐 아니다. 우리는 기만(欺瞞)의 시대에 살고 있다. 기만에는 사회 구조에서 유래하는 근본적인 것과, 부차적인 것이 있다. 아무튼 사회의 질서도 또 무질서도 오늘날에는 의식의 기만을 그 터전으로 삼고 있다. 나치즘이 하나의 기만이었고, 드 골 De Gaulle주의[198)]가 또 하나의 기만이며, 카톨릭교가 제3의 기만이다. 현재에는 프랑스의 공산주의가 제4의 기만인 것은 의심의 여지가 없다. 하기야 우리는 그런 것을 염두에 두지 말고 또 그것을 공격하지도 않으면서, 성실하게 우리의 일을 해 나갈 수도 있을 것이다. 그러나 작가는 독자의 자유에 호소하기

197) 언어가 지시 대상을 적절하게 재현하고 전달할 수 있다는 이러한 낙관주의는 한결같이 유지되지는 않았다. 후일의 사르트르는, 심지어 일상적 언어에 있어서도 〈실천적 타성태〉로서의 언어가 화자와 청자 사이의 바람직한 의사 전달을 불가능하게 만들고(*Critique de la raison dialectique*, 75쪽), 다른 한편으로는 산문 역시 재현과 전달을 제1차적 목적으로 삼지 않는 〈사물〉의 창조임을 지적하고 있다(*Situations VIII*, 436쪽).

198) De Gaulle에 대한 사르트르의 반감은 1947년 10월에 《현대》지의 동인들이 가진 방송에서 공표되었다. 그때 그는 드 골이 미소 간의 대립에서 미국 쪽을 편들고 제3세력을 형성하지 못한 것을 탓했는데, 그후에도 여러 번 드 골을 규탄하는 발언을 했다.

때문에, 그리고 기만당한 의식은 그것을 묶어놓는 기만의 공범자가 되어, 그런 상태에 머무르려는 경향이 있기 때문에, 우리는 우리의 독자를 기만에서 해방시키려고 노력하지 않으면 문학을 지켜 나갈 수 없는 것이다.

같은 이유에서, 작가의 의무는 모든 부정(不正)에 대해서——그것이 어디에서 오건 간에——항거하는 데 있다. 그리고 사회주의를 통한 먼 훗날의 자유의 도래를 목적으로 설정해 놓아야만 비로소 우리의 글은 뜻을 지닐 수 있는 것이기 때문에, 형식적 자유와 개인적 자유에 대한 침범(侵犯)이 있었고, 또는 물질적 억압이 있었고, 또는 그 두 가지가 한꺼번에 있었다는 것을 그때그때마다 드러내는 것이 중요하다. 이 점에서 볼 때 우리는 소련에서의 유형(流刑)과 마찬가지로 팔레스타인에 대한 영국의 정책과 그리스에서의 미국의 정책[199] 역시 고발의 대상이 되어야 한다. 하기야, 우리가 공연히 잘난 체하고, 세상의 흐름을 바꾸기를 꿈꾸다니 참으로 유치하다고 말할 사람들이 있을 테지만, 우리는 어떠한 환상도 품고 있는 것이 아니다. 다만 우리는 장차 자식들 앞에서 체면을 세우기 위해서일망정, 어떤 발언을 하는 것이 마땅하다고 생각한다. 게다가 우리는 미국

---

199) (1) 스탈린 치하에서 정치범을 시베리아 강제 수용소로 보낸 사실은 이미 알려져 왔는데, 특히 제2차 세계대전중에는 독일과 협력할 가능성이 있다고 판단된 많은 사람들의 유형이 있었다. (2) 영국은 아랍인과 유태인에게 대해서, 그 위임통치령이었던 팔레스티나에 독립 국가를 세울 것을 양자에게 다 같이 인정한다는 모순된 정책을 취해 왔고, 그 결과 제2차 세계대전 후 이스라엘 공화국을 건립하려는 유태인과 그것을 저지하려는 아랍 사이의 알력이 격화되었다. (3) 그리스에서는, 제2차 세계대전중에 저항운동을 해온 좌익 세력이 신장하여 정부측과 내란 상태에 들어갔으나, 정부는 1947년부터의 미국의 적극적인 원조에 힘입어 1949년 결정적으로 승리했다.

의 국무성(國務省)에게 무슨 영향을 주겠다는 터무니없는 포부를 가지고 있는 것은 아니다. 우리가 가지고 있는 것은 우리의 시민의 의견에 대해서 작용하겠다는 좀더 합리적인 포부이다.

그러나 우리는 아무렇게나 분별없이 휘갈겨 써서는 안 된다. 그때그때마다 어떤 목표를 추구할 것인지 깊이 생각해야 한다. 왕시(往時)의 공산주의자들은, 소련이 사회주의의 이념 자체를 부패시키고, 프롤레타리아 독재를 관료주의의 독재로 변질시켰다는 이유를 들어, 그 나라를 제1의 적으로 생각하도록 우리에게 종용할 것이다. 따라서 우리가 소련의 권력 남용과 폭력을 규탄하는 데 전력을 기울이는 것이 그들의 소원일 것이다. 한편, 자본주의의 부정은 너무나 명명백백해서 아무도 감히 속일 수 없는 것이므로, 그것을 고발하는 데 시간을 낭비할 필요는 없을 것이라고들 말한다.

나는 이러한 충고가 어떤 속셈에서 나온 것인지를 너무나 잘 알고 있는 듯이 느낀다. 우리의 고찰의 대상이 될 폭력이 어떤 것이든 간에, 그것에 대한 판단을 내리기 전에 필요한 것이 있는데, 그것은 폭력을 행사하는 나라의 상황과 폭력을 행사한 목적을 살피는 것이다. 가령 소련 정부의 현재의 거동은 결국 따지고 보면 정체 상태에 있는 혁명을 지키고 다시 전진하는 것이 가능해질 시기(時機)까지 〈버티려는〉 욕구에서 나온 것이 아니겠는가? 그 반대로 미국인들의 반유태주의와 흑인 배척, 우리의 식민주의, 프랑코Franco에 대한 열강(列強)의 태도 따위가 보여주는 부정(不正)은 많은 경우에 덜 두드러진 것이 사실이지만, 그래도 역시 인간에 대한 인간의 착취라는 현재의 체제를 유지하는 데 목적이 있는 것이다.

하기야 그런 것은 누구나 다 아는 사실이라고들 말할 것이다. 아마도 그럴지도 모른다. 그러나 아무도 그것을 입 밖으로 내지 않는다면, 안다고 해서 무슨 소용이 있겠는가? 세계를 표상(表象)하고 세계에 관해서 증언하는 것이 작가의 임무이다. 게다가 설사 소련과 공산당이 진정으로 혁명적인 목적을 추구한다 하더라도, 사용된 〈수단〉에 대한 판단이 유보(留保)될 수 있는 것은 아니다. 자유가 인간의 모든 행동의 원칙이며 목표인 이상, 목적에 의거해서 수단을 판단하는 것도 또 수단에 의거해서 목적을 판단하는 것도 다 같이 잘못이다. 목적은 차라리 사용된 모든 수단의 종합적 통일이다. 한데 어떤 수단들은 실현하려는 목적을 자칫 파괴하는 수가 있다. 그런 수단은 종합적 통일 속으로 흡수되지 못하고, 그 존재 자체로 말미암아 그 통일성을 무너뜨리는 것이다.

사람들은 어떤 조건하에서 수단이 정당하다고 말할 수 있을지를 거의 수학적인 공식으로 결정해 보려고 시도해 왔다. 그 공식을 만들기 위해서 목적의 개연성(蓋然性)과 근접성(近接性)을 고려하고, 또 사용될 수단이 치르는 대가(代價)에 대해서 목적이 가져올 이득 따위가 고려된다. 마치 벤담Bentham과 쾌락의 산술(算術)이 다시 등장한 느낌이다.[200] 나는 이런 종류의 공식이 어떤 경우에는 적용될 수 있다고 생각한다. 가령 몇 사람의 인명을 살리기 위해서 몇 사람의 인명을 희생시켜야 하느냐는, 양적(量的)인 가정을 세울 때가 그렇다. 그러나 대부분의 경우에는 문제가 그런 것과는 전혀 다르다. 사용된 수단이 목적에 〈질적인〉 변화를, 따라서 측정할 수 없는 변화를 초래한다. 예를 들어, 한 혁명 정당이 그 투사(鬪士)들로 하여금 불안과

200) 이른바 〈최대 다수의 최대 행복〉이라는 계량적 개념을 두고 하는 말이다.

의식의 위기와 적대자의 선전에 빠져들지 않도록 하기 위해서, 그들에게 조직적으로 거짓말을 하는 경우를 상상해 보자. 추구되는 목적은 억압적 체제의 폐지이지만, 거짓말은 그 자체가 억압이다.

그렇다면 억압을 없앤다는 핑계로 억압을 영속화시킬 수 있는 것인가? 인간을 더 잘 해방시키기 위해서는 인간을 굴종시켜야 하겠는가? 그런 수단은 일시적이라고 말할 사람이 있을지도 모른다. 천만의 말이다. 왜냐하면, 수단이 〈속고 속이는〉 사람을 만들어내는 데 한몫 한다면, 그런 수단으로 권력을 장악하는 사람은 권력을 갖출 자격이 없는 사람이다. 그리고 억압을 폐지해야 할 이유는 억압을 폐지하기 위해서 동원된 방법 때문에 무너지고 말 것이다. 이리하여 공산당의 정책은 그 자신의 투사들의 면전(面前)에서 거짓말을 하고, 중상(中傷)을 일삼고, 자신의 패배와 과오를 은폐함으로써, 그것이 추구하려는 목적을 배반하고 만다.

다른 한편으로 전쟁을 할 때는——모든 혁명정당은 전쟁을 하고 있는 것이지만——병사들에게 진실을 모두 알릴 수는 없다고 대답하는 것은 쉬운 일이다. 따라서 중요한 것은 정도의 문제이다. 무릇 개별적 경우를 따로따로 검토하는 것을 면해 줄 만한 공식(公式)이란 없는 것이다. 우리는 그런 개별적 검토를 할 수밖에는 없다. 정치는 그대로 내버려두면 항상 가장 간편한 수단을 취한다. 다시 말해서 내리막길을 달린다. 그리고 대중은 선전에 속아서 그 뒤를 따른다. 그러니 작가가 아니라면 도대체 누가 정부와 정당과 시민들에게, 사용되는 수단의 가치를 나타내 보일 수 있겠는가?

그렇다고 해서 우리는 모든 폭력의 사용에 한결같이 반대해야 한다는 의미는 아니다. 나는 폭력이 어떤 모습으로 나타나든 간에 실패라는 것을 인정한다. 그러나 우리가 폭력의 세상에서 살고 있는 이상, 이 실패는 불가피한 것이다. 그리고 폭력을 억제하기 위한 폭력의 사용은 그것을 영속화(永續化)시킬 위험이 있다는 것은 사실이지만, 이것이 폭력을 근절시킬 유일한 수단인 것도 또한 사실이다. 폭력이 어디에서 비롯되든 간에, 폭력과의 직접적, 간접적인 모든 타협을 거부해야 한다고 당당하게 썼던 신문이 그 이튿날에는 인도차이나 전쟁의 최초의 전투를 보도해야만 했다.

나는 오늘날 그 신문에게 이렇게 묻고 싶다. 폭력에 간접적으로 참여하는 것조차 일체 거부하기 위해서는 어떻게 하면 되는 것인가? 만일 당신들이 아무 대답도 안한다면, 당신들은 필연적으로 전쟁의 계속에 찬성하는 것이 된다. 우리는 항상 우리가 저지(沮止)하려고 애쓰지 않는 것에 대해서 책임이 있다. 설사 당신들의 노력의 덕분으로, 모든 대가를 무릅쓰고 당장에 전쟁이 끝나게 되더라도, 당신들은 이미 얼마만큼의 살상(殺傷)의 원인이 되고, 인도차이나에 이해 관계를 가지고 있는 모든 프랑스 사람들에게 폭력을 가한 셈이 되리라. 전쟁을 터지게 하는 것은 폭력과의 타협이기 때문에, 나는 물론 그런 타협에 대해서 이야기하려는 것이 아니다. 우리는 폭력에 대한 폭력을 선택해야 하는 것이다. 다른 원칙에 따라서 말이다. 정치가들은 군대의 수송(輸送)이 가능한지, 전쟁의 계속 때문에 자기들에 대한 여론이 나빠질지, 또는 국제적 반향이 어떤지를 따져볼 것이다. 그러나 작가의 임무는 추상적 도덕의 견지에서가 아니라, 사회주의적 민주주의의 실현이라는 또렷한 목적의 전망하에서 수단의 정당성을 판단할 책임이 있다. 이리하여 우리는 다만 이론적 차원에서만이 아니라, 각각의 구체적 경우에 따라서 목적과 수단의 문제를 생각해야 하는 것이다.

이렇듯 할 일이 무척 많다. 그러나 우리가 〈비판〉만을 위해서 일생을 바친다고 하더라도 누가 우리를 비난할 수 있겠는가? 비판의 임무는 〈총체적인〉 것이 되었으며, 그것은 인간 전체와 관련된 것이다. 18세기에는 비판의 도구가 만들어져 있었다. 분석적 이성을 이용하기만 하면, 충분히 개념들을 정화(淨化)할 수가 있었다. 그러나 중도에서 정지했기 때문에 거짓이 된 개념들을 정화하는 동시에 보충하고 완성의 경지까지 밀고 나가야 할 오늘날에는, 비판은 〈또한〉 종합적이다. 그것은 모든 창의적(創意的) 기능을 발휘한다. 두 세기에 걸친 수학의 시대에 의해서 이미 구성된 이성을 이용하는 데 그치지 않고, 결국은 창조적 자유를 근본으로 삼는 현대적 이성을 형성하게 될 것이다. 하기야 비판이 그 자체로서 적극적인 해결책을 가져오지는 못할 것이다. 그러나 오늘날 누가 그것을 가져올 수 있겠는가? 도처에서 내 눈에 띄는 것은 낡은 방식, 미봉책, 성실성 없는 타협, 급히 호도(糊塗)한 시대착오적인 신화들뿐이다. 바람이 잔뜩 든 이 모든 풍선을 하나씩 터뜨리는 것밖에는 못한다 하더라도 우리는 독자들에게 충분히 공헌한 것이 되리라.

1750년경에는, 비판은 억압 계급의 이데올로기의 파괴를 통하여 그 계급을 약화시키는 데 공헌했기 때문에 체제 변화를 위한 직접적인 준비 작업이 될 수 있었다. 그러나 오늘날에는 사정이 다르다. 왜냐하면 비판해야 할 개념은 모든 종류의 이데올로기에, 그리고 모든 진영(陣營)에 걸쳐 있기 때문이다. 따라서 설사 부정(否定)의 작업이 마침내는 긍정적인 것으로 귀결된다 하더라도, 그것만으로는 역사에 봉사할 수 없다. 개개의 작가는 비판의 작업만을 할 수도 있지만, 문학은 총체적으로 볼 때 특히 건설이 되어야 한다. 그러나 이것은 우리가 개별적이건 또는 전체적이건 간에 새로운 이데올로기를 찾아내야 한다는 뜻은 아니다. 앞서 밝힌 바와 같이 각 시대에 있어서 문학의 전체가 이데올로기이다. 왜냐하면 문학은 시대가 그 자체를 밝히기 위해서 생산할 수 있었던 모든 것의——물론 역사적 상황과 재능에 따라 다르지만——종합적이며 흔히 모순된 총체이기 때문이다.[25] 그러나 우리는 〈프락시스〉의 문학을 해야 한다는 것을 인식한 이상, 우리의 입장을 끝까지 밀고 나가야 한다. 이제는 〈묘사〉를 하고 〈이야기〉를 할 시대가 아니다. 또한 〈설명〉하는 것으로 그칠 수도 없다. 묘사는 비록 그것이 심리적인 것일 경우라도 순수한 관조적(觀照的)인 즐거움일 따름이다. 한편 설명은 모든 것을 받아들이고 변명하는 것이다. 양자는 다 같이 일이 끝났다는 것을 상정(想定)한다. 그러나 지각(知覺) 그 자체가 행위인 이상, 그리고 우리에게 있어서, 세계를 가리켜 보인다는 것은 항상, 가능한 변화의 전망하에서 그것을 드러낸다는 것을 의미하는 이상, 오늘날 숙명론이 지배하는 시대에 있어서 우리가 해야 할 일은, 각각의 구체적 경우에 창조하고 해체하는 힘이, 요컨대 행동하는 힘이 독자에게 있다는 것을 밝히는 것이다.

오늘날의 상황은 완전히 견딜 수 없다는 점에서는 혁명의 계기(契機)가 될 만한 것이지만, 사실은 정체 상태에 머물러 있다. 왜냐하면 사람들이 자신의 운명의 결정권을 박탈당하고 있기 때문이다. 유럽은 미래의 갈등을 앞에 두고 기권을 하고, 그것을 미연에 방지하려고 하기보다도, 승자(勝者)의 진영에 미리 끼여들려고 하고 있다. 소련은 자신의 처지가 고립되어 있고, 귀를 물어뜯으려는 사냥개 떼에 포위된 멧돼지처럼 몰려 있다고 생각한다. 다른 나라들을 두려워하지 않는 미국은 자신의 중력(重力)에 스스로 당황하고 있다. 미국은 부력(富力)이 커질수록 더욱 무거워지고, 비만(肥滿)과 오만을 주체할 수 없어서, 눈을 감은 채 전쟁을 향해 굴러가고 있다. 다른 한편으로 우리는 다만 우리나라에 사는 몇몇 사람을 위해서, 그리고 유럽에 사는 한줌의 사람들을 위해서 쓸 수 있을 따름이다. 그러나 우리는 짚더미 속의 바늘처럼 시대 속에 묻힌 그들의 소재를 찾아내서 그들의 힘을 다시 불러일으켜야 한다.

그러니 그들의 직업, 가족, 계급, 나라의 실상을 파악하자. 그리고 그들이 얼마나 굴종을 겪고 있는지 함께 측정(測定)해 보자. 물론 그것이 그들을 더욱더 굴종의 상태로 몰아넣기 위한 것이어서는 안 된다. 노동자의 가장 기계적인 동작에도 벌써 억압에 대한 전적(全的)인 부정이 깃들여 있다는 것을 그들에게 보여주자. 그들의 상황을 결코 하나의 사실적(事實的) 여건으로서가 아니라 문제로서 고찰하자. 그 상황의 형태와 경계는 무한한 가능성의 전망에 의해서 결정된다는 것, 요컨대 상황은 오직 그들이 그것을 넘어서기 위해서 선택한 방법 여하에 따라서 그 모습을 갖추게 될 따름이라는 것을 보여주자. 그들은 희생자인 동시에 모든 것에 대해서 책임이 있다는 것을, 또한 그들은 동시에 피억압자이자 억압자이며 그들을 억압하는 자들의 공범자(共犯者)라는 것을 가르쳐주자. 한 인간이 겪는 것과 받아들이는 것과 바라는 것을 구별하기는 결코 불가능하다는 것을 가르쳐주자. 그들이 살고 있는 세상은 오직 그들이 기도하는 미래와의 관련하에서만 규정될 수 있다는 것을 보여주자. 그리고 읽기는 그들에게 그들의 자유를 밝혀주는 이상, 그것을 이용해서 상기시키자. 그들이 현재를 판단하기 위한 입지(立地)로 삼는 미래는 인간이 자기 자신과 합치는 미래, 목적의 왕국의 도래로 말미암아 마침내 전체성(全體性)으로서 자기 자신을 실현하는 바로 그런 미래라는 것을. 왜냐하면 오직 정의의 예감(豫感)만이 개개의 부정(不正)에 대해서 분노하는 것을, 다시 말해서 바로 부정을 부정으로 규정하는 것을 가능하게 해주기 때문이다. 끝으로 목적의 왕국의 견지에 서서 그들의 시대를 이해하도록 종용하면서도, 또한 이 시대가 그들의 기도의 실현에 유리한 점도 가지고 있다는 것을 깨닫도록 하자.

과거에는 연극이 〈성격극〉이었다. 복잡성에는 정도의 차이가 있지만 이미 완전히 형성된 인물들을 무대에 올렸다. 그리고 상황은 그런 성격들을 서로 충돌하게 만들고, 각자가 다른 성격들의 작용으로 말미암아 어떻게 달라지느냐를 보여주는 기능만을 했을 따름이다. 한데 내가 다른 곳에서도 지적했듯이, 이 분야에서는 얼마 전부터 커다란 변화가 일어났다. 몇몇 작가들이 상황의 연극으로 되돌아온 것이다.[201] 이미 성격이란 존재하지 않는다. 주인공들은 우리 모두와 마찬가지로 함정에 빠진 자유이다. 그렇다면 어떤 출구가 있는가? 각각의 인물은 이 출구의 선택 이외의 다른 것이 아니며, 자기가 선택한 출구 이상의 가치를 지니는 것이 아니다. 바라건대 문학 전체가 이 새로운 연극처럼 도덕적이며 문제적인 것이 되었으면 한다. 도덕적이라는 것은 교훈적이라는 뜻이 아니다. 문학은 다만 인간이 〈또한〉

201) 『상황의 연극 *Un Théâtre de situations*』(1973)에 수록된 글과 대담 참조.

가치이며, 인간이 자신에게 제기하는 질문들은 항상 도덕적이라는 것을 보여주어야 한다. 특히 인간은 창의적(創意的) 존재라는 것을 보여주어야 한다. 어떤 의미에서는 모든 상황은 도처에 깔려 있는 함정이며 장벽이다. 아니, 내가 잘못 말한 것 같다. 선택할 출구가 따로 있는 것이 아니다. 출구는 만들어지는 것이다. 그리고 사람마다 자신의 출구를 만듦으로써 자기 자신을 만드는 것이다. 인간은 매일 새롭게 만들어지는 존재이다.

무엇보다도 우리가 전쟁을 준비하고 있는 열강(列强)들 중에서 어느 한쪽을 〈선택〉하려고 한다면 모든 것은 끝장이다. 소련을 선택한다는 것은 물질적 자유를 얻는다는 희망조차 없이 형식적 자유를 포기하는 것이다. 비록 승리하더라도 그것은 산업의 후진성 때문에 유럽을 꾸며 나갈 수가 없다. 그래서 독재와 빈곤이 무한정으로 연장될 것이다. 다른 한편으로 미국이 승리하면 공산당이 없어지고 노동자 계급이 의기를 상실하고 방향을 잃고, 요새 새로 나온 말을 감히 빌리자면 〈원자화〉되겠고, 세계를 지배하게 된 자본주의는 더욱더 무자비하게 될 것이다. 그렇다면 그때에는 무(無)에서 재출발할 혁명운동에 큰 성공의 가능성이 있을 것인가? 하기야 사람들은 미지의 여러 가지 가능성을 고려해야 할 것이라고들 말한다. 바로 그 점에 있어서는, 나는 오직 내가 아는 것만을 고려하고자 한다. 그러나 도대체 누가 우리에게 두 진영중의 하나를 선택하라고 강요할 수 있단 말인가? 우리는 과연 주어진 전체적 여건들 내에서 선택하고(다만 그것이 주어졌다는 이유에서), 최강자(最强者)의 편에 섬으로써 역사를 만드는 것일까? 그렇다면 1941년경에 프랑스 사람들은 부역자(附逆者)들이 주장했듯이 독일의 편에 섰어야 할 것이다.

그러나 분명한 것은 그 반대이다. 역사적 행동이 주어진 그대로의 조건 중에서의 선택으로 환원된 일은 결코 없었고, 그것은 언제나 일정한 상황에서 출발하여 새로운 해결책을 창출한다는 특징을 지녀왔다. 〈전체적 여건〉에 대한 존중은 순수하고 단순한 경험주의에 지나지 않는데, 우리가 과학, 도덕, 개인 생활에 있어서 경험주의를 초극(超克)한 것은 벌써 오래전의 일이다. 피렌체의 분수(噴水)를 만든 사람들은 〈전체적 여건들 중에서 선택했다〉. 그러나 토리첼리는 대기의 압력을 〈발명〉했다. 내가 여기에서 〈발견〉했다기보다도 발명했다고 말하는 데에는 이유가 있다. 그것은 한 대상이 모든 사람의 눈에서 가려져 있을 때에는, 그것을 발견하기 위해서는 송두리째 발명해야 하기 때문이다. 그렇다면 우리의 현실주의자들이 다른 모든 분야에서는 창조의 능력을 긍정하면서도, 유독 역사적 사실에 관해서는 그것을 거부하고 있는 것은 무슨 이유이며, 또 어떤 열등감정 때문일까?

딜레마에 처하면, 일찍이 보지 못했던 제3의 길을 불현듯 터보이는 인간이 바로 역사적 행위자이다. 소련과 앵글로색슨 진영만이 문제라면, 그중의 하나를 선택할 수밖에 없다는 것은 사실이다. 그러나 사회주의적 유럽은 〈선택해야 할〉 대상이 아니다. 왜냐하면 아직 존재하지 않으며, 이제부터 만들어야 할 것이기 때문이다. 그것은 처칠 씨의 영국이나 또 심지어 베빈 씨[202]의 영국과 함께 시작하려는 것이 아니다. 우선은 동일한 문제들을 안고 있는 모든 나라들의 연합을 통해서 유럽 대륙에서 시작되어야 할 것이다. 이 일을 하기에는 때가 너무 늦었다

202) Ernest Bevin(1887–1951): 영국 노동당 정부의 외무장관.

고 말하는 사람이 있을지도 모른다. 그러나 어떤 근거에서 그런 말을 할 수 있겠는가? 시작이나 해보았단 말인가? 우리의 바로 이웃에 있는 나라들과의 관계도 항상 모스크바, 런던, 뉴욕을 통해서 이루어져 온 것이 사실이다. 그렇다면 과연 직접적인 길은 없단 말인가? 그것은 아무튼 간에 상황이 변화하지 않는 한, 문학의 가능성은 사회주의적 유럽의 도래——다시 말해서, 민주주의적이며 집단주의적인 구조를 갖추고, 더 좋은 제도가 마련될 때까지는 각각의 나라가 전체의 이익을 위해서 주권(主權)의 일부를 할애하는 국가들의 집단의 도래와 결부되어 있다.[203] 오직 이 가정하에서만 전쟁을 회피할 수 있는 희망이 존속할 수 있는 것이다. 또한 오직 이 가정하에서만 사상의 교류(交流)가 유럽 대륙에서 자유롭게 존속하고 문학이 대상(對象)과 공중을 재발견할 수 있는 것이다.

그렇다면 한꺼번에 해야 할 일이 너무 많고, 또 그 일들은 너무 잡다(雜多)하다고 말할 사람이 있으리라. 그것은 사실이다. 그러나 베르그송이 지적한 것처럼, 사람의 눈은, 그것을 여러 기능의 병렬(竝列)로만 생각한다면 극히 복잡한 기관이지만, 진화라는 창조적 움직임 속에 놓고 파악한다면 일종의 단순성을 띠게 된다.[204] 작가의 경우도 마찬가지이다. 만일 당신

203) 〈사회주의적〉이라는 말을 뺀다면, 사르트르의 이러한 전망은 오늘날의 유럽공동체에 의해서 어느 정도 실현되어 있는 셈이다. 또한 그가 말한 대로, 적어도 초기에는 영국이 그 공동체에서 제외되어 있기도 했다.
204) 『창조적 진화 *L'Evolution créatrice*』 제1장 제4절 「생의 비약」 참조.

이 카프카가 그의 책에서 전개(展開)시킨 주제나 제기한 문제들을 분석적으로 열거하고, 그 다음으로는 그의 작품 활동의 시초로 거슬러 올라가서, 그런 것들 하나하나가 그가 다루어야 했던 주제이며 제기해야 했던 문제들이라고 생각해 본다면, 끔찍하다는 느낌이 들 것이다. 그러나 그렇게 생각해야 할 일이 아니다. 카프카의 작품은 중앙 유럽의 유태교적, 기독교적 세계에 대한 자유롭고 통일적인 반응이다. 그의 소설들은 유태인, 체코인, 완고한 약혼자, 폐병환자로서의 인간의 상황의 종합적 초월이다. 마치 그의 악수(握手)와 웃음이 그렇듯이, 또 막스 브로트[205]가 그토록 찬탄한 그 시선(視線)이 그렇듯이 말이다. 비평가의 분석의 대상이 되면 그의 소설들은 잡다한 문제들로 조각난다. 그러나 그것은 비평가의 잘못이며, 그 소설은 〈움직임 속에서〉 읽혀져야 하는 것이다.

나는 나의 세대의 작가들에게 무슨 벌과(罰課)를 주려고 한 것이 아니다. 나에게 그럴 권리가 어디 있겠으며, 또 누가 나에게 그러기를 청했단 말인가? 그뿐 아니라, 나는 한 유파(流派)의 선언서 따위에 대해서는 아무런 관심도 없다. 다만 나는 하나의 상황을, 그 전망과 위험과 요청과 함께 제시하려고 시도했다. 프락시스의 문학은 공중(公衆)을 찾아볼 수 없는 시대에 탄생한다. 이것이 여건이며, 출구는, 다시 말해서 문체와 수법과 주제는 각자에게 달려 있다. 만일 작가가 나와 마찬가지로 이런 과제의 시급성을 깊이 인식하고 있다면, 그는 〈자신의 작품의 창조적 통일성 속에서〉, 말을 바꾸면 자유로운 창조라는 은밀한 움직임 속에서 해결책들을 제시할 것이다.[26]

---

205) Max Brod(1884-1968): 카프카의 친구. 그의 전집을 편찬하고 전기를 썼다.

아무것도 문학이 불멸(不滅)이라는 것을 보장해 주지는 못한다. 문학의 가능성, 오늘날의 그 유일한 가능성은 곧 유럽과 사회주의와 민주주의와 평화의 가능성과 결부되어 있다. 그 가능성에 걸어야 한다. 만일 이 내기에 진다면 우리들 작가로서는 유감스러운 일이다. 그러나 또한 사회로서도 유감스러운 일이다. 내가 지적한 것처럼 한 집단은 문학을 통해서 반성과 사유(思惟)의 길로 들어서며, 불행 의식을 갖추고 자신의 불안정한 모습을 알게 되어, 부단히 그것을 바꾸고 개선해 나가려고 하는 것이다. 요컨대 글쓰기의 예술은 어떤 변함없는 신의(神意)의 보호를 받고 있는 것이 아니다. 그것은 인간이 만들어 나가는 것이며, 인간은 자신을 선택하면서 그것을 선택하는 것이다. 만일 글쓰기가 단순히 선전이나 오락으로 전락하게 된다면, 사회는 무매개적인 것의 소굴 속으로, 다시 말해서 날파리나 연체동물과 같은 기억 없는 삶 속으로 빠져들 것이다. 하기야 이런 것은 별로 중요한 이야기가 아닐지도 모른다. 세계는 문학이 없어도 넉넉히 존속할 테니 말이다. 아니, 인간이 없으면 더욱더 잘 존속할 테니 말이다.

원주

1 미국 문학은 아직도 지방주의(地方主義)의 단계에 있다.

2 1945년 뉴욕에 들렀을 때, 나는 나다나엘 웨스트[1]의 작품인 *Miss Lonelyhearts*의 번역권을 얻어달라고 한 문학 관계의 중개인에게 부탁한 일이 있었다. 그는 그 책을 모르고 있어서, 아무튼 *Miss Lonelyhearts*라는 제목의 책을 쓴 어떤 사람과 원칙적인 계약을 했다. 그 저자는 어느 노처녀였는데, 누가 자신의 책을 프랑스 말로 번역할 생각을 하고 있다는 데에 무척 놀랐다. 착오를 했다는 것을 깨달은 중개인은 다시 수소문해서 웨스트의 책을 낸 출판사를 드디어 찾아냈지만, 출판사 측의 말로는 저자가 어떻게 되었는지 통 모르겠다는 것이었다. 그래도 내가 간청을 해서 양쪽이 함께 조사를 해서 마침내 알게 되었다. 웨스트는 몇 년 전에 자동차 사고로 죽었다는 것이었다. 그러나 아직도 뉴욕에 은행 계좌가 남아 있는 것 같아서, 출판사는 가끔씩 그쪽으로 수표를 보내고 있었다.

3 주앙도[2]의 작품을 보면, 부르주아의 영혼들은 신비롭다는 똑같은 특징을 지니고 있다. 그러나 이 신비로움은 자주 다른 징조로 나타난다. 그것은 부정적(否定的)이며 악마적인 것이 된다. 넉넉히 추측할 수 있는 일이지만, 부르주아지의 흑색 미사는 그들에게 허용된 사치성보다도 더욱 현혹적이다.

---

1) Nathanael West(1903–1940): 소설가. 미국은 이미 아메리칸 드림의 나라가 아니라, 환멸과 권태와 비인간성이 지배하는 나라임을 보여주는 소설들을 썼다. *Miss Lonelyhearts*(1933)는 그의 대표작으로 알려져 있다.

2) Marcel Jouhandeau(1888–1979): 카톨릭 소설가. 죄를 저지르면서도 초자연적인 존재에 끌리는 인간의 드라마를 그렸다.

4 폭력의 성직자가 된다는 것은 사고(思考)의 방법으로서 폭력을 의도적으로 적용한다는 것을, 다시 말해서, 일반적으로 협박과 권위의 원칙에 의존하고, 논증이나 논의(論議)를 거만스럽게 거부한다는 것을 의미한다. 바로 이런 점에서, 초현실주의자들의 독단적인 텍스트들은 샤를 모라스Charles Maurras의 정치적 논설과 순전히 형식적이면서도 당혹스런 유사성을 보여주고 있는 것이다.

5 이것이 악시옹 프랑세즈Action française와의 또 하나의 유사점이다. 모라스는 이 단체가 정당이 아니라 일종의 음모(陰謀) 단체라고 말한 바 있었다. 또한 초현실주의자들의 토벌 작전(討伐作戰)은 캄로 뒤 루아Camelots du roi[3]의 장난과 흡사하지 않겠는가?

6 이러한 냉정한 나의 의견은 뜨거운 쟁점이 되었다. 그러나 그 숱한 옹호와 공격의 글들은 나를 납득시키기는커녕, 초현실주의가 적어도 당분간은 현실성을 상실했다는 나의 확신을 더욱 굳혀주는 결과를 가져왔다. 사실, 초현실주의의 옹호자들은 대부분 절충(折衷)주의자라는 것을 나는 확인했다. 그들은 초현실주의가 〈대단히 중요한〉 문화적 현상이며 〈모범적인〉 태도라고 추켜세우고, 그것을 슬그머니 부르주아 휴머니즘으로 통합하려고 한다. 만일 초현실주의가 아직도 살아 있다면, 알키에[4] 씨의 다소 김빠진 합리주의에 프로이트Freud라는 후추를 쳐서 맛을 돋구려는 수작을 과연 받아들이겠는가? 요컨대 초현실주의는, 그것이 그토록 투쟁의 대상으로 삼은 관념론의 희생물이 된 것이다. 《가제트 데 레트르

---

3) Camelots du roi: 극우 단체인 Action française가 발행한 동명(同名)의 기관지를 가두 판매하던 왕당파의 행동 대원들. Camelot는 옛말로 신문팔이나 광고지를 뿌리고 다니는 사람을 가리킨다.

4) Ferdinand Alquié(1906-1985): 철학자. 철저하게 합리주의적인 입장을 지켰다. 그러나 브르통과 오랜 교분이 있었고, 『초현실주의의 철학*La Philosophie du surréalisme*』에서는 그 운동이 초월적 진리를 추구하고 모순된 것을 통합하려는 기도라고 보고 있다.

Gazette des Lettres》, 《퐁텐 *Fontaine*》, 《카르푸르 *Carrefour*》와 같은 잡지들은 모두 초현실주의를 소화하려고 애쓴 위장(胃腸)이었다.

「인간은 인간에 대해서 싸우고 있다. 모든 정신들의 공동 전선(共同戰線)은 우선 인간에 관한 어떤 옹졸하고 거짓된 개념에 반대함으로써 실현되어야 한다는 것을 모르면서 말이다. 한데 초현실주의는 그것을 알고, 20년 전부터 그렇게 외쳐왔다. 인식을 위한 기도(企圖)인 초현실주의는 사고와 감정의 전통적 양식을 송두리째 재창조해야 한다는 것을 선언해 온 것이다」 이것은 제4공화국의 젊은 효소(酵素)라고 할 수 있는 클로드 모리악[5]의 글인데, 만일 1930년에 데스노스Desnos가 이 글을 읽었다면 분명히 항의했을 것이다. 초현실주의는 〈인식〉을 위한 기도가 아니었다. 그것이 특히 전면(前面)에 내세운 것은, 「우리는 세계를 이해하려는 것이 아니라, 세계를 바꾸려는 것이다」라는 마르크스의 유명한 말이었다. 초현실주의는, 어떤 사람들에게는 프랑스 국민연합[6]을 기분 좋게 상기시켜 주는 그런 〈정신들의 공동 전선〉을 바란 일은 결코 없었다. 그것은 이러한 어리석은 낙관주의를 거부하고, 우리 자신의 내부에서 비롯된 검열(檢閱)과 외부로부터 오는 억압의 사이에는 긴밀한 관련이 있다는 것을 늘 주장해 왔으니까 말이다. 혹시 모든 정신들의 공동 전선이 있게 된다 하더라도(이 〈정신들〉이라는 복수형은 얼마나 초현실주의와 먼 것인가!), 그것은 혁명 이후에나 올 것이었다. 그 운동의 전성기에는 초현실주의는 누가 그것을 이해

---

5) Claude Mauriac(1914–): François Mauriac의 아들. 비평가, 소설가. 제4공화국(1946–1958)은 서로 정강을 달리하는 공산당, 사회당, 카톨릭계인 인민공화파가 연합하여 중도 정치를 표방했는데, 모리악을 두고 〈제4공화국의 젊은 소화제〉라고 비꼰 것은 그 역시 사상 면에서 〈정신의 공동 전선〉을 들먹이며 타협적인 발언을 하고 있기 때문이다.

6) Rassemblement du peuple français(R.P.F.): De Gaulle이 하야한 후, 그 지지자들이 1947년에 결성한 정당.

의 대상으로 삼아 관심을 기울이는 것을 용서하지 않았을 것이다. 그것은 완전히 그리고 배타적으로 자기의 편이 아닌 것은 자기의 적(敵)이라고 생각했는데, 이 점에서는 공산당과 같다.

오늘날 초현실주의는 어떤 술책의 대상이 되어왔는지 자각하고 있는 것일까? 그 점을 밝히기 위해서 나는 한 가지 사실을 폭로하려 한다. 바타유Bataille 씨는 우리 《현대》지에 넘겼던 글을 철회하겠다고 메를로퐁티 Merleau-Ponty에게 공식적으로 통보했는데, 그 이전에 한 사적(私的)인 대화에서 그의 의향을 알린 일이 있었다. 그때 이 초현실주의의 투사는 이렇게 말했다. 「나는 브르통을 맹렬히 비난해 왔다. 그러나 우리는 공산당에 대항해서 결속하지 않으면 안 된다」

이만하면 충분히 알 것이다. 내 생각으로는 초현실주의를 슬그머니 제 편으로 끌어넣으려고 하는 것보다는, 그 열렬했던 활동기(活動期)를 되짚어보고, 그 주장을 논의하는 것이 이 운동을 더 존중하는 길이다. 하기야 초현실주의는 나의 그런 뜻을 퍽 고맙게 생각하지는 않을 것이다. 왜냐하면 모든 전체주의적인 당파와 마찬가지로, 초현실주의도 그 견해의 부단(不斷)한 변화를 은폐하기 위해서, 그것에 연속성이 있다고 주장하고, 바로 그런 이유에서 남들이 이전(以前)의 선언문들을 들추어내는 것을 좋아하지 않기 때문이다. 오늘날 초현실주의 전시회의 카탈로그(「1947년의 초현실주의」)[7]에서 내가 보게 되는 많은 텍스트는 그 운동의 주동자들의 승인을 받은 것인데, 그것은 초기의 초현실주의의 매서운 반항보다는 오히려 클로드 모리악 씨의 부드러운 절충주의에 더 가깝다. 가령 파스투로Pastoureau 씨의 글을 몇 줄 인용해 보자.

「약 10년 간에 걸쳐서 공산당을 중심으로 해서 진전되었던 초현

7) 1947년 브르통과 뒤샹의 주동으로 파리의 Galerie Maeght에서 열린 전시회.

실주의의 정치적 경험은 매우 분명한 결론을 가져오게 했다. 만일 앞으로도 그런 경험을 계속해 나가려고 한다면, 타협과 무력(無力)의 딜레마에 스스로 갇히게 될 것이다. 전에 초현실주의가 정치적 행동으로 뛰어들게 된 동기는, 인간의 총체적 해방이라는 먼 미래의 목적의 추구였고, 또한 이와 동시에 〈정신의 영역과 특히 도덕의 영역에 있어서의 즉각적 요구〉였다. 한데 오늘날 여러 계급의 협력의 길을 모색하는 공산당[8]을 따른다는 것은 그런 동기와 모순되는 것이다. 그러나 프롤레타리아의 소원의 실현이라는 희망을 지탱해 줄 정책은, 공산당에 대한 이른바 좌익측(左翼側)의 반대 정책에서도, 또 무정부주의자의 소수 집단들의 정책에서도 나올 수 없다는 것은 이론의 여지가 없다……. 정신의 영역에서의 무수한 개혁과 특히 윤리적 개혁의 요구를 소명(召命)으로 삼고 있는 초현실주의는 효과의 추구를 위해서 필연적으로 비도덕적이 되는 그런 정치 활동에 참여할 수는 없다. 또한 초현실주의는 인간의 해방을 종국적 목표로 삼는 것을 포기하지 않는 이상, 신성 불가침한 원칙의 준수를 내세워 필연적으로 비효과적이 되는 그런 정치 활동에도 참여할 수 없는 것이다. 따라서 초현실주의는 그 자체 속으로 물러갈 수밖에 없다. 물론 그것은 여전히 과거와 동일한 요구가 실현되고 인간의 해방이 촉진되도록 노력할 것이다. 그러나 〈다른 수단을 통해서〉 말이다」(이와 유사한 텍스트와 심지어 동일한 문장은 1947년 6월 17일, 프랑스에 체재(滯在)하는 그룹이 채택한 선언문 「최초의 결별」[9]에도 재현되어 있다.)

---

8) 공산당이 혁명 노선에서 일단 물러나서 부르주아지와의 타협 쪽으로 정책을 바꾼 것. 344-347쪽 참조.

9) *Rupture inaugurale*: 1947년 6월, 초현실주의의 그룹의 재편을 알리고, 공산주의와의 단절을 공식적으로 선언한 책자.

위의 글을 읽다가 주목하게 되는 것이 있는데, 그것은 〈개혁 réforme〉이라는 말과 도덕에 대한 비상한 관심이다. 장차 〈개혁을 위한 초현실주의〉라는 정기 간행물이라도 나오게 될 것인가? 그러나 이 텍스트는 무엇보다도 초현실주의가 마르크스주의와 결별했다는 것을 공식화(公式化)하고 있다. 여기에서, 경제적 하부 구조의 변화가 없더라도, 상부 구조에 대해서 작용할 수 있다는 뜻의 말을 하고 있으니 말이다. 오직 이데올로기의 변화를 위해서만 행동하겠다는 〈윤리적〉이며 〈개혁주의적〉인 초현실주의, 그것은 위험하게도 관념론이라는 냄새를 풍기는 것이다.

이제 남은 문제는 이른바 〈다른 수단들〉이 무엇인지를 규정하는데 있다. 초현실주의는 과연 새로운 가치 체계를 제시하려는 것인가? 결코 그렇지가 않다. 초현실주의는 「그 변함없는 목표를 추구하면서, 기독교 문명의 약화(弱化)와 그후의 〈세계관〉의 도래를 위한 조건의 준비를 위해서」 노력하려는 것이다. 따라서 여전히 부정(否定)의 작업이 가장 중요한 과제이다. 파스투로 자신도 말하고 있듯이 서양 문명은 빈사 상태에 있으며, 엄청난 전쟁이 그것을 위협하고 매장해 버리려 하고 있다. 따라서 우리의 시대는 인간이 살아나가는 것을 가능하게 해주는 새로운 이데올로기를 요청하고 있다. 그러나 초현실주의는 다만 문명의 〈토미즘적(的) 기독교의 단계〉[10]에 대한 공격만을 계속할 따름이다. 그렇다면 그 공격 방법은 무엇인가? 1947년의 전시회가 보여준 바와 같은, 얼른 빨아먹을 수 있는 예쁜 사탕이 그 방법인가? 우리는 차라리 〈진실한〉 초현실주의로, 즉 『여명』과 『나자』와 『연통관(連通管)』[11]의 초현실주의로

---

10) 기독교 신앙에 대해서 이성적인 근거와 체계를 마련한 토마스 아퀴나스의 교설은 1879년 레오 13세에 의해서 카톨릭 교회의 공시적 철학으로 인정되었다.

11) 모두 브르통의 저서.

되돌아가 보아야 한다.

알키에와 막스 폴 푸셰[12]는 초현실주의가 무엇보다도 해방을 위한 기도였다는 점을 강조하고 있다. 그들에 의하면, 무의식, 꿈, 성본능(性本能), 상상력 등, 무엇 하나 빼놓지 않고 인간적인 것의 전체의 권리를 긍정하는 것이 그 과업이다. 나도 그 견해에 전적으로 찬성이다. 바로 그것이 초현실주의가 〈바랐던〉 것이며, 그 점에 그 기도의 위대성이 있다. 그러나 또한 〈총체성〉의 관념은 우리 시대의 특색인 점에 주목하지 않으면 안 된다. 나치즘의 시도와 마르크스주의의 시도를, 그리고 오늘날에는 〈실존주의〉의 시도를 가져오게 한 것은 바로 이 총체성의 관념이다. 이러한 모든 시도의 공통점인 근원은 분명히 헤겔에 있다. 다만 나는 초현실주의의 근원에 한 중대한 모순이 존재한다고 생각한다. 헤겔식의 말투를 사용하자면, 초현실주의의 운동은 총체성의 〈개념〉은 가졌으면서도——그것은 〈자유, 즉 인간의 색깔〉이라는 브르통의 유명한 말에서 아주 분명히 드러난다——그 구체적 표현에 있어서는 전혀 다른 것을 〈실현〉시켰다.

Point du jour(1934): 1924–1933년의 글을 모은 책. 자동기술법, 시인의 신비적 체험, 공산주의와 초현실주의의 결합 등이 주장되어 있다.

Nadja(1928): 이른바 객관적 우연(255쪽 역주 55) 참조)을 구상화한 이야기. 초자연적인 권능으로 현실의 의미를 바꾸어놓는 젊고 총명한 나자와의 만남은, 앞에서 일어난 작은 일들에 의해서 예고된 것이며, 또한 그 만남은 새로운 여성과의 만남으로 이어진다.

Vases communicantes(1932): 꿈의 예시적 가치와 혁명의 실천을 직결시키려는 시도. 꿈의 세계를 추구하는 초현실주의는 유물론을 지양하면서 혁명에 공헌할 수 있다는 것이 주장되어 있다.

12) Max-Pol Fouchet(1913–1981): 비평가, 소설가, 시인. 1939년 알제에서 문학잡지 *Fontaine*을 창간하여, 제2차 세계대전중 본국에서 발표할 수 없었던 글들을 실었다. 종전 후에는 TV를 통해서 훌륭한 문학비평을 한 것으로 유명하다.

사실, 인간의 총체성이란 필연적으로 종합(綜合)이다. 다시 말해서 인간의 모든 부차적 기능의 유기적이며 도식적(圖式的)인 통합이다. 〈총체적〉 해방을 겨냥하려면, 인간 자신에 의한 인간의 전체적 인식에서 출발해야 한다(나는 여기에서 그런 인식이 가능하다는 것을 굳이 증명하려고 하지는 않겠다. 내가 그 가능성을 확신하고 있다는 것을 모두들 알고 있을 테니까 말이다). 그렇다고 해서 인간의 현실의 인류학적(人類學的)인 내용 전체를 〈선험적으로〉 알아야 한다거나 알 수 있다는 것은 아니다. 그것은 우리가 〈우선〉, 우리의 행동과 감정과 꿈의 깊고도 분명한 통일체로서 우리 자신을 파악할 수 있다는 것을 의미한다. 한데 한 특정한 시대의 산물인 초현실주의는 그 출발점에 있어서 반종합적(反綜合的) 사고의 유물(遺物)을, 무엇보다도 〈일상적 현실〉에 대해서 행사되는 분석적 부정(否定)의 정신을 거추장스럽게 지녀왔다. 헤겔은 회의주의에 대해서 이렇게 말하고 있다. 「사유(思惟)는 〈다양한 양태로 규정된〉 세계의 존재를 말살하는 완전한 사유가 되고, 자유로운 자아 의식(自我意識)의 부정성(否定性)도 이 다양한 삶의 형태들 한복판에서 현실적인 부정성이 된다……. 회의주의는 이 의식의 실현, 즉 타자적(他者的) 존재에 대한 부정적 태도와 일치한다. 따라서 그것은 욕망 및 노동과 일치한다」(『정신현상학』, 이폴리트Hyppolite 번역, 172쪽[13]). 이와 마찬가지로, 초현실주의의 활동에서 본질적인 것은 내 생각으로는 부정적 정신이 〈노동으로〉 하강(下降)했다는 점에 있다. 회의주의적 부정은 이리하여 〈구상화(具象化)〉된다. 뒤샹Duchamp이 만든 각설탕과 늑대-탁자[14]는 〈노동〉이다. 다시 말

13) 『정신현상학』 제2부 제4장 제2절. 이 불어 번역을 다시 한국어로 옮기면서 역자는 임석진 역, 『정신현상학 I』(지식산업사, 1988)의 277쪽을 참조했다.

14) loup-table: 1947년 초현실주의 전시회에 출품된 루마니아 출신의

해서 회의주의가 다만 말로만 파괴하는 것을, 다름 아니라 구체적으로 애써서 파괴하려는 것이다. 똑같은 이야기는 〈욕망〉에 대해서도 할 수 있다고 생각한다. 초현실주의적인 사랑의 본질적인 구조의 하나인 욕망은, 우리가 모두 알고 있는 바와 같이, 소비와 파괴의 욕망이다.

이리하여 초현실주의가 걸어온 길은 바로 헤겔이 말하는 의식의 변전(變轉)과 흡사하다. 부르주아의 분석주의(分析主義)는 소화(消化)를 통해서 세계를 관념적으로 파괴하는 것이다. 가담파[15]의 작가들의 태도는 헤겔이 스토아 학파에 대해서 한 말을 상기시킨다. 「그것은 다만 부정성의 개념일 따름이다. 그것은 주인(主人)의 의식처럼 이 삶의 위로 올라서려고 한다」 이와 반대로 초현실주의는 「노예의 의식처럼 이 삶 속으로 침투하려고 한다」 분명히 여기에 초현실주의의 가치가 존재한다. 또한 틀림없이 이런 점에서, 초현실주의는 노동을 통해서 자유를 체험하는 노동자의 의식과 만날 수 있다고 주장하게도 되는 것이다. 다만 노동자는 건설하기 위해서 파괴한다. 나무를 잘라내고 나면, 그것으로 대들보와 말뚝을 만든다. 따라서 그는 건설을 위한 부정이라는 자유의 두 가지 면을 배운다. 그 반면에 부르주아적인 분석에서 방법을 빌려온 초현실주의는 그 과정을 뒤집는다. 건설하기 위해서 파괴하는 것이 아니라, 파괴하기 위해서 건설하는 것이다. 초현실주의에 있어서는 건설은 항상 소외되고, 무화(無化)라는 목적으로 이르는 과정 속으로 용해된다. 그러나 건설은 현실적인 반면 파괴는 상징적이기 때문에, 초현실주의적 사물은 또한 직접적으로 그 자체를 목적으로 삼아 착상(着想)될 수도 있다. 그것은 시선(視線)이 쏠리는 방향 여하에 따라, 〈대리석의 설탕〉일 수도 있고 설탕의 부정(否定)일 수

Victor Brauner(1903-1966)의 작품.

15) 235쪽 역주 19) 참조.

도 있다. 초현실주의의 사물은 필연적으로 여러 광채(光彩)를 띤다. 왜냐하면 그것은 전도(顚倒)된 인간의 질서를 나타내고, 그 자체 속에 자기 모순을 내포하고 있기 때문이다. 그래서 그것을 만든 사람은 현실을 파괴하는 동시에, 현실 너머의 초현실을 시적(詩的)으로 창조한다고 자부하는 것이다. 사실상, 이렇게 건설된 초현실적인 것은 이 세상의 무수한 사물들 중의 한 사물일 수도 있고, 혹은 세계의 파괴의 가능성을 알리는 응고(凝固)된 표징(表徵)일 수도 있다. 지난 전시회에서 볼 수 있었던 늑대-탁자는 우리의 육체에 목질성(木質性)의 은연한 느낌이 스며들게 하기 위한 혼합주의적인 노력인 동시에, 생명 있는 것에 의해서 생명 없는 것을, 또 거꾸로 생명 없는 것에 의해서 생명 있는 것을 상호적으로 부정하려는 것이기도 하다.

초현실주의자들은 이렇듯 그들의 산물의 양면성을, 동일한 움직임으로 통합함으로써 제시하려고 애쓴다. 그러나 거기에는 종합이 없다. 그 이유는 그들이 종합을 원하지 않기 때문이다. 그들이 바라는 것은 두 계기(契機)를 본질적인 통일성 속에 용해된 것으로, 그러면서도 동시에 그 각각의 것을 본질적인 것으로 제시하는 것인데, 그 결과 우리는 모순에서 벗어날 수 없게 된다. 하기야 그런 기대된 결과가 얻어지기는 할 것이다. 동시에 창조되고 파괴되는 사물은 보는 사람의 마음에 긴장이 생기도록 자극하는데, 바로 이 긴장이 다름아니라 초현실주의적인 〈순간〉인 것이다. 〈주어진〉 사물이 내적(內的) 부정에 의해서 파괴되지만, 이 부정 자체와 파괴도 역시 창조의 긍정적 성격과 그 구체적 〈현존성〉에 의해서 부정된다.

그러나 불가능한 것이 보여주는 이러한 자극적이며 현란한 광채들은 모순의 두 항(項) 사이를 결코 채울 수 없는 간격 이외의 〈아무것도〉 아니다. 여기에서 중요한 것은 보들레르적인 〈불만족〉[16]을 기술적으로 도발하려는 것이다. 새로운 사물에 관한 어떠한 계시도 직관도 없고, 소재(素材)나 내용에 관한 어떠한 파악도 없다. 다만 초월, 호소 및 공허(空虛)로서의 정신에 대한 〈순수하게 형식적인〉 의식이 있을 뿐이다. 그리고 나는 이 점에서도 회의주의에 관한 헤겔의 규정을 초현실주의에 적용할 수 있으리라고 생각한다. 초현실주의에 있어서는 「실제로 의식이 그 자체 내에서 스스로를 부정하는 의식으로서 자기 체험(自己體驗)을 한다」. 그렇다면 의식은 그나마 자신을 성찰(省察)해서 철학적 회심(回心)을 시도할 것인가? 초현실주의적인 사물은 악령(惡靈)[17]이라는 가설이 구체적인 힘을 발휘한 것이겠는가?

그러나 바로 여기에 초현실주의의 또 하나의 편견이 개입한다. 나는 초현실주의가 자유 의지(自由意志)와 마찬가지로 주체성을 거부한다는 것을 지적한 바 있다. 물질(초현실주의적인 파괴의 대상인 동시에 그것의 가늠할 수 없는 바탕을 이루는 것)에 대한 깊은 사랑 때문에, 초현실주의자들은 결국 유물론을 내세우게 된다. 따라서 그들은 한순간 발견했던 의식을 다시 덮어버리고 모순을 실체화(實體化)한다. 이리하여 중요성을 띠는 것은 이미 주체의 긴장이 아니라, 세계의 객관적 구조이다. 『연통관』을 읽어보라. 그 제목도 텍스트의 내용도 모든 매개(媒介)가 유감스럽게도 결핍되어 있다는 것을 보여준다. 꿈과 각성(覺醒) 상태는 연통관이다. 다시 말해서 혼합과 유출(流出)과 역류는 있지만, 종합적인 통일은 없다. 내가 이런 말을 하면 다음과 같이 항변할 사람이 있을 것이다. 바로 그 종합적 통일은 앞으로 만들어져야 할 것이며, 그것이 초현실주의

16) 176쪽 역주 99) 참조.

17) 데카르트가 말하는 Mauvais génie를 가리킬 것이다. 「나는 나를 속이려고 갖은 꾀를 쓴, 간사하고 기만적이며 강력한 어떤 악령을 상정해 볼 수 있겠다」(『명상 I』)

가 설정한 목표라고. 아닌게아니라, 아르파드 메체이[18]에 의하면, 「초현실주의는 의식과 무의식이라는 다른 현실에서 출발하여 그 구성 요소들의 종합을 지향(志向)한다」. 알 만한 이야기이다. 그러나 〈무엇으로〉 그 종합을 시도하려는 것인가? 매개의 도구는 무엇인가?

한 무리의 선녀(仙女)들이 호박을 타고 도는 것을 본다는 것은[19] (그것이 가능한지조차 의심스럽지만), 꿈과 현실을 혼합하는 것이며, 그것들을 새로운 형태로 통합하여, 꿈의 요소와 현실의 요소를 변형하고 지양(止揚)시켜서 그 속에 간직한다는 것은 아니다. 사실상 우리는 항상 부정의 차원에 머물러 있을 뿐이다. 현실적인 세계 전체에 의해서 지탱되어 있는 〈현실적인〉 호박은 그 표면을 달리는 창백한 선녀들을 부정한다. 선녀들은 반대로 이 호박과(科)에 속하는 식물을 부정한다. 다만 남는 것은 돌이킬 수 없는 이러한 상호적 파괴의 유일한 증인이며 유일한 근거인 의식뿐이다. 그러나 의식은 초현실주의자들이 바라는 바가 아니다. 만일 우리가 우리의 꿈을 그리거나 조각한다 해도, 잠은 각성 상태에 의해서 침식(侵蝕)된다. 밀폐된 방안에, 다른 사물들 한가운데에, 한쪽 벽에서 2미터 10, 다른 쪽 벽에서 3미터 15 떨어진 위치에, 전광(電光)으로 다시 포착되어 제시되는 그 괴이한 물체는 적극적인 창조물이라는 점에서는 세계의 사물이 되고(여기에서 나는 이미지와 지각(知覺)에 〈동일한 성질〉이 있다고 보는 초현실주의자들의 가정에 서서 말하는 것이다. 나는 사실에 있어서는 그 두 가지 것의 성질이 정반대라고 생각하는데, 그런 입장에서 본다면 이런 이야기는 아예 논의의 여지조차 없다는 것은 두말할 필요도 없다),[20] 다만 순수한 부정

18) Arpad Mezei: 헝가리 출신의 평론가. 『근대사상의 기원 *Genèse de la pensée moderne*』(1950)의 저자.

19) 신데렐라에서 요술 할멈이 호박을 마차로 둔갑시킨 이야기에서 연유하는 말.

이라는 점에서만 세계에서 벗어난다. 이렇듯 초현실주의적인 인간은 부가(附加)이며 혼합일 뿐, 결코 종합이 아니다.

초현실주의자들이 정신분석학에 크게 의존(依存)하고 있다는 것은 우연이 아니다. 정신분석학은 그들이 도처에서 사용하는, 모순되고 다양하고 현실적인 연맥이 없는 해석(解釋)의 모델을, 바로 〈콤플렉스〉, 즉 복합 감정이라는 이름으로 그들에게 베풀어주었기 때문이다. 하기야 〈콤플렉스〉라는 것이 존재하는 것은 사실이다. 그러나 사람들이 충분히 주목하지 못한 사실이 있는데, 그것은 콤플렉스가 미리 주어진 종합적 현실의 바탕 위에서만 존재할 수 있다는 것이다. 한데, 초현실주의의 경우에, 총체적 인간이란 그 모든 표현을 샅샅이 합계(合計)한 것에 지나지 않는다. 종합적 관념이 없기 때문에, 그들은 상반되는 것들이 번갈아 드나들 수 있는 회전문을 만들었을 뿐이다.

이러한 존재와 비존재(非存在)의 파동은 주체의 존재를 밝혀줄 수도 있었으리라. 마치 감각적인 것의 모순이 플라톤Platon을 예지적(叡智的)인 이데아로 향하게 했듯이 말이다. 그러나 그들은 주체적인 것을 거부함으로써, 인간을 단순히 귀신의 소굴로 만들었다. 의식이라는 막연한 공간에, 자기파괴적이면서도 자연의 사물들과 똑같은 사물들이 나타났다가는 사라지곤 하는 것이다. 그것들은 눈으로 들어오기도 하고 뒷문을 통해서 들어오기도 한다. 육체도 없는 큰 목소리가 마치 목신(牧神)의 죽음을 알렸던 목소리[21]처럼 퍼진다. 이러한 잡다한 〈수집물(蒐集物)〉은 유물론을 상기시킨다기

---

20) 사르트르는 『상상적인 것 *L'Imaginaire*』(1940)에서 이미지와 지각의 구별로부터 그의 이야기를 시작하고 있다. 특히 그 책의 17-22쪽 참조.

21) Pan: 이 목신은, 그 이름이 〈전체〉, 〈전우주〉를 의미하는 그리스어와 철자가 일치한다는 이유에서, 우주의 신으로 취급되기도 했다. Plutarchos에 의하면 그가 죽자 「위대한 판이 죽었다」는 소리가 하늘에서 내려와 온 바다로 울려퍼졌다고 한다.

보다 차라리 미국의 신실재론(新實在論)[22]을 상기시킨다. 하기야 우리는 의식이 행하는 종합적 통일 대신에, 감응(感應)에 의한 일종의 마술적 통일, 변덕스럽게 나타나고 객관적 우연[23]이라고 부를 수 있을 그런 통일을 생각해 볼 수 있을 것이다. 그러나 그것은 인간 활동의 전도된 이미지에 지나지 않는다.

사람은 수집한 것을 풀어주지 않고, 오직 그 목록을 작성할 따름이다. 이것이 바로 초현실주의가 하는 짓이다. 그것은 목록 작성의 작업이며, 결코 해방의 작업이 아니다. 왜냐하면 누구 하나 해방해야 할 대상이 없기 때문이다. 초현실주의는 다만 인간적인 수집품의 어떤 부분들이 봉착한 불신(不信)에 대해서 투쟁하려는 것이다. 그것은 이미 만들어진 것과 단단한 것에 홀려 있으며, 발생(發生)이나 탄생을 혐오한다. 초현실주의자에게는 창조란 결코 발현(發顯)이나, 가능태로부터 현실태로의 이행(移行)이나, 잉태(孕胎)가 아니다. 그것은 무로부터의 돌출(突出)이며, 완전히 만들어진 대상의 갑작스런 출현이다. 그리고 그것이 수집 내용을 더 보태준다. 요컨대 초현실주의의 창조는 〈발견〉이다. 그럴진대, 어떻게 초현실주의가 〈인간을 그의 괴물들로부터 해방시킬 수〉 있겠는가? 그것은 아마도 괴물들을 죽였는지도 모른다. 그러나 괴물과 함께 인간도 죽인 것이다.

하기야 욕망의 문제가 남아 있다. 초현실주의자들은 인간의 욕망을 해방시키기를 원했고, 인간이란 욕망이라고 공언(公言)한다. 그러나 그것은 완전히 사실은 아니다. 우선 그들은 어떤 종류의 욕

---

22) Neo-realism : Santayana(1863-1952)와 Montague(1873-1953)에 의해서 대표되는 20세기 초엽의 미국의 철학설. 지각 표상과 실재를 동일시하는 presentationism의 입장에 서고, 어떤 통일적인 인식론의 체계를 세우기를 거부했다.

23) 255쪽 역주 55) 참조.

망(동성애, 성도착 따위)에 대해서는 금령(禁令)을 내렸고, 더구나 그 금령의 정당한 이유를 제시하지도 않았다. 둘째로 주체적인 것에 대한 그들의 혐오(嫌惡)에 비추어볼 때, 그들은 정신분석학이 그렇듯이, 욕망의 실체를 오직 그 산물(産物)을 통해서만 파악하는 것이 합당하다고 판단했다. 그리하여 욕망 역시 〈사물〉이며 수집물이 된다. 그런데 초현실주의자들은 사물(좌절된 행위, 꿈의 상징의 이미지 따위)을 거슬러 올라가서 그 주체적 근원(그것이 본래의 욕망이다)에 이르는 대신에, 사물 그 자체에만 매달린다. 결국 욕망이란 빈약한 것이어서 그 자체로서는 그들의 관심을 끌지 못한다. 그리고 욕망은 콤플렉스와 그 산물들이 드러내는 여러 모순들에 대한 합리적 설명의 구실을 할 따름이다. 브르통을 읽으면 무의식과 리비도에 관한 별다른 이야기를 찾아볼 수 없고 막연한 언급뿐이다. 그를 신명나게 하는 것은 생생한 욕망이 아니라 결정(結晶)된 욕망이다. 야스퍼스Jaspers의 표현을 빌리자면, 세계에 새겨진 욕망의 암호라고 부를 만한 것이다.

게다가 내가 사귄 초현실주의자나 과거의 초현실주의자들에게서 깊은 인상을 받은 것은 결코 욕망이나 자유의 현란한 표현 때문이 아니었다. 그들은 많은 금령을 지키는 검소한 생활을 했고, 그들이 산발적으로 행사했던 폭력은 치밀하게 계산된 행동이라기보다도 차라리 악령(惡靈)에 사로잡힌 사람이 보여주는 경련을 연상시켰다. 그 이외의 점에서는 강력한 콤플렉스에 의해서 단단히 묶여 있었다. 욕망의 해방을 위해서는 르네상스 시대의 다부진 인간들이나 심지어는 낭만파의 사람들이 한결 많은 일을 했다는 것이 나의 생각이다.

그렇지만 그들을 두고 위대한 시인이라고들 말한다. 좋은 말이다. 그 점에서는 나 역시 동감이다. 어떤 철없는 사람들은 나를 두고 〈반시적(反詩的)〉이니 〈시를 무시한다〉느니 하고 떠들어댔다.

터무니없는 소리이다. 그것은 꼭 내가 공기나 물에 반대한다는 것과도 같은 말이다. 도리어 나는 초현실주의가 20세기 전반기의 〈유일한〉 시운동이라는 것을 큰 소리로 공언하겠다. 심지어 그것이 어떤 점에서는 인간의 해방에 공헌했다는 것을 인정한다. 그러나 그것이 해방시킨 것은 욕망도 인간의 총체성(總體性)도 아니며, 순수한 상상뿐이다. 한데 다름아니라 순수한 상상력과 프락시스는 양립하기가 어렵다. 나는 그 점에서 1947년의 한 초현실주의자의 감동적인 고백을 발견했는데, 그의 이름으로 보아[24] 이 고백은 완전히 성실한 것이리라.

「나의 반항의 감정과 나의 생활의 현실과, 그리고 아마도 내가 나의 친구인 사람들의 작품의 도움으로 전개하고 있는 그런 시적 전투(詩的戰鬪)의 현장의 사이에는 어떤 간격이 있다는 것을 나는 인정하지 않을 수 없다(그리고 나만이 아니라, 안이한 자기 만족에 빠지지 않는 사람들은 그것을 인정하고 있을 것이다). 내 친구들이나 나 자신의 뜻과는 반대로, 나는 어떻게 처세해야 할지 잘 모르겠다」

「상상적인 것에 의지하는 것은 사회적 사태에 대한 비판이며, 항의이며, 역사적 참여라고 하지만, 그것은 우리를 현실과 결부시키고 또한 다른 사람들과 결부시키는 다리를 끊을 위험이 있는 것이 아니겠는가? 고립된 사람에게 있어서는 자유의 문제가 존재할 수 없다는 것을 나는 안다」(이브 본푸아, 「삶의 양식을 주어라」, 『1947년의 초현실주의』, 68쪽)

그러나 양대전간(兩大戰間)의 시기에는 초현실주의는 전혀 다른 어조로 떠들어댔다. 그리고 내가 앞에서 비판한 것은 그것과는 판이한 측면이다. 그 시기에 초현실주의자들은 정치적 선언문에 서

24) 이 인용은 몇 줄 아래에 적혀 있는 것처럼 시인 Yves Bonnefoy(1923–)의 글인데, 그의 이름인 Bonnefoy가 bonne foi(선의, 정직성)라는 말과 동음(同音)이며 그 말에서 유래했기 때문에 말장난을 한 것이다.

명하고, 동료들 중에서 정해진 노선을 따르지 않는 자들을 고발하고, 사회적 행동의 방법을 규정하고, 공산당에 들어갔다가는 야단스럽게 뛰쳐나오고, 트로츠키에 접근하고, 소련에 대한 태도를 천명하려고 신경을 썼는데, 그럴 때 그들이 과연 시인으로서 행동한다고 생각했다고는 나로서는 잘 믿어지지 않는다. 내가 이런 말을 하면, 인간이란 하나의 전체이기 때문에 정치인과 시인으로 구별할 수는 없는 것이라고 반박할 사람이 있을지도 모른다. 나도 역시 동감이다. 그뿐 아니라, 시를 자동 기술(自動記述)의 산물로 삼는 한편, 정치를 의식적이며 반성적인 기도로 보는 작가들보다는 나 자신이 한결 기꺼이 그 점을 인정한다는 것을 덧붙여 말해 두고 싶다. 그러나 요컨대, 그 이야기는 자명(自明)한 이치이다. 다른 모든 자명한 이치와 마찬가지로, 옳기도 하고 틀리기도 한 그런 자명한 이치이다. 왜냐하면 인간은 늘 동일하고, 또 어떤 점에서 보면 도처에서 인간의 흔적이 발견될 수 있는 것은 사실이지만, 그렇다고 해서 인간의 〈활동〉이 동일하다는 의미가 되는 것은 결코 아니기 때문이다. 그리고 모든 경우에 인간의 활동은 온갖 정신의 활동을 촉구하는 것이지만, 늘 똑같은 방식으로 촉구한다고 미루어 생각해서는 안 된다. 또한 한 방식의 성공은 의당히 다른 방식의 실패를 의미한다고 생각해서도 안 된다. 게다가 초현실주의자들은 시인으로서 정치를 하는 것이라고 누가 말한다고 해서, 그런 말은 과연 그들을 칭찬하는 것이 되겠는가?

그렇지만 자기의 삶과 작품의 통일성을 부각(浮刻)하기를 바라는 작가로서는, 시와 프락시스의 목표의 공통성을 〈이론〉으로서 보여주는 것은 합당한 일이다. 그러나 그 이론 자체는 〈산문〉일 수밖에 없다. 분명히 초현실주의적인 산문이 있고, 사람들이 비난하는 글[25]에서 내가 살핀 것도 오직 그런 산문에만 한정된 것이다. 다만 초현실주의는 그 정체를 파악하기가 어렵다. 그것은 프로테

우스[26]와도 같다. 그것은 때로는 현실과 투쟁과 인생에 완전히 참여하고 있는 모습을 띤다. 그러나 일단 그 점에 대한 설명을 요구하면, 초현실주의는 순수시(純粹詩)인데, 당신들은 그것을 학살하려고 하고 시가 무엇인지 전혀 이해하지 못하고 있다고 외쳐대기 시작한다. 그것이 누구나 잘 알고 있지만 의미심장한 다음의 일화에 제법 잘 나타나 있는 것이다. 즉, 아라공은 틀림없이 살인을 선동하는 것으로 보이는 시를 쓴 일이 있었다. 그래서 기소(起訴) 여부가 문제가 되었다.[27] 그러자 초현실주의자들의 집단 전체가 시인의 무책임성을 엄숙하게 주장했다. 자동기술법의 산물(産物)을 계획적인 이야기와 동일시할 수는 없다는 것이었다. 그러나 자동기술법을 다소라도 실천해 본 사람이 보기에는, 아라공의 시는 그것과는 판이한 종류의 것임이 분명했다. 그것은 분노로 전율하면서, 과격하고 명확한 말로 억압자의 죽음을 요구하는 사람의 시였다. 그래서 억압자가 흥분했다. 그러자 그 작자(作者)는 눈을 비비고 일어나서, 꿈꾼 것을 가지고 무슨 시비냐고 의아해하는 시인으로 돌변한 것이다.

바로 그런 일이 내 글과의 관련에서도 다시 일어났다. 초현실주의자들이 〈산문을 통해서〉 그 의미를 밝히겠다고 했던 만큼, 나는 세계로의 참여라는 각도에서 〈초현실주의〉라는 총체적 사실에 대

---

25) 아마 『문학이란 무엇인가』가 《현대》지에 처음으로 발표되었을 때, 초현실주의를 혹독하게 비판한 부분에 대하여 많은 비난이 있었던 사실을 두고 하는 말일 것이다. 240-259쪽 참조.

26) Proteus : 그리스 신화에서 수시로 변신하고 미래를 예견하는 재주를 가지고 있었던 신. 보통 명사로 전용되어, 모습이나 의견을 자주 바꾸는 사람을 가리킨다.

27) 아라공이 살인을 선동하는 시를 써서 기소된 사건. 1931년 그는 「붉은 전선 Front rouge」이라는 시에서 「경찰을 쏘아 죽여라」, 「Léon Blum(볼셰비키에 반대한 사회당 당수)을 저격하라」는 따위의 선동을 했다는 죄로 기소되었고, 브르통은 『아라공 사건』이라는 책자를 써서 그를 옹호했다.

하여 비판적 검토를 시도했던 것이다. 그러자 내가 시인을 모욕하고 내적(內的)인 삶을 위한 그들의 〈공헌〉을 무시했다고들 나를 논박했다. 그러나 사실에 있어서는 그들이야말로 내적인 삶을 경멸하는 사람들이었다. 그들이 바란 것은 내적인 삶을 폭파하고, 주체적인 것과 객관적인 것 사이의 둑을 무너뜨리고, 프롤레타리아의 편에 서서 혁명을 하자는 것이었다.

이제 결론을 내리자. 초현실주의는 퇴각(退却)의 시기로 접어들었다. 그것은 마르크스주의 및 공산당과의 인연을 끊었다. 그것은 토미즘Thomism적 기독교라는 건물의 기둥을 하나씩 하나씩 뽑아버리려고 했다. 알겠다. 그러나 그들은 어떤 종류의 공중을 겨냥하는 것인가? 달리 묻자면, 〈어떤 영혼에 깃들여 있는〉 유럽 문명을 씻어내려는 것인가? 초현실주의자들은 노동자에게 직접적으로 영향을 줄 수가 없으며 노동자들 역시 아직은 그들의 행동에 접근할 수 없다고 말하고, 또 그런 말을 되풀이해 왔다. 아닌게아니라 사실이 그렇다. 1947년의 전시회에 과연 몇 명의 노동자가 들어왔던 것인가? 반대로 부르주아의 수는 얼마였던가? 이렇듯 그들의 목적은 다만 부정적(否定的) 차원에 머물러 있는 것이다. 다시 말해서 그 목적은, 그들의 공중을 이루는 부르주아들의 정신에 아직도 깃들여 있는 기독교적 신화의 잔재를 파괴하는 것이다. 이것이 내가 밝히려고 했던 점이다.

7 이런 자신과 교만은 특히 100년 전부터 작가들의 특징이 되어 왔다. 그들과 독자를 갈라놓고 있는 오해(誤解)는 그들로 하여금 제 재능을 스스로 확인할 수밖에는 없도록 만들어놓았기 때문이다.

8 프레보는 여러 번 에피큐리어니즘에 대한 공감(共感)을 표명했다. 그러나 그것은 알랭Alain에 의해서 각색되고 수정된 에피큐리어니즘이다.

9 내가 앞에서 말로Malraux에 대해서도 생텍쥐페리 Saint-

Exupery에 대해서도 언급하지 않은 것은 그들이 우리의 세대에 속해 있기 때문이다. 그들은 우리보다 앞서 글을 썼고, 나이도 몇 살 더 많은 것은 사실이다. 그러나 우리가 갈등(葛藤)의 긴박성과 구체적 현실에 당면하고 나서야 비로소 자기 발견을 한 반면에, 말로는 당장 처녀작부터 우리가 전쟁 속에 휘말려 있다는 것을 인식하고 전쟁문학을 했다는 커다란 공적을 남겨놓았다. 그 무렵은, 초현실주의자는 물론, 드리외 라 로셸 Drieu la Rochelle조차도 평화의 문학을 일삼고 있던 시기였는데도 말이다. 생텍쥐페리로 말하자면, 우리의 선배들의 주관주의와 정적주의(靜寂主義)에 항거하여, 일과 연장의 문학의 큰 윤곽을 그려보인 사람이다. 나는 그가 소비의 문학을 지양하려는 건설의 문학의 선구자임을 차후에 지적하겠다. 전쟁과 건설, 영웅적 행동과 노동, 행위와 소유와 존재, 인간 조건, 이러한 것들이 오늘날의 문학과 철학의 주요한 테마라는 것이 이 장(章)의 끝에 가서 밝혀질 것이다. 따라서 내가 〈우리들〉이라는 말을 쓸 때, 그 대명사에는 그들 역시 포함될 수 있다고 믿는다.

10 카뮈, 말로, 쾨스틀러, 루세[28]와 같은 작가들의 문학이 극한 상황(極限狀況)의 문학이 아니라면 무엇이란 말인가? 그들의 인물들은 권력의 정점(頂點)에 있거나 감옥에 갇혀 있다. 죽거나 고문당하거나 혹은 죽이는 직전(直前)의 상황에 처해 있다. 전쟁, 쿠데타, 혁명적 행동, 폭격, 학살, 이런 것들이 일상화되어 있는 일이다. 한 장 한 장마다, 한 줄 한 줄마다 인간 전체가 문제시되어 있는 것이다.

11 물론, 어떤 의식은 다른 의식에 비해서 더 풍요하고 더 직관적이며, 분석이나 종합의 작업에 더 능란하다. 심지어 예언자적(豫

---

28) David Rousset(1912-): 제2차 세계대전중의 자신의 체험을 통해서 증언한 『강제 수용소의 세계 *L'Univers concentrationnaire*』(1946)로 유명하다. 1949년 이후에는 소련의 강제 수용소의 실태를 고발했다.

言者的)인 의식조차 있어서, 미래를 내다보는 데 더 좋은 자리를 차지하고 있다. 왜냐하면 그런 의식은 어떤 카드를 이미 수중에 가지고 있거나 더 넓은 지평선을 발견할 수 있기 때문이다. 그러나 이런 차이는 경험적인 것이며, 현재와, 가까운 미래에 대한 판단은 여전히 억측일 따름이다.

〈우리에게도 역시〉 모든 사건(事件)은 오직 주관성을 통해서 나타난다. 그러나 사건은 모든 주관성을 넘어선다는 점에서 초월성을 지닌다. 왜냐하면 사건은 무릇 주관성을 통해서 펼쳐 나가면서, 각자에 대하여 사건 그 자체와 각자의 주관성의 다른 모습을 보여주기 때문이다. 따라서 우리의 수법상의 문제는 사건의 다면성(多面性)을 표현할 수 있는 여러 의식의 합주(合奏)를 만들어내는 것이다.[29] 우리는 전지적(全知的) 화자의 허구를 포기함으로써, 독자와 작중인물의 주관적 견지 사이의 매개자(媒介者)를 없애야만 했다. 문제는 독자가 작중인물들의 의식 속으로 자유롭게 들어갈 수 있도록 하는 데 있고, 독자는 심지어 각각의 인물의 의식과 연이어 일체가 되어야 하는 것이다. 이리하여 우리는 제2의 리얼리즘, 즉 매개도 거리도 없는 주관성의 생생한 리얼리즘을 탐구하는 길을 조이스Joyce에게 배웠다. 그리고 그 과정을 겪어 우리는 제3의 리얼리즘, 즉 시간성의 리얼리즘을 주장하기에 이르렀다. 우리가 과연 아무 매개도 없이 독자를 어떤 의식 속으로 막바로 던져넣기 위해서는, 그 의식을 높은 곳에서 조감(鳥瞰)하는 모든 수단을 거부하기 위해서는, 그 의식의 시간을 축약(縮約)하지 말고 그대로 독자에게 떠 안겨야 하는 것이다. 만일 내가 6개월이라는 시간을 난 한 페이지로 뭉쳐놓는다면 독자는 책 밖으로 뛰어나갈 것이다.

---

29) 사르트르는 이 수법을 특히 Dos Passos에게서 배우고 『자유의 길』 제2권 『유예 *Le Sursis*』에서 시도하고 있다.

리얼리즘의 이 마지막 국면은 우리들 중의 누구도 해결하지 못한 어려운 문제를 야기시키는데, 이 문제는 아마도 부분적으로는 영원히 해결될 수 없는 것인지도 모른다. 왜냐하면 모든 소설을 단 하루의 이야기로 제한하는 것은 가능하지도 또 바람직하지도 않기 때문이다. 비록 그렇게 하기로 체념한다 하더라도, 한 책의 이야기를, 한 시간이 아니라 24시간에, 1분이 아니라 한 시간에 걸치게 한다는 따위의 사실은, 작가의 개입과 선험적(先驗的) 선택을 빼놓고 생각할 수는 없는 것이다. 그렇기 때문에 이 선택을 순수하게 미학적인 수법으로 위장하고 착각을 일으키도록 만들고, 또한 예술에서는 늘 그렇듯이 진실이기 위해서는 거짓말을 해야 하는 것이다.

12 이런 점에서 볼 때, 절대적인 객관성, 즉 시간적 순서를 꼼꼼히 지키면서 인물들을 오직 그 행위와 말로만 제시할 뿐, 어떠한 설명도 가하지 않고 내적(內的)인 삶 속으로 뚫고 들어가 보지도 않는 그런 3인칭의 이야기는, 절대적 주관성과 전적으로 동등(同等)한 것이다. 논리적으로는 물론 독자의 의식이라는 증인으로서의 의식이 있기는 하다. 그러나 사실에 있어서는 독자는 타자(他者)를 보고 있는 동안에는 자신을 보는 것을 잊는다. 그래서 이야기는 나무들이 모든 시선(視線)에서 멀리 떨어져서 자라는 그런 처녀림과 같은 순수성을 지니는 것이다.

13 〈작가전국위원회〉[30]의 회원들의 이름을 알아낼 만한 무수한 수단을 가지고 있었던 독일 점령군 당국이 혹시 우리를 일부러 방치(放置)하지 않았겠느냐는 의심이 나는 가끔 들기도 했다. 그들이 보기에는 우리는 순수한 소비자에 지나지 않았을 테니까 말이다.

---

30) Comité national des écrivains(C.N.E.): 좌익계 문인들에 의해서 결성된 이 단체는 독일군 점령기간에 *Lettres françaises*라는 지하 잡지를 냈다. 사르트르는 1943년 초에 가입했다.

하기야 이 경우에는 사정이 뒤집혀 있다. 우리의 지하 신문의 발행 부수는 극히 제한되어 있었다. 그러니 엘뤼아르[31]나 모리악을 자유롭게 수군거리게 내버려두는 데서 오는 위험보다는, 그들을 체포함으로써 이른바 협력 정책에 지장을 가져오게 되는 손실이 한결 더 컸을 것이다. 게슈타포는 필경 지하 세력과 유격대원에 대해서 정력을 집중하기로 했을 것이다. 왜냐하면 그들의 현실적인 파괴 공작이 우리의 추상적인 부정(否定)보다도 더 방해가 되는 것이었기 때문이다. 하기야 독일 점령군은 자크 드쿠르[32]를 체포하고 총살했다. 그러나 그 당시 드쿠르는 아직 널리 알려진 작가는 아니었다.

14 특히 『인간의 대지』를 보라.

15 가령 헤밍웨이의 『누구를 위하여 종은 울리는가?』의 경우가 그렇다.

16 그러나 과장해서는 안 된다. 〈대체적으로 보아〉 작가의 형편은 좋아졌다. 그러나 그것은, 앞으로 언급하겠지만, 이전에 없었던 문학 외적(外的)인 수단들(라디오, 영화, 저널리즘)의 덕분이다. 이러한 수단의 이용이 불가능하거나 그것을 원하지 않는 사람은 부업을 갖거나 그렇지 않으면 군색하게 살 수밖에는 없다. 「내가 커피를 마시거나 담배를 충분히 피울 수 있는 일은 드물다」 하고 쥘리앵 블랑은 말하고 있다. 「내일 나는 빵에 버터를 바를 수도 없게 될 것이며, 내 몸에 부족한 인(燐)은 약방에서 터무니없이 비싸다……. 1943년 이후 나는 다섯 번이나 대수술을 받았다. 근일 여

31) Paul Eluard(1895–1952): 시인. 초현실주의 운동에 가담했으나 브르통 Breton과 결별했다. 부정에 항거하고 일상 세계에서 짙은 감격과 가치를 찾으려는 시를 민중이 이해하는 언어로 썼다. 대표적인 저항시인이다.

32) Jacques Decour(1910–1942): 소설가. 1941년 *Lettres françaises*를 창간하고 저항운동에 적극적으로 참여했다. 전국작가위원회에서 중요한 역할을 담당했던 그는 사르트르의 가입을 반대했다.

섯번째로 아주 큰 수술을 받을 예정이다. 그러나 작가이기 때문에 나는 사회 보장의 혜택도 누릴 수 없다. 내게는 아내와 자식이 하나 있다……. 국가는 나의 몇 푼 안 되는 인세(印稅)에 대해서 과중한 세금을 과할 때를 제외하고는 나의 존재를 거들떠보지도 않는다……. 입원비의 감액을 위해서 이리저리 뛰어다녀야 할 판이다. 문인협회와 작가상조회(相助會)에 가볼까? 문인협회는 내 교섭을 도와주겠지만, 작가상조회는 지난달에 벌써 4천 프랑을 보조해 주었으니……. 이제 그만 이야기하자」(「한 작가의 푸념」, 《콩바》, 1947년 4월 27일자)

17 물론 카톨릭 〈작가들〉을 제외하고 하는 말이다. 자칭 공산주의 작가들에 대해서는 뒤에서 언급하겠다.

18 마르크스주의자들은 〈실존주의적〉 고뇌를 시대와 계급의 현상으로 설명하는데, 나도 그 점을 인정하는 데 인색하지 않다. 실존주의는 오늘날의 형태로 볼 때, 부르주아지의 해체와 더불어 나타났고 그 기원은 부르주아적이다. 그러나 이 해체는 인간 조건의 어떤 양상들을 〈드러내 보이고〉, 어떤 형이상학적 직관을 가능케 해줄 수 있다. 한데 이런 드러냄과 직관 자체가 부르주아 의식의 환상(幻想)이거나 상황의 신화적 표현이라고는 말할 수 없다.

19 노동자가 공산당에 가입하는 것은 상황의 압력 때문이다. 노동자로서는 선택의 여지가 한결 좁기 때문에, 그는 지식인에 비해서 덜 의심의 대상이 된다.

20 프랑스의 공산주의 문학에서는 오직 한 사람의 진정한 작가를 찾아볼 수 있을 따름이다. 그가 미모사와 조약돌에 관해서 쓰는 것도 결코 우연이 아니다.[33]

---

33) 아마도 엘뤼아르를 두고 하는 말일 것이다. 그는 1926년 공산당에 가입했으나 아라공과의 불화 때문에 이탈하고, 저항운동을 하던 1943년에 비밀리에 다시 가입했다.

21 그들은 아동들에게 위고Hugo를 읽게 한다. 최근에는 어떤 지방에서는 지오노[34]의 작품을 퍼뜨리기도 했다.

22 나는 여기에서 프레보Prevost와 그의 동시대 작가들의 실패한 시도를 제외하고 말하는 것이다. 그 점에 대해서는 앞서 언급한 바 있다.

23 이러한 모순은 도처에서, 특히 공산주의적 〈우정〉에서 찾아볼 수 있다. 니장에게는 친구들이 많았는데, 그들은 지금 어디에 있는 것인가? 니장이 가장 열렬하게 사랑했던 자들은 공산당에 속해 있었다. 한데 오늘날 니장의 욕을 해대는 것은 그들이다. 그에 대한 우정을 지금껏 지키고 있는 것은 다만 공산당원이 아닌 사람들뿐이다. 사랑과 우정은 개인 대 개인의 관계인데, 그런 관계에조차, 추방 선고를 할 수 있는 권력을 가진 스탈린적 공동체가 끼여드는 것이다.

24 그렇다면 자유의 개념은 어떻게 되는가? 실존주의에 대해서 가해지고 있는 터무니없는 비판의 글들을 읽어보면, 자유가 무엇인지를 전혀 모르고 있는 것 같다. 그것은 과연 그들의 잘못일까? 가령 지난날의 파시스트와 지난날의 대독(對獨) 협력자와 지난날의 P.S.F.를 긁어모아서 만든, 반민주주의적이며 반사회주의적인 P.R.L.이 있다.[35] 그러면서도 그것은 〈자유공화당〉이라는 이름을

---

34) Jean Giono(1895~1970): 소설가. 전쟁과 도시와 기계 문명을 고발하고, 대지와의 융합을 노래한 서정적 작품을 썼다. 후기에는 사회의 율법에 묶이지 않는 자유로운 자아 실현 속에서 행복을 찾는 인물을 재치 있는 필치로 그려냈다.

35) P.S.F.: Parti social français(프랑스 사회당). 재향군인으로 구성된 극우단체인 〈불의 십자단Les Croix de Feu〉이 1936년 불법 폭력 단체로 규정되어 해산 명령을 받자, 그 후신으로 생겼던 정당.

P.R.L.: Parti républicain de la liberté(자유공화당). 1946년 좌익 연립 내각이 조직되자, 이에 대항하기 위하여 결성된 보수 정당.

내걸고 있다. 그러니까 그들에게 반대하는 사람은 자유의 적이 되는 셈이다. 그러나 공산주의자들도 또한 자유를 내세운다. 다만 그것은 필연성의 수용(受容)이라는 헤겔적인 자유이다. 또한 결정론자인 초현실주의자들도 자유를 들먹인다. 한 젊은 철부지가 언젠가 내게 이렇게 말한 일이 있다. 「당신은 『파리떼』[36]에서 오레스트의 자유에 관해서 멋있게 이야기했다. 그러나 그후 『존재와 무』를 썼기 때문에, 그래서 결정론적이며 유물론적인 휴머니즘을 수립하는 데 실패했기 때문에, 당신 자신을 배반하고 우리를 배반했다」 나는 그가 무슨 말을 하고 싶었는지 알 만하다. 그것은 유물론이 인간을 신화에서 해방시킨다는 것이다. 나 역시 그것이 해방이었으면 좋겠다. 그러나 그것은 인간을 더 한층 굴종시키기 위한 해방인 것이다.

다른 한편으로 미국의 식민자(植民者)들은 벌써 1760년부터 자유의 이름 아래서 노예제도를 옹호했다. 시민이며 개척자인 식민자가 검둥이를 사고 싶다고 하면, 그것은 그의 자유가 아니겠는가? 그리고 사고 나면 부리는 것도 자유가 아니겠는가? 이런 논법이 그대로 존속해 왔다. 1947년에 어느 수영장(水泳場)의 주인은 한 유태인 대위의 입장을 막았다. 전쟁 영웅인데도 말이다. 그 대위는 신문에 글을 써서 호소했다. 신문은 그의 항의를 게재하고는 이렇게 결론을 내렸다. 「미국은 참으로 훌륭한 나라이다. 수영장의 소유주는 유태인의 입장을 거절할 〈자유〉가 있었다. 그러나 미국 시민인 그 유태인은 신문에 항의할 〈자유〉가 있었다. 그리고 신문은 누구나 알다시피 자유를 지키기 때문에, 찬성이나 반대의 입장을 취하지 않고 보도하는 것이다. 결국 누구나 모두 자유로운 것이다」

다만 한 가지 큰 문제가 있다. 〈자유〉라는 말은 이토록 다양한

36) *Les Mouches*(1943): 사르트르가 독일군 점령하의 파리에서, 자유의 가치를 선양하기 위해서 발표하고 상연한 희곡.

뜻을, 그리고 그 이외에도 수백 가지의 다른 뜻을 지니고 있는 말이다. 그런데도 사람들은 각각의 경우에 주고 싶은 특정한 뜻을 미리 밝혀야 한다는 생각도 하지 않고 그 말을 사용하는 것이다.

25 왜냐하면 문학은 정신과 마찬가지로, 내가 다른 곳에서 〈비전체화되는 전체〉[37]라고 명명한 것의 유형(類型)에 속하기 때문이다.

26 최근에 나온 카뮈의 『흑사병』은, 단 하나의 신화라는 유기적 전체 속에, 비판적이며 건설적인 다양한 주제들을 녹아들게 하고 있는 그러한 통합적 움직임의 좋은 예라고 생각된다.

37) totalité détotalisée: 사르트르가 『존재와 무』에서 규정한 대자(對自)의 존재태. 대자는 항상 그 자체를 무화(無化)하면서, 즉 전체로서의 현재의 자기를 부정하면서 새로운 가능성을 향해 나가는 전체이다. *L'Etre et le néant*, 229-230쪽 및 그 이외의 여러 곳 참조.

작품 해설

사르트르가 『문학이란 무엇인가』를 발표한 것은 1947년이니까 꼭 반세기 전의 일이다. 그때 그는 널리 알려진 바와 같이 이 책을 통해서 이른바 문학의 사명이 정치적, 사회적 현실을 변혁하기 위한 〈참여〉에 있다는 것을 원론적으로 주장하고, 그 이후로 사르트르라는 이름은 〈참여문학〉이라는 개념과 불가분(不可分)의 것으로 받아들여져 왔다. 그렇다면 그의 참여의 주장은, 그 간 50년 동안에 겪은 엄청난 정치적, 사회적, 문화적 격동과 변화를 넘어서서 지금도 살아 있는 것일까? 혹은 정반대로 그것은 이미 효력을 잃은 역사적 유물에 지나지 않는 것일까? 혹은 『문학이란 무엇인가』는 그런 참여의 주장을 넘어서서 다른 각도에서 읽혀져야 할 텍스트인가? 매우 객관적 입장에서 문학사를 기술하거나 문헌학적 고찰을 시도하려는 학자의 경우라면 몰라도, 또 사르트르를 무조건적으로 신뢰하는 사람의 경우라면 몰라도, 오늘날 이 책을 읽는 일반 독자로서는 그런 질문을 제기하게 되는 것은 당연한 이야기이다. 역자 자신도 그런 점을 염두에 두고, 이 유명한 참여문학의 이론서에 대해서, 그리고 그것이 사르트르의 전체적 문학관과 관련하여 차지하는 위치에 대해서 이미 자세한 분석과 비판을 시도한 바 있다(졸저, 『문학을 찾아서』, 민음사, 1994년, 11-185쪽 참조). 그러므로, 여기에서는 되도록 사견(私見)을 삼가면서, 독자 스스로가 이 책을 더 잘 이해하고, 방금 언급한 동시대적(同時代的)인 질문에 대답하는 데 도움이 될 수 있도록, 그 취지와 내용에 대해서 간단히 언급해 두는 데 그치려 한다.

우선 주목해야 할 것은 이 책이 도전적이며 논쟁적이며 심지어 편파적인 선언서의 성격을 띠고 있다는 사실이다. 누구나 알다시피 사르트르는 제2차 세계대전중 몇 년 간의 체험에 비추어 지식인의 역할에 관한 생각을 근본적으로 달리하게 되었고, 이런 생각의 변화는 자연히 문학의 기능을 재조명하게 만들었다. 그리고 이 변화가 구체적 행동으로 나타난 것이 종전(終戰)과 더불어 몇몇 동지들과 만든 잡지 《현대 *Les Temps modernes*》인데, 1945년 10월에 나온 그 창간사는 가히 문학적 사건이었다고 말할 수 있다. 여기에서 사르트르는 문학의 참여를 공공연히 천명했다. 다시 말해서 작가는 이제 초월적 가치, 보편적 진리, 사후(死後)의 영예와 같은 것을 추구하려던 종래의 태도를 버리고, 「우리를 둘러싸고 있는 사회에 어떤 변혁을 가져오는 데 이바지해야 한다」는 것, 더 구체적으로 말해서 개인의 자유와 프롤레타리아의 해방을 동시에 겨냥하는 작업을 당장 오늘날의 역사적 상황 속에서 전개해야 한다는 것이었다. 그러자 좌우 양진영으로부터 비난과 공격의 화살이 날아들었다. 사르트르의 기도는 문학을 정치적 목적에 종속시키려는 사회주의 리얼리즘의 재판(再版)이라는 비난과 아울러, 공산당의 권외에서 노동계급의 해방을 생각한다는 것은 바로 그 노동계급을 배반하는 것이라는 공격이 쏟아져 나왔다. 『문학이란 무엇인가』는 바로 이런 양극단의 비판에 대답하려는 것인데, 사르트르의 논조는 교만하기까지하다. 그는 이렇게 이야기를 시작하려는 것이나 다름없다. 「당신들은 모두 문학의 ABC도 모르고 그런 헛소리를 하고 있지만, 그와 반대로 나의 발언의 밑바닥에는 단단한 문학관이 깔려 있다. 그러니 기초부터 가르쳐주마」 그렇다면 그가 문학의 정치적 참여의 기초로 삼고 있는 문학이론은 과연 어떤 것인가? 다른 각도에서 보자면, 사르트르는 그 기회를 빌려, 그가 『존재와 무』에서 철학적으로 시도한 수순(手順)을 문학의 영역에서도 밟아서, 존재론과 당위론을 접속시키려는 것인데, 우리가 알아보아야 할 것은 그 사이의 접속이 과연 마땅하게 이루어져 있느냐는 점이다.

우선 그는 시와 산문이 본질적으로 다른 언어활동이라는 일반적 명제로부터 논의를 시작한다. 이 차이에 대한 강조는 특히 프랑스에서는 오랜 전통을 지녀온 것이며, 17세기 이래로 시를 춤으로, 그리고 산문을 걸음걸이로 비유한 것은 그 대표적인 예이다. 동일한 다리의 움직임이라도, 춤추기는 그 자체를 목적으로 삼는 창조적 움직임인 반면에, 걷는다는 행위는 다른 곳으로 이동하기 위한 수단이다. 이와 마찬가지로 시의 언어는 그 자체로서 존재하고 그 자체에 가치를 두는 창조인 반면에 산문의 언어는 어느 대상을 가리키기 위한 수단이다. 야콥슨을 따라 말하자면 전자가 바로 언어의 시적 기능이고 후자는 언어의 지시적 기능을 담당한다. 한데 사르트르는 바로 이런 구별을 답습하고 그것을 참여의 주장의 기초로 응용한 것이다. 그에 의하면, 문학의 참여는 세상을 바꾸려는 시도이기 때문에 필연적으로 그 세상을 직접적인 고찰의 대상으로 삼게 된다. 그러니까 그것은 현실의 세계와는 관련 없는 자족적(自足的)인 세계를 창조하려는 시의 언어가 할 일이 아니라, 대상을 가리켜 보이고 또 행동을 촉구하기 위한 수단인 산문이 담당해야 하는 일이다. 만일 시가 현실을 지시하거나 개조하는 데 공헌하려고 한다면 그것은 자신을 등지는 짓이며, 이와 반대로 산문이 현실을 초월하는 언어의 창조를 꿈꾼다면 그것 역시 자기 배반이 되는 것이다. 사르트르는 이 점을 명쾌하게 구별하기 위해서 「시인은 언어를 섬기는 사람이며, 산문가는 언어를 이용하는 사람」이라고 말한다.

그러나 이러한 시와 산문의 〈단호한〉 구별은 과연 납득할 만한 것인가? 그 양자 사이에는 과연 「글씨를 쓰기 위한 팔의 움직임을 제외하고는 아무런 공통점도 없는 것인가?」 제1장의 본문과 주(註)를 조심스럽게 읽는 독자는 사르트르의 그런 양극화(兩極化)가 과장된 것임을 쉽사리 간파할 수 있을 것이다. 한편으로는 피카소의 그림과 랭보의 시구(詩句)와 바흐의 푸가를 동일한 차원에 놓고, 다른 한편으로는 히틀러의 선전포고와 루소의 사회계약론과 지로두의 소설을 한데 묶어서 동일시하려는 듯한 그의 논법은, 바로 그 자신이 연극의 방백(傍白)에서처럼 작은 소리로 덧붙인 말들에 의해서 약화되고 있다. 가령, 아무리 같은 산문이라도, 일상적 언어와 작가의 글은 역시 다른 것이며, 「한 사람이 작가가 되는 것은 어떤 것을 말하기를 선택했기 때문이 아니라, 그것을 어떤 방법으로 말하기를 선택했기 때문이다」라는 발언이 그렇다. 또한 제1장의 원주 **5**에서 이야기하고 있는 것처럼, 사르트르는 현실적으로는 시에 산문적 요소가 있고 반대로 산문에도 시적 요소가 있다는 것을 충분히 잘 알고 있다. 그뿐 아니라, 그가 시의 패러다임으로 삼고 있는 것은 19세기 후반기로부터 부각된 프랑스의 〈좌절〉의 시, 특히 말라르메의 시라는 것을, 원주 **4**를 통해서 짐작하는 것은 결코 어려운 일이 아니다.

그렇다면 그의 논법은 지나치게 환원주의적이며 심지어 관념론적인 것이 아니겠느냐는 의심을 우리는 마땅히 제기해 볼 수 있다. 아닌게아니라, 사실이 그렇다. 사르트르는 제3장에서 그의 역사적 고찰이 〈편파적이며 이론(異論)의 여지가 많은 것〉임을 자인(自認)

하고 있다. 그러나 이런 편파성에 대한 자인은 간접적으로나마 이미 제1장의 문학원론에서부터 하고 있는 셈이다. 다시 말하면 그는 자기의 다급한 주장을 내세우기 위해서, 그 주장에 부합하지 않는 측면들의 존재를 굳이 부차적(副次的)인 것으로 격하시키고 있는 것이다. 그렇기 때문에 소설을 일상적 산문과 구별짓는 문체의 중요성이 경시되고, 또한 시와 산문이 가지고 있는 문학적 언어로서의 공통성보다는 각각의 장르의 본질적으로 다른 〈에이도스〉(그런 것이 존재한다는 것이 사르트르의 생각이다)가 강조되는 것이다.

이렇게 보면 오늘날 『문학이란 무엇인가?』를 읽는 방법의 하나는 사르트르가 문학의 참여를 정당화하기 위해서 취한 담론적 전술의 실체를 파악하고, 그가 과연 그것에 충실했는지를 다른 텍스트와 비교해 보는 것이다. 한데, 시는 참여의 피안에 위치하고, 오직 산문만이 참여할 수 있고 또 참여해야 한다는 그의 기본적 전제는 한결같이 지켜지지 않았다. 다시 말해서 『문학이란 무엇인가』에서 본지(本旨)와는 어긋나는 방백처럼 언급한 내용이 더 큰 중요성을 띠고 재생한 것이다. 벌써 1948년에 발표된 「검은 오르페우스」에서 그는 흑인시야말로 오늘날 단 하나의 위대한 혁명시라고 극찬함으로써, 한편으로는 그가 시에 대해서 무관심하다는 세간의 편견을 불식시키려 했고, 다른 한편으로는 불과 일년 전에 애써 내세운 시의 참여 불가능성의 주장을 스스로 뒤엎어놓는다. 이러한 〈변덕〉은 날이 갈수록 심해진다. 레보비츠 René Leibowitz의 『예술가와 그의 양심』에 붙인 서문(1950)에서는 심지어 음악의 정치적 참여의 가능성이 짙게 시사되어 있고, 역으로 장 주네론(論)(*Saint Genet, comédien et martyr*, 1952)은 산문문학에 포함된 시적(詩的) 언어의 〈물질성〉을 체제에 대한 근본적 이의제기와의 관련하에서 강조하고 있다. 그리고 가끔은 시와 산문의 구별을 상기시키려는 언사(言辭)에도 불구하고(1975년의 한 회견담에서도 그 구별은 여전히 유효하다고 말하고 있다), 오히려 그 양자간의 간격을 좁혀 생각하려는 경향은 〈새로운 소설 Nouveau roman〉의 작가들, 특히 미셸 뷔토르의 영향하에 두드러지게 나타난다. 그래서 사르트르는 마침내 『문학이란 무엇인가』에서의 입장을 아예 내던진 듯이, 이번에는 산문작가의 언어를 일상어와 대립시키고 그것을 시의 언어와 동질적인 것으로 생각하기에 이른다(이 점에서 매우 중요한 텍스트는 1966년 일본을 방문했을 때의 강연을 다소 수정해서 《상황 *Situations VIII*》에 수록한 「작가는 지식인인가」이다). 그렇다면 그는 문학의 정치적 참여에 관한 주장을 완전히 청산한 것인가? 반드시 그런 것은 아니다. 그는 바로 그 강연에서도 그의 달라진 문학관을 참여와 결부시키려는 군색한 논리를 전개시키고 있고, 또한 다른 텍스트에서는 회화의 참여를 적극적으로 주장하는가 하면, 〈참여〉라는 말에 〈깊은〉이라는 형용사를 덧붙여 그 외연(外延)을 엄청나게 확대하기도 한다. 그러나 이런 이야기를 이 자리에서 더 길게 늘어놓을 수는 없다. 다만 사르트르를 읽는 재미(차라리 괴로움이라고 말하는 것이 더 옳을지 모르지만)는 결코 단선적이 아닌 그의 문학관과 예술관의 변모의 과정을 추적해 보는 데 있다는 점만을 확인해 두고, 『문학이란 무엇인가』의 제2장에서 그가 하고 있는 이야기를 간추려보자.

제1장의 끝에서 사르트르는 글쓰기란 지금 살아 있는 작가가 살아 있는 공동체 내에서 선택하는 기도라는 뜻의 말을 하고는, 제2장으로 들어선다. 그러니까 독자는 이제 참여의 주장을 밑받침할 더욱 자세한 각론(各論)이나 역사적 고찰을 기대하게 된다. 그러나 사르트르는 도리어 한 발자국 쑥 물러나서 참여에 관한 논의는 일

단 접어두고 작품의 존재론이라고 이름지을 만한, 시공(時空)을 초월한 고찰을 시작한다. 그리고 이 고찰은 시와 산문의 구별을 넘어서서 문학작품 전체에 해당되는 것일 뿐만 아니라, 때로는 그림이나 음악과 같은 예술작품에도 적용될 수 있는 성질의 것이다. 따라서 그것은 제1장의 진술과 긴밀한 관련이 없어 보이고 때로는 모순되는 듯한 인상마저 풍긴다. 그렇다면 우리는 마치 간주곡과 같은 그 이야기를 전후(前後)의 진술과 어떻게 결부시킬 수 있는 것일까? 이 질문을 염두에 두고 잠시 그 요지를 살펴보자.

오늘날 우리가 〈독자반응 비평〉이나 〈수용이론〉과 관련시켜 생각해 볼 수도 있는 제2장에서, 사르트르는 문학작품이 객관적으로 존재할 수 있는 것은 오직 독자를 통해서라는 점을 강조한다. 작품을 창조한 작가로서는 그가 쓴 것은 결코 객체로서의 독립성을 지니지 못한다. 그는 그 속에서 다만 자신의 욕망과 의도와 작업의 흔적을 찾아볼 수 있을 뿐이다. 이와 반대로 독자는 그것을 작가의 창작과정과 분리하고 생동(生動)시킨다. 가령 『죄와 벌』에서 라스콜니코프가 진실로 그 실체성을 획득하는 것은 그를 미지(未知)의 인물로서 추적해 가고 그와 함께 새로운 모험 속으로 끼여들면서 고뇌하는 독자가 있기 때문이며, 그 인물을 만든 도스토예프스키의 허구화의 작업의 덕분이 아니다. 작가는 독자가 스스로 의미를 주어 나가고 형체를 만들어 나가는 것을 도울 수 있도록 몇몇의 푯말을 세웠을 따름이다. 비유적으로 말하면 작가는 작품을 〈쓰기 시작〉했을 뿐이며 그것을 완성시키는 것은 독자의 몫이다. 이리하여 글을 쓴다는 행위는 작가가 언어라는 수단으로 기도한 드러냄을 객관적 존재로 만들어주도록 독자의 자유에 호소하는 것이다. 그런 의미에서 사르트르는 읽기란 〈인도된 창조〉라고 말한다.

사실을 말하자면 독자의 읽기를 중시하는 이런 작품 존재론은 당시로서는 매우 참신한 것이었지만, 미심쩍은 점이 없는 것은 아니다. 우선 독자는 작가가 세운 몇몇의 중요한 푯말이 과연 무엇인지를 어떻게 결정할 수 있는 것인가? 다시 말하면 읽기란 의미의 부여인데, 독자는 그가 부여한 의미가 과연 작가의 의도와 부합하는지를 알 길이 있는가? 만일 어떤 기호들을 중요한 푯말이라고 생각하면서 그것을 따라 읽은 결과가, 작가가 인도하려는 방향과는 전혀 다른 방향의 것일 때에는 어떻게 되는가? 가령 제1장의 후반부에서 사르트르는 원형비평이나 정신분석비평을 맹렬히 비난하고 있는데, 읽기라는 〈인도된 창조〉가 작품을 참여의 차원이 아닌 그런 차원에서 객체화시키고, 또 그것이 더욱 뜻깊은 작업이라고 생각될 수 있는 경우는 없는 것일까? 한 걸음 더 나가서, 한 작품에 대한 이해가 독자에 따라 매우 다른 각도에서 다원적으로 이루어지는 경우(이것이 현실적으로 대부분의 경우이지만)를 사르트르는 어느 정도 용납하는 것일까? 이런 질문들에 대해서 제2장은 분명한 대답을 주고 있지 않다. 하기야 그는 독자의 해석의 여지를 극대화시켜서 생각하는 듯한 인상을 주기도 한다. 「독자가 읽고 창조하는 동안 그는 더 멀리 읽어 나갈 수 있고 더 깊이 창조할 수 있으리라는 것을 안다. 그리고 바로 그런 까닭에 작품은 사물들처럼 무진무궁하고 불투명하게 보인다」는 말 따위가 그렇다. 그러나 다른 한편으로는 작가가 시작한 작품을 진실로 존재하게 만들어주는 독자의 역할은 작가 자신의 의도와 긴밀히 연관되어 있다는 것이 강조되기도 한다. 다시 말해서 독자의 재구성과 해석의 자유는 작가가 설정한 일정한 테두리 안에서 행사된다는 점이 지적된다. 「독자는 안심하고 앞으로 나갈 수 있다. 독자가 아무리 멀리 가도, 작가가 그보다 더 멀리 갔기 때문이다. 독자가 책의 여러 다른 부분들을 어떻게 서로 연결시키든 간에, 그는 한 가지 보장을 가지고 있다. 그것은 그런 관련이 작가에 의해서 명백히 의도된 것이라는 보장이다」

이렇게 보면 사르트르의 작품존재론은 오직 작가의 의도만을 중시해 온 전통적 비평방법을 따르는 것도 아니며, 반대로 그것을 완전히 배제하는 구조주의적 문학관과도 다르다는 것을 알 수 있다. 그렇다면 이런 절충적인 견해는 어느 정도 진정한 것인가? 사르트르는 『문학이란 무엇인가』에서는 물론 그후에도 그 문제를 두고 더 깊이 논구하고 있지 않으며, 또한 역자로서도 이 자리에서는 더 이상 언급하지 않으려 한다. 다만 한 가지 분명한 것은 그는 독자의 다원적인 해석의 대상으로서의 작품보다는, 작가의 의도의 표현으로서의 작품 내지는 작가의 사회적 위상(位相)이나 세계관의 표현으로서의 작품이라는 측면을 강조해 나갔다는 것이다. 우리는 당장 『문학이란 무엇인가』의 제3장을 읽으면 그것을 알 수 있다. 그렇다면 다시 한번 묻자. 제2장의 진술은 이 책의 전체적 취지와 어떻게 연관될 수 있는 것일까?

그것이 참여의 이론과는 결부될 수 없는 돌출적(突出的)인 것이며, 그런 점에서 도리어 재미있다고 보는 것은 분명히 하나의 읽기의 방법이다. 더 극단적으로 말하면, 제1장이 보여준 참여에 관한 사르트르의 발언은 긴박한 시대적 상황하에서 그가 공적(公的) 인간으로서 스스로 걸머진 책무(責務)의 감정에서 비롯된 것이며, 작가로서의 그의 본래의 소망은 자기가 쓴 것을 객체화시키고 또한 작가 자신의 존재를 정당화시켜 달라는 독자에 대한 호소인데(우리는 그런 소망을 『구토』를 통해서 이미 알고 있다), 이 후자가 제2장을 이루고 있다는 식으로 읽어보자는 것이다. 그리고 한 걸음 나가서는, 이 두 가지 지향(志向), 즉 참여를 겨냥하는 공적 인간으로서의 지향과 작가로서의 자아(自我)의 정립(定立)을 위한 개인적 지향이 빚어내는 긴장관계에 주목하면서 『문학이란 무엇인가』라는 텍스트 전체를 해독해 나갈 수도 있을 것이다. 그러나 다른 한편으로는 제1장의 진술 및 제3장 이하의 진술과 좀더 긴밀히 연관시켜서 제2장을 생각해 보는 것도 가능하다. 다시 말해서, 이 장(章)의 기능은 제1장이 자칫 줄 수 있는 오해, 즉 산문작품의 언어는 한낱 전달수단에 불과하다는 오해를 씻어내는 동시에, 제3장으로부터 시작되는 과거의 문학에 대한 비판과 새로운 혁명문학에 대한 주장이 이른바 프롤레타리아 문학이나 사회주의 리얼리즘과는 본질적으로 다른 바탕 위에서 이루어지는 것임을 미리 알려두기 위한 사전 준비라고도 말할 수 있는 것이다. 그러기에 사르트르는 여기에서 작품이 그 자체로서 목적이며 정언명령(定言命令)이라고 하면서 칸트의 미학을 비판하기까지 하고, 이와 아울러 읽기가 가장 순수한 자유에 의해서 이루어진다는 것을 두고두고 강조한다. 그뿐 아니라, 그는 바로 〈자유〉라는 개념을, 제2장과 제3장을 연결시키는 고리로 삼으려 한다. 쓴다는 행위는 독자라는 타자의 자유에 대한 호소이기 때문에, 작가는 그의 정치적, 사회적 자유를 전취(戰取)하고 옹호하기 위해서 써야 한다는 것이다. 사실을 말하자면 자유에 관한 두 가지의 다른 뜻을 뭉개버리고 만든 이 연결고리는 의심스러운 것이지만, 그 논의는 이 자리에서는 보류해 두고(졸저 『문학을 찾아서』, 52-55쪽 참조), 그는 제2장의 말미(末尾)에서 이런 발언을 하고는, 제3장으로 넘어간다는 사실만을 지적해 두려고 한다.

이제 사르트르는 우리가 〈사회적 조건과 작가〉 또는 〈작가의 기능과 정치사회적 구조〉라고 고쳐 부를 수 있을 만한 새로운 장(章)을 열어, 중세로부터 19세기에 이르기까지의 작품생산의 양상을 돌이켜본다. 그것은 자유를 위한 투쟁이라는 임무에 작가가 어느 정도 충실했는가 하는 문제를 구체적으로 검증하려는 것이지만, 그 문제를 중심으로 삼은 객관적인 통사(通史)도 아니고, 더더구나 세계문학 전체에 걸친 성찰도 아니다. 그는 자기가 비교적 잘 알고 있고, 자기의 참여의 주장을 증명하거나 반증(反證)하기에 알맞다고 생각되는 영역만을 들어올려서 따져나간다. 그 결과 중세 이전과 16세기에 관한 언급은 전혀 없으며, 19세기에 관한 진술에 있어서도 그 전반기보다는 후반기에 한결 큰 비중이 실려 있다. 또한 그의 시야가 프랑스 문학에 국한되어 있는 것도 사실이다. 따라서 우리는 그 이야기를 편파적인 것으로 생각할 수도 있겠지만, 다른 한편으로는 그것을 과거의 역사에서 풍부하게 채취(採取)한 케이스 스터디로 보고, 그 안에 담긴 분석과 비판이 제4장에서 본격적으로 전개될 참여문학의 자세한 프로그램으로 어떻게 접속되는지를 따라가 볼 수도 있을 것이다. 아마도 이 후자의 읽기의 방법이 우선은 저자에게 표시해야 할 예의일지도 모른다.

사르트르에 의하면, 작가의 임무는 기존의 가치체계와 제도에 대한 이의제기(異議提起)에 있지만, 그를 먹여살려 준 것이 지배계층이었다는 점에서 작가의 모순이 비롯되었다. 그렇다면 작가는 그 모순에 어떻게 대처(對處)해 온 것인가? 조잡하게 말해 보자면 그는 억압자의 편에 서서 글을 썼는가, 혹은 피억압자를 독자로 삼고 그들의 해방을 시도하기 위해서 지배계층과의 단절을 감행한 것인가? 사르트르는 그 곡절을 대충 다음과 같이 기술해 나간다. 중세와 17세기는 지배계층 이외에는 독자를 생각할 수 없는 시대였기 때문에 작가의 갈등은 존재하지 않았다. 그렇다고 해서 그 두 시대에 있어서 작가의 기능이 동일한 것은 아니었다. 중세의 작가는 종교적 이데올로기의 생산에 종사하는 성직자(聖職者)였던 반면에, 17세기의 작가는 이미 구성된 이데올로기를 준수하고, 그 이데올로기의 담당자인 이른바 〈신사〉의 인간상을 재현하고 객관화시켜 주는 역할을 떠맡게 되었다. 그뿐 아니라 지배계층에 의해서 동화(同化)되었던 이런 17세기의 작가의 지위를 단순히 추종적(追從的)인 것으로 보고 그것을 비난의 대상으로만 삼아야 할 것은 아니라는 것이 사르트르의 견해이다. 왜냐하면 작가는 그가 그려보인 〈초상화〉를 통해서 지배계층의 사람들이 스스로 반성하는 계기를, 다시 말해서 자신의 현실을 객체시(客體視)함으로써 초월하는 계기를 부여했기 때문이다. 가령 라신 Racine처럼 정념의 난맥상을 제시한다는 것은 〈신사〉들이 자신의 자유로운 선택과 책임하에서 그것을 넘어서기를 종용하는 것이었기 때문이다. 이 점에서 글쓰기란 현실을 바꾸기 위해서 현실을 제시하는 것이라는 제1장의 주장이 벌써 17세기의 문학에서 구체적으로 확인된 셈이다. 적어도 사르트르는 우리들에게 그렇게 말하고 싶은 것이다. 그러나 이러한 문학작품을 통한 초월은 17세에 있어서는 다만 지배계급의 이데올로기 내에서의 현상에 불과했다는 점에서 18세기의 경우와는 근본적으로 다르다. 왜냐하면 18세기에 이르러서는 독자가 분열되었기 때문이다. 작가는 여전히 지배계급인 귀족의 경제적 비호에 의지했으나, 다른 한편으로는 새로운 이데올로기의 공급(供給)을 바라는 〈상승계급〉인 부르주아지의 요청에 응해야 할 처지가 되었다. 한데, 이 요청을 충족시키기 위한 작가들의 글쓰기는 구체적인 역사적 상황을 강조하고 부르주아지의 계급의식을 고취하는 방향으로 이루어져 나간 것이 아니다. 그들이 내세운 것은 초역사적인 이성(理性)을 내세운 추상적 문학이었다. 다시 말하면 작가는 보편적 이성을 구현(具現)하는 인간으로 자처하여, 그 이름 아래서 부르주아지의 의식화를 촉진하는 동시에 귀족의 편견과 특권을 견제한다는 이중의 효과를 거둘 수 있었다. 이렇듯 보편성의 주장이 곧 역사적 발전에 기여하게 되었다는 점에서 18세기 작가는 〈행복한〉 지위를 누렸으며, 그 대표적인 존재가 볼테르이다.

그러나 사르트르 자신은 볼테르와 같은 특권을 누릴 수 있는 처지가 아니었다. 첫째로 볼테르도 사르트르도 다같이 부르주아지 출신이지만, 18세기에 그것이 이른바 상승계급이었던 것과는 반대로, 사르트르의 시대에는 벌써 오래전부터 억압적인 지배계급으로 군림(君臨)해 왔기 때문이다. 다시 말해서 볼테르의 경우에는 인간 해방의 이름을 빌린 기존체제에 대한 투쟁이 자신의 계급적 이해관계와 일치했던 반면에, 사르트르는 피억압계급인 프롤레타리아의 해방을 위해서 자기 자신의 출신계급의 이데올로기와 제도를 부정해야 한다는 모순에 봉착할 수밖에 없었다. 둘째로 프롤레타리아는 사르트르와 같은 사상적 지사(志士)가 출현하여 해방을 위한 철학을 베풀어주고 정신적 지도자가 되어주기를 기대하고 있는 것이 아니라, 이미 공산당이라는 조직에 의해서 장악되고, 그 지령하에서의 행동이 곧 해방의 길이라고 믿고 있었다. 따라서 그에게는 양자택일(兩者擇一)의 길밖에는 없었다. 하나는 공산당의 프롤레타리아 운동과 정책에 동의하고 협력하는 것이며, 둘째로는 그 권외에서, 심지어 그것과 반대되는 입장에서 프롤레타리아 해방을 위해서 진력하는 것이다. 누구나 알고 있다시피 사르트르가 택한 것은 이 후자의 험난한 길이었고, 이런 점에서 18세기 작가에 대한 사르트르의 긍정적 평가와 부러움의 표현은 아이러니컬할 뿐 아니라 비통한 느낌마저 준다. 그러나 그 이야기는 잠시 접어두고, 우선 19세기의 작가의 처지에 관한 그의 견해에 대해서 간단히 언급해 두자. 왜냐하면 그가 스스로 걷기로 작정한 그 어려운 길은 19세기의 작가들이 독자에 대해서 취한 비진정(非眞正)한 태도에 대한 혹독한 비판과 표리(表裏)를 이루고 있기 때문이다.

사르트르에 의하면, 부르주아지는 억압자가 된 자신의 존재를 호도(糊塗)해 줄 수 있는 신화를 필요로했다. 다시 말해서 모든 인간은 시간과 공간을 초월한 변함없는 〈인간성〉을 지니고 있다는 명목하에서, 역사적, 계급적 존재로서의 진상(眞相)이 은폐되기를 바랐다. 그리고 작가들이 그런 보편적 인간으로서 자신의 정신적, 심리적 모습을 그려보여 주기를 바랐다. 이리하여 부르주아지는 착취자로서의 제 모습이 부각되는 것을 방지하려고 한 것인데, 많은 작가들이 그 요청에 응하는 어용문학을 일삼았다. 그러나 그들은 19세기 문학의 대표자라고는 말할 수 없다. 그 대표자가 된 것은 도리어 그런 어용문학을 거부한 또 하나의 집단의 작가들이다. 다만, 한결 훌륭한 이 작가들 역시 부르주아지에게 봉사하게 되었다. 그렇다면 그 이유는 무엇인가? 이 질문에 대한 대답은 『문학이란 무엇인가』의 내용 중에서 가장 독특하면서도 설득력 있는 진술 중의 하나인데, 그것을 한두 마디로 요약하면 다음과 같이 될 것이다.

그들은(그 대표자는 플로베르이다) 속악한 부르주아지를 철저하게 멸시하고 예술을 위한 예술 속에 묻히면서 스스로 고립되고 고독의 신화를 만들어갔는데, 그 극점은 허무였다. 그러나 그 결과로 야릇한 일이 벌어졌다. 이러한 파괴적이며 허무적인 내용의 책들을 사 보면서 작가를 먹여살려 준 것은 결국은 부르주아 독자들이었기 때문이다. 즉, 독자가 자신을 모욕하고 자신이 만든 사회를 부정하는 작가를 받아들인다는 역사상 초유의 일이 벌어진 것이다. 그러나 그것은 단순히 마조히즘에서 비롯된 일은 아니다. 독자와 작가 사이에는 일종의 타협이 무언중에 성립되어 있었다. 부르주아지가 가장 두려워한 것은 프롤레타리아의 의식화를 조장(助長)하는 사상들이었는데, 이 작가들은 〈다행히도〉 그런 의식화의 작업을 전혀 안중(眼中)에 두지 않았을 뿐 아니라, 그 계급의 인간들을 부르주아보다도 더욱 속악한 군중으로 멸시했다. 이것은 부르주아지의 지배에는 매우 큰 도움이 되었다. 모든 인간을 싸잡아 멸시와 증오의 대상으로 삼을 뿐, 억압자와 피억압자가 있는 사회적 현실을 아예 무시한 이 〈허무의 기사들〉, 결코 피압박계급을 독자로 삼지 않았던 이 〈반항아들〉에게 아무리 욕을 얻어먹어도, 그것은 그런 큰 도움의 대가(代價) 치고는 차라리 값싼 것이었다.

그렇다면 결과적으로 부르주아지의 지배를 도와준 이 상황외(狀況外)의 문학은 완전히 가치없는 것인가? 사르트르의 대답에는 뉘앙스가 있다. 그의 표현을 빌리자면 이런 무상성(無償性)의 문학은 인간이 만들어온 허위적인 질서와 이데올로기의 철저한 부정으로서, 무(無)와 인간 사이의 밀접한 관계에 대한 근본적인 성찰로서 중요하다. 그것은 독자의 자유에 호소한다. 다시 말해서 독자에게 자신의 존재를 어떻게 걸머질 것인지를 묻게 하고 자신의 전적인 책임하에서 결단을 내리도록 촉구한다. 그러나 사르트르가 이런 무상성과 무의 문학의 추구를 본격적으로 선양(宣揚)하는 것은 후일에 나올 『말라르메의 참여』와 특히 『집안의 바보』에서이며, 『문학이란 무엇인가』에서는 하나의 필요한 단계로서만 평가되어 있다. 그것은 요컨대 더욱 진정한 건설을 위한 사전준비(事前準備)로서의 파괴의 단계일 따름이다. 이런 의미에서, 19세기의 무상성의 문학은 정치적 이데올로기에 예속되지 않고 자율성을 지켰다는 점에서는 소외된 문학이 아니지만, 다른 한편으로 형식적 자율성과 신화 파괴에만 시종(始終)하고 역사적 현실에 무관심했다는 점에서는 추상적이다. 따라서 문학의 과제는 자율성을 지키면서도 〈계급 없는 사회의 도래〉를 위해서 역사 속에 적극적으로 끼여드는 것인데, 그것은 어떻게 가능한 것인가? 1940년대의 정치적, 사회적 상황을 고려하면서 그 질문에 대답하려는 것이 마지막 제4장의 가장 중요한 내용이다.

그 대답을 위한 시도의 첫단계로서 사르트르는 우선 그의 세대 이전의 작가들의 지향(志向)을 비판적으로 회고한다. 그리고 이 회고와 아울러 그 자신의 세대의 현실에 대한 검토를 가하는데, 그 작업은 이 제4장을 매우 독특하면서도 포괄적인 20세기 프랑스 문학의 개요로 만들어주고 있다. 사실을 말하자면, 여기에서 언급되고 있는 많은 작가들 중에는 이미 그 이름조차 문학사에서 찾아보기 어려운 사람도 있고, 또한 그 내용 중에는 제2차 세계대전 이전의 프랑스의 정치적, 사상적 동향에 대한 상당한 지식이 없으면 소화하기 어려운 것들도 있을 것이다. 그런 점에서 바쁜 독자는 어떤 부분, 특히 처음의 십여 쪽을 꼼꼼히 읽지 않을 수도 있을 것이다.

사르트르가 주장하고 있는 것은 요컨대 선대(先代)의 작가들이 절박한 역사적 체험의 테두리 밖에서 글을 써왔으며, 그 점에서 그의 세대와는 본질적으로 다르다는 것이다. 이 주장을 전개하기 위해서 그는 20세기 전반기의 프랑스 문학의 양상을 세 세대로 나누어 고찰한다.

제1세대는 1914년에 제1차 세계대전이 발발하기 이전부터 활동한 작가들로 구성되어 있다. 우리에게 널리 알려진 지드Gide, 모리악Mauriac, 프루스트Proust와 같은 거장(巨匠)들이 이 세대에 속한다. 그들은 한마디로 해서 부르주아의 이데올로기의 대변자이며 알리바이의 문학을 일삼아 왔다. 가족제도를 부정하고 개인의 자유를 극대화시키건, 인간에게 깊숙이 깃들여 있는 신의 존재를 밝히건, 또는 사라진 시간을 되찾으려는 고행으로 나서건 간에, 그들은 결국 부르주아로서 생활하고 부르주아에 깃들여 있는 영혼의 가능성과 위대성을 믿었을 뿐, 부르주아를 억압적인 사회계급으로서 문제화한 것은 아니었다.

제2세대는 제1차 세계대전이 끝난 1918년에 성년(成年)이 된 사람들로 이루어진다. 여기에는 격동하는 시대에 대응하지 못하고, 다만 이성(理性)의 가치와 평화의 신념에 매달렸던 일군의 작가들이 속하지만, 그들의 존재는 부차적(副次的)이며, 이 세대를 대표하는 것은 초현실주의자들이다. 한데, 그들에 대한 사르트르의 비판은 과거의 어떤 종류의 문인들에 대한 비판보다도 혹독하다. 그의 견해에 따르면, 초현실주의자들이 일삼은 것은 순수한 파괴이다. 그들의 이른바 〈자동기술법〉은 주관성의 파괴이며 인간의 기도의 부정이다. 그들은 또한 객관성도 파괴한다. 그들이 만들어내는 모든 것은 객관적으로 존재하는 뭇 사물들을 해체하려는 데에 그 목적이 있다. 그렇기 때문에 그들이 한때 공산당과 제휴(提携)했다 해도 그것은 동상이몽(同床異夢)이며 일시적 연합에 불과했다. 왜냐하면 공산당에게는 파괴와 폭력은 오직 프롤레타리아의 해방을 위한 하나의 단계로서만 뜻이 있는 반면에, 초현실주의자들은 파괴행위 그 자체에 시종(始終)했기 때문이다. 다만 공산당으로서는 초현실주의자들이 내세우는 파괴가 지배계급 사이에 불안과 공포를 자아낼 수 있는 까닭에 그들을 이용할 수 있다고 생각했던 것이다. 그러나 그들의 파괴는 사실상은 전혀 실효가 없는 상상의 유희일 따름이었다. 그들은 현실에 대해서는 손끝 하나 대지 못했고, 모든 파괴는 그들의 내면세계에서 일어난 관념적이며 기만적인 것에 지나지 않았다. 프롤레타리아의 해방과는 아예 당치도 않은 초현실주의자들의 순수한 파괴와 부정의 놀이에 대한 사르트르의 비판의 강도는 제4장의 원주 6에서 다시금 맹렬한 공격을 재개(再開)하고 있는 점으로 보아도 알 수 있는 일이다.

우리는 물론 사르트르의 초현실주의 비판의 편협성을 재비판할 수 있을 것이다. 아마도 20세기를 통틀어 가장 중요한 문학운동의 하나였던 초현실주의를 단순히 악동(惡童)들의 상상적 파괴의 유희라고만 치부하는 것은 그것 자체가 편견일 것이다. 그 언어와 형상(形象)이 보여주는 세계관의 변화와 새로운 비전을 고려하지 않고는 현대의 문학과 예술뿐만 아니라, 생활의 스타일조차도 논할 수 없는 것이 사실이다. 단적인 예로 사르트르 자신의 『구토』에 나오는 여러 중요한 이미지들이 초현실주의에서 비롯된 것이 아니라고 우길 사람이 어디 있겠는가? 그리고 그런 이미지의 창출이 단순한 장난이 아니라 바로 의식의 혁명과 직결된 것임을 부정하는 사람이 또 어디 있겠는가? 그러나 사르트르가 『문학이란 무엇인가』에서 전개하고 있는 공격이 전적으로 부당하다고만은 말할 수 없는 것도 사실이다. 초현실주의는 분명히 정치적 자유와 사회적 정의의 실현을 위한 그 자신의 프로그램을 가지고 있지는 않았고, 그 철학적 기반은 그것이 제휴한 공산당과는 본질적으로 다른 것이었으며, 또한 그 파괴의 언어와 이미지는 현실적인 제도와 질서의 붕괴와는 상관없는 희한한 별세계의 가능성을 제시해 주었을 따름이다. 따라서 사르트르가 요청하는 바와 같은 참여의 문학의 관점에서 볼 때에는, 그것은 결국 부르주아지의 지배체제를 못 벗어나고 심지어 그 체제에 의해서 지탱되어 있는 문학이다.

사정이 그렇다면 구체적으로 어떤 길이 남아 있는가? 아무리 서로 다를망정 결국은 부르주아적인 문학의 유산밖에는 지니지 못하면서 제2차 세계대전이라는 고난을 겪은 제3세대의 작가들인 〈우리〉가 나가야 할 방향은 무엇인가? 그 성찰이 제4장의 후반부를 차지한다. 그러나 사르트르는 이 성찰에 있어서 결코 낙관적이 아니다. 방금 끝난 전쟁의 체험은 문학이 역사의 현장에서의 기도임을 가르쳐주었다. 문학은 이제 시대의 상황 속에 불가피하게 끼였던 인간의 모습을 제시하고, 그 제시에 알맞은 새로운 수법을 개발하고, 또한 그 제시를 통해서 시대를 넘어서는 길을, 즉 인간의 전체적인 해방과 자유로 향하려는 혁명의 길을 가리켜 보여야 한다. 따라서 이상적으로 말하면 이 문학은 양면의 독자를 가질 수 있어야 한다. 그것이 겨냥하는 독자는 한편으로는 자신의 존재에 대한 신념을 상실하고 있는 선의의 부르주아이다. 작가가 이 독자들에게 해야 할 일은 부르주아지의 진상을 비추어주고 그 해체(解體)를 촉진시키는 것이다. 다른 한편으로 새로운 문학은 단순한 파괴와 부정에 그치지 않고 사회주의의 도래를 지향하는 것이므로, 노동자와 함께 그 건설의 작업을 나누어 가지고 있다. 그러나 이들은 아직도 잠재적 독자로만 남아 있을 뿐 아니라, 자유를 부정하고 문학을 임기응변(臨機應變)의 수단으로만 생각하는 공산당의 손아귀에 들어가 있다. 따라서 진정한 작가는 부르주아지의 억압적 체제를 거부해야 하는 동시에 스탈린의 노선에 맹종하는 공산당의 교조주의를 규탄해야 한다. 이리하여 사르트르가 내세우려는 구체적인 참여의 프로그램은 이른바 양비론(兩非論)을 그 바탕에 깔고 있다. 그 자신의 말마따나 부르주아지와 공산당 중의 어느 한쪽의 편을 꼭 들어야 한다면 선택은 불가능하다. 그렇다면 그 양자를 지양(止揚)할 만한 제3의 길은 무엇인가?

이 질문에 대한 사르트르의 대답은 애매하다. 그리고 이 애매성은 그의 평생을 두고 지속된 것이며, 역설적으로 말하면 바로 그렇기 때문에 사르트르는 20세기의 대표적인 지성인의 한 사람으로 남을 것이다. 『문학이란 무엇인가』의 결론만을 보면 사르트르는 정치적으로나 사상적으로 어떤 통합적인 대안(代案)을 제시하지는 못하고, 경우에 따라 양단간에 입장을 취하겠다는 뜻의 말을 하고 있다. 요컨대 그는 공산당에 반대하여 개인의 자유로운 정신의 가치를 선양할 때에는 부르주아지의 이념에 가깝고, 사회정의의 이름을 내세울 때는 부르주아 체제를 고발하는 것이다. 그렇다고 해서 자유로운 정신이 과연 부르주아 사회에서 구현되어 있는 것도 아니고 또한 공산당과 그 지도자인 소련이 사회정의를 실현한 것도 아니다. 도리어 양진영은 그러한 이념(理念)의 추구에는 아랑곳없이 일촉즉발(一觸卽發)의 전면전(全面戰)으로 치달을 기세이며, 이 엄청난 전쟁의 재발 가능성 앞에서 문학은 다른 모든 선의의 행동과 마찬가지로 전혀 무력한 것이 1947년의 정치적 상황이다. 그러나 이 위기의식이 절망으로 빠져들기 위한 구실이 되어서는 안 되며, 작가는 그에게 요청되는 일을 해나가야 한다고 사르트르는 말한다. 인간은 자신을 만들어나가는 존재임을 재확인하고 정치의 기만적 언어를 고발하면서, 억압과 착취로부터 완전히 해방된 사회를, 개인의 자유가 정의와 함께 정착(定着)될 사회주의 공동체를 건설하기 위한 작업을 주어진 조건 내에서(가령 선의의 소시민과 공산당에 가입하지 않은 노동자를 잠재적 독자로 삼고, 매스미디어를 활용하면서) 실천해 나가기를 강조하고 있는 것이다.

역자는 이 소개를 끝내면서 한마디 사족(蛇足)을 달아두고 싶다. 오늘날 이 책을 읽는 사람은 아마도 누구나 격세지감(隔世之感)을 느낄 것이다. 그가 내세웠던 〈목적의 왕국〉에서 실현될 전적(全的)인 자유의 이상은 무너지고 말았다. 자본주의와 공산주의를 다같이 거부하면서 구상한 사회주의도, 또한 그것을 위한 문학의 공헌도 한낱 환상에 지나지 않았다. 그뿐 아니라 동구권의 붕괴는 도대체 사회주의의 가능성 자체를 의심케 만들고 그것을 실천하려는 모든 세력의 결정적인 쇠퇴를 가져왔다. 좀더 노골적으로 말하면, 집단적 차원에서이건 개인적 차원에서이건 간에, 시장원리라는 약육강식의 원칙하에서의 무한한 경쟁이 당위적(當爲的)인 것이 되고, 그 경쟁을 통해서 구현되는 이른바 〈발전〉이 목표가 된 것이 오늘날의 사회이다. 설사 자유, 평등, 정의와 같은 낱말이 아직도 잔존(殘存)한다 하더라도 그런 개념들은, 이미 사르트르가 생각한 바와 같은 절대적 척도로서의 가치를 지닌 것이 아니라, 정반대로 이 시장원리에 비추어서 규정되고 조정되고 허용될 성질의 것으로 변해 버린 것이 우리의 현실이다.

그렇다면 이런 사회에서 문학은 무엇을 해야 하는 것이며 또 할 수 있는 것인가? 사르트르의 『문학이란 무엇인가』가 오늘날에도 읽을 만한 가치가 있다면, 그것은 이 책이 그런 질문에 대해서 지금도 유효한 대답을 우리에게 베풀어줄 수 있기 때문이 아니라, 새삼스럽게 질문 자체로 우리를 되돌아가게 하기 때문이다. 인간의 운명이 개개인의 주체적 결단과 행위에 달려 있고, 문학이 인간을 구원하고 세계를 변혁할 수 있다고 믿었던 1947년의 사르트르는 행복했다. 그 무렵의 위기와 고난은 그로 하여금 자신을 메시아로 생각할 수 있게 하는 행복을 베풀어주었다. 그러나 이 행복한 사명감은 시대적 위기에 대한 의식이 일반적으로 둔화된 1960년대가 되면 사르트르 자신에게서도 완연히 엷어진다. 이와 아울러 그 무렵의 문학은 적어도 프랑스에서는 그 자체 속으로 오그라들고 말았다. 문학의 언어는 바깥 세계와는 관련없는 〈자동사〉라는 롤랑 바르트의 말이 그 사정을 단적으로 대변한다. 드디어 문학은 허무주의, 역사의 종말, 포스트모더니즘, 해체론과 같은 탈주체(脫主體)의 사상들과 결부되어, 결국 그 속으로 흡수되거나 그 속에서 갈피를 잃고 마는 꼴이 되었다.

따라서 우리는 이 시점에서 과연 무엇을 위한 문학인가 하고 다시 묻지 않을 수 없다. 사르트르처럼 문학의 본질을 전적(全的)으로 사회적, 정치적 실천과 결부시켜서 생각하는 것은 잘못된 견해이며, 문학이 겨냥하는 것은 도리어 인간 존재의 현실을 탐구하는 것이라고 주장하는 것이 더 합당할지도 모른다. 그러나 이러한 존재의 현실이 사회적 차원의 인간의 모습과 무관하다고는 결코 말할 수 없을 것이며, 또한 그 현실을 밝히는 행위가 제도와 관행에 대한 이의제기와 고발과 반항을 떠나서, 그리고 한 걸음 더 나가서 착취와 억압이 없는 유토피아의 환상을 떠나서 이루어져야 한다고도 말할 수 없을 것이다. 사르트르의 『문학이란 무엇인가』는 단순히 문학이 사라진 시간에 대한 노스탤지어나, 현실에 대한 절망이나 또는 대상적(代償的)인 만족에만 머무를 수 없으며, 여전히 미래로의 투기(投企)로서의 의미를 지니는 것이 아니겠는가 하는 물음을 우리들 자신에게 새삼스럽게 던지게 해준다. 이러한 물음은 이 책이 처음부터 우리에게 야기시키는 여러 물음들, 가령 시와 산문의 구별은 어느 정도 가능한가, 독자의 해석의 자유는 작가의 의도와 어떻게 관련되는 것인가, 문학의 역사적 전개를 그 사회적, 정치적 의미와 관련시키는 것은 어느 정도까지 타당한가 하는 따위의 물음들과 맞물려서 우리에게 다가온다. 다시 말하지만, 역자의 생각으로는, 문학의 본질과 기능에 관한 진정한 해답을 제시하는 것이 아니라, 도리어 귀찮지만 매우 중요한 물음을 재생(再生)시키는 데에 이 책의 가치가 있을 것이다. 그렇지만 그것은 읽기의 한 방법에 불과하리라. 아마도 각각의 독자는 여러 가지로 다른 각도에서 읽으면서 이 책이 〈고전〉은 아닐망정 여전히 〈문제작〉으로 남아 있다는 것을 확인할 것이다. 적어도 그것이 역자의 희망이다.

이 번역을 위해서 역자는 제법 오랫동안 고생을 했다. 영역본, 일역본, 그리고 김붕구 선생이 벌써 1959년에 내놓은 부분적 번역을 참고하면서 많은 시사를 얻었고 세 번 개고(改稿)를 했지만, 지금도 미심쩍은 곳이 한두 군데가 아니다. 그뿐 아니라 역자 자신의 부주의나 경솔한 판단에서 유래되는 오역도 많을 것이다. 독자 여러분의 기탄없는 지적이 있기를 바란다.

끝으로 이 책을 새로운 세계문학전집의 한 권으로 출간해 주신 민음사 박맹호 사장에게 감사의 말씀을 드린다.

1998년 7월

정명환

작가 연보

1905 파리에서 태어났다.

1906 아버지를 잃었다. 어머니는 곧 친정으로 돌아가고, 그후 어린 사르트르는 10년 동안 외가에서 살게 되었다(뫼동 Meudon과 파리).

1917 어머니의 재혼. 의부의 근무지인 라 로셸La Rochelle로 이사하여 그곳에서 중·고등학교를 다녔다.

1920 부모의 배려로 파리로 되돌아왔다.

1922 대학입학 자격시험에 합격했다.

1922-24 고등사범학교 준비과정 2년 수료. 이 무렵에 철학을 전공하기로 결심했다.

1923 니장Paul Nizan과 함께 만든 동인지에 최초로 두 작품을 발표했다. 「병자의 천사Ange du morbide」와 「시골선생 멋쟁이 제쥐Jesus la chouette, professeur de province」

1924 고등사범학교에 입학했다.

1928 고등사범학교를 졸업했다. 소설 「어떤 패배Une Défaite」를 갈리마르 출판사에 보냈으나 거절당했다.

1929 시몬 드 보부아르Simone de Beauvoir와 사귀기 시작했다. 고등학교 교사 자격시험Agrégation에 일등으로 합격했다.

1931 제대. 르 아브르Le Havre 고등학교 교사로 부임했다.

	「진리의 전설 Légende de la vérité」의 일부를 발표했다.
1933	후설 Husserl 연구를 목적으로 베를린으로 유학갔다 (1933. 10-1934. 6).
1934	르 아브르 고등학교로 복직했다.
1936	파리로 전근해 온 보부아르와 더 가깝게 있기 위해서 랑 Laon 고등학교로 전근했다. 『상상력 *L'Imagination*』, 「자아의 초월 La Transcendance de l'égo」
1937	파리의 파스퇴르 Pasteur 고등학교로 전근했다.
1938	『구토 *La Nausée*』
1939	단편소설집 『벽 *Le Mur*』, 『정서론 소묘 *Esquisse d'une théorie des émotions*』. 9월 제2차 세계대전의 발발과 동시에 징병되었다.
1940	포로가 되었다. 포로 수용소에서 크리스마스를 위한 희곡 「바리오나 Bariona」를 쓰고 상연했다. 『상상적인 것 *L'Imaginaire*』
1941	수용소에서 석방되었다. 고등학교 교사로 복직하고 파리 시내에서 전근하면서 1944년까지 재직했다. 메를로퐁티 Merleau-Pontye 등과 〈사회주의와 자유 Socialime et Liberte〉라는 이름의 저항 단체를 만들었으나 곧 해체되었다.
1943	카뮈 Camus와 알게 되었다. 이 무렵부터 저항운동을 하는 지하잡지에 기고했다. 『존재와 무 *L'Etre et le néant*』, 희곡 『파리떼 *Les Mouches*』
1945	월간지 《현대 *Les Temps modernes*》를 창간했다. 연작소설 「자유의 길 Les Chemins de la liberté」을 발표하기 시작했다. 희곡 「닫힌 방 Huis clos」

1946 『실존주의는 휴머니즘이다*L'existentialisme est un humanisme*』, 희곡 『공손한 창부*La Putain respectueuse*』

1947 「보들레르Baudelaire」, 「문학이란 무엇인가Qu'est-ce que la litterature?」(《현대》지에 발표했다. 단행본으로는 이듬해에 나온 평론집 『상황*Situations*』 제2권에 수록되었다.)

1948 희곡 『더러운 손*Les Mains sales*』. 〈민주혁명연합Rassemblement démocratique et révolutionnaire〉이라는 정당을 조직했으나 미구에 해체했다.

1951 희곡 『악마와 선신*Le Diable et le bon Dieu*』. 이 무렵부터 소련에 대해서 매우 동조적이 되었다(1956년 헝가리 사태까지).

1952 카뮈와의 논쟁. 『장 쥬네*Saint Genet, comédien et martyr*』

1954 희곡 『킨*Kean*』

1956 희곡 『네크라소프*Nekrassov*』

1959 희곡 『알토나의 유폐자*Les Séquestrés d'Altona*』

1960 『변증법적 이성 비판 제1권*Critique de la raison dialectique I*』. 〈알제리아 전쟁에 있어서의 불복종의 권리〉를 내세운 「121인 선언」에 서명했다.

1963 자서전 『말*Les Mots*』

1964 노벨문학상 수상을 거절했다.

1966 러셀Bertrand Russell의 호소를 받아들여 월남전쟁 범죄 국제재판(〈러셀법정〉)에 적극적으로 참여했다.

1968 소련군의 체코 침공

1970 모택동주의자의 기관지 《인민의 대의(大義)*La Cause du peuple*》의 주간이 되었다. 방대한 플로베르의 전기 『집

안의 바보 *L'Idiot de la famille*』

1973 극좌파의 일간지 《해방 *Libération*》의 주간이 되었다. 희곡론집 『상황의 희곡 *Un Théâtre de situations*』

1974 Pierre Victor(본명 Benny Lévy)와의 대담집 『반항에 이유 있다 *On a raison de se révolter*』. 건강상의 이유로 모든 저널리즘에서 손을 떼었다.

1975 「70세의 자화상 Autoportrait à 70 ans」(《상황》 제10권에 수록.)

1980 사망. 파리 몽파르나스 묘지에 안장되었다.

* 이상은 매우 개략적인 정보에 지나지 않는다. 더 자세한 내용에 대해서는 김화영 편 『사르트르』(고려대학교 출판부, 1990)에 실린 역자의 〈해설적 연표〉를 참조.

세계문학전집 9

문학이란 무엇인가

1판 1쇄 펴냄 1998년 8월 5일
1판 57쇄 펴냄 2023년 12월 29일

지은이 장폴 사르트르
옮긴이 정명환
발행인 박근섭, 박상준
펴낸곳 (주)민음사

출판등록 1966. 5. 19. (제 16-490호)
서울특별시 강남구 도산대로1길 62(신사동) 강남출판문화센터 5층 (우편번호 06027)
대표전화 02-515-2000 팩시밀리 02-515-2007
www.minumsa.com

ISBN 978-89-374-6009-8 04800
ISBN 978-89-374-6000-5 (세트)

* 잘못 만들어진 책은 구입처에서 교환해 드립니다.

민음사 세계문학전집

세계문학전집 목록

1·2 **변신 이야기 오비디우스·이윤기 옮김** 서울대 권장도서 100선
3 **햄릿 셰익스피어·최종철 옮김** 서울대 권장도서 100선 | 미국대학위원회 선정 SAT 추천도서
4 **변신·시골의사 카프카·전영애 옮김** 서울대 권장도서 100선
5 **동물농장 오웰·도정일 옮김** 미국대학위원회 선정 SAT 추천도서 | 《타임》 선정 현대 100대 영문소설
6 **허클베리 핀의 모험 트웨인·김욱동 옮김** 《뉴스위크》 선정 100대 명저
7 **암흑의 핵심 콘래드·이상옥 옮김** 미국대학위원회 선정 SAT 추천도서 | 《뉴스위크》 선정 10대 명저
8 **토니오 크뢰거·트리스탄·베네치아에서의 죽음 토마스 만·안삼환 외 옮김** 노벨 문학상 수상 작가
9 **문학이란 무엇인가 사르트르·정명환 옮김**
10 **한국단편문학선 1 김동인 외·이남호 엮음** 국립중앙도서관 선정 청소년 권장도서
11·12 **인간의 굴레에서 서머싯 몸·송무 옮김**
13 **이반 데니소비치, 수용소의 하루 솔제니친·이영의 옮김** 노벨 문학상 수상 작가
14 **너새니얼 호손 단편선 호손·천승걸 옮김**
15 **나의 미카엘 오즈·최창모 옮김**
16·17 **중국신화전설 위앤커·전인초, 김선자 옮김**
18 **고리오 영감 발자크·박영근 옮김**
19 **파리대왕 골딩·유종호 옮김** 노벨 문학상 수상 작가 | 《타임》 선정 현대 100대 영문소설
20 **한국단편문학선 2 김동리 외·이남호 엮음**
21·22 **파우스트 괴테·정서웅 옮김** 서울대 권장도서 100선 | 미국대학위원회 선정 SAT 추천도서
23·24 **빌헬름 마이스터의 수업시대 괴테·안삼환 옮김**
25 **젊은 베르테르의 슬픔 괴테·박찬기 옮김** 논술 및 수능에 출제된 책(1998~2005)
26 **이피게니에·스텔라 괴테·박찬기 외 옮김**
27 **다섯째 아이 레싱·정덕애 옮김** 노벨 문학상 수상 작가
28 **삶의 한가운데 린저·박찬일 옮김**
29 **농담 쿤데라·방미경 옮김**
30 **야성의 부름 런던·권택영 옮김**
31 **아메리칸 제임스·최경도 옮김**
32·33 **양철북 그라스·장희창 옮김** 노벨 문학상 수상 작가 | 서울대 권장도서 100선
34·35 **백년의 고독 마르케스·조구호 옮김** 노벨 문학상 수상 작가 | 서울대 권장도서 100선
36 **마담 보바리 플로베르·김화영 옮김** 서울대 권장도서 100선
37 **거미여인의 키스 푸익·송병선 옮김**
38 **달과 6펜스 서머싯 몸·송무 옮김**
39 **폴란드의 풍차 지오노·박인철 옮김**
40·41 **독일어 시간 렌츠·정서웅 옮김**
42 **말테의 수기 릴케·문현미 옮김**
43 **고도를 기다리며 베케트·오증자 옮김** 노벨 문학상 수상 작가 | 서울대 권장도서 100선
44 **데미안 헤세·전영애 옮김** 노벨 문학상 수상 작가
45 **젊은 예술가의 초상 조이스·이상옥 옮김** 서울대 권장도서 100선
46 **카탈로니아 찬가 오웰·정영목 옮김**
47 **호밀밭의 파수꾼 샐린저·정영목 옮김** 《타임》 선정 현대 100대 영문소설 | 미국대학위원회 선정 SAT 추천도서 | 《뉴스위크》 선정 100대 명저 | BBC 선정 꼭 읽어야 할 책
48·49 **파르마의 수도원 스탕달·원윤수, 임미경 옮김**
50 **수레바퀴 아래서 헤세·김이섭 옮김** 노벨 문학상 수상 작가 | 국립중앙도서관 선정 청소년 권장도서

51·52 **내 이름은 빨강** 파묵·이난아 옮김 노벨 문학상 수상 작가
53 **오셀로** 셰익스피어·최종철 옮김 서울대 권장도서 100선
54 **조서** 르 클레지오·김윤진 옮김 노벨 문학상 수상 작가
55 **모래의 여자** 아베 코보·김난주 옮김
56·57 **부덴브로크 가의 사람들** 토마스 만·홍성광 옮김 노벨 문학상 수상 작가
58 **싯다르타** 헤세·박병덕 옮김 노벨 문학상 수상 작가
59·60 **아들과 연인** 로렌스·정상준 옮김 《뉴스위크》 선정 100대 명저
61 **설국** 가와바타 야스나리·유숙자 옮김 노벨 문학상 수상 작가 | 서울대 권장도서 100선
62 **벨킨 이야기·스페이드 여왕** 푸슈킨·최선 옮김
63·64 **넙치** 그라스·김재혁 옮김 노벨 문학상 수상 작가
65 **소망 없는 불행** 한트케·윤용호 옮김 노벨 문학상 수상 작가
66 **나르치스와 골드문트** 헤세·임홍배 옮김 노벨 문학상 수상 작가
67 **황야의 이리** 헤세·김누리 옮김 노벨 문학상 수상 작가
68 **페테르부르크 이야기** 고골·조주관 옮김
69 **밤으로의 긴 여로** 오닐·민승남 옮김 노벨 문학상 수상 작가 | 미국대학위원회 선정 SAT 추천도서
70 **체호프 단편선** 체호프·박현섭 옮김
71 **버스 정류장** 가오싱젠·오수경 옮김 노벨 문학상 수상 작가
72 **구운몽** 김만중·송성욱 옮김 서울대 권장도서 100선 | 국립중앙도서관 선정 청소년 권장도서
73 **대머리 여가수** 이오네스코·오세곤 옮김
74 **이솝 우화집** 이솝·유종호 옮김 논술 및 수능에 출제된 책(1998~2005)
75 **위대한 개츠비** 피츠제럴드·김욱동 옮김 《타임》 선정 현대 100대 영문소설
76 **푸른 꽃** 노발리스·김재혁 옮김
77 **1984** 오웰·정회성 옮김 《타임》 선정 현대 100대 영문소설 | 《뉴스위크》 선정 100대 명저
78·79 **영혼의 집** 아옌데·권미선 옮김
80 **첫사랑** 투르게네프·이항재 옮김
81 **내가 죽어 누워 있을 때** 포크너·김명주 옮김 노벨 문학상 수상 작가
82 **런던 스케치** 레싱·서숙 옮김 노벨 문학상 수상 작가
83 **팡세** 파스칼·이환 옮김
84 **질투** 로브그리예·박이문, 박희원 옮김
85·86 **채털리 부인의 연인** 로렌스·이인규 옮김
87 **그 후** 나쓰메 소세키·윤상인 옮김
88 **오만과 편견** 오스틴·윤지관, 전승희 옮김 미국대학위원회 선정 SAT 추천도서
89·90 **부활** 톨스토이·연진희 옮김 논술 및 수능에 출제된 책(1998~2005)
91 **방드르디, 태평양의 끝** 투르니에·김화영 옮김
92 **미겔 스트리트** 나이폴·이상옥 옮김 노벨 문학상 수상 작가
93 **페드로 파라모** 룰포·정창 옮김
94 **차라투스트라는 이렇게 말했다** 니체·장희창 옮김 국립중앙도서관 선정 청소년 권장도서
95·96 **적과 흑** 스탕달·이동렬 옮김 국립중앙도서관 선정 청소년 권장도서
97·98 **콜레라 시대의 사랑** 마르케스·송병선 옮김 노벨 문학상 수상 작가 | BBC 선정 꼭 읽어야 할 책
99 **맥베스** 셰익스피어·최종철 옮김 서울대 권장도서 100선 | 미국대학위원회 선정 SAT 추천도서
100 **춘향전** 작자 미상·송성욱 풀어 옮김 서울대 권장도서 100선
101 **페르디두르케** 곰브로비치·윤진 옮김
102 **포르노그라피아** 곰브로비치·임미경 옮김
103 **인간 실격** 다자이 오사무·김춘미 옮김
104 **네루다의 우편배달부** 스카르메타·우석균 옮김

105·106 **이탈리아 기행** 괴테·박찬기 외 옮김
107 **나무 위의 남작** 칼비노·이현경 옮김
108 **달콤 쌉싸름한 초콜릿** 에스키벨·권미선 옮김
109·110 **제인 에어** C. 브론테·유종호 옮김 BBC 선정 꼭 읽어야 할 책
111 **크눌프** 헤세·이노은 옮김 노벨 문학상 수상 작가
112 **시계태엽 오렌지** 버지스·박시영 옮김 《타임》 선정 현대 100대 영문소설 | 《뉴스위크》 선정 100대 명저
113·114 **파리의 노트르담** 위고·정기수 옮김 미국대학위원회 선정 SAT 추천도서
115 **새로운 인생** 단테·박우수 옮김
116·117 **로드 짐** 콘래드·이상옥 옮김 《뉴스위크》 선정 100대 명저
118 **폭풍의 언덕** E. 브론테·김종길 옮김 미국대학위원회 선정 SAT 추천도서
119 **텔크테에서의 만남** 그라스·안삼환 옮김 노벨 문학상 수상 작가
120 **검찰관** 고골·조주관 옮김
121 **안개** 우나무노·조민현 옮김
122 **나사의 회전** 제임스·최경도 옮김 미국대학위원회 선정 SAT 추천도서
123 **피츠제럴드 단편선 1** 피츠제럴드·김욱동 옮김
124 **목화밭의 고독 속에서** 콜테스·임수현 옮김
125 **돼지꿈** 황석영
126 **라셀라스** 존슨·이인규 옮김
127 **리어 왕** 셰익스피어·최종철 옮김 서울대 권장도서 100선 | 《뉴스위크》 선정 100대 명저
128·129 **쿠오 바디스** 시엔키에비츠·최성은 옮김 노벨 문학상 수상 작가
130 **자기만의 방·3기니** 울프·이미애 옮김
131 **시르트의 바닷가** 그라크·송진석 옮김
132 **이성과 감성** 오스틴·윤지관 옮김
133 **바덴바덴에서의 여름** 치프킨·이장욱 옮김
134 **새로운 인생** 파묵·이난아 옮김 노벨 문학상 수상 작가
135·136 **무지개** 로렌스·김정매 옮김
137 **인생의 베일** 서머싯 몸·황소연 옮김
138 **보이지 않는 도시들** 칼비노·이현경 옮김
139·140·141 **연초 도매상** 바스·이운경 옮김 《타임》 선정 현대 100대 영문소설
142·143 **플로스 강의 물방앗간** 엘리엇·한애경, 이봉지 옮김 미국대학위원회 선정 SAT 추천도서
144 **연인** 뒤라스·김인환 옮김
145·146 **이름 없는 주드** 하디·정종화 옮김
147 **제49호 품목의 경매** 핀천·김성곤 옮김 《타임》 선정 현대 100대 영문소설
148 **성역** 포크너·이진준 옮김 노벨 문학상 수상 작가 | 퓰리처상 수상 작가
149 **무진기행** 김승옥
150·151·152 **신곡(지옥편·연옥편·천국편)** 단테·박상진 옮김 《뉴스위크》 선정 100대 명저
153 **구덩이** 플라토노프·정보라 옮김
154·155·156 **카라마조프가의 형제들** 도스토옙스키·김연경 옮김
157 **지상의 양식** 지드·김화영 옮김 노벨 문학상 수상 작가
158 **밤의 군대들** 메일러·권택영 옮김 퓰리처상 수상 작가
159 **주홍 글자** 호손·김욱동 옮김 서울대 권장도서 100선 | 미국대학위원회 선정 SAT 추천도서
160 **깊은 강** 엔도 슈사쿠·유숙자 옮김
161 **욕망이라는 이름의 전차** 윌리엄스·김소임 옮김
162 **마사 퀘스트** 레싱·나영균 옮김 노벨 문학상 수상 작가
163·164 **운명의 딸** 아옌데·권미선 옮김

165 **모렐의 발명** 비오이 카사레스 · 송병선 옮김
166 **삼국유사** 일연 · 김원중 옮김 서울대 권장도서 100선
167 **풀잎은 노래한다** 레싱 · 이태동 옮김 노벨 문학상 수상 작가
168 **파리의 우울** 보들레르 · 윤영애 옮김
169 **포스트맨은 벨을 두 번 울린다** 케인 · 이만식 옮김
170 **썩은 잎** 마르케스 · 송병선 옮김 노벨 문학상 수상 작가
171 **모든 것이 산산이 부서지다** 아체베 · 조규형 옮김 《타임》 선정 현대 100대 영문소설
172 **한여름 밤의 꿈** 셰익스피어 · 최종철 옮김 미국대학위원회 선정 SAT 추천도서
173 **로미오와 줄리엣** 셰익스피어 · 최종철 옮김 미국대학위원회 선정 SAT 추천도서
174·175 **분노의 포도** 스타인벡 · 김승욱 옮김 노벨 문학상 수상 작가 | 《타임》 선정 현대 100대 영문소설
176·177 **괴테와의 대화** 에커만 · 장희창 옮김
178 **그물을 헤치고** 머독 · 유종호 옮김 《타임》 선정 현대 100대 영문소설
179 **브람스를 좋아하세요...** 사강 · 김남주 옮김
180 **카타리나 블룸의 잃어버린 명예** 하인리히 뵐 · 김연수 옮김 노벨 문학상 수상 작가
181·182 **에덴의 동쪽** 스타인벡 · 정회성 옮김 노벨 문학상 수상 작가
183 **순수의 시대** 워튼 · 송은주 옮김 《뉴스위크》 선정 100대 명저 | 퓰리처상 수상작
184 **도둑 일기** 주네 · 박형섭 옮김
185 **나자** 브르통 · 오생근 옮김
186·187 **캐치-22** 헬러 · 안정효 옮김 《타임》 선정 현대 100대 영문소설
188 **숄로호프 단편선** 숄로호프 · 이항재 옮김 노벨 문학상 수상 작가
189 **말** 사르트르 · 정명환 옮김
190·191 **보이지 않는 인간** 엘리슨 · 조영환 옮김 《타임》 선정 현대 100대 영문소설
192 **왑샷 가문 연대기** 치버 · 김승욱 옮김 퓰리처상 수상 작가
193 **왑샷 가문 몰락기** 치버 · 김승욱 옮김 퓰리처상 수상 작가
194 **필립과 다른 사람들** 노터봄 · 지명숙 옮김
195·196 **하드리아누스 황제의 회상록** 유르스나르 · 곽광수 옮김
197·198 **소피의 선택** 스타이런 · 한정아 옮김 퓰리처상 수상 작가
199 **피츠제럴드 단편선 2** 피츠제럴드 · 한은경 옮김
200 **홍길동전** 허균 · 김탁환 옮김
201 **요술 부지깽이** 쿠버 · 양윤희 옮김
202 **북호텔** 다비 · 원윤수 옮김
203 **톰 소여의 모험** 트웨인 · 김욱동 옮김
204 **금오신화** 김시습 · 이지하 옮김
205·206 **테스** 하디 · 정종화 옮김 미국대학위원회 선정 SAT 추천도서 | BBC 선정 꼭 읽어야 할 책
207 **브루스터플레이스의 여자들** 네일러 · 이소영 옮김
208 **더 이상 평안은 없다** 아체베 · 이소영 옮김
209 **그레인지 코플랜드의 세 번째 인생** 워커 · 김시현 옮김 퓰리처상 수상 작가
210 **어느 시골 신부의 일기** 베르나노스 · 정영란 옮김
211 **타라스 불바** 고골 · 조주관 옮김
212·213 **위대한 유산** 디킨스 · 이인규 옮김 서울대 권장도서 100선 | BBC 선정 꼭 읽어야 할 책
214 **면도날** 서머싯 몸 · 안진환 옮김
215·216 **성채** 크로닌 · 이은정 옮김
217 **오이디푸스 왕** 소포클레스 · 강대진 옮김 서울대 권장도서 100선
218 **세일즈맨의 죽음** 밀러 · 강유나 옮김
219·220·221 **안나 카레니나** 톨스토이 · 연진희 옮김 서울대 권장도서 100선

222 오스카 와일드 작품선 와일드 · 정영목 옮김
223 벨아미 모파상 · 송덕호 옮김
224 파스쿠알 두아르테 가족 호세 셀라 · 정동섭 옮김 노벨 문학상 수상 작가
225 시칠리아에서의 대화 비토리니 · 김운찬 옮김
226·227 길 위에서 케루악 · 이만식 옮김 《타임》 선정 현대 100대 영문소설 | 《뉴스위크》 선정 100대 명저
228 우리 시대의 영웅 레르몬토프 · 오정미 옮김
229 아우라 푸엔테스 · 송상기 옮김
230 클링조어의 마지막 여름 헤세 · 황승환 옮김 노벨 문학상 수상 작가
231 리스본의 겨울 무뇨스 몰리나 · 나송주 옮김
232 뻐꾸기 둥지 위로 날아간 새 키지 · 정회성 옮김 《타임》 선정 현대 100대 영문소설
233 페널티킥 앞에 선 골키퍼의 불안 한트케 · 윤용호 옮김 노벨 문학상 수상 작가
234 참을 수 없는 존재의 가벼움 쿤데라 · 이재룡 옮김
235·236 바다여, 바다여 머독 · 최옥영 옮김
237 한 줌의 먼지 에벌린 워 · 안진환 옮김 《타임》 선정 현대 100대 영문소설
238 뜨거운 양철 지붕 위의 고양이 · 유리 동물원 윌리엄스 · 김소임 옮김 퓰리처상 수상작
239 지하로부터의 수기 도스토옙스키 · 김연경 옮김
240 키메라 바스 · 이운경 옮김
241 반쪼가리 자작 칼비노 · 이현경 옮김
242 벌집 호세 셀라 · 남진희 옮김 노벨 문학상 수상 작가
243 불멸 쿤데라 · 김병욱 옮김
244·245 파우스트 박사 토마스 만 · 임홍배, 박병덕 옮김 노벨 문학상 수상 작가
246 사랑할 때와 죽을 때 레마르크 · 장희창 옮김
247 누가 버지니아 울프를 두려워하랴? 올비 · 강유나 옮김
248 인형의 집 입센 · 안미란 옮김
249 위폐범들 지드 · 원윤수 옮김 노벨 문학상 수상 작가
250 무정 이광수 · 정영훈 책임 편집 서울대 권장도서 100선
251·252 의지와 운명 푸엔테스 · 김현철 옮김
253 폭력적인 삶 파솔리니 · 이승수 옮김
254 거장과 마르가리타 불가코프 · 정보라 옮김
255·256 경이로운 도시 멘도사 · 김현철 옮김
257 야콥을 둘러싼 추측들 욘존 · 손대영 옮김
258 왕자와 거지 트웨인 · 김욱동 옮김
259 존재하지 않는 기사 칼비노 · 이현경 옮김
260·261 눈먼 암살자 애트우드 · 차은정 옮김 《타임》 선정 현대 100대 영문소설
262 베니스의 상인 셰익스피어 · 최종철 옮김
263 말리나 바흐만 · 남정애 옮김
264 사볼타 사건의 진실 멘도사 · 권미선 옮김
265 뒤렌마트 희곡선 뒤렌마트 · 김혜숙 옮김
266 이방인 카뮈 · 김화영 옮김 노벨 문학상 수상 작가 | 미국대학위원회 선정 SAT 추천도서
267 페스트 카뮈 · 김화영 옮김 노벨 문학상 수상 작가 | 국립중앙도서관 선정 청소년 권장도서
268 검은 튤립 뒤마 · 송진석 옮김
269·270 베를린 알렉산더 광장 되블린 · 김재혁 옮김
271 하얀 성 파묵 · 이난아 옮김 노벨 문학상 수상 작가
272 푸슈킨 선집 푸슈킨 · 최선 옮김
273·274 유리알 유희 헤세 · 이영임 옮김 노벨 문학상 수상 작가

275 픽션들 보르헤스·송병선 옮김 서울대 권장도서 100선
276 신의 화살 아체베·이소영 옮김
277 빌헬름 텔·간계와 사랑 실러·홍성광 옮김
278 노인과 바다 헤밍웨이·김욱동 옮김 노벨 문학상 수상 작가 | 퓰리처상 수상작
279 무기여 잘 있어라 헤밍웨이·김욱동 옮김 미국대학위원회 선정 SAT 추천도서
280 태양은 다시 떠오른다 헤밍웨이·김욱동 옮김 《타임》 선정 현대 100대 영문 소설
281 알레프 보르헤스·송병선 옮김
282 일곱 박공의 집 호손·정소영 옮김
283 에마 오스틴·윤지관, 김영희 옮김
284·285 죄와 벌 도스토옙스키·김연경 옮김 미국대학위원회 선정 SAT 추천도서
286 시련 밀러·최영 옮김
287 모두가 나의 아들 밀러·최영 옮김
288·289 누구를 위하여 종은 울리나 헤밍웨이·김욱동 옮김 노벨 문학상 수상 작가
290 구르브 연락 없다 멘도사·정창 옮김
291·292·293 데카메론 보카치오·박상진 옮김
294 나누어진 하늘 볼프·전영애 옮김
295·296 제브데트 씨와 아들들 파묵·이난아 옮김 노벨 문학상 수상 작가
297·298 여인의 초상 제임스·최경도 옮김 미국대학위원회 선정 SAT 추천도서
299 압살롬, 압살롬! 포크너·이태동 옮김 노벨 문학상 수상 작가
300 이상 소설 전집 이상·권영민 책임 편집
301·302·303·304·305 레 미제라블 위고·정기수 옮김
306 관객모독 한트케·윤용호 옮김 노벨 문학상 수상 작가
307 더블린 사람들 조이스·이종일 옮김
308 에드거 앨런 포 단편선 앨런 포·전승희 옮김 미국대학위원회 선정 SAT 추천도서
309 보이체크·당통의 죽음 뷔히너·홍성광 옮김
310 노르웨이의 숲 무라카미 하루키·양억관 옮김
311 운명론자 자크와 그의 주인 디드로·김희영 옮김
312·313 헤밍웨이 단편선 헤밍웨이·김욱동 옮김 노벨 문학상 수상 작가
314 피라미드 골딩·안지현 옮김 노벨 문학상 수상 작가
315 닫힌 방·악마와 선한 신 사르트르·지영래 옮김
316 등대로 울프·이미애 옮김 《타임》 선정 현대 100대 영문소설 | 《뉴스위크》 선정 100대 명저
317·318 한국 희곡선 송영 외·양승국 엮음
319 여자의 일생 모파상·이동렬 옮김
320 의식 노터봄·김영중 옮김
321 육체의 악마 라디게·원윤수 옮김
322·323 감정 교육 플로베르·지영화 옮김
324 불타는 평원 룰포·정창 옮김
325 위대한 몬느 알랭푸르니에·박영근 옮김
326 라쇼몬 아쿠타가와 류노스케·서은혜 옮김
327 반바지 당나귀 보스코·정영란 옮김
328 정복자들 말로·최윤주 옮김
329·330 우리 동네 아이들 마흐푸즈·배혜경 옮김 노벨 문학상 수상 작가
331·332 개선문 레마르크·장희창 옮김
333 사바나의 개미 언덕 아체베·이소영 옮김
334 게걸음으로 그라스·장희창 옮김 노벨 문학상 수상 작가

335 **코스모스** 곰브로비치 · 최성은 옮김
336 **좁은 문 · 전원교향곡 · 배덕자** 지드 · 동성식 옮김 노벨 문학상 수상 작가
337·338 **암 병동** 솔제니친 · 이영의 옮김 노벨 문학상 수상 작가
339 **피의 꽃잎들** 응구기 와 시옹오 · 왕은철 옮김
340 **운명** 케르테스 · 유진일 옮김 노벨 문학상 수상 작가
341·342 **벌거벗은 자와 죽은 자** 메일러 · 이운경 옮김 퓰리처상 수상 작가
343 **시지프 신화** 카뮈 · 김화영 옮김 노벨 문학상 수상 작가
344 **뇌우** 차오위 · 오수경 옮김
345 **모옌 중단편선** 모옌 · 심규호, 유소영 옮김 노벨 문학상 수상 작가
346 **일야서** 한사오궁 · 심규호, 유소영 옮김
347 **상속자들** 골딩 · 안지현 옮김 노벨 문학상 수상 작가
348 **설득** 오스틴 · 전승희 옮김
349 **히로시마 내 사랑** 뒤라스 · 방미경 옮김
350 **오 헨리 단편선** 오 헨리 · 김희용 옮김
351·352 **올리버 트위스트** 디킨스 · 이인규 옮김
353·354·355·356 **전쟁과 평화** 톨스토이 · 연진희 옮김
357 **다시 찾은 브라이즈헤드** 에벌린 워 · 백지민 옮김
358 **아무도 대령에게 편지하지 않다** 마르케스 · 송병선 옮김
359 **사양** 다자이 오사무 · 유숙자 옮김
360 **좌절** 케르테스 · 한경민 옮김 노벨 문학상 수상 작가
361·362 **닥터 지바고** 파스테르나크 · 김연경 옮김 노벨 문학상 수상 작가
363 **노생거 사원** 오스틴 · 윤지관 옮김
364 **개구리** 모옌 · 심규호, 유소영 옮김 노벨 문학상 수상 작가
365 **마왕** 투르니에 · 이원복 옮김 공쿠르상 수상 작가
366 **맨스필드 파크** 오스틴 · 김영희 옮김
367 **이선 프롬** 이디스 워튼 · 김욱동 옮김 퓰리처상 수상 작가
368 **여름** 이디스 워튼 · 김욱동 옮김 퓰리처상 수상 작가
369·370·371 **나는 고백한다** 자우메 카브레 · 권가람 옮김
372·373·374 **태엽 감는 새 연대기** 무라카미 하루키 · 김난주 옮김
375·376 **대사들** 제임스 · 정소영 옮김
377 **족장의 가을** 마르케스 · 송병선 옮김 노벨 문학상 수상 작가
378 **핏빛 자오선** 매카시 · 김시현 옮김
379 **모두 다 예쁜 말들** 매카시 · 김시현 옮김
380 **국경을 넘어** 매카시 · 김시현 옮김
381 **평원의 도시들** 매카시 · 김시현 옮김
382 **만년** 다자이 오사무 · 유숙자 옮김
383 **반항하는 인간** 카뮈 · 김화영 옮김 노벨 문학상 수상 작가
384·385·386 **악령** 도스토옙스키 · 김연경 옮김
387 **태평양을 막는 제방** 뒤라스 · 윤진 옮김
388 **남아 있는 나날** 가즈오 이시구로 · 송은경 옮김
389 **앙리 브륄라르의 생애** 스탕달 · 원윤수 옮김
390 **찻집** 라오서 · 오수경 옮김
391 **태어나지 않은 아이를 위한 기도** 케르테스 · 이상동 옮김 노벨 문학상 수상 작가
392·393 **서머싯 몸 단편선** 서머싯 몸 · 황소연 옮김
394 **케이크와 맥주** 서머싯 몸 · 황소연 옮김

395 **월든** 소로 · 정회성 옮김
396 **모래 사나이** E. T. A. 호프만 · 신동화 옮김
397·398 **검은 책** 오르한 파묵 · 이난아 옮김 노벨 문학상 수상 작가
399 **방랑자들** 올가 토카르추크 · 최성은 옮김 노벨 문학상 수상 작가
400 **시여, 침을 뱉어라** 김수영 · 이영준 엮음
401·402 **환락의 집** 이디스 워튼 · 전승희 옮김
403 **달려라 메로스** 다자이 오사무 · 유숙자 옮김
404 **아버지와 자식** 투르게네프 · 연진희 옮김
405 **청부 살인자의 성모** 바예호 · 송병선 옮김
406 **세피아빛 초상** 아옌데 · 조영실 옮김
407·408·409·410 **사기 열전** 사마천 · 김원중 옮김 서울대 권장도서 100선
411 **이상 시 전집** 이상 · 권영민 책임 편집
412 **어둠 속의 사건** 발자크 · 이동렬 옮김
413 **태평천하** 채만식 · 권영민 책임 편집
414·415 **노스트로모** 콘래드 · 이미애 옮김
416·417 **제르미날** 졸라 · 강충권 옮김
418 **명인** 가와바타 야스나리 · 유숙자 옮김 노벨 문학상 수상 작가
419 **핀처 마틴** 골딩 · 백지민 옮김 노벨 문학상 수상 작가
420 **사라진 · 샤베르 대령** 발자크 · 선영아 옮김
421 **빅 서** 케루악 · 김재성 옮김
422 **코뿔소** 이오네스코 · 박형섭 옮김
423 **블랙박스** 오즈 · 윤성덕, 김영화 옮김
424·425 **고양이 눈** 애트우드 · 차은정 옮김
426·427 **도둑 신부** 애트우드 · 이은선 옮김
428 **슈니츨러 작품선** 슈니츨러 · 신동화 옮김
429·430 **세계의 끝과 하드보일드 원더랜드** 무라카미 하루키 · 김난주 옮김
431 **멜랑콜리아 I–II** 욘 포세 · 손화수 옮김 노벨 문학상 수상 작가
432 **도적들** 실러 · 홍성광 옮김
433 **예브게니 오네긴 · 대위의 딸** 푸시킨 · 최선 옮김
434·435 **초대받은 여자** 보부아르 · 강초롱 옮김
436·437 **미들마치** 엘리엇 · 이미애 옮김
438 **이반 일리치의 죽음** 톨스토이 · 김연경 옮김
439·440 **캔터베리 이야기** 제프리 초서 · 이동일, 이동춘 옮김

세계문학전집은 계속 간행됩니다.